Ian Rankin

De onmogelijke dood

Vertaald door Gertjan Cobelens

Uitgeverij Luitingh

Uitgeverij Luitingh en Drukkerij HooibergHaasbeek vinden het belangrijk om op
milieuvriendelijke en verantwoorde wijze met natuurlijke bronnen om te gaan.

© 2012 Nederlandse vertaling Uitgeverij Luitingh ~ Sijthoff B.V., Amsterdam
Alle rechten voorbehouden
Oorspronkelijke titel: *The Impossible Dead*
Vertaling: Gertjan Cobelens
Omslagontwerp: Peter te Bos / Twizter.nl
Omslagfotografie: Clint Hughes / Trevillion Images Ltd.

ISBN 978 90 245 4257 4
NUR 305

www.boekenwereld.com
www.uitgeverijluitingh.nl
www.watleesjij.nu

Ter nagedachtenis aan David Thompson

EEN

I

'Hij is er niet,' zei de dienstdoende agent achter de balie.

'Waar hangt-ie uit dan?'

'Weggeroepen voor een melding.'

Fox keek de man doordringend aan, in de wetenschap dat het geen barst uit zou maken. De agent was een van die ouwe rotten die het allemaal al eens had meegemaakt en er doorgaans wel raad mee had geweten. Fox' ogen gleden naar de tweede naam op de lijst.

'Haldane?'

'Met ziekteverlof.'

'Michaelson?'

'Die zit op dezelfde zaak als inspecteur Scholes.'

Tony Kaye stond pal achter Fox' linkerschouder. Vlak voordat de woorden diens mond verlaten hadden, wist Fox al wat zijn collega zou zeggen.

'We worden hier zwaar in de zeik genomen.'

Fox draaide zich om en wierp Kaye een blik toe. Het nieuws zou zich nu als een lopend vuurtje door het bureau verspreiden: gelukt. Interne Zaken is op oorlogspad, er had niemand thuis gegeven en IZ was afgedropen. De agent achter de balie verplaatste zijn gewicht van zijn ene voet naar zijn andere en deed zijn best niet al te ingenomen te lijken met het verloop van de gebeurtenissen.

Fox monsterde zijn omgeving. De berichtjes op het prikbord waren de gebruikelijke mededelingen. Het was een modern politiebureau, wat betekende dat het net zo goed de wachtkamer van een huisarts of een bijstandskantoor kon zijn, zolang je het bordje negeerde dat aangaf dat de alarmstatus van LAAG naar GEMATIGD was opgeschroefd. Niet dat dat iets met Fox en zijn mannen te maken had; er waren berichten binnengekomen van een ontploffing ergens in de bossen bij Lockerbie. Jongelui waarschijnlijk, en een heel eind bij Kirkcaldy vandaan. Evenzogoed waren alle politiebureaus in de regio op de hoogte gebracht.

Naast de bel op de balie was een handgeschreven mededeling bevestigd met HIER BELLEN A.U.B. – precies wat Fox drie, vier minuten eerder gedaan had. Naast de balie bevond zich een doorkijkspiegel waardoor de brigadier van dienst de drie bezoekers – inspecteur Malcolm Fox, brigadier Tony Kaye en agent Joe Naysmith – vrijwel zeker had zien binnenkomen. Het bureau was van hun komst op de hoogte gebracht. Afspraken waren gemaakt voor een persoonlijk onderhoud met inspecteur Scholes en de brigadiers Haldane en Michaelson.

'Dachten jullie nou echt dat jullie de eersten zijn die zo'n stunt uithalen?' vroeg Kaye aan de brigadier achter de balie. 'Misschien moesten we onze verhoren maar met jou beginnen.'

Fox bladerde naar het tweede vel in zijn map. 'Hoe zit het met je baas, commissaris Pitkethly?'

'Is er nog niet.'

Met enig vertoon bestudeerde Kaye zijn horloge.

'Vergadering op het hoofdbureau,' verduidelijkte hij. Aan Fox' rechterzijde leek Joe Naysmith vooral belangstelling aan de dag te leggen voor de folders op de balie. Dat sprak Fox wel aan: het straalde vertrouwen uit, het vertrouwen dat die agenten hoe dan ook verhoord zouden worden, dat ze bij Interne Zaken met alle soorten vertragingstactieken bekend waren.

'Interne Zaken' – de benaming was alweer achterhaald, hoewel Fox en zijn team het niet konden nalaten de term, in elk geval onder elkaar, te bezigen. Tot voor kort had de officiële benaming 'Interne Zaken en Ongepast Gedrag' geluid. Nu werden ze geacht de afdeling Normen Beroepsuitoefening te zijn. En volgend jaar zou het wel weer iets anders zijn: de naam Normen en Waarden was nog even ter sprake gekomen, maar daar was niemand voor geporteerd geweest. Ze waren Interne Zaken, de agenten die andere agenten onder de loep namen. En daarom waren die andere agenten nooit bijster enthousiast om ze te zien.

En zelden bereid hun volle medewerking te verlenen.

'Het hoofdbureau? Glenrothes bedoel je?'

'Klopt.'

'Hoe lang is dat rijden? Minuut of twintig?'

'Als je niet verdwaalt, tenminste.'

De telefoon op het bureau achter de brigadier ging over. 'Jullie kunnen altijd nog wachten,' zei hij alvorens hij zich omdraaide om de telefoon op te nemen en, met zijn rug naar Fox gekeerd, op gedempte toon begon te praten.

Joe Naysmith had een folder in zijn hand over veiligheid in en om het huis. Hij liet zich op een van de stoelen bij het raam ploffen en begon te lezen. Fox en Kaye wisselden een blik.

'Wat denk jij?' vroeg Kaye ten slotte. 'Daarbuiten ligt een hele stad, we kunnen op stap gaan...'

Kirkcaldy. Een kuststadje in Fife. Kaye had ze er in zijn auto heen gereden. Veertig minuten vanaf Edinburgh, waarvan het grootste deel op de buitenste rijstrook. Toen ze de Forth Roadbrug achter zich hadden gelaten, was het gesprek op de lange file gekomen op de rijbanen in de tegenovergestelde richting, op weg naar de hoofdstad aan het begin van alweer een werkdag.

'Dat komt maar hierheen en jat onze banen,' had Kaye al toeterend en wuivend naar de filerijders gekscherend opgemerkt. Naysmith was degene die de plaatselijke feitjes paraat had.

'Linoleum,' had hij gezegd. 'Dat was waar Kirkcaldy ooit beroemd om was. En Adam Smith.'

'Voor welke club kwam die ook weer uit?' had Kaye gevraagd.

'Dat was een econoom.'

'En Gordon Brown?'

'Kirkcaldy,' had Naysmith langzaam knikkend herhaald.

En nu, in de wachtruimte van het politiebureau, stond Fox zijn opties te overwegen. Ze konden blijven zitten, wachten en de pest in krijgen. Of hij kon zijn baas in Edinburgh bellen om zich te beklagen over de onwillige opstelling van de mensen hier. Dan zou zijn baas het met het hoofdbureau van Fife opnemen en zou er eindelijk schot in de zaak komen – maar dat stond zo ongeveer gelijk aan naar je papa rennen als een hulpeloos jochie om te zeggen dat de grote knullen gemeen deden.

Of...

Fox keek opnieuw naar Kaye. Die glimlachte en tikte met de rug van zijn hand tegen Naysmith' folder. 'Haal je tropenhelm maar tevoorschijn, jongeheer Joe,' zei hij. 'We gaan de rimboe in.'

Ze parkeerden hun auto op de strandpromenade en keken een ogenblik uit over de Firth of Forth richting Edinburgh.

'Zo te zien schijnt daarginds de zon,' klaagde Kaye terwijl hij zijn jas dichtknoopte. 'Had je nu maar wat warmers aangetrokken dan die jekker van je, hè?'

Joe Naysmith was inmiddels gewend aan het commentaar op zijn laatste designeraanschaf, maar trok toch maar zijn kraag hoog op. Boven de Noordzee gierde een onstuimige wind. De zee was ruw en de plassen op de promenade vormden evenzovele aanwijzingen dat het getij er niet voor terugdeinsde over de waterkering te klotsen. De meeuwen boven hun hoofden leken alle zeilen bij te moeten zetten om in de lucht te blijven. Iets klopte niet aan hoe de kuststrook was ingericht: er was vrijwel geen gebruik van gemaakt. De gebouwen stonden veelal met de rug naar het uitzicht, de gevels gericht naar het centrum van de stad. Dit was Fox al eerder opgevallen. Overal in Schotland, van Fort William tot Dundee, hadden de stadsplanologen de neiging het bestaan van de kustlijn te ontkennen. Dat had hij nooit begrepen, maar hij betwijfelde of Kaye en Naysmith er licht op konden werpen.

Joe Naysmith had een strandwandeling geopperd, maar Tony Kaye was al op weg naar een van de omhoogkronkelende steegjes die naar de winkels en cafés van Kirkcaldy leidden, terwijl hij het aan Naysmith overliet om vijfentachtig pence voor de parkeermeter op te diepen. In de smalle, centrale winkelstraat werden wegwerkzaamheden uitgevoerd. Kaye stak over en zette zijn beklimming voort.

'Waar gaat hij nou helemaal heen?' klaagde Naysmith.

'Tony heeft nu eenmaal een neus voor die dingen,' verklaarde Fox. 'Die gaat echt niet het eerste het beste café in.'

Kaye stopte bij de ingang, en toen hij zeker wist dat ze hem gezien hadden stapte hij naar binnen. Pancake Place was licht, luchtig, ruim en niet al te druk. Ze gingen aan een tafeltje in de hoek zitten en deden hun best er als vaste klanten uit te zien. Fox had zich vaak afgevraagd of het klopte dat agenten zich overal ter wereld zo'n beetje hetzelfde gedroegen. Hij zat bij voorkeur aan een hoektafel, waar hij goed zicht had op alles wat er om hem heen gebeurde, of zou kunnen gebeuren. Naysmith had dat inzicht nog niet verworven en ging doodgemoedereerd met zijn rug naar de deur zitten. Fox wrong zich naast Kaye, monsterde zijn omgeving en zag uitsluitend vrouwen die, verdiept in hun eigen gesprekken, geen belangstelling hadden voor de drie nieuwkomers. Zwijgend bestudeerden ze de menu's, plaatsten hun bestelling en wachtten een paar minuten totdat de serveerster met een dienblad terugkeerde.

'Die scone ziet er niet verkeerd uit,' merkte Naysmith op terwijl hij met zijn mes over een klont magere boter schraapte.

Fox had zijn map meegebracht. 'Maak het je nou niet te gerieflijk,' zei hij, en hij deponeerde de inhoud op tafel. 'Terwijl de thee afkoelt kunnen jullie mooi je geheugen opfrissen.'

'Wil je dat er heus op wagen?' vroeg Tony Kaye.

'Hoezo, wagen?'

'Dat er botervlekken op de omslag komen. Maakt niet echt een professionele indruk als we straks de verhoren doen.'

'Ik ben in een roekeloze bui vandaag,' pareerde Fox. 'Ik waag het erop...'

Onder begeleiding van een zucht van Kaye begonnen de drie mannen te lezen.

Paul Carter was de reden dat ze naar Fife waren gekomen. Carter had de rang van rechercheassistent en was al vijftien jaar bij de politie. Hij was achtendertig en kwam uit een familie van dienders – zowel zijn vader als oom had bij het korps van Fife gediend. Het was de oom geweest, Alan Carter, die de oorspronkelijke klacht tegen zijn neef had ingediend. Het betrof een drugsverslaafde, het afdwingen van seksuele gunsten en het negeren van strafbare feiten. Twee andere vrouwen hadden zich gemeld met de aantijging dat Paul Carter ze wegens openbare dronkenschap had gearresteerd, maar had aangeboden de aanklacht in te trekken als ze zich 'inschikkelijk' zouden opstellen.

'"Inschikkelijk"? Is dat nou een woord dat iemand ooit echt gebruikt?' sputterde Kaye toen hij ergens halverwege een pagina was.

'Rechtbanken en kranten,' antwoordde Naysmith, die de kruimels van zijn exemplaar veegde.

Malcolm had een paar van die krantenverslagen voor zich liggen. Met foto's van Paul Carter die de rechtbank uit liep na een dag van getuigenverhoren. Bloempotkapsel, zijn gezicht pokdalig en ontsierd door puistjes. Doodleuk in de camera blikkend.

Vier dagen terug was hij schuldig verklaard, met als begeleidend commentaar van de rechter dat de naaste collega's van rechercheassistent Carter de indruk hadden gewekt 'ofwel moedwillig dom of moedwillig medeplichtig' te zijn geweest. Wat wilde zeggen dat ze al jaren geweten hadden dat Carter niet deugde, maar ervoor gekozen hadden hem te beschermen, voor hem te liegen, misschien zelfs getuigenverklaringen te vervalsen en getuigen onder druk te zetten om hun mond te houden.

Wat voor Interne Zaken al met al voldoende reden was geweest om op volle sterkte uit te rukken. Het korps van Fife zocht uitsluitsel, en om het publiek (en belangrijker nog, de pers) gerust te stellen hadden ze een naburig korps gevraagd het onderzoek voor zijn rekening te nemen. Fox had een exemplaar ontvangen van de officiële Sanctieprotocollen en de Afwegingsmodellen Schorsingen en Sancties van het korps van Fife, tezamen met een geschreven rapport van de korpschef waarin werd uiteengezet waarom de drie verdachte agenten nog steeds aan het werk waren: dat hiermee 'de belangen van het korps het best gediend worden'.

Fox nam een slokje thee en liet zijn ogen over een andere pagina met aantekeningen glijden. Vrijwel elke zin was onderstreept of met een stift gemarkeerd. De kantlijnen waren volgekrabbeld met zijn eigen vragen, bedenkingen, kanttekeningen en uitroeptekens. Het dossier zat zo diep in zijn geheugen gegrift dat hij er hier midden in het café uit zijn hoofd uit had kunnen voordragen. Misschien dat de mensen er toch al over zaten te roddelen. In een stadje van deze omvang zou er vast al partij gekozen zijn, hadden ze zich inmiddels een onwrikbare mening gevormd. Carter was een smeerlap, een gore slijmbal, een gevaarlijk roofdier. Of hij was erin geluisd door een of andere aftandse junkie en een tweetal goedkope snollen. Wat school er nou helemaal voor kwaad in wat-ie gedaan had? En wat had-ie nou eigenlijk helemaal gedaan?

Niet veel, buiten dat hij een smet op het blazoen van het korps had geworpen.

'Ergens doet hij me aan Colin Balfour denken,' zei Tony Kaye. 'Weet je nog wel?'

Fox knikte. Een diender uit Edinburgh die er een handje van had gehad de cellen van de vrouwen te bezoeken die een nachtje werden vastgehouden. De zaak tegen hem was op niets uitgelopen, maar na een intern onderzoek was hij er evenzogoed uit gevlogen.

'Opmerkelijk dat de zaak door de oom aanhangig is gemaakt,' merkte Naysmith op, waarmee hij hun aandacht weer op de onderhavige zaak vestigde.

'Maar pas nadat hij met pensioen was gegaan,' voegde Fox eraan toe.

'Maar toch... Dat zal in de familie tot de nodige commotie hebben geleid.'

'Misschien dat ze het al eerder met elkaar aan de stok hebben gehad,' opperde Kaye. 'Oud zeer en zo.'

'Zou kunnen,' beaamde Naysmith.

Kaye sloeg met zijn vlakke hand op het dossier dat voor hem lag. 'Dus wat schieten we hier eigenlijk mee op? Hoeveel dagen moeten we nog op en neer karren?'

'Zo vaak als nodig is. Misschien niet langer dan een week of twee.'

Kaye sloeg zijn ogen ten hemel. 'Alleen maar zodat het korps hier kan zeggen dat ze maar één rotte appel hebben in plaats van een complete ciderfabriek?'

'Maken ze cider in een fabriek dan?' vroeg Naysmith.

'Waar zouden ze het anders moeten maken?'

Fox hield zich erbuiten. Hij was weer met zijn gedachten bij de hoofdrolspeler, bij Paul Carter. Zelfs al was hij beschikbaar, dan nog had het geen zin de man te verhoren. Hij was al veroordeeld, zat in hechtenis in afwachting van de strafmaat. De rechter was nog aan het 'delibereren'. Fox ging ervan uit dat Carter naar de gevangenis zou verdwijnen. Voor een paar jaar, plus misschien nog een officiële vermelding in het register van zedendelinquenten. Die zat nu vrijwel zeker met zijn advocaten de beroepsmogelijkheden te bespreken.

Ja, met zijn advocaten zou hij vast wel praten, maar met Interne Zaken, mooi niet. Met het verlinken van zijn collega's, degenen die hem door dik en dun hadden gesteund, had hij niks te winnen. Fox kon hem niet eens een deal in het vooruitzicht stellen. Het beste waar hij op kon hopen was dat hij zijn mond voorbij zou praten. Als hij die al opendeed.

Wat hij toch niet zou doen.

Fox betwijfelde of er überhaupt iemand bereid was te praten. Of nou ja, praten misschien wel, maar iets zeggen wat de moeite van het aanhoren waard was, nee. Ze hadden lang genoeg geweten dat deze dag eraan zat te komen. Scholes, Haldane, Michaelson. De rechter had ze speciaal genoemd vanwege hun tegenstrijdige of verwarde verklaringen, de manier waarop ze de zaak vertroebeld hadden, de lacunes in hun geheugen. Hun directe chef bij de recherche, hoofdinspecteur Laird, was niet onder vuur komen te liggen, en dat gold tevens voor rechercheassistent Forrester.

'Forrester is degene met wie we moeten praten,' zei Kaye plotseling, zijn discussie met Naysmith abrupt afbrekend.

'Hoezo?'

'Omdat de voornaam Cheryl is. Mijn jarenlange ervaring fluistert me in dat dit wel eens een vrouw kan zijn.'

'En?'

'En als een van haar collega's een viezerik is die zijn handen niet kan thuishouden, dan heeft ze daar vast lucht van gekregen. Met allemaal kerels om haar heen die gelijk de ophaalbruggen optrekken zodra de geruchten losbarsten... Die moet iets weten.' Kaye kwam overeind. 'Doen we er nog eentje?'

'Laat ik eerst even bellen.' Fox pakte zijn mobieltje en vond het nummer van het bureau. 'Misschien is Scholes alweer terug van zijn uitstapje.' Hij toetste het nummer in en wachtte, terwijl Kaye met een vinger tegen Naysmith' achterhoofd tikte en zijn diensten als kapper aanbood.

'Hallo?' Het was een vrouwenstem.

'Inspecteur Scholes, alstublieft.'

'En wie mag ik zeggen dat het is?'

Fox keek om zich heen in het café. 'Ik ben van Pancake Place. Hij was hier eerder vandaag en we denken dat hij iets heeft laten liggen.'

'Een ogenblik alstublieft, dan verbind ik u door.'

'Bedankt.' Fox beëindigde het gesprek en schoof de papierstapels bij elkaar.

'Handig aangepakt,' zei Tony Kaye. Toen, tegen Naysmith: 'Trek je jekker maar weer aan, Joe. We gaan ze het vuur na aan de schenen leggen...'

2

Inspecteur Ray Scholes streek zijn hand door zijn korte, zwarte haar. Hij zat in de enige verhoorruimte van het bureau. Fox had hem elke plek aangeboden die Scholes gewild had, zolang er maar een tafel en vier stoelen waren.

'En een stopcontact,' had Naysmith eraan toegevoegd. Het stopcontact was voor de adapter. Naysmith had de videocamera opgesteld en was nu bijna klaar met het installeren van de geluidsrecorder. Op tafel stonden twee microfoons, eentje voor Scholes, de tweede tussen Fox en Tony Kaye in. Kaye hield zijn armen over elkaar geslagen, de wenkbrauwen gefronst. Hij had Scholes al duidelijk gemaakt hoezeer ze van zijn briljante 'list' genoten hadden.

'Ik zou een belangrijke politiezaak anders geen "list" willen noemen,' had Scholes teruggekaatst. 'Aan de andere kant valt dit hier bijna zeker onder de noemer tijdsverspilling.'

'Bijna, dus niet helemaal?' had Fox geantwoord terwijl hij de papierstapel schikte.

'Klaar,' liet Naysmith hun nu weten.

'Ben je zover?' vroeg Fox aan Scholes.

Scholes knikte terwijl zijn telefoon overging. Hij nam op met 'Ray Scholes, volksvijand nummer een'. Klaarblijkelijk zijn vriendin die hem vroeg wat voor het avondeten mee te brengen. Die wist kennelijk van Interne Zaken.

'Zeker, die zijn er,' sprak hij lijzig, de ogen strak op Fox gericht. Fox trok zijn vinger over zijn hals, maar Scholes maakte geen haast. Toen het gesprek eindelijk voorbij was, vroeg Fox hem zijn mobieltje uit te zetten. Scholes schudde zijn hoofd.

'Je weet maar nooit wanneer er echt wat belangrijks loos is.'

'Hoe lang voordat-ie weer overgaat?' vroeg Fox. 'En wordt het steeds je vriendin of heb je die taak onder je vrienden verdeeld?' Fox blikte naar Tony Kaye. 'Wat is het gebruikelijke stramien – vijf of tien minuten?'

'Tien,' antwoordde Kaye gedecideerd.

Fox richtte zich weer tot Ray Scholes. 'Ik betwijfel of je met iets op de proppen kunt komen wat niet al honderd keer geprobeerd is. Dus zet die telefoon nou maar gewoon uit.'

Terwijl Scholes aan het verzoek gehoor gaf perste hij er een glimlach uit die door Fox met een hoofdknikje beantwoord werd.

'Was Carter naar jouw mening een goede diender?'

'Dat is-ie nog steeds.'

'We weten allebei dat hij niet terugkomt.'

'Waarom hebben jullie zo'n hekel aan dienders?'

Fox keek de man aan de andere kant van de tafel strak aan. Scholes was midden dertig, maar zag er jonger uit. Een gezicht met sproeten en melkblauwe ogen. Fox schoot een vreemd beeld te binnen: een grote zak knikkers die hij als jongen gehad had. Zijn favoriet was een bleekblauw exemplaar geweest, met smetjes die alleen zichtbaar waren wanneer je erdoorheen keek, hem langzaam tussen je vingers liet rollen...

'Dat is nog eens een originele vraag,' antwoordde Tony Kaye. 'Die wordt ons hooguit een keer of twintig, dertig in de maand gesteld.'

'Ik snap gewoon niet waarom jullie iedereen willen straffen die ooit met Paul heeft samengewerkt.'

'Niet iedereen,' verbeterde Fox hem. 'Alleen de mensen die door de rechter genoemd zijn.'

Scholes snoof schamper. 'Noem je dat een rechter? Je kunt het bij iedereen hier op het bureau navragen. Colin Cardonald, die is er alleen maar op uit om je te grazen te nemen. Als je de zaken neemt waarin hij alles uit de kast heeft getrokken om een verdachte onderuit te halen...'

'Dat soort lui heb je er altijd tussen,' gaf Kaye toe.

'Was er iets van oud zeer tussen rechter Cardonald en recherche-assistent Carter?' vroeg Fox.

'Wel iets, ja.'

'En tussen de rechter en jou?' Fox wachtte, maar er volgde geen antwoord. 'Wil je beweren dat rechter Cardonald die namen alleen maar genoemd heeft omdat hij een rekening te vereffenen had?'

'Geen commentaar.'

'Die klacht tegen Paul Carter is een klein jaar geleden ingediend, niet? Zijn eigen oom beweerde dat Carter had toegegeven dat hij misbruik heeft gemaakt van een vrouw. Die aantijging is onderzocht...' Met enig vertoon bestudeerde Fox de betreffende pagina in zijn aantekeningen.

'En op niets uitgelopen,' stelde Scholes vast.

'Niet in eerste instantie, nee. Niet totdat Teresa Collins besloot dat ze er genoeg van had...' Fox zweeg even. 'Kende je Carters oom?'

'Die was een diender.'

'Dat kan ik dus als een "ja" opvatten. Waarom denk je dat hij gezegd heeft wat hij gezegd heeft?'

Scholes haalde zijn schouders op.

'Ook al een rekening te vereffenen? En de drie vrouwen – die van de oorspronkelijke klacht plus de twee die zich later hebben gemeld – was dat ook allemaal oud zeer? Dat is een hele berg oud zeer die zich tegen je vriend, de "goede diender" Paul Carter, opstapelt.' Fox leunde achterover in zijn stoel en deed alsof hij geboeid was door een passage in de tekst. De krantenknipsels lagen breeduit over het bureau uitgespreid. Kaye en Naysmith wisten dat het nuttig kon zijn een stilte te laten vallen en dat wanneer Fox achteroverleunde dit niet betekende dat hij door zijn vragen heen was. Naysmith controleerde de apparatuur; Kaye onderwierp zijn horloge aan een nadere inspectie.

'Hebben we het voorafje nu achter de rug?' vroeg Scholes uiteindelijk. 'Kunnen we nu verder met het hoofdgerecht?'

'Het hoofdgerecht?'

'Waar jullie proberen om mij er samen met Paul uit te laten vliegen. Waar jullie beweren dat ik in de rechtbank gelogen heb, dat ik geprobeerd heb de getuigen af te schrikken...'

'Teresa Collins heeft verklaard dat jij bij Carter in de auto zat toen hij naast haar stopte om haar te zeggen dat hij later die dag bij haar langs zou komen om een nummertje te maken.'

'Dat klopt niet.'

'Toen ze haar klacht indiende, heb jij haar gebeld om haar over te halen die weer in te trekken.'

'Nee.'

'Jouw nummer staat anders in haar mobieltje. Compleet met datum, tijdstip en hoe lang het gesprek geduurd heeft.'

'Zoals ik op de rechtbank al gezegd heb, was dat een vergissing. Hoe lang heeft dat belletje geduurd?'

'Achttien seconden.'

'Precies. Zodra ik doorhad wie ik aan de lijn had, heb ik opgehangen.'

'Hoe kan het dat je haar nummer had?'

'Dat stond ergens op een papiertje dat op een van de bureaus slingerde.'

'Je was nieuwsgierig, dus besloot je dat raadselachtige nummer te bellen?'

'Precies.'

Tony Kaye schudde langzaam met zijn hoofd teneinde zijn ongeloof kenbaar te maken.

'Dus je ontkent dat je haar' – Fox tuurde weer in zijn aantekeningen – 'gezegd hebt dat ze zich er godverdomme buiten moest houden?'

'Ja.'

'Ging je ook buiten werktijd met Carter om?'

'Af en toe een pilsje.'

'En clubs... nu en dan een dagje stappen in Edinburgh en Glasgow.'

'Dat is geen geheim.'

'Inderdaad. Dat is tijdens de rechtszaak wel gebleken.'

Scholes snoof schamper. 'Dienders trekken graag met elkaar op en drinken wel eens wat samen. Nou, dat mag wel in de krant, ja.'

'Carter was een rechercheassistent, jij een inspecteur.'

'Nou en?'

'Hij heeft nooit promotie gemaakt. De laagste rang bij de recherche, en hij zat net zo lang bij de politie als jij.'

'Niet iedereen hoeft zo nodig promotie te maken.'

'Niet iedereen verdient het ook,' stelde Fox vast. 'Hoe zat dat bij Carter?'

Scholes opende zijn mond om antwoord te geven toen de deur van de verhoorruimte openging. Een geüniformeerde vrouw stond in de deuropening.

'Sorry dat ik jullie even lastigval,' zei ze, met een blik die verried dat het haar helemaal niet speet. 'Maar ik dacht, laat ik me even komen voorstellen.' Ze zag dat Naysmith de opnameapparatuur uitschakelde. Bij het bureau aangekomen stelde ze zich voor als commissaris Isabel Pitkethly. Met enige tegenzin kwam Fox overeind en stak zijn hand uit.

'Inspecteur Malcolm Fox,' verklaarde hij.

'Alles goed?' Pitkethly keek om zich heen in de kamer. 'Hebben jullie nog iets nodig?'

'We redden ons prima.'

Ze was een kleine dertig centimeter korter dan Fox, maar grofweg van dezelfde leeftijd – begin veertig. Met bruin haar tot op haar kraag en blauwe ogen die glinsterden achter haar bril. Ze droeg de standaard witte uniformblouse met epauletten op de schouders. Een donkere rok die tot net boven de knie viel.

'Gedraagt Ray zich een beetje?' Ze produceerde een zenuwachtig lachje. Fox kon zien dat de afgelopen weken hun sporen hadden nagelaten. Ze zag zichzelf waarschijnlijk als een kapitein die haar schip altijd goed aan kant heeft, maar nu was dat van binnenuit gaan rotten.

'We zijn nog maar net begonnen,' zei Tony, die niet eens een poging deed zijn wrevel te verhullen.

'Grappig, ik dacht dat we al aan het toetje toe waren,' debiteerde Scholes.

'Het punt is dat inspecteur Scholes over vijf minuten bij een andere vergadering verwacht wordt,' zei Pitkethly. 'De officier van justitie zit midden in de voorbereiding van een zaak...'

Scholes liet er geen gras over groeien en kwam onmiddellijk overeind. 'Heren, het was me een genoegen.'

'Wanneer kunnen we hem weer te spreken krijgen?' vroeg Fox aan Pitkethly.

'Waarschijnlijk ergens halverwege de middag.'

'Tenzij de officier andere plannen heeft.' Scholes zette zijn mobieltje aan en controleerde of er iets was ingesproken.

'Een paar telefoontjes gemist?'

Scholes keek Fox glimlachend aan. 'Hoe raad je het zo.'

Pitkethly leek zich hetzelfde af te vragen. 'Kan ik je even in mijn kantoor spreken, Fox?'

'Dat wilde ik zelf ook net voorstellen,' antwoordde Fox.

Een minuut later waren Kaye en Naysmith alleen in de verhoorruimte.

'Zal ik de boel inpakken?' vroeg Naysmith, met zijn hand nog op het statief.

'Beter van wel. Je weet maar nooit of die Scholes en zijn ploeg hier terugkomen en alles met hun pik bezwaffelen...'

'Ga zitten,' gelastte Pitkethly vanachter haar bureau. Fox bleef staan. Het bureau was leeg. Er was een tweede bureau in een rechte hoek tegenaan geschoven, met daarop een computer en een volgestouwd in-bakje. Het raam bood uitzicht op het parkeerterrein. In de vensterbank geen spoor van snuisterijen, geen foto's van dierbaren. De wanden waren kaal, afgezien van een VERBODEN TE ROKEN-bordje en een jaarplanner.

'Werkt u hier al lang?' vroeg Fox.

'Een paar maanden.'

'En daarvoor?'

Hij zag dat ze gepikeerd was: hoe kon het dat hij opeens degene was die de vragen stelde? Maar de beleefdheid vereiste dat ze antwoord gaf.

'Op Glenrothes.'

'Het hoofdbureau?'

'Zou het niet sneller gaan als je dat in mijn dossier nasloeg?'

Fox hief beide handen in een verontschuldigend gebaar, en toen ze naar de stoel knikte, besloot hij niet een tweede keer te weigeren.

'Sorry dat ik er vanochtend niet was,' begon ze. 'Ik had gehoopt dit gesprek achter de rug te hebben voordat je aan de slag ging.' Het klonk als een ingestudeerde speech, wat het ook was. Pitkethly had waarschijnlijk vrienden op het hoofdbureau en was naar Glenrothes getogen om advies in te winnen over hoe ze Interne Zaken het beste aan kon pakken. Fox had het prevelementje zo voor haar kunnen uitschrijven. Bij de meeste zaken was er altijd wel iemand hogerop in de hiërarchie die hem in zijn kantoor ontbood om een soortgelijke preek af te steken.

Dit is een prima ploeg hier.

We hebben belangrijk werk te doen.

Niemand is er bij gebaat dat agenten van hun werk gehouden worden.

Natuurlijk willen we niets onder het tapijt vegen.

Maar je moet toch ook beseffen dat...

'Dus als je belangrijke zaken eerst met mij wilt overleggen...' Het gezicht van Pitkethly liep enigszins rood aan. Fox bedacht hoe extatisch ze geweest moest zijn toen ze haar promotie had gekregen, haar eigen bureau onder haar eigen beheer. En nu dit.

Ze hadden haar voorgekauwd wat ze zeggen moest, maar ze had geen tijd gehad het verhaal te repeteren. Haar stem stierf weg en ze begon haar keel te schrapen, wat bijna in een hoestbui ontaardde. In Fox' ogen maakte dit vertoon van onbeholpenheid haar er alleen maar sympathieker op. Het drong tot hem door dat ze het hoofdbureau misschien wel helemaal niet om een gunst gevraagd had, maar dat ze simpelweg ontboden was.

Dit is wat je tegen hem zegt om hem een beetje onder druk te zetten, hoofdinspecteur...

'Zal ik even wat te drinken halen?' vroeg hij. 'Een glaasje water?' Maar ze wuifde zijn aanbod weg. Hij boog licht voorover in zijn stoel. 'Voor wat het waard is,' zei hij, 'we zullen ons best doen discreet te zijn. En snel. Wat niet betekent dat we ons met half werk tevredenstellen – ik beloof u dat we grondig te werk zullen gaan. En we mogen u vooraf geen hints of waarschuwingen geven. Ons rapport gaat rechtstreeks naar uw superieur. Die moet dan maar uitmaken welke stappen hij onderneemt.'

Ze kwam tot bedaren en knikte, haar ogen strak op de zijne gericht.

'We zijn hier niet om u problemen te bezorgen,' ging hij verder. Ook dit was een speech die hij al vele keren afgestoken had, veelal in ruimtes precies als deze. 'We willen alleen maar de waarheid. We willen ons er alleen maar van vergewissen dat de juiste paden bewandeld zijn, dat niemand hier het idee krijgt boven de wet te staan. Als hier ergens een ruimte is die we als uitvalsbasis kunnen gebruiken, is dat mooi meegenomen. Maar wel iets wat we kunnen afsluiten, en waarvan ik alle sleutels krijg. Ik hoop u snel weer met rust te kunnen laten. Ik schat een week.'

Het 'of twee' besloot hij maar in te slikken.

'Een week,' galmde ze. Het was hem niet duidelijk of ze dit als goed of als slecht nieuws opvatte.

'Vanochtend hoorde ik dat brigadier Haldane met ziekteverlof is...'

'Griep,' bevestigde ze.

'Of het nu griep, verlammingsverschijnselen of de pest is, we moeten hem horen.'

Ze knikte opnieuw. 'Dat zal ik hem laten weten.'

'En wat plaatselijke wetenswaardigheden zouden ook wel van pas komen: waar we een behoorlijk broodje of lunch kunnen krijgen, dat soort zaken. Maar niet ergens waar uw agenten ook komen.'

'Ik zal erover nadenken.' Ze kwam overeind ten teken dat het gesprek voorbij was. Fox bleef zitten.

'Heeft u nooit uw vermoedens gehad over Carter?'

Het duurde even voordat ze besloot te antwoorden. Uiteindelijk schudde ze haar hoofd.

'Niet een van de vrouwen hier...?' drong hij aan.

'Hoe bedoel je?'

'Roddels bij de toiletten... waarschuwingen dat hij zijn handen niet thuis kon houden...'

'Niets,' verklaarde ze.

'Zelfs nooit getwijfeld?'

'Nooit,' zei ze gedecideerd terwijl ze naar de deur liep en die voor hem openhield. Fox deed rustig aan en schonk haar in het voorbijgaan een glimlach. Kaye en Naysmith stonden aan het eind van de gang op hem te wachten.

'En?' vroeg Kaye.

'Zo ongeveer wat ik verwacht had.'

'Misschien hangt Michaelson hier ergens rond. Zullen we met hem verdergaan?'

Fox schudde zijn hoofd. 'Laten we teruggaan naar het centrum, ergens een hapje eten, een stukje rondrijden.'

'Gewoon om de stad een beetje te leren kennen,' veronderstelde Kaye.

'Gewoon om de stad een beetje te leren kennen,' bevestigde Fox.

3

Kirkcaldy kon bogen op een station, een voetbalclub, een museum, een galerie en een hogeschool die naar Adam Smith was vernoemd. Er waren straten met grote, welvarend ogende victoriaanse woonhuizen, waarvan een deel tot kantoor of bedrijf was omgebouwd. Verderop lagen nieuwbouwprojecten met gesubsidieerde koopwoningen, sommige zo recent dat nog niet alle percelen verkocht waren. Dan nog een paar parken, op zijn minst twee middelbare scholen en wat flats uit de jaren zestig. Het dialect was zowaar verstaanbaar en het winkelend publiek hield voor bakkerijen en kiosken stil om met elkaar een praatje te maken.

'Ik zit hier half weg te dutten,' merkte Kaye op zeker moment op. Hij zat op de passagiersstoel van zijn eigen auto, met Joe Naysmith achter het stuur en Fox op de achterbank. Lunch had bestaan uit belegde broodjes en zakjes chips. Fox had hun baas in Edinburgh gebeld om zijn eerste bevindingen door te geven. Het gesprek had niet langer dan drie minuten in beslag genomen.

'En?' vroeg Kaye, die zich op zijn stoel had omgedraaid om Fox aan te kijken.

'Het heeft wel wat,' antwoordde Fox terwijl hij het langszoevende uitzicht bekeek.

'Zal ik jou eens vertellen wat ik zie, Foxy? Ik zie mensen die op dit uur van de dag op hun werk horen te zitten. Uitvreters en uitkeringstrekkers, oudjes die al met één been in het graf staan, dakloze zuiplappen, schorriemorrie.'

Joe Naysmith begon de melodie van 'What a wonderful world' te neuriën.

'Elke auto die we tegenkomen,' ging Kaye onverstoorbaar verder, 'wordt door een drugsdealer bestuurd of door iemand die de kar gejat heeft. De stoepen moeten hoognodig schoongespoten worden, net als de halve jeugd hier. Maar meer hoef je ook niet te weten over een stad waar de grootste zaak "Rejects" heet.' Hij laste een pauze in voor het dramatische effect. 'En dan durf je mij te vertellen dat het wel wat hééft?'

'Je ziet wat je wilt zien, Tony, en dan gaat je verbeelding met je op de loop.'

Kaye wendde zich tot Naysmith. 'En jij... jij was nog niet eens geboren toen dat nummer uitkwam, dus hou jij nou maar gewoon je kop.'

'Mijn moeder had het op een lp. Of, nou ja, op cassette. Of was het een cd?'

Kaye keek Fox weer aan. 'Kunnen we nu alsjeblieft teruggaan, vragen wat we te vragen hebben, de antwoorden slikken die ze ons opdissen en dan als de wiedeweerga maken dat we hier wegkomen?'

'Wanneer kwamen de eerste cd's op de markt?' vroeg Naysmith.

Kaye gaf hem een por tegen zijn schouder.

'Waar was dat goed voor?'

'Mishandeling van mijn versnellingsbak. Heb je nooit eerder autogereden?'

'Oké,' zei Fox. 'Jij wint. Joe, breng ons terug naar het bureau.'

'Moeten we bij de volgende kruising links- of rechtsaf?'

'Nu is het mooi geweest,' zei Tony Kaye en hij opende het handschoenenkastje. 'Ik zet de TomTom aan.'

Brigadier Gary Michaelson was opgegroeid in Greenock maar woonde al sinds zijn achttiende in Fife. Hij had op het Adam Smith College gezeten en vervolgens de politieacademie in Tulliallan gedaan. Hij was drie jaar jonger dan Ray Scholes, was getrouwd en had twee dochters.

'Goede scholen hier?' had Fox hem gevraagd.

'Gaat wel.'

Michaelson sprak zonder terughoudendheid over Fife en Greenock en zijn familie, maar zodra het gesprek op rechercheassistent Paul Carter kwam was hij al even gesloten als Scholes.

'Als ik niet beter wist,' merkte Fox op zeker moment op, 'zou ik denken dat je klaargestoomd was.'

'Hoe bedoel je?'

'Geïnstrueerd over wat je wel en niet moet zeggen – gedrild door inspecteur Scholes, misschien zelfs...'

'Geen sprake van,' had Michaelson met grote stelligheid beweerd.

Ook was er geen sprake van dat hij de aantekeningen veranderd of vernietigd had die hij gemaakt had tijdens zijn twee ondervragingen van Teresa Collins; een keer bij haar thuis, de andere keer in precies dezelfde ruimte als waar ze nu zaten. Fox las een passage uit Teresa Collins' getuigenverklaring voor:

'"Het kan me niet schelen waar je me allemaal van beschuldigt, Paul. Zolang je je poten deze keer maar thuishoudt." Waren dat niet haar eigen woorden?'

'Nee.'

'Het vonnis doet anders vermoeden.'

'Dat kan ik niet helpen.'

'Het kan je toch niet ontgaan zijn dat Carter en Ms. Collins samen iets van een verleden hadden?'

'Dat zegt zij, ja, dat ze een verleden hadden.'

'Buren zagen hem voortdurend komen en gaan.'

'Van wie de helft "goede bekenden" van ons zijn.'

'Jij wilt beweren dat het allemaal leugenaars zijn?'

'Wat denk jij?'

'Wat ik denk is niet belangrijk. Hoe zit het met dat ontbrekende vel uit je opschrijfboekje?'

'Daar had ik koffie overheen gemorst.'

'Aan de vellen daaronder is anders niets te zien.'

'Dat kan ik ook niet helpen.'

'Ja, dat zeg je steeds.'

Fox wist wel beter dan tijdens de ondervraging oogcontact met Tony Kaye te maken. In zijn sporadische bijdragen aan het verhoor klonk diens stijgende ergernis door. Dit liep op niets uit, en het zou vrijwel zeker op niets uit blijven lopen. Scholes, Michaelson en de naar verluidt door griep gevelde Haldane hadden niet alleen alle tijd gehad de choreografie van hun antwoorden te perfectioneren, ook had hun dansje tijdens de rechtszaak al zijn première beleefd.

Teresa Collins loog.

De twee anderen die een klacht hadden ingediend waren opportunisten.

De rechter had het OM op alle mogelijke manieren een helpende hand toegestoken.

'Het punt is,' zei Fox langzaam en op rustige toon, zodat hij zeker wist dat hij op Michaelsons volledige aandacht kon rekenen, 'dat toen jullie eigen afdeling Normen Beroepsuitoefening de beschuldigingen onderzocht, ze het vermoeden kregen dat er wel eens iets in kon zitten. En vergeet niet dat het niet Ms. Collins was die de zaak aanhangig gemaakt heeft...'

Hij pauzeerde even om de woorden goed te laten doordringen. Michaelson hield zijn blik nog altijd strak op een deel van de muur ergens boven Fox' linkerschouder gericht. Hij was pezig, begon al flink te kalen en zijn neus moest ooit eens door iemand gebroken zijn. Ook werd zijn kin ontsierd door een litteken van een paar centimeter. Fox vroeg zich af of hij misschien ooit serieus aan boksen had gedaan.

'Dat was een andere politieagent,' vervolgde hij. 'De oom van Paul Carter. Is die volgens jou ook een leugenaar?'

'Dat is geen diender, dat is een ex-diender.'

'Wat maakt dat nu uit?'

Michaelson haalde zijn schouders op en sloeg zijn armen over elkaar.

'Even de batterij vervangen,' onderbrak Naysmith terwijl hij de camera uitschakelde. Michaelson strekte zijn rug. Fox hoorde een wervel kraken. Tony Kaye was overeind gekomen en schudde zijn benen los alsof hij de bloedsomloop op gang probeerde te krijgen.

'Duurt het nog lang?' vroeg Michaelson.

'Dat is aan jou,' antwoordde Fox.

'Ach, uiteindelijk komt het erop neer dat we alle drie gewoon worden doorbetaald.'

'Dat klinkt niet als iemand die haast heeft om aan de slag te gaan.'

'Nou ja, wat maakt het helemaal uit. De ene zaak is nog niet afgehandeld of je krijgt alweer twee, drie nieuwe op je bordje gedumpt.'

Fox zag Joe in de zakken van de cameratas spitten. Naysmith voelde dat hij aangestaard werd, keek op en was zo verstandig een schuldbewuste blik op zijn gezicht te toveren.

'De reservebatterij ligt nog op te laden,' zei hij.

'Waar?' vroeg Tony Kaye.

'Op het bureau.' Joe Naysmith liet een korte stilte vallen. 'In Edinburgh.'

'Wil dat zeggen dat we klaar zijn?' Gary Michaelson keek Malcolm Fox aan.

'Daar ziet het wel naar uit,' antwoordde Fox met tegenzin. 'Voorlopig althans...'

'Nou, dat was dus een totaal verspilde dag,' zei Tony Kaye, niet voor het eerst. Ze volgden dezelfde route terug naar Edinburgh, opnieuw voornamelijk op de buitenste rijstrook. Deze keer bewoog de bulk van het verkeer zich richting Fife, op weg naar het grootste verkeersknelpunt aan de Edinburghse kant van de Forth Roadbrug. Hun bestemming was het hoofdbureau van politie aan Fettes Avenue. Hoofdinspecteur Bob McEwan was nog op het bureau. Hij wees naar de batterijlader naast de waterkoker en de mokken.

'Ik zat me al af te vragen,' zei hij.

'Dan weet je nu het antwoord,' antwoordde Fox.

De kantoorruimte was niet groot omdat de afdeling Anticorruptie uit een klein team bestond. De meeste agenten van Interne Zaken waren in een groter kantoor verderop in de gang gehuisvest, waar de afdeling Normen Beroepsuitoefening het alledaagse werk voor haar rekening nam. Dit jaar leek McEwan de handen voornamelijk vol te hebben aan eindeloze vergaderingen over een complete reorganisatie van de afdeling.

'In feite mijn eigen baan overbodig maken,' zoals hij het zelf omschreven had. 'Niet dat jullie daar je mooie hoofdjes over hoeven te breken...'

Kaye hing zijn jas over de rug van zijn stoel en nam achter zijn bureau plaats, terwijl Naysmith druk doende was de batterijen in de oplader te verwisselen.

'Twee interviews afgenomen,' vertelde Fox aan McEwan. 'Allebei vroegtijdig afgebroken.'

'Ik neem aan dat er de nodige weerstand was.'

Fox vertrok zijn mondhoeken. 'Tony vindt toch al dat we met de verkeerde mensen praten. En ik ben het zo langzaamaan met hem eens.'

'Niemand verwacht wonderen, Malcolm. Net heb ik nog de plaatsvervangend korpschef aan de lijn gehad. Het duurt zolang het duurt.'

'Nou, één dag langer dan een week en er is een dikke kans dat ik aan de uitlaatpijp van mijn auto hang,' sputterde Kaye.

'Het duurt zolang het duurt,' herhaalde McEwan ten behoeve van zijn ondergeschikte.

Uiteindelijk namen ze allemaal plaats om de opnamen door te nemen. Halverwege keek McEwan op zijn horloge en zei dat hij ergens anders verwacht werd. Vervolgens ontving Kaye een sms'-je.

'Een dringende afspraak met moeder de vrouw en een fles wijn,' verduidelijkte hij, terwijl hij Fox kameraadschappelijk op de schouder sloeg. 'Laat me weten wat eruit rolt, wil je?'

De volgende vijf minuten voelde Fox Naysmith steeds onrustiger worden. Het was toch al na vijven, dus vertelde hij zijn jeugdige collega dat het tijd werd op te lazeren.

'Weet je het zeker?'

Fox gebaarde naar de deur, en kort daarop zat hij alleen in het kantoor en bedacht dat hij Naysmith had moeten complimenteren met zijn filmische vaardigheden. Beeld en geluid waren prima in orde. Er lag een opschrijfboekje op Fox' schoot, maar afgezien van wat sterretjes, spiralen en andere krabbeltjes was het vel leeg. Hij dacht terug aan iets wat Scholes gezegd had, dat Interne Zaken iedereen te grazen wilde nemen die met Paul Carter had samengewerkt. Carter was finito. Welke reden kon Fox hebben om voetstoots aan te nemen dat Scholes en de anderen de regels nog steeds aan hun laars lapten? Natuurlijk kwamen ze voor elkaar op, hielden ze elkaar de hand boven het hoofd, maar misschien hadden ze hun lesje wel geleerd. Fox wist dat hij het onderzoek op de automatische piloot kon zetten. Dat hij zijn vragen kon stellen, de antwoorden braaf op kon schrijven om tot slot een weinig opzienbarend eindoordeel te formuleren. Daar zou het waarschijnlijk toch wel op uitdraaien. Dus waarom zich een beetje uit de naad werken? Dat was, zo had hij het gevoel, de onuitgesproken ondertoon van de afgelopen dag geweest, hetgeen Tony Kaye er zo graag uit had willen gooien. In de rechtbank waren de drie agenten publiekelijk aan de schandpaal genageld. Nu werden ze onderworpen aan een intern onderzoek. Was dat niet al straf genoeg?

In Pancake Place was Kaye over Colin Balfour begonnen. Interne Zaken had net aan afdoende bewijs kunnen verzamelen om hem het korps uit te mieteren, maar was ervoor teruggedeinsd het onderzoek naar twee of drie agenten te verbreden, die geprobeerd hadden de boel in de doofpot te stoppen. Die dienders werkten nog steeds bij de politie zonder ooit maar iets van een probleem op te leveren.

Tot volle tevredenheid, zoals dat heet.

Met de afstandsbediening zette Fox de opname stil. Het enige wat die beelden bewezen was dat ze deden wat er van hen verwacht werd. Hij betwijfelde ten zeerste of de hoge omes op het hoofdbureau van Fife op nog meer slecht nieuws zaten te wachten; die wilden alleen maar publiekelijk kunnen zeggen dat de opmerkingen van de rechter niet waren genegeerd. En Scholes, Haldane en Michaelson hoefden alleen maar bij hun ontkenningen te blijven. Wat betekende dat Tony Kaye gelijk had. Het waren de andere recherchemedewerkers met wie ze moesten praten – als ze grondig te werk wilden gaan. En hoe zat het met die oom van Carter? Zouden ze zijn kant van het verhaal niet eens moeten horen? Fox was nieuwsgierig naar het motief van de man. Zijn getuigenverklaring voor de rechtbank was kort maar krachtig geweest. In diens woorden was zijn neef op een middag met een paar drankjes op bij hem langsgekomen. Hij was nogal spraakzaam geweest, had een hele klaagzang afgestoken over hoe de politie veranderd was sinds zijn oom was afgezwaaid. Dat je de wet niet meer zo makkelijk naar je hand kon zetten, dat het werk steeds minder leuke extraatjes met zich meebracht.

Maar ik sleep er een voordeeltje uit dat jij en mijn pa vast nooit gehad hebben...

Wat Fox eraan herinnerde dat hij zijn eigen pa al een paar dagen niet meer had gesproken. Zijn zus en hij bezochten hem om beurten. Waarschijnlijk bevond zij zich nu in het verzorgingstehuis. Het personeel had liever dat je de maaltijden vermeed, en halverwege de avond werden veel 'cliënten' (zoals het personeel ze hardnekkig noemde) klaargemaakt voor de nacht. Hij liep naar het raam en keek uit over de schemerende stad. Was Edinburgh tien keer het formaat van Kirkcaldy? Ongetwijfeld nog een stuk groter. Terug achter zijn bureau zette hij zijn computer aan en typte een zoekopdracht in.

Een klein uur later zat hij in zijn auto en was hij onderweg naar zijn huis in Oxgangs. Vlakbij was een supermarkt, waar hij lang genoeg stilhield om een magnetronmaaltijd en een fles Appletiser mee te graaien, plus de avondkrant. Het dubbelverhaal op de voorpagina betrof een drugsdealer die schuldig verklaard was en een gevangenisstraf had gekregen. Fox kende de rechercheur die het onderzoek had geleid. Die was twee jaar terug zelf voorwerp van een onderzoek van Interne Zaken geweest. Nu glimlachte die breeduit voor de camera's, het karwei geklaard.

Waarom hebben jullie zo'n hekel aan dienders? De vraag die Scholes hem gesteld had. Er was een tijd dat recherche het niet zo nauw nam met de regels en zeker wist dat ze ermee wegkwam. Het was Fox' taak om dat te voorkomen. Niet voor altijd – met een jaar of twee zat hij vast weer bij de recherche, dikke maatjes met degenen wier handel en wandel hij in de gaten had moeten houden; dan mocht hij zelf proberen drugshandelaren achter de tralies te krijgen zonder de regels aan zijn laars te lappen, altijd angstig met een half oog naar Interne Zaken, de club hij zelf net zo hartgrondig zou gaan verachten. Hij vroeg zich al een tijdje af of hij het aan zou kunnen: samenwerken met collega's die zijn verleden kenden, zaken oplossen die door iedereen als het 'echte' werk werden beschouwd...

Hij stouwde de krant onder in zijn mandje, onder zijn andere aankopen.

Zijn woning was in duisternis gehuld. Hij had erover gedacht zo'n timer te kopen, die de lichten automatisch aanschakelde zodra het begon te schemeren, maar hij wist dat zoiets inbrekers niet echt weerhield. Niet dat er bij hem veel te halen viel: een tv en een computer, dat was het wel, verder zouden ze vergeefs rondspeuren. De afgelopen maand was er in een paar huizen bij hem in de buurt ingebroken. Hij had zelfs een agent aan de deur gehad om te vragen of hij iets gezien of gehoord had. Fox had niet de moeite genomen zich als collega kenbaar te maken. Hij had enkel zijn hoofd geschud en de agent had geknikt en zich elders vervoegd.

Plichtmatig, voor de vorm.

De curry nam zes minuten in beslag. Fox vond een nieuwskanaal op tv en zette het geluid harder. De wereld leek aan elkaar te hangen van oorlogen, hongersnoden en natuurrampen. Een aardbeving hier, een tornado daar. Er volgde een interview met een klimaatdeskundige. Die waarschuwde dat de kijkers maar beter konden wennen aan dit soort fenomenen, aan de overstromingen, de droogtes, de hittegolven. Evenzogoed slaagde de interviewer erin met een glimlach weer terug te geven aan de studio. Misschien dat hij, zodra hij buiten beeld was, gillend zijn haren uit zijn hoofd zou trekken, maar Fox betwijfelde het. Hij drukte op de teletekstknop van zijn afstandsbediening en nam de koppen van het Schotse nieuws door. Geen nieuws over de explosie bij Lockerbie; net als in Kirkcaldy gold ook in Fettes alarmfase GEMATIGD. Lockerbie: alsof die achterlijke uithoek niet al genoeg ellende te verstouwen had gekregen... Fox schakelde naar een sportkanaal en keek naar darts terwijl hij het restant van zijn maaltijd naar binnen werkte.

Hij was bijna klaar toen zijn telefoon overging. Het was zijn zus Jude.

'Wat is er?' vroeg hij haar. Ze belden elkaar om beurten. Het was zijn beurt, niet de hare.

'Ik kom net bij pa vandaan.' Hij hoorde hoe ze een snik onderdrukte.

'Alles goed met hem?'

'Hij vergeet steeds van alles.'

'Dat weet ik.'

'Een van de verzorgsters vertelde me dat hij vanochtend de wc niet bijtijds gehaald had. Nu hebben ze hem een incontinentieluier aangetrokken.'

Fox sloot zijn ogen.

'En soms vergeet hij hoe ik heet of welk jaar het is.'

'Hij heeft ook goede dagen, Jude.'

'Hoe zou jíj dat moeten weten? Omdat jij toevallig de rekening betaalt wil dat nog niet zeggen dat je zomaar je snor kunt drukken.'

'Wie drukt zijn snor?'

'Ik zie je daar nooit.'

'Je weet dat dat niet waar is. Wanneer ik maar even kan, ga ik bij hem op bezoek.'

'Lang niet vaak genoeg.'

'We leiden niet allemaal van die luxeleventjes, Jude.'

'Dacht je soms dat ik niet op zoek ben naar werk?'

Fox kneep zijn ogen opnieuw dicht: daar ben je met open ogen ingetuind, Malc. 'Zo bedoelde ik het niet.'

'Dat is precíés wat je bedoelde.'

'Alsjeblieft, laten we het niet over deze boeg gooien.'

Even bleef het stil. Jude zuchtte en stak weer van wal. 'Vandaag had ik een doos oude foto's meegenomen. Ik dacht, die kunnen we mooi samen doornemen. Maar hij raakte er alleen maar door van streek. Hij zei maar steeds: "Ze zijn allemaal dood. Hoe kan nu iedereen dood zijn?"'

'Ik ga bij hem langs, Jude. En maak je geen zorgen. Misschien dat je voortaan beter eerst vooruit kunt bellen om het personeel te vragen of het zin heeft die dag bij hem langs te gaan...'

'Dat bedoel ik helemaal niet!' Opnieuw verhief ze haar stem. 'Denk je soms dat ik het erg vind om bij hem op bezoek te gaan. Hij is onze pa!'

'Dat weet ik wel. Ik wilde alleen maar...' Hij viel even stil en stelde toen de vraag waarvan hij voelde dat die van hem verwacht werd. 'Zal ik even bij je langskomen?'

'Ik ben niet degene bij wie je langs moet.'

'Je hebt gelijk.'

'Dus je doet het?'

'Uiteraard.'

'Zelfs als je het druk hebt?'

'Zodra we opgehangen hebben,' stelde Fox haar gerust.

'En je belt me terug? Je laat me weten hoe jij vindt dat het gaat?'
'Het gaat vast prima met hem, Jude.'
'Dat is precies wat je wilt geloven – om je geweten te sussen.'
'Ik hang nu op, Jude. Ik hang nu op en ga regelrecht naar pa toe...'

4

Het personeel van Lauder Lodge dacht daar echter anders over.

Het was over negenen toen Fox er aankwam. Hij hoorde een tv galmen in de zitkamer. Het was een komen en gaan van mensen – zo te zien de overdracht van de avond- naar de nachtdienst.

'Uw vader ligt in bed,' kreeg Fox te horen. 'Hij slaapt vast al.'

'Ik maak hem heus niet wakker. Ik wil hem alleen maar even zien.'

'We storen onze cliënten liever niet als ze eenmaal in bed liggen.'

'Bleef hij niet altijd op voor het nieuws van tien uur?'

'Vroeger, ja.'

'Heeft hij soms nieuwe medicijnen? Iets waarvan ik niet op de hoogte ben?'

De vrouw overwoog even of zijn woorden beschuldigend bedoeld waren en slaakte toen een berustende zucht. 'U blijft maar even, zei u?' Fox knikte, zij knikte terug. Alles liever dan gelazer of gezeur aan je kop...

De kamer van Mitch Fox lag in het nieuwe gedeelte dat aan het oorspronkelijke, victoriaanse hoofdgebouw was gebouwd. Fox passeerde de kamer die tot een paar maanden terug aan Mrs. Sanderson had toebehoord. Mrs. Sanderson en pa waren tijdens hun verblijf in Lauder Lodge innig bevriend geraakt. Fox had het voor Mitch mogelijk gemaakt de begrafenis bij te wonen. In de crematiekapel waren tien, hooguit twaalf mensen geweest. Van haar familie was niemand op komen dagen om de simpele reden dat ze geen enkel familielid hadden weten op te sporen. Naast de deur van haar oude kamer was een nieuwe naam bevestigd: D. Nesbitt. Fox had het gevoel dat als hij het etiketje lospeuterde er daaronder eentje met de naam van Mrs. Sanderson zat, en daaronder misschien weer een andere naam.

Hij nam niet de moeite bij zijn pa aan te kloppen, maar opende voorzichtig de deur en sloop naar binnen. De gordijnen waren gesloten en het licht was uit, maar de lantaarnpaal buiten zorgde in de kamer voor een bleek schijnsel. Fox kon zijn vaders contouren onder het dekbed ontwaren. Hij had bijna de stoel naast het bed bereikt toen een raspende stem informeerde hoe laat het was.

'Twintig over,' zei Fox tegen zijn vader.

'Twintig over wat?'

'Negen.'

'En wat brengt jou hier?' Mitch Fox deed een lamp aan en probeerde rechtop te gaan zitten. Zijn zoon boog zich voorover om hem te helpen. 'Is er iets aan de hand?'

'Jude maakte zich wat zorgen over je.' Fox zag de schoenendoos met oude familiekiekjes op de stoel staan. Hij tilde de doos op en ging ermee op zijn schoot zitten. Over het haar van zijn vader, dat piekerig en dun was, bijna als dat van een baby, hing een gelige gloed. Zijn gezicht was smaller dan ooit, de huid leek wel perkament. Maar zijn ogen stonden helder en sereen.

'We weten allebei wat een flair voor drama die zus van je heeft. Wat heeft ze je allemaal over me verteld?'

'Alleen maar dat je geheugen niet meer is wat het geweest is.'

'Wiens geheugen?' Mitch knikte naar de schoenendoos. 'Alleen maar omdat ik haar niet exact de plek kon vertellen waar een of andere foto vijftig jaar geleden precies gemaakt is?'

Fox haalde de deksel van de doos en trok er een handvol kiekjes uit. Op sommige stond wat informatie op de achterkant geschreven: namen, data, plaatsen. Maar er waren ook vraagtekens. Heel veel vraagtekens... en iets wat op een traanvlek leek. Fox wreef er met een vinger over en draaide de foto vervolgens om. Zijn moeder, spelend met twee kinderen op haar schoot. Ergens gezeten op de rand van een rotspartij.

'Deze is maar zo'n dertig jaar oud,' zei Fox terwijl hij de foto naar zijn vader ophield. Mitch tuurde ernaar.

'Blackpool misschien,' zei hij. 'Jij en Jude...'

'En ma.'

Mitch Fox knikte langzaam. 'Heb je wat water daar?' vroeg hij. Fox keek rond, maar op het nachtkastje viel geen karaf te bekennen. 'Kun je alsjeblieft even wat voor me halen?'

Fox ging naar de badkamer. Daar stond de karaf, naast een groot plastic glas. Hij bedacht dat het personeel vast wilde voorkomen dat Mitch 's nachts grote hoeveelheden water naar binnen slokte, vooral als dat 's ochtends tot ongelukjes kon leiden. Naast de wasbak stond open en bloot het pak incontinentieluiers. Fox vulde zowel de karaf als het glas en nam ze beide mee.

'Fijn zo, jongen,' zei zijn vader. Al drinkend sijpelden er een paar druppels langs zijn kin, maar hij had geen hulp nodig om het lege glas naast het bed te zetten. 'Je zegt Jude toch wel dat ze zich nergens zorgen over hoeft te maken, hè?'

'Tuurlijk.' Fox ging weer zitten.

'En deze keer misschien zelfs zonder ruzie te maken?'

'Ik zal mijn best doen.'

'Waar twee kijven hebben twee schuld.'

'Weet je dat zeker? Volgens mij kan Jude in een lege kamer nog ruzie krijgen.'

'Kan zijn, maar je moet jezelf ook niet uitvlakken.'

'Hebben jij en ik nu opeens ruzie?' Fox zag op zijn vaders gezicht een vermoeide glimlach verschijnen. 'Zal ik gaan zodat je rustig verder kunt slapen?'

'Ik slaap niet. Ik lig hier alleen maar, te wachten.'

Fox wist wat het antwoord op zijn volgende vraag zou zijn, dus stelde hij die niet. In plaats daarvan vertelde hij zijn vader dat hij net een vruchteloze dag in Fife had doorgebracht.

'Je vond het daar ooit geweldig,' vertelde Mitch hem.

'Waar?'

'In Fife.'

'Wanneer ben ik ooit in Fife geweest?'

'Bij mijn neef Chris, we gingen wel eens bij hem op bezoek.'

'Waar woonde die dan?'

'Burntisland. Het strand, het openluchtzwembad, de golfbaan...'

'Hoe oud was ik toen?'

'Chris is jong overleden. Waarom kijk je niet even? Hij moet daar ergens tussen zitten.'

Het drong tot Fox door dat zijn vader de schoenendoos bedoelde. Dus deponeerden ze de inhoud op het bed. Er waren losse foto's, andere zaten in mapjes samen met hun negatieven. Een mengeling van kleur en zwart-wit, waaronder wat trouwfoto's. (Fox negeerde die van hem en Elaine – hun huwelijk had niet lang standgehouden.) Massa's wazige kiekjes van vroegere vakanties, kerstvieringen, verjaardagen, uitstapjes van het werk. Uiteindelijk reikte Mitch hem de bewuste opname aan.

'Daar heb je Chris. En dat is Jude daar op zijn schouder. Een grote, potige kerel.'

'Is dit Burntisland?' Fox bekeek de foto aandachtig. Judes mond was opengesperd, haar voortanden stonden schots en scheef. Onmogelijk te zeggen of ze zat te lachen of dat het uit pure doodsangst was omdat ze zich zo hoog in de lucht bevond. Chris grijnsde naar de camera. Fox probeerde hem uit zijn geheugen op te diepen, maar het lukte niet.

'Dat zou best eens zijn achtertuin geweest kunnen zijn,' zei Mitch Fox.

'Hoe is hij gestorven?'

'Met zijn motor, het domme joch. Moet je ze nou allemaal zien.' Mitch maaide met zijn hand boven de op het bed uitgespreide foto's. 'Dood en begraven, en al bijna vergeten.'

'Maar sommigen van ons zijn er nog, pa,' zei Fox. 'Precies zoals ik het graag heb.'

Mitch gaf een liefkozend klapje op de rug van zijn zoons hand.

'Vond ik het echt zo geweldig in Fife?'

'Vlak bij St. Andrews had je een park. Daar zijn we een dag heen geweest. Je had daar zo'n treintje waar we met z'n allen in zaten. Als we goed zoeken vinden we er misschien nog een foto van. En dan al die stranden... En eens per jaar kermis in Kirkcaldy...'

'Kirkcaldy? Daar kom ik net vandaan. Hoe is het mogelijk dat ik me daar niets van herinner?'

'Je hebt daar ooit nog een goudvis gewonnen. Het arme beest, een dag later had het al de geest gegeven.' Mitch hield zijn zoon in zijn blik gevangen. 'Je stelt Jude toch wel gerust, hè?'

Fox knikte, en zijn vader gaf nog een klapje op zijn hand voordat hij in de kussens terugzakte. Fox bleef nog anderhalf uur naast hem zitten, kijkend naar de foto's. Vlak voordat hij wegging deed hij het licht uit.

TWEE

5

'Is dit een geintje of zo?'

'Dit is wat we jullie kunnen bieden,' zei de dienstdoende brigadier. Hij leek vandaag al net zo in zijn nopjes met de gang van zaken als gisterochtend, toen hij ze had mogen mededelen dat geen van de 'gedaagden' beschikbaar was. 'Je kunt de deur afsluiten. Als je wilt is de sleutel van jou.'

'Het is een opslagruimte,' stelde Naysmith vast toen hij het licht aandeed.

'Met een peertje van veertig watt,' constateerde Tony Kaye. 'We mogen wel zaklampen meebrengen.'

Iemand had drie gammele stoelen in het midden van de kleine kamer gezet zonder ruimte over te laten voor een bureau, hoe klein ook. De planken waren gevuld met dozen – oude zaken gecatalogiseerd aan de hand van een code plus jaartal – en kapotte en overjarige kantoorspullen.

'Kan ik hoofdinspecteur Pitkethly misschien even te spreken krijgen?' vroeg Fox aan de brigadier.

'Die zit in Glenrothes.'

'Je meent het. Daar kijk ik nou echt van op.'

De brigadier liet de sleutel aan zijn vinger bungelen.

'We kunnen er in elk geval de apparatuur veilig opbergen,' overwoog Naysmith.

Fox snoof luidruchtig en trok de sleutel van de vinger van de brigadier.

Terwijl Naysmith de tas met apparatuur uit de auto haalde, onderwierpen Fox en Kaye de opslagruimte vanuit de gang aan een inspectie. Plotseling was het in de gang een komen en gaan van al dan niet geüniformeerde agenten, die stuk voor stuk ingehouden gniffelend langsschuifelden.

'Hier ga ik mooi niet zitten,' zei Kaye terwijl hij bedachtzaam zijn hoofd schudde. 'Straks zien ze me nog voor de conciërge aan.'

'Joe heeft wel een punt. Dit is een goede plek om de apparatuur tussen de interviews door op te bergen.'

'Is er een manier om het proces te versnellen, Malcolm?'

'Hoe bedoel je?'

'Jij en ik kunnen de verhoren afzonderlijk doen, dan kunnen we het in de helft van de tijd af. De enigen die we op video moeten opnemen zijn Scholes, Haldane en Michaelson. Die andere interviews zijn maar gesprekjes, toch?'

Fox knikte. 'Maar er is hier maar één verhoorruimte.'

'Niet iedereen die we moeten spreken is op het bureau gestationeerd...'

Fox keek Kaye strak aan. 'Jij wilt hier echt zo snel mogelijk een punt aan draaien, hè?'

'Gewoon een kwestie van timemanagement,' zei Kaye met glinsterende ogen. 'Zo krijgt de veelgeplaagde belastingbetaler meer waar voor zijn geld.'

'Hoe verdelen we het stel?' Fox sloeg zijn armen over elkaar.

'Heb jij nog een voorkeur?'

'Ik zou die oom wel willen spreken.'

Kaye liet het even bezinken en knikte toen langzaam. 'Neem mijn auto maar, dan waag ik me aan Cheryl Forrester.'

'Oké. Wat doen we met Joe?'

Ze draaiden zich om en zagen hoe Joe Naysmith, met de zware zwarte tas om zijn schouder geslingerd, de deur aan het eind van de gang openduwde.

'We doen kruis of munt,' zei Kaye, met een munt van vijftig pence in zijn hand. 'De verliezer zit met hem opgescheept.'

Een paar minuten later was Malcolm Fox, minus Naysmith, op weg naar Kayes Ford Mondeo. Hij verstelde de bestuurdersstoel, trok de gps uit het handschoenenvak, sloot hem aan en plaatste hem op het dashboard. De postcode van Alan Carter zat in het dossier en na wat zoeken wist Fox hem op te diepen. Binnen een paar seconden had het navigatieapparaat de route berekend en wees het hem in de juiste richting. Al snel bevond Fox zich op de kustweg en reed hij zuidwaarts richting het plaatsje Kinghorn. Wegwijzers gaven aan dat het volgende stadje Burntisland was. Opnieuw dacht hij aan Chris, de neef van zijn vader. Misschien was zijn motor wel ergens op dit stuk weg onderuitgegaan. Het was een route die motorrijders, zo veronderstelde hij, deed watertanden: ruime, flauwe bochten met links de zee en rechts steile heuvels. Zag hij daar nou de kop van een zeehond in het water dobberen? Hij minderde vaart. De bestuurder achter hem knipperde met zijn lichten en haalde hem luid toeterend in.

'Nou, nou,' sputterde Fox, met één oog op de gps. Zijn bestemming was hier ergens vlak in de buurt. Hij passeerde een caravanterrein en zijn richtingaanwijzer gaf aan dat hij de eerstvolgende afslag rechts zou nemen. De onverharde weg liep steil omhoog. De wielen maakten diepe geulen in de weg en stofwolken stoven achter hem op. Koste wat kost wilde hij deuken in Kayes troetelkind voorkomen, dus schakelde hij terug naar zijn één en kroop met een slakkengang van nog geen tien kilometer per uur omhoog. Het pad klom steeds hoger. Volgens zijn navigatieapparaat bevond hij zich in het niets, dus moest hij zijn bestemming gepasseerd zijn. Fox stopte de auto en stapte uit. Hij had een fraai uitzicht over de kust en de zee. Links van hem keek hij neer op rijen caravans, rechts op een hotel. Hij controleerde Alan Carters adres: Gallowhill Cottage. Verderop verdween de weg in de bossen. Fox' aandacht werd door iets getrokken: een rookpluim boven de bomen. Hij kroop weer achter het stuur en duwde de versnellingspook behoedzaam naar voren.

De cottage lag net onder het hoogste punt van de heuvel, op de plek waar het pad eindigde bij een hek dat toegang gaf tot de velden erachter. Her en der hobbelden wat schapen rond. Kraaien zweefden geluidloos tussen de bomen. Er stond een snijdende wind, ook al was de zon door het wolkendek gebroken.

De rook kringelde nog steeds uit de schoorsteen. Naast het huis stond een olijfgroene landrover geparkeerd, pal naast een berg keurig opgestapelde houtblokken. De deur van de cottage draaide krakend open. De man die de deuropening vulde was bijna een karikatuur van de joviale, voluptueuze oom agent. Alan Carter had een blozend gezicht, zijn wangen en neus doorspekt met een wirwar van dunne, rode adertjes. Zijn ogen sprankelden, en de knopen op zijn vaalgele vest werden tot het uiterste op de proef gesteld. De boord van het ruitjeshemd eronder stond open, wat zijn overvloedige, grijze borsthaar vrij spel gaf. Hoewel zo goed als kaal beschikte hij nog altijd over indrukwekkende, borstelige bakkebaarden, die onder een van zijn kinnen bijna aaneen waren gegroeid.

'Ik wist wel dat ik bezoek zou krijgen,' bulderde Carter, met een mollige hand tegen de deurpost geleund. 'Maar je had beter eerst een afspraak kunnen maken. Tegenwoordig heb ik het drukker dan ooit, lijkt het wel.' Fox stond inmiddels voor hem, en de beide mannen drukten elkaar de hand.

'Je bent geen vrijmetselaar dus,' constateerde Carter.

'Nee.'

'Er was een tijd dat de meeste dienders die je tegenkwam bij de vrijmetselarij zaten. Maar kom binnen, kerel...'

De gang was ondiep en smal en voor het overgrote deel gevuld met boekenkasten, een kapstok en een collectie kaplaarzen. De huiskamer was krap bemeten en drukkend warm, met dank aan een open haard waarin de brandende houtblokken hoog opgestapeld lagen.

'Ik hou het warm hier voor Jimmy Nicholl,' zei Carter.

'Voor wie?'

'De hond.'

Een stokoud ogende bordercollie keek met knipperende druipogen vanuit zijn mand naast de open haard naar Fox op.

'Naar wie is-ie vernoemd?'

'De trainer van de Raith Rovers. Nu niet meer natuurlijk, maar dankzij hem hebben we wel mooi Europees voetbal gespeeld.' Carter onderbrak zichzelf en wierp Fox een blik toe. 'Ook al geen voetbalfan dus?'

'Vroeger wel. Trouwens, mijn naam is Fox. Inspecteur Fox.'

'De rubberenzolenbrigade – worden jullie nog steeds zo genoemd?'

'Of Interne Zaken.'

'En achter jullie rug om vast ook nog wel wat minder vleiends.'

'Of recht in ons gezicht.'

'Wordt het een mok thee of iets sterkers?' Carter knikte naar een fles whisky op een plank.

'Thee gaat er wel in.'

'Ja, het is misschien nog wat vroeg voor mijn "accuzuur",' beaamde Carter. 'Ik ben zo terug.'

Hij ging naar de keuken. Fox hoorde hoe hij de ketel met water vulde. Zijn stem dreunde door de gang. 'Toen ik die slotopmerkingen van Cardonald las, wist ik dat er wel een onderzoek van moest komen. Maar jij bent niet van hier. Iemand uit deze buurt had geweten wie Jimmy Nicholl was. En bovendien komt je auto uit Edinburgh...'

Carter stond weer in de kamer, met een zelfvoldane uitdrukking op zijn gezicht.

'De nummerplaat?' opperde Fox.

'De dealersticker op de achterruit,' verbeterde Carter hem. 'Ga toch zitten, knul.' Hij gebaarde naar een van de twee leunstoelen. 'Melk en suiker?'

'Alleen melk. Nog steeds in de beveiligingsbranche, Mr. Carter?'

'Is dit om te laten zien dat je je huiswerk gedaan hebt?' Carter glimlachte. 'Het bedrijf staat nog steeds op mijn naam.'

'En wat doet dat bedrijf van u precies?'

'Portiers voor bars en clubs... bewakers... beveiliging voor bezoekende hoogwaardigheidsbekleders.'

'Komen er veel hoogwaardigheidsbekleders in Kirkcaldy?'

'Wel toen Gordon Brown nog premier was. En ze mogen nog steeds graag een potje golfen in St. Andrews.'

Carter verliet de kamer om de thee te halen en Fox liep naar het raam. Daar stond een eettafel die schuilging onder hoge stapels papierwerk en tijdschriften. De paperassen waren in mappen gestouwd. Daarbovenop een opengevouwen kaart van Fife met verschillende met zwarte inkt omcirkelde locaties. De tijdschriften dateerden uit de jaren tachtig, en toen Fox er eentje optilde zag hij dat er een krant onder lag. De datum op de voorpagina was maandag 29 april 1985.

'Je houdt me vast voor iemand met dwangmatige verzamelwoede,' zei Carter terwijl hij een dienblad de kamer in droeg. Hij zette het blad op een hoek van de tafel en schonk twee bekers thee in. Zes langwerpige zandkoekjes waren op een sierschaal gelegd.

'En vrijgezel?' veronderstelde Fox.

'Daar schiet je huiswerk tekort. Twintig jaar geleden is mijn vrouw ervandoor gegaan met eentje die op dat moment precies zoveel jaar jonger was dan ik op dat moment.'

'Niet alleen oude bokken houden van groene blaadjes.'

Carter priemde met zijn vinger. 'Ik ben tweeënzestig. Jessica was veertig en die kleine klojo eenentwintig.'

'En daarna nooit meer een ander?'

'Jezus man, is dit een onderhoud met Interne Zaken of een intakegesprek voor een datingbureau? Ze is trouwens sowieso overleden, God hebbe haar ziel. Ze had nog een kind met die kloothommel.'

'Maar niet met u?' Carter vertrok zijn mond. 'Zoiets moet toch knagen?'

'Hoezo? Misschien was mijn zoon of dochter wel net zo'n hopeloos geval geworden als die neef van me.'

Carter gebaarde naar de stoelen, en met hun theemokken in de hand gingen de beide mannen zitten. Fox had een branderig gevoel in zijn ogen gekregen en probeerde het weg te knipperen.

'Dat is de rook van het haardvuur,' verklaarde Carter. 'Die zie je niet maar is er wel.' Hij reikte omlaag en voerde Jimmy Nicholl een half zandkoekje. 'Dat kunnen zijn tanden nog net hebben. En nu ik het zeg, de mijne zijn niet veel beter.'

'U bent vijftien jaar geleden afgezwaaid?'

'Zo lang ben ik al weg bij de politie, ja.'

'Uw broer werkte er gelijk met u?'

'Tot een jaar voor zijn pensioen, toen zijn hart er de brui aan gaf.'

'Was dat ongeveer het moment waarop uw neef bij de politie ging?'

Alan Carter knikte. 'Misschien was dat ook wel de reden waarom. Hij leek er niet bepaald voor in de wieg gelegd. Hij had geen... hoe noem je dat ook al weer?'

'Roeping?'

'Precies. Die heeft Paul nooit gehad.'

'U stond niet te springen dat hij in de voetsporen van u en zijn vader trad?'

Alan Carter zweeg even en boog zich toen zo goed en zo kwaad als het ging naar voren, de mok balancerend op zijn knie.

'Paul is nooit een goede zoon geweest. Hij liet zijn moeder voor zich sloven totdat de kanker haar te pakken kreeg. Daarna was het de beurt aan zijn vader. Tijdens de begrafenis zanikte hij alleen maar over hoeveel het huis waard was en hoeveel werk het zou zijn om de woning leeg te halen.'

'Jullie waren dus niet bepaald vrienden. Toch kwam hij bij u...'

'Volgens mij had hij de hele nacht gefeest. Het was net na twaalven. Hoe hij die auto hierboven heeft gekregen zonder ergens tegenop te knallen...' Carter staarde in het vuur. 'Hij kwam hier een beetje zitten opscheppen. Maar hij was ook sentimenteel, huilerig – zoals de drank je soms maakt.'

'Een van de redenen waarom ik niet drink.' Fox nam een slok thee. Die was donker en sterk en voelde plakkerig op zijn tong en achter in zijn keel.

'Hij kwam hier een beetje lopen brallen. Zei dat hij een betere diender was dan wij ooit geweest waren. Dat hij Kirkcaldy in zijn "achterzak" had en dat ik me niets hoefde te verbeelden, achter hoeveel uitsmijters ik me ook kon verschuilen.'

'Ik heb zo'n gevoel dat dit zijn letterlijke woorden waren.'

'Ik heb nu eenmaal een goed geheugen nodig. Als ik een verklaring voor de rechtbank moest afleggen, vertelde ik altijd alles uit mijn hoofd – zo maak je indruk op de jury.'

'En uiteindelijk kwam Teresa Collins ter sprake?'

'Ja.' Carter knikte in zichzelf, zijn ogen nog steeds strak op het knapperende vuur gericht. 'Zij was de enige die hij bij naam noemde, maar hij zei dat er nog anderen geweest waren. Ik dacht dat de politie inmiddels van dat slag verlost was. Misschien dat je te jong bent om te weten hoe het ooit geweest is.'

'Vol met racisten en seksisten?' Fox zweeg even. 'En vrijmetselaars...'

Carter grinnikte stilletjes.

'Dat is heus nog niet voorbij, hoor,' ging Fox verder. 'Misschien niet zo wijdverbreid als toen, maar toch.'

'Dat is jouw terrein. Jij ziet daar meer van dan wij, dunkt me.'

Fox reageerde met een schouderophalen en zette zijn lege mok op de vloer, terwijl hij een tweede mok thee afsloeg. 'Die dag dat hij hier langskwam, heeft hij het toen ook over de anderen gehad: Scholes, Haldane, Michaelson?'

'Alleen terloops.'

'Geen woord over dat ze een loopje met de regels nemen?'

'Nee.'

'En heeft u nooit geruchten van die strekking gehoord?'

'Daar krijg je je handen nog vol aan, ben ik bang.'

'Mmm.' Fox klonk alsof hij die mening volledig deelde.

'Het korps wil dit zo snel mogelijk achter zich laten.'

'Lijkt mij ook.' Fox verschoof in zijn stoel en hoorde die onder zich kraken. 'Mag ik u nog iets over uw neef vragen?'

'Brand maar los.'

'Tja, afkeuren wat hij u vertelde te hebben gedaan is één ding...'

'Maar om het officieel aan te kaarten, dat is heel iets anders?'

Carter tuitte zijn lippen. 'Ik heb het ook niet aangekaart... althans, niet meteen. Maar toen ik die nacht in bed lag moest ik aan Tommy denken, Pauls vader. Een goede kerel, echt een fijne vent. En Pauls ma, zo'n schat van een vrouw. En ik vroeg me af wat zij ervan zouden vinden. En dan was er nog Teresa Collins. Ik kende haar wel niet, maar het stond me niet aan zoals hij over haar sprak. Dus heb ik een gesprekje onder vier ogen gehad.'

'En dat andere paar ogen, aan wie behoorde dat toe?'

'Aan hoofdinspecteur Hendryson. Die zit er niet meer. Met pensioen, bij mijn weten.'

'Vervangen door een vrouw, ene Pitkethly.'

Carter knikte. 'Hendryson was degene die het balletje aan het rollen heeft gebracht.'

'Maar dat liep op niets uit, toch?'

'Teresa Collins wilde niet praten. In eerste instantie. En zonder haar viel er voor Interne Zaken van Fife niets te onderzoeken.'

'Enig idee waarom ze van gedachten is veranderd?'

'Misschien dat ze niet kon slapen, net als ik.'

'Heeft u nog vrienden binnen het korps, Mr. Carter?'

'Allemaal met pensioen.'

'En hoofdinspecteur Hendryson?'

'Die was van na mijn tijd, min of meer.'

'Dus u bent naar Hendryson gestapt. En die heeft de plaatselijke IZ erbij gehaald. Die konden weinig beginnen. Totdat die twee andere vrouwen zich plots meldden, waarna ook Teresa Collins besloot haar medewerking te verlenen?'

'Dat is het wel zo'n beetje.'

Fox bleef nog even zitten. Alan Carter leek geen haast te hebben om van Fox af te komen, maar had niets om hem hier te houden, niets dan de warmte van het haardvuur en zijn gemoedelijke stilzwijgen.

'We zijn hier een heel eind buiten Edinburgh, inspecteur,' zei Carter op rustige toon. 'Dit is een buitengebied, hier handelen we de zaken meestal onder elkaar af.'

'Betreurt u wat er met uw neef gebeurd is? Al die media-aandacht?'

'Ik betwijfel of er überhaupt iets met hem "gebeurd" is.' Carter tikte tegen zijn slaap. 'Hier in zijn hoofd.'

'Hij zit wel in de gevangenis. Dat kan niet makkelijk zijn voor de familie.'

'Ik ben zijn familie – alles wat ervan over is.' Carter zweeg even. 'Leven je ouders nog?'

'Mijn pa wel,' zwichtte Fox.

'Nog broers en zussen?'

'Alleen een zus.'

'Kunnen jullie het goed vinden?' Fox besloot geen antwoord te geven. 'Dat zou een tref zijn, want dat is de meesten niet gegeven. Soms moet je een grens trekken, moet je je losmaken van degenen van wie je geacht wordt te houden.' Carter trok een horizontale streep door de lucht. 'Dat kan een tijdje pijn doen, maar daarvoor moet je het niet laten.'

Fox bleef nog even zitten, maar kwam uiteindelijk overeind. Zijn gastheer probeerde hetzelfde te doen. De man zat echter zo goed als in zijn stoel geklemd, en Fox betwijfelde of hij het aanbod van een helpende hand zou accepteren.

'Macaroni met kaas, dat is mijn ondergang, niet, Jimmy?'

Bij het horen van zijn naam spitste de hond zijn oren. Fox was naast de eettafel blijven staan.

'Als ik u zou moeten omschrijven,' begon Fox, 'dan zou ik zeggen dat u ordelijk bent: de jassen aan de kapstok, de laarzen in het gelid. Koekjes horen op een schaal, die bied je niet rechtstreeks uit het pak aan. Dus vraag ik me af wat dit hier te betekenen heeft...' Zijn hand maakte een wuivend gebaar boven de tafel. 'Dit is geen ongerichte verzamelwoede. Er zit een patroon in.'

'Wat historisch spitwerk.'

'Naar 1985?'

'Om en nabij.'

'Ergens eind april misschien?'

'Nou, ga verder. Wat is er toen gebeurd?'

'In april 1985?' Fox probeerde na te denken. Uiteindelijk gaf hij het op.

'Dennis Taylor versloeg Steve Davis bij het wereldkampioen- schap snooker,' zei Carter terwijl hij Fox voorging naar de deur.

6

Rechercheassistent Cheryl Forrester stelde graag vragen. Vragen als: hoe lang zitten jullie al bij Interne Zaken? Is er een selectieproce- dure? Hoeveel van jullie werken er? Doen jullie dit je hele carrière of voor een beperkte termijn? Waarom heb jullie de rang van re- chercheur maar worden jullie geen rechercheur genoemd? Wat was jullie schokkendste zaak? Hoe is het uitgaansleven in Edinburgh?

'Het is niet de andere kant van de wereld, hoor,' verzekerde Joe Naysmith haar.

'O, ik ben er vaak zat geweest.'

'Dan weet je waarschijnlijk meer van het uitgaansleven dan wij,' zei Tony Kaye.

'Maar ik bedoel de plekken waar de Edinburghers zelf komen...'

'Rechercheur Forrester, we zitten hier niet om toeristische tips uit te wisselen.'

'De Voodoo Rooms vind ik wel leuk,' onderbrak Naysmith hem. Hij zag de uitdrukking op het gezicht van zijn collega en slikte zijn verdere commentaar in.

Het probleem was dat Forresters enthousiasme bijna aanstekelijk werkte. De beschrijving 'bruisend' had voor haar bedacht kunnen zijn. Een brunette met krullend haar, gebruinde huid, een rond gezicht met sproetjes en grote, bruine ogen. Ze zat al zes jaar bij de politie, waarvan de laatste twee bij de recherche. Onmiddellijk aan het begin van het gesprek had ze zich laten ontvallen dat ze het veel te druk had voor een vriend.

'Al zullen er heel wat een poging hebben gewaagd,' had Kaye verklaard in een poging het gesprek op Paul Carter te brengen, maar zij had de conversatie een andere wending gegeven door Naysmith te vragen of ze er bij IZ vaste werktijden op na hielden, waarop hij was gaan uitweiden over hun observatiebusje en hoe een onderzoek wel een jaar in beslag kon nemen.

'Een heel jaar van je leven? Dan kan er maar beter een goed resultaat uit rollen!'

En zo ging het maar door, totdat Kaye ten slotte met zijn knokkels op het tafelblad had geroffeld. Ze zaten weer in de verhoorruimte, maar zonder de opnameapparatuur. Forrester, die het gevoel had gekregen iets berispenswaardigs te hebben gedaan, verstrakte en legde haar handen ineengevouwen op tafel.

'Zoals je weet,' begon Tony Kaye, 'zijn er tegen een aantal van je collega's beschuldigingen geuit. Kun je ons vertellen wat je daarvan vindt?'

'Van de beschuldigingen of van de collega's?'

'Waarom niet allebei?'

Forrester bolde haar wangen en blies langzaam haar adem uit. 'Ik was geschokt toen ik het hoorde. Net als iedereen, denk ik. Ik heb een kleine anderhalf jaar met Carter samengewerkt en hij heeft me nooit... nou ja, nooit het idee gegeven dat hij tot zoiets in staat zou zijn.'

'Jullie hebben wel eens samen aan een zaak gewerkt?'

'Ja.'

'En je hebt samen met hem in een auto gezeten?'

'Ja.'

'En hij heeft nooit iets gezegd? Je nooit gevraagd te wachten terwijl hij even bij iemand aanwipte?'

'Niet op die manier, nee.'

'Op politiebureaus wordt heel wat afgeroddeld...'

'Ik kan niet zeggen dat ik ooit iets gehoord heb.' Met haar grote, onschuldig ogende kijkers staarde ze Kaye recht aan.

'Je collega's bij de recherche, Scholes, Haldane, Michaelson...'

'Wat is er met ze?'

'Toen het onderzoek tegen Carter begon, moeten ze erover gepraat hebben.'

'Vast.'

'Is je daarbij iets opgevallen? Hebben ze samen misschien iets van een krijgsberaad belegd?'

Er verscheen een geconcentreerde uitdrukking op haar gezicht, toen schudde ze langzaam maar gedecideerd haar hoofd.

'Heb je je wel eens buitengesloten gevoeld? Dat ze samen naar het café gingen...'

'We zitten wel eens een avondje in de kroeg, ja.'

'Daar moet de zaak toch ter sprake zijn gekomen.'

'Jawel, maar niet om te overleggen hoe met het bewijsmateriaal te knoeien.'

'Die keer dat Michaelson koffie over zijn opschrijfboekje morste, heb je dat toen gezien?'

'Nee.'

'En je hebt Teresa Collins nooit ontmoet, nooit gehoord dat Carter met haar zat te bellen?'

'Nee.'

'Waarom ben je tijdens de rechtszaak niet als getuige opgeroepen? Zo te horen was Carter daar zeer bij gebaat geweest.'

'Dat weet ik eigenlijk niet. Ik bedoel, het enige wat ik had kunnen zeggen is wat ik net aan jullie verteld heb.'

'Heeft Carter nooit iets bij je geprobeerd?'

Er volgde een stilte. Forrester sloeg haar ogen neer, hield ze even op haar handen gericht en keek toen weer op. 'Nooit,' verklaarde ze.

'En dat is de waarheid, niet iets wat iemand je opgedragen heeft te zeggen?'

'Het is de waarheid. Geef me een bijbel en ik zweer erop.'

'Voor het geval we zo gauw geen bijbel kunnen krijgen,' onderbrak Naysmith, 'neem je ook genoegen met de cocktailbijbel?'

Cheryl Forrester schoot in de lach en toonde daarbij haar perfecte parelwitte tanden.

Aan het eind van het gesprek kondigde Naysmith aan dat hij haar naar het recherchekantoor zou begeleiden.

'Ben je soms bang dat ze onderweg overvallen wordt?' berispte Kaye zijn collega, maar Naysmith nam geen notitie van hem. Kaye besloot naar buiten te slenteren voor een beetje frisse lucht. Op het parkeerterrein miste een overvliegende zeemeeuw op een haar na doel en spetterde in plaats van Kaye de voorruit van een MG vol. Geen spoor van de Mondeo of Fox te bekennen. Kaye haalde zijn mobiel tevoorschijn en controleerde zijn berichten. Er waren er drie, één daarvan was van Malcolm. Terug op het bureau hield hij zijn vinger net zolang op de bel gedrukt totdat de dienstdoende agent met zijn kenmerkende uitnodigende, norse blik kwam aanlopen.

'Ik zou graag hoofdinspecteur Laird spreken, als hij beschikbaar is.'

'Ik geloof van niet.'

'Oké, laat maar zitten.' Kaye zette koers naar de gang en nam de trap naar de volgende verdieping. De recherche had daar verschillende kantoorruimtes in gebruik. In één daarvan zat Cheryl Forrester. Met de armen over elkaar gevouwen en zijn ene voet over de andere geslagen stond Naysmith in de deuropening met haar te praten. In het voorbijgaan gaf Kaye hem een por in zijn rug, waarna hij verderop een deur opentrok van een grote, kantoortuinachtige ruimte. Scholes en Michaelson keken op vanachter hun bureaus. Scholes was aan het telefoneren, Michaelson was met de muis van zijn computer in de weer. Een andere man, een tikkeltje ouder dan de andere twee, stond in het midden van de ruimte. Hij had zich van het jasje van zijn pak ontdaan, de mouwen van zijn overhemd waren opgerold. Hij had een wasachtige, olijfbruine huid, haar dat aan de slapen begon te grijzen en wallen onder zijn ogen. Hij stond een stapel papieren door te nemen.

'Hoofdinspecteur Laird?' Kaye stak zijn hand uit. Laird had nog geen aanstalten gemaakt tot oogcontact. Hij krabbelde een paar woorden in de kantlijn van het bovenste vel en stak zijn pen weg.

'En jij bent Fox?' vroeg hij op lijzige toon.

'Brigadier Kaye,' verbeterde Kaye hem terwijl hij zijn hand terugtrok.

'Waar is Fox?'

'Waarschijnlijk aanvullend advies aan het inwinnen over Haldanes griepje.'

'Hoor eens...' Uiteindelijk besloot Laird de brigadier een blik waardig te keuren. 'Jij bent een brutaal ettertje, hè?'

'Hangt van de situatie af.' Kaye voelde aan zijn water dat hij voor een man stond die bijzonder veel vertrouwen stelde in de manschappen onder zijn bevel en ze tot het bittere einde zou verdedigen. Forrester was weinig behulpzaam geweest omdat ze niets had om behulpzaam mee te zijn, bij Laird lag dat anders. Van hem viel niets te verwachten omdat Interne Zaken niet beter verdiende. Het sprak uit zijn toon, uit zijn houding, uit de manier waarop hij stond: de voeten wijd uiteen. Kaye was het slag talloze keren tegengekomen. Je kon ze kleinkrijgen, maar dat kostte tijd en energie – hele weken tijd en een niet-aflatende energie.

Fox' sms'je had geluid: *vraag Laird waarom Pitkethly erbij gehaald is*. Het was een redelijke vraag, en Kaye wist waarom ze die beter niet aan Pitkethly zelf konden stellen. Heel simpel. Ze zou het antwoord waarschijnlijk zelf niet weten. Totdat ze haar hier naartoe gedelegeerd hadden was ze volkomen onbekend geweest met het bureau. Laird had onder het oude regime gediend. Dat was een oude rot. Als daar een interessant verhaal achter stak, dan zou Laird wel eens de man kunnen zijn die het ze kon vertellen.

Maar de paar seconden die hij in diens gezelschap had doorgebracht, maakten Kaye duidelijk dat dat er niet in zat.

'Mijn chef,' begon hij, 'wilde dat ik u iets vraag.'

'Vooruit man, voor de draad ermee.'

Maar Kaye schudde enkel zijn hoofd. 'Ik denk dat ik er maar van afzie.'

Hij draaide zich op zijn hakken om en liep weg. Halverwege de gang greep hij Naysmith bij de kraag en trok hem met zich mee.

7

De parkeerplek van de Mondeo werd bezet gehouden door een stationair draaiende Astra. De enige vrije plek op het parkeerterrein was officieel gereserveerd voor de commissaris, dus liet Fox zijn auto daar achter. Onderweg naar de ingang van het bureau wierp hij een blik op de bestuurder van de Astra. Diens gezicht kwam hem bekend voor.

'Dat werd verdomme tijd ook,' vond Tony Kaye, die het bureau uit kwam lopen met Naysmith in zijn kielzog. 'Ik heb je sms gekregen, maar ik had niet het idee dat Laird stond te popelen om me een plezier te doen.'

'Terwijl Forrester juist reuze aardig en behulpzaam was,' zei Naysmith, waarop Kaye hem een bedenkelijke blik toewierp.

'Behulpzaam?' bauwde hij hem na. 'Met dat domme geblaat van haar?' Toen, terwijl hij zich tot Fox richtte: 'Zeg me alsjeblieft dat jij het nog beroerder hebt gehad. Een paar keer verdwaald of zo. Dat je die oom eindelijk gevonden had en dat die kierewiet bleek te zijn... Foxy? Luister je wel?'

Fox had zijn aandacht nog steeds bij de Astra.

'Dat is Paul Carter,' zei hij.

'Wat?'

Fox liep op de wagen af. Die draaide achterwaarts zijn parkeerplek uit en reed het parkeerterrein af. Fox holde hem nog een paar passen achterna maar gaf het toen op. Kaye haalde hem bij en samen zagen de twee mannen de wagen met brullende uitlaat wegspuiten.

'Weet je het zeker?'

Fox keek hem ijzig aan.

'Oké,' zwichtte Kaye. 'Je weet het zeker.'

Fox pakte zijn mobiel en belde het kantoor van het Openbaar Ministerie. Hij werd van het ene toestel en het ene kantoor naar het andere doorgeschakeld totdat hij iemand vond die de antwoorden had waar hij om verlegen zat. Paul Carter was die ochtend om kwart over acht op borgtocht vrijgelaten in afwachting van het vonnis van de rechter.

'Alle cellen zitten overvol,' kreeg Fox te horen. 'Volgens rechter Cardonald behoorde hij tot de minder riskante gevallen. Beperkte bewegingsvrijheid, dat wel: hij mag niet in de buurt van een drietal vrouwen komen.'

'Wie heeft zijn borgtocht betaald?'

'Het ging niet om veel geld.'

'Was het op initiatief van de rechter? Van Colin Cardonald?'

'Dat neem ik aan.'

'De rechter die het niet op dienders heeft?'

'Nou nou, kalm aan...'

Maar Fox had al opgehangen. 'Ze hebben hem vrijgelaten,' bevestigde hij ten behoeve van Kaye en Naysmith.

'Zullen we hem opbrengen voor een babbeltje?' vroeg Naysmith.

Fox schudde zijn hoofd.

'Wat had die hier in vredesnaam te zoeken?' voegde Kaye eraan toe.

'Even bijpraten met zijn maten,' opperde Fox terwijl hij zich naar het bureau omdraaide en de ramen op de eerste verdieping aftuurde. Achter een daarvan stond Ray Scholes met een mok in zijn hand. Hij maakte een proostend gebaar richting Fox alvorens zich weg te draaien.

'Dat verandert geen spat aan de zaak,' stelde Tony Kaye vast.

'Nee,' beaamde Fox.

'Nu heb je ons nog steeds niet verteld hoe het je bij die oom is vergaan.'

'Een prima kerel.' Fox zweeg even. 'Ik mocht hem wel.'

'Niet half zoveel als onze Joe hier op Forrester gesteld is.' Kaye speurde het parkeerterrein af. 'Waar staat mijn Mondeo?'

'Die heb ik op Pitkethly's plekje geparkeerd.'

'Daar kunnen we hem maar beter weghalen, vind je niet?' Kaye stak zijn hand uit voor de sleutel.

'Ik heb een beter idee,' zei Fox, 'we stappen nu in en gaan een hapje eten. Ik trakteer.'

Kaye staarde hem aan. 'En wat staat daartegenover?'

Fox vertrok zijn mondhoeken. 'Dat we eerst een tochtje door de stad maken.'

'Op zoek naar een zilverkleurige Astra,' veronderstelde Kaye.

Fox gaf hem de sleutel.

Na een halfuur vruchteloos rondrijden eindigden ze opnieuw bij Pancake Place. Omdat Fox trakteerde bestelde Kaye soep en de vispannenkoek met bechamelsaus. De hoektafel was nog vrij, dus hadden ze daar plaatsgenomen.

'Waar woont die Carter?' vroeg Joe Naysmith.

'In Dunnikier Estate,' vertelde Fox hem. 'We zijn er gisteren doorheen gereden.'

'We zijn gisteren door zoveel wijken gekomen.'

'Twee-onder-een-kapwoningen, grindsteen, satellietschotels.'

'Een beetje specifieker graag.'

'We zouden erheen kunnen gaan,' opperde Kaye. 'Eens kijken

hoe hij reageert als wij daar een uurtje of twee voor de deur staan.'

'En welk doel moet dat dienen?' vroeg Fox.

'Hem een beetje in zijn nek hijgen. Kunnen we de observatiebus niet in stelling brengen om zijn telefoon en computer af te tappen?'

Naysmith' belangstelling was gewekt.

'Daarvoor hebben we toestemming nodig van het hoofdbureau,' verklaarde Fox. 'En die geven ze niet.'

'Waarom niet?' vroeg Naysmith met gefronste wenkbrauwen.

'Omdat we hier voor Scholes, Haldane en Michaelson zijn. Carter valt buiten onze opdracht.'

'En als we nu eens hún telefoons afluisterden,' stelde Naysmith voor.

Fox keek hem aan. 'Ze laten observeren? Dat is van een heel andere orde, Joe. Ik betwijfel of er op het hoofdbureau iemand is die vindt dat ze daar belangrijk genoeg voor zijn. Daar komt bij dat we niet van hier zijn. Zo'n operatie zou door Fife zelf gedaan moeten worden, door hun eigen afdeling Interne Zaken.'

Naysmith liet het even bezinken en at toen verder van zijn Schotse soep. Fox' mobiel ging af en hij nam op. Het was commissaris Isabel Pitkethly.

'Paul Carter wordt niet langer vastgehouden,' vertelde ze hem.

'Dat weet ik.'

'Zo te zien heeft de rechter toch nog een beetje vertrouwen in hem.'

'Ja.'

'Als hij besluit in hoger beroep te gaan, dan is de kans groot dat tijdens de behandeling ook de beschuldigingen tegen mijn agenten aangevochten worden.'

'Dat is niet mijn zaak.'

'Hoe bedoel je?'

'Ik werk niet voor de rechtbank of het OM. Uw bazen in Glenrothes vertellen wat ik moet doen, en tot dusver heb ik niets gehoord over het stopzetten van het onderzoek.' Fox zweeg even. 'Heeft u Carter gesproken?'

'Natuurlijk niet.'

'Een uur geleden stond hij voor het bureau.'

'Dat wist ik niet.'

'Maar Scholes wel. Misschien moest u hem maar eens vragen waarom hij u daar niets over gezegd heeft.'

'Ik ben net terug van het hoofdbureau.'

'Daar brengt u heel wat tijd door, zo te horen. Houdt u ze persoonlijk op de hoogte?'

Ze hapte niet. 'Dus je bent hier nog niet klaar?'

'Bij lange na niet.'

'Dan zie ik je nog wel. En, inspecteur...'

'Ja, hoofdinspecteur?'

'Waag het niet je wagen nog eens op mijn plek te parkeren.'

De middag had bestaan uit een vergeefse sessie in de verhoorruimte met hoofdinspecteur Laird – nee, er was niets bijzonders geweest aan het vertrek van hoofdinspecteur Hendryson; het was simpelweg zijn tijd geweest, dat was alles – en een bezoek aan het huis van de door griep gevelde brigadier Haldane. Ze hadden Haldane languit op de bank in de huiskamer aangetroffen, gesmoord onder een dekbed en met zijn moeder op bezoek, die met gulle hand thee, grieppillen en goede raad ronddeelde.

'Kan dit niet wachten tot hij beter is?' had ze de drie indringers berispend toegesproken. Uiteindelijk waren ze overeengekomen dat Haldane zich met een dag of twee op het bureau zou vervoegen, zodat het gesprek volgens de geëigende procedures kon verlopen.

'Wat nu?' had Kaye naderhand gevraagd, toen ze de auto weer in stapten.

'Dunnikier Estate,' was Fox' antwoord.

Kaye glimlachte even, alsof hij dit antwoord al verwacht had. Hun bestemming lag aan de andere kant van de stad en het was druk op de weg.

'De scholen gaan uit,' merkte Naysmith op toen hij leerlingen in uniform over de stoep zag drentelen.

'Kijk aan, een ware Hercule Poirot,' pruttelde Kaye.

Uiteindelijk draaiden ze Carters straat in. 'Dat huis daar,' wees Fox.

'Dat huis met die zilverkleurige Astra op de oprit?' merkte Kaye op. 'Hercule Poirot én Sherlock Holmes.'

'Van wie is die andere auto?' vroeg Naysmith.

Fox verschafte het antwoord. 'Ray Scholes.'

'Weet je het zeker?'

'Als dat tenminste Scholes is die daar uit het huis komt...'

Wat ook zo was. Er volgde een korte omhelzing tussen de beide mannen, Scholes en Carter, waarna Carter naar binnen ging en de deur achter zich dichttrok. Scholes had de Mondeo in de peiling maar leek niet verbaasd of van plan zich er druk om te maken. Hij opende het portier van zijn zwarte vw Golf en stapte in, terwijl Fox via het achteruitkijkspiegeltje van de Mondeo toekeek.

'Zullen we even gedag zeggen?' vroeg Kaye terwijl hij vaart minderde voor een kruising.

'Nee.'

'Wat dan wel?'

'We gaan terug naar Edinburgh.'

'Zo mag ik het horen.'

'En om de tijd te doden doen we een quizje.' Fox boog zich naar voren en stak zijn gezicht tussen de twee voorstoelen. 'Wat kunnen jullie je nog van 1985 herinneren? In het bijzonder van eind april...'

Kayes manier om er zeker van te zijn dat ze wat bij Minter's zouden drinken voordat ze ieder huns weegs gingen, was door er rechtstreeks naartoe te rijden en voor de deur van de pub te parkeren.

'Mijn rondje,' zei hij, en hij bestelde een pint voor zichzelf, een halfje voor Naysmith en een Big Tom-tomatensap voor Fox. De barkeeper wist uit ervaring dat Naysmith' 'halfje' als geintje bedoeld was en begon twee grote Caledonian 80 te tappen. Ze namen hun drankjes mee naar een tafel, en Kaye vroeg Fox hoeveel jaar hij zich al geen 'echt' drankje meer gepermitteerd had.

'Ik ben met tellen gestopt.'

'Juist ja.' Kaye veegde een schuimstreep van zijn bovenlip.

'Weet je,' merkte Joe Naysmith op, 'die kerels laten observeren is zo'n slecht idee nog niet.'

'Hé,' waarschuwde Kaye, en hij stak een vermanende vinger op, 'de dienst zit erop, hoor.'

'Ik zeg alleen maar dat we onze zaken meestal zo aanpakken.'

'Dat had ik toch al uitgelegd, dacht ik...' begon Fox.

Naysmith knikte. 'Als ik het fout heb moet je het zeggen, maar zonder observatie komen we nergens. Als we Bob McEwan nou eens om toestemming vragen en de boel in werking zetten zonder dat iemand in Fife ervan weet. Wanneer we dan ergens op stuiten...'

'Als we ergens op stuiten,' corrigeerde Fox hem.

'Oké, áls we ergens op stuiten...'

'En dat is maar helemaal de vraag,' voegde Kaye eraan toe.

'Ja, maar als we iets vinden, dan stellen we hoofdbureau Fife gewoon voor een fait accompli.'

'Ik kan dat joch niet volgen met al die dure woorden van hem,' klaagde Kaye tegen Fox.

'En waarom denk je dat McEwan daar zijn medewerking aan verleent?' vroeg Fox aan Naysmith.

'Omdat we het hem vriendelijk vragen.'

Kaye snoof schamper. 'Tuurlijk, McEwan. Eén aardig woord en hij gaat meteen door de knieën.'

'Zoals ik al zei,' vervolgde Fox tegen Naysmith, 'is het Fifes pakkie-an.'

'Maar het kan toch geen kwaad om het ze te vragen? Jij moet daar toch iemand bij Interne Zaken kennen...'

Fox aarzelde even voordat hij antwoord gaf. 'Ik geloof niet dat we daar momenteel in een goed blaadje staan. Wij begeven ons op wat uiteindelijk hun territorium is.'

'Maar je kent daar wel iemand?' hield Naysmith aan.

'Ja,' zwichtte Fox, en hij keek naar Kaye.

Kaye haalde zijn schouders op. 'Volgens mij gaat dat niet lukken.'

'Waarom niet?'

'Om iemand te observeren heb je toestemming van boven nodig. En zijn we het er niet alle drie over eens dat ze er bij Glenrothes niet bepaald om zitten te springen dat we echt iets opdiepen?'

'Maar als ze hun eigen Interne Zaken afwimpelen,' redeneerde Naysmith, 'dan staan ze er ook niet goed op.'

Kaye keek Malcolm Fox aan. 'Wat vind jij ervan, Foxy?'

'Het is een mijnenveld van regels en richtlijnen.'

'Maar toch, een eerste stap hoeft niet gelijk dodelijk te zijn.'

'Hun vaste lijnen en mobieltjes,' voegde Naysmith eraan toe, 'gewoon om te horen wat Carter met zijn maten bij de recherche te bespreken heeft.'

'Ik zal erover nadenken,' zei Fox uiteindelijk.

Kaye liet zijn hand hard op Naysmith' knie neerdalen. 'Dat betekent dat hij het doet. Goed gespeeld, Joseph. En, o ja, het is jouw beurt voor een rondje...'

Eenmaal thuis warmde Fox een zoveelste kant-en-klaarmaaltijd op in de magnetron en verorberde die aan tafel. De tv bleef uit. Hij was in gedachten verzonken. Nadat hij opgeruimd had, belde hij zijn zus en verontschuldigde zich dat hij niet eerder van zich had laten horen.

'Laat me raden: je hebt het te druk gehad.'

'Wat toevallig nog waar is ook.' Fox masseerde de brug van zijn neus.

'Maar je bent wél bij pa geweest, toch?'

'Gisteravond, zoals beloofd. Tegen de tijd dat ik er aankwam, was hij weer de oude.'

'O?'

'We hebben naar wat foto's zitten kijken.'

'En hij raakte er niet door van streek?'

'Niet echt, nee.'

'Misschien dat het aan mij ligt – is dat wat je bedoelt te zeggen? Dat ik overdreven reageer?'

'Nee, Jude. Natuurlijk niet. En ik zag die doos met luiers in de badkamer.'

'Als hij in zijn broek gaat plassen wordt-ie eruit gebonjourd.'

'Dat betwijfel ik.'

'Dan willen ze dat hij bij een van ons intrekt.'

'Jude, luister...'

'Maar niet bij mij, Malcolm! Dat trek ik echt niet.'

'Ze willen heus niet van hem af.'

'Hoezo? Omdat jij voor zijn natje en zijn droogje blijft dokken? Dat vinden ze allemaal prima, zolang hij ze niet tot last is.'

'Zou het je geruststellen als we eens met ze gaan praten?'

'Jij praat maar met ze – mij haten ze.'

'Jude, ze haten je helemaal niet.'

'Ze behandelen me als oud vuil. Jij ziet het niet omdat jij degene bent die de cheques uitschrijft. En wat maakt het jou ook uit. Jíj strijkt straks het leeuwendeel van de erfenis op. Jij bent degene om wie hij geeft, het is altijd Malcolm voor en Malcolm na wanneer ik bij hem ben. Het gaat nooit over mij. Ik mag alleen maar opdraven en voor hem slaven, alsof ik een van zijn kutverpleegsters ben!'

'Jude, luister nou toch naar jezelf.'

Maar in plaats daarvan was het Fox die luisterde; hij luisterde naar de klaagzang van zijn zus, die onverminderd aanhield en steeds heftiger werd. Hij zag de foto van haar voor zich, van zijn zus als klein meisje boven op Chris' schouders, barstend van de zorgeloze energie. Nu was dit eruit gedestilleerd.

Soms moet je een grens trekken...

Fox zag zichzelf de telefoon langzaam in de lader plaatsen. Toen het toestel contact maakte met het basisstation was de verbinding verbroken. Zuigend op zijn onderlip staarde hij naar het apparaat, half in de verwachting dat het over zou gaan, met een razende Jude aan de andere kant van de lijn.

Maar er gebeurde niets, dus ging hij theezetten terwijl hij overwoog of hij iets tegen haar had kunnen zeggen wat de kou uit de lucht had gehaald – aanbieden zijn vader vaker te bezoeken, regelen dat ze over een paar weken ergens gedrieën zouden lunchen.

Jij bent degene om wie hij geeft... Ik mag alleen maar opdraven en voor hem slaven.

Zuchtend liep hij naar zijn computer en zette die aan, benieuwd naar wat zijn zoekmachine hem over 1985 kon vertellen, terwijl de bijtende herinnering aan het telefoontje begon te vervliegen.

DRIE

8

'Dus je bent geen geestverschijning?'

'Van top tot teen van vlees en bloed, zover ik weet.'

Fox maakte aanstalten zijn hand uit te steken, maar zag dat zij haar beide handen naar hem uitgestrekt hield. Hij wilde ze al pakken toen hij halverwege besefte dat het gebaar als aanzet tot een omhelzing was bedoeld. Ongemakkelijk drukte hij haar tegen zich aan.

'Is het drie of vier jaar geleden?' vroeg ze. Drie of vier jaar geleden sinds hun kortstondige avontuurtje, nota bene tijdens een conferentie van Normen Beroepsuitoefening op de politieacademie in Tulliallan.

'Een kleine vier. Je bent niets veranderd.' Hij deed een stap naar achteren om het waarheidsgehalte van zijn woorden beter in te kunnen schatten. Ze heette Evelyn Mills, was van vrijwel dezelfde leeftijd als Fox, al hadden de jaren op haar geen vat gekregen. Op het moment van hun onenightstand was ze getrouwd geweest, en ze was dat, getuige de ring aan haar linkerhand, nog steeds. Ze stonden op de strandpromenade van Kirkcaldy. Eerder die dag had het pijpenstelen geregend, maar de bui was overgetrokken. Dikke wolkenplukken dreven boven hun hoofden voorbij. Aan de horizon voeren een paar vrachtschepen langs. Fox nam het beeld in zich op terwijl hij afwachtte of zij iets over zijn uiterlijk te melden had.

In plaats daarvan constateerde ze: 'Nog steeds bij Interne Zaken dus.' Hij duwde zijn handen in zijn zakken en haalde zijn schouders op.

'Jij ook.'

'Mmm...' Ze leek hem grondig in zich op te nemen. Toen haakte ze haar arm in de zijne en zetten ze zich zwijgend in beweging.

'Een mooi resultaat voor je,' verbrak hij uiteindelijk de stilte. 'Paul Carter, bedoel ik.'

'Goed beschouwd was dat niet ons werk. Dat hadden we aan de getuigen te danken. En zelfs dan nog... Op een andere dag in een andere rechtszaal had de weegschaal zomaar naar de andere kant kunnen doorslaan.'

'Evenzogoed,' hield hij aan.

'Evenzogoed... zijn we zo goed in wat we doen dat jij helemaal vanuit de grote stad hierheen gesleept moest worden.'

'Altijd gepaste afstand bewaren, Evelyn. Op die manier kan niemand je ooit voor de voeten werpen dat je je collega's de hand boven het hoofd houdt.'

'Dacht je nu echt dat wij zoiets zouden doen?'

'Ik zou het je niet nadragen.' Hij zweeg even. 'Als dat een troost is...'

'Ik ben niet uit op troost, Malcolm.' Met haar vrije hand kneep ze even in zijn onderarm, en hij wist dat hij een bondgenoot in haar had, niet een tegenstander.

'Carter is op vrije voeten,' zei Fox. 'Wist je dat?'

Ze knikte. Ze zetten koers naar de kade aan de noordpunt van de Esplanada. Er lag een eenzame vissersboot aangemeerd, maar afgezien van een paar vervaarlijk ogende meeuwen viel er geen teken van leven te bespeuren.

'We dachten dat het misschien wel prettig zou zijn om te kunnen horen wat hij Scholes en de anderen te melden heeft.'

'O?'

'Hun vaste en mobiele telefoons.'

'Van vier rechercheurs?'

'Drie. Carters hoger beroep, als hij dat aantekent, is een uitgemaakte zaak als ze erachter komen dat we hem afluisteren.'

'Ik weet niet of we dat wel kunnen behappen, Malcolm.'

'Qua menskracht of qua middelen?'

Luidruchtig liet ze haar adem ontsnappen. 'Allebei, als ik eerlijk ben. Feitelijk sta je nu met de complete afdeling Interne Zaken van Fife te praten. Meer is er niet. Nou ja, in een noodsituatie kan ik altijd een paar mannetjes vorderen...'

'Heb je dat ook gedaan toen Alan Carter de oorspronkelijke klacht indiende?'

Ze knikte terwijl ze wat verwaaide haren uit haar gezicht streek. 'Scholes is degene met wie Carter echt dik is. Als ik iemand in de gaten zou houden, is hij het.'

'We zagen hem gisteren uit Carters woning komen.'

'Wou je zeggen dat de observatie al in volle gang is?'

Fox schudde opnieuw zijn hoofd. 'We reden toevallig langs.'

Ze vertrok haar ogen tot spleetjes. 'Toevallig? In Dunnikier Estate?'

'Bij wijze van spreken.'

Ze nam zijn gezicht kritisch op en liet er een kort lachje op volgen. 'God, wat we allemaal niet doen,' zei ze. Hij was niet zeker of ze hun baan bedoelde of dat ze terugdacht aan die nacht in Tulliallan; het antwoord kon hij maar beter niet riskeren, zo besefte hij.

'Je weet dat ik het met mijn chef moet opnemen?' vroeg ze, nadat ze even had nagedacht. 'En dat die het weer met zijn chef moet opnemen?'

Fox knikte.

'En ik kan hem zeggen dat het uit jouw koker komt?'

Hij knikte opnieuw.

'Al dat gedoe enkel en alleen om erachter te komen of een paar collega's het misschien voor elkaar hebben opgenomen?'

'En daarbij en passant meineed hebben gepleegd,' bracht Fox haar in herinnering.

Haar vinger gleed over de brug van haar neus – een neus die hij ooit gekust had, zo stond Fox opeens weer helder voor de geest. Die avond had ze aan de bar stevig zitten pimpelen. Hij was degene die niet beschonken was geweest, degene die haar alleen maar naar de deur van haar slaapkamer had zullen begeleiden. Maar ze had een waterkoker op haar kamer en zakjes oploskoffie. En een smal eenpersoonsbed...

'Waar denk je aan?' vroeg hij haar nu.

'Dat het hier stervenskoud is.'

'Hoe je antwoord ook uitvalt, bedankt dat je me wilde zien.'

Deze keer gaf ze een liefkozend tikje op zijn arm. Ze draaiden zich om en wandelden terug naar haar auto. Nadat ze haar wagen zwijgend bereikt hadden, vroeg ze waar hij de zijne geparkeerd had. Hij knikte vaag in de richting van het centrum. Ze opende het portier en stapte in. Het was een Alfa Romeo met een donkerblauw interieur.

Fox duwde het portier voor haar dicht en keek toe hoe ze de wagen startte. Het raampje gleed omlaag en ze keek hem aan. 'Een paar maanden terug was ik op Fettes om iets langs te brengen. Ik heb nog even overwogen bij je aan te kloppen.'

'Had het maar gedaan.'

Ze haalde de auto van de handrem, wuifde nog even en was verdwenen. Fox bleef staan totdat de wagen uit het zicht verdwenen was, stak vervolgens over en beende naar het café in winkelcentrum Mercat. Kaye en Naysmith zaten te wachten, koffiedrinkend en verscholen achter de krant van hun keus: *The Guardian* voor Naysmith, de *Daily Record* voor Kaye.

'Niks bestellen,' waarschuwde Kaye. 'Dit hier haalt het niet bij die andere tent.'

'Maar wel lekker dicht bij de auto,' bracht Fox hem in herinnering. In afwachting van zijn verslag keek Kaye Fox strak aan.

'Misschien wel, misschien niet,' kwam hij hem ten slotte tegemoet terwijl hij zich naast Kaye op de bank wrong. Die boog voorover om aan Fox' jas te snuffelen. 'Chanel No. 5, als ik het niet verleerd ben. Die contactpersoon van jou is dus geen kerel.'

'Wie is hier nu de Hercule Poirot?' mompelde Naysmith zonder van zijn krant op te kijken.

Niet de verhoorruimte. Teresa Collins was onvermurwbaar geweest. Trouwens, helemaal nergens in de buurt van dat 'stinkhol'. Waarop Fox een bezoek bij haar thuis had voorgesteld. Dat was de eerste verdieping van een maisonnette in Gallatown. Niet het heilzaamste stukje stad, zo had Gary Michaelson laten doorschemeren. Maar in Fox' ogen was er weinig mis mee: in Edinburgh had je heel wat ergere buurten. Rijtjeshuizen en twee-onder-een-kapwoningen, de meeste opgesplitst in kleine appartementen. Met grindstenen muren en heel veel satellietschotels. En jonge moeders, sommige alweer zwanger, druk telefonerend achter hun kinderwagens. Een paar opgeschoten jongens met baseballpetjes op keken dreigend toe hoe de Mondeo stilhield en produceerden intuïtief kreungeluiden toen de drie mannen uitstapten. Fox drukte op de bel naast het naamplaatje met COLLINS.

'Hij is open!' riep een stem.

Fox duwde tegen de deur en beklom de trap. Op de begane grond gaf iemand een feestje.

'Eminem,' stelde Naysmith vast.

'Mij klinkt het allemaal eender in de oren,' sputterde Tony Kaye.

Met één been over de stoelleuning en een brandende sigaret in haar mond hing Teresa Collins in een gemakkelijke stoel in haar overzichtelijke huiskamer. Ze droeg een zwarte lycra legging en een paars T-shirt waarop in glitters de woorden PORN STAR geschreven stonden.

'Voor mij had je je niet op hoeven tutten, hoor,' liet Kaye haar weten terwijl hij een 3D-poster van Beyoncé aan een nader onderzoek onderwierp. De muziek beneden liet de ruiten trillen.

'Dat was ik vergeten te vragen,' zei Collins. 'Moet ik mijn advocaat nog bellen?'

'Jij bent het slachtoffer hier,' stelde hij haar gerust, en hij stelde zichzelf, Kaye en Naysmith aan haar voor. Er stond nog een leunstoel, maar die ging schuil onder een hoge berg strijkgoed. Waar het ondergoed betrof opteerde Teresa Collins zo te zien voor de string.

'Het slachtoffer, en of,' zei ze tussen twee trekken aan haar sigaret door. In een hoek van de kamer stond een flatscreen-tv en een digitale box. Op een boekenplank die verder leeg was bevonden zich het afspeelstation en de speakers voor een mp3-speler. Het beige tapijt liet een indrukwekkende verzameling schroeiplekken zien.

'Van je buren moet je het hebben,' merkte Kaye op, met de hak van zijn schoen op de vloer bonkend.

'Ze vallen best mee.' De voet die over de leuning bungelde hield de maat, terwijl Collins' andere knie wild pompende bewegingen maakte.

'Wat uppers geslikt om de methadon te neutraliseren?' veronderstelde Fox.

'Alles hier is keurig op recept,' snauwde ze terug.

'Daarvoor zijn we hier niet. Zoals ik aan de telefoon al zei, doen we een onderzoek naar Carters collega's.'

'Dat zeg jij, ja.'

'Het zou fijn zijn als je me geloofde.'

Het leek haar veel moeite te kosten zich op hem te concentreren. 'Vooruit dan maar,' zei ze ten slotte. 'Stel jij die klotevragen ook nog maar een keer...'

'Kwam agent Carter hier vaak?'

'Ja.'

'Een paar van je buren hebben hem gezien?'

'Dat hebben ze toch gezegd, of niet soms?'

'Dat was niet erg discreet van hem. Hoe zat het met zijn collega's – kwamen die ook wel eens over de vloer?'

'Scholes. Een keertje. Maar dat was in het begin, toen ze wilden dat ik hun verklikker werd.'

'Was Scholes er nooit bij als Carter een van zijn "gunsten" kwam incasseren?'

Ze schudde haar hoofd. 'Misschien dat-ie beneden in de auto zat te wachten.' Ze maakte een geagiteerde indruk. 'Toen jullie de boel eindelijk in de smiezen kregen, belde Scholes me op om me bang te maken, om te zorgen dat ik mijn kop hield.'

'Ik snap dat het niet makkelijk voor je is om alles weer op te moeten rakelen.'

'Ik dacht dat het voorbij was. Is dit jullie nieuwe aanpak? Hij draait de nor in, dus jullie blijven me net zo lang op de huid zitten totdat ik kierewiet word of me van kant maak?'

Fox wachtte even met antwoorden. 'Je weet dat er instanties zijn die je kunnen helpen, nummers die je kunt bellen?'

'Een blijf-van-mijn-lijfhuis? De crisisopvang? Dat werk?' Gedecideerd schudde ze haar hoofd. 'Ik wil gewoon met rust gelaten worden.' Ze blies een rookpluim uit en veegde de asdeeltjes van haar T-shirt. 'Nu hij eindelijk vastzit, is dat het enige wat ik vraag...'

'Stel dat hij niet vastzit?' Zodra de woorden zijn mond verlaten hadden, wist Naysmith dat hij een blunder begaan had: de woede in de blik van zowel Fox als Kaye liet weinig aan duidelijkheid te wensen over.

'Wou je zeggen dat-ie op vrije voeten is?' Ze sperde haar bleke ogen in haar nog blekere gezicht open.

'Dat hadden ze je moeten laten weten,' zei Fox op kalme toon.

'Hij is...?' Collins kwam overeind, snelde naar het raam en tuurde omlaag de straat in.

'Hij is gewaarschuwd dat hij minstens een halve kilometer bij je vandaan moet blijven,' probeerde Fox haar gerust te stellen. 'Eén stap dichterbij en hij zit zo weer achter de tralies.'

'Is dat niet geweldig?' vroeg ze met bijtend sarcasme. 'Natuurlijk houdt-ie zich daaraan, niet dan? Een onkreukbare klootzak als hij...'

Met een ruk draaide ze zich bij het raam vandaan. 'Als ik nu eens zeg dat het allemaal gelogen is? Dat ik het allemaal verzonnen heb om hem in de problemen te brengen?'

'Dan ben jij degene die mag brommen,' waarschuwde Fox haar. Hij legde zijn visitekaartje op de leuning van de stoel. 'Hier heb je mijn nummer. Als je hem ook maar ergens ziet, bel me dan.'

'Jullie zijn hier om me te bedreigen, hè?' stelde Teresa Collins vast terwijl ze een trillende vinger in hun richting priemde. 'Met z'n drieën – dit is pure intimidatie. Plus dat verhaal van jullie dat-ie vrijgelaten is... Dit is jullie manier om mij bang te maken. Eerst Scholes, Haldane en Michaelson, en nu jullie drie.'

'Ik verzeker je dat we alleen...'

'Ik stap naar de pers! Wacht maar af! Ik schreeuw de hele boel bij elkaar.'

'Wil je nu alsjeblieft even kalmeren, Teresa?' Fox hief zijn handen in een gebaar van overgave ten hemel. Hij deed een stap naar voren, maar zij draaide zich opnieuw om en schoof het raam open.

'Help!' riep ze. 'Alsjeblieft. Iemand, help!'

Fox zag dat Kaye naar hem keek, wachtend op zijn besluit.

'Ik bel je later wel,' zei Fox met de nodige stemverheffing tegen Collins in de hoop dat ze hem zou horen. 'Later, wanneer je weer wat tot bedaren...'

Hij gebaarde naar Kaye en Naysmith dat het tijd werd om te vertrekken. De bovenburen keken vanuit het trapportaal op ze neer.

'Ze is hysterisch,' verklaarde Fox terwijl hij de trap af stommelde. De feestvierders beneden hadden kennelijk niets gehoord of waren in elk geval niet van plan zich ermee te bemoeien. Maar de jongelui buiten op de stoep hielden Fox en zijn collega's dreigend in het oog terwijl die zich naar buiten haastten. Fox wapperde zijn politiepasje in hun gezicht.

'Achteruit,' gelastte hij.

'Jullie hebben haar verkracht,' klonk een beschuldigende stem.

'Ze is gewoon van streek.'

'Ja, en wiens schuld is dat, hè? Jullie hebben...'

'Godskolere,' riep Kaye uit. 'Moet je mijn auto zien!'

De inhoud van een vuilnisbak was over de motorkap en de voorruit uitgestort: piepschuimen fastfoodbakjes, sigarettenpeuken, ingedeukte bierblikjes en iets wat verdacht veel op de resten van een dode duif leek.

'Verderop in de straat kun je je auto laten wassen, voor maar drie pond,' opperde eentje van het stel.

'Vijf als je ze vertelt dat je een juut bent,' riep een tweede.

Er klonk gelach, wat Fox dankbaar stemde. Dat trok de lont uit het kruitvat. Ook had Teresa Collins inmiddels haar gegil gestaakt en het raam dichtgeschoven.

Tony Kaye was echter onverminderd woest. Hij stormde op de jongens af, maar Fox greep hem bijtijds bij zijn arm.

'Rustig, Tony. Koest. Hoogste tijd om ervandoor te gaan.'

'Maar die etterige rukkertjes...'

'In de auto,' gelastte Fox. Kaye wachtte nog een paar tellen voordat hij aan het bevel gehoor gaf, gebruikte vervolgens de ruitenwissers om een deel van de viezigheid weg te vegen en spoot achteruit om nog meer troep van de motorkap te verwijderen.

'Ik zweer je dat ik hier terugkom met een honkbalknuppel,' sputterde hij terwijl het hele stel naast de wagen holde en er af en toe een klap of een schop tegen gaf. Hij voerde het toerental van de motor op, schoot er in zijn één vandoor en maakte een u-bocht waarbij vrijwel al het resterende afval van zijn motorkap zeilde.

'Vergeet het maar, Kaye,' zei Joe Naysmith. 'Dit is Gallatown.'

'Dacht je soms dat je grappig was?' Tony boog zich naar Naysmith en haalde stevig naar diens hoofd uit. 'Lach dan, kleine stronthapper...'

9

'Dat is snel,' zei Malcolm Fox in zijn mobiel. Hij had Evelyn Mills aan de lijn. De afluisteroperatie had groen licht gekregen.

'Mijn chef besloot dat we het niet met zijn superieuren hoefden op te nemen,' verklaarde ze.

'Waarom?'

'Ik vermoed dat hij bang was dat ze het anders misschien zouden afblazen.'

'Ik mag die baas van je wel.'

'Eigenlijk doet hij me een beetje aan jou denken.'

'In dat geval ben ik gevleid. Hoe lang nog voordat de boel operationeel is?'

'Ik wacht nog op een telefoontechnicus om ons met de vaste lijn te helpen.'

'Ons?'

'Ik heb hulp. Twee jonkies van de recherche. De mobiele lijn neemt meer tijd in beslag. In eerste instantie hebben we alleen toegang tot nummers die bellen en gebeld worden...' Ze onderbrak zichzelf. 'Dit weet je natuurlijk allemaal al.'

'Klopt.'

Hij hoorde haar een korte zucht slaken. 'De vaste lijn is ergens voor het einde van je dienst klaar, de mobiele in de loop van morgen. Ik verwacht niet dat Scholes de moeite neemt om Carter te e-mailen, dus zie ik er maar van af om alle toetsaanslagen op zijn computer te laten registreren.'

'Lijkt me prima. En nogmaals bedankt, Evelyn.'

'Waar heb je anders verwaarloosde vrienden voor, toch?'

'Ja.'

'Eén dingetje nog – Scholes is geen idioot. Dat verklaart ook waarom hij bij Carter thuis langsging. Zo houden ze hun gesprekken privé. Het kan best eens zijn dat we straks alleen maar met sms'jes eindigen waarin ze hun ontmoetingen regelen.'

'Dat weet ik.'

Ze slaakte opnieuw een zucht. 'Natuurlijk weet je dat. Ik vergeet steeds hoeveel we op elkaar lijken. Misschien konden we het daarom die keer zo goed vinden.'

'Weet je wel zeker dat je nog meer kwijt wilt? Deze lijn zou best eens minder veilig kunnen zijn dan we willen.'

Ze gniffelde terwijl Fox het gesprek beëindigde.

'Zo te horen hebben we beet,' merkte Kaye op. Gedrieën zaten ze opeengepakt in de opslagruimte, met de deur op een kier en Joe Naysmith op de uitkijk voor spionnen en lanterfantende passanten.

'Morgen moet de hele boel in bedrijf zijn. De vaste lijn misschien vanavond al.'

'Dat loopt gesmeerd. Ga je me het geheim van je succes nog verklappen?'

'Nee.'

'Alleen haar naam dan.'

'Plus,' voegde Naysmith eraan toe, zich naar zijn collega's wendend, 'wat het ook is waarvan je vond dat ze het niet over een niet-beveiligde lijn mocht zeggen.' Hij schrok op toen iemand op de deur bonsde en hem openduwde. In de deuropening stond commissaris Pitkethly, haar gezicht op onweer.

'Heb ik het bij het rechte eind dat jullie zojuist een bezoek aan Teresa Collins hebben afgelegd?'

Fox kwam overeind. 'Heeft ze een klacht ingediend?' vroeg hij.

'Niet echt. Ze vonden je naam op een visitekaartje op een stoelleuning – toen ze er met brancard en al binnenstormden.'

Ze zag onmiddellijk wat voor uitwerking haar woorden hadden en zweeg even om des te meer te genieten van de ongemakkelijke uitdrukking op de drie gezichten.

'Een voorbijganger zag hoe ze het bloed aan haar polsen op het raam stond te smeren en belde een ambulance.'

Alle drie de mannen waren inmiddels overeind gekomen, hun ogen strak op Pitkethly gericht. Kaye was de eerste die zijn mond opendeed.

'Is ze...?'

'Ze ligt in het ziekenhuis. Zo te horen zijn de verwondingen niet al te ernstig. De vraag is: wat heeft haar hiertoe bewogen? Naar jullie gezichten te oordelen denk ik dat ik het antwoord gevonden heb.'

'Ze was hysterisch,' liet Naysmith zich plots ontvallen. 'We besloten haar toen maar alleen te laten...'

'Uiteraard nadat jullie haar eerst gekalmeerd hadden,' zei Pitkethly, wat extra zout in de wonden strooiend. 'We hebben het hier dus wel over een vrouw die een traumatische ervaring heeft doorgemaakt. Die om te beginnen al labiel was, plus dat ze een geschiedenis van drugsgebruik heeft. Dan mag ik toch aannemen dat jullie haar niet zomaar aan haar lot hebben overgelaten?'

'Wij zijn u geen verantwoording verschuldigd,' verklaarde Fox, die langzaamaan weer tot zichzelf kwam.

'Dat komt misschien nog wel.'

'We zullen ons verslag uitbrengen.'

'Maar vast niet zonder eerst ruggespraak te houden, hè?' De vraag was afkomstig van hoofdinspecteur Peter Laird, die zojuist naast Pitkethlys schouder was opgedoemd. Fox kreeg het gevoel dat er nog meer toeschouwers in de gang stonden. Hij wrong zich langs Pitkethly en zag dat hij gelijk had. Laird deed geen moeite zijn voldoening te verhullen over de onvoorziene ontwikkelingen.

'Ik bedoel,' vervolgde Laird, de armen over elkaar geslagen, 'dat jullie maar beter kunnen zorgen dat je je verhalen goed op elkaar afstemt.'

'Het komt toch wel goed met haar?' vroeg Joe Naysmith aan Pitkethly.

'Een beetje laat om nu opeens bezorgd te doen,' was haar antwoord. Fox dook pal voor haar gezicht op.

'Genoeg,' zei hij. Toen, tegen Kaye en Naysmith: 'We zijn hier weg.'

'Nu al?' Terwijl ze met grote stappen door de gang beenden, wuifde Laird ze met de vingers van zijn hand na.

'Vergeet jullie verklaringen niet,' riep Pitkethly hen na. 'Die heb ik nodig.'

Terwijl Fox de deur naar de buitenwereld openduwde, zag hij Scholes van het parkeerterrein aan komen snellen.

'Zo te zien heb ik de voorstelling gemist,' zei hij met een grijns. Fox negeerde hem, maar Kaye gaf Scholes in het voorbijgaan een schouderduw die hem bijna velde. Die reageerde daar niet op. Zijn bulderende lach volgde hen naar de Mondeo.

'Waarheen?' vroeg Kaye.

'Naar huis,' verklaarde Fox.

De eerste paar kilometer zeiden ze niets. Het was Naysmith die de stilte verbrak. 'Het arme mens.'

Kaye knikte alleen maar.

'Vinden jullie dat we hadden moeten blijven?'

Kaye keek Fox aan, maar zag dat er van hem geen antwoord te verwachten viel. Die zat gespannen door de zijruit aan de passagierskant te turen, met zijn voorhoofd bijna tegen het glas gedrukt.

'Ik zou niet weten wat we verkeerd hebben gedaan,' stelde Kaye, in een poging zelfverzekerder te klinken dan hij zich voelde. 'Ze raakte overstuur van ons, dus zijn we weggegaan.'

'Het kwam door mij, niet? Omdat ik haar zei dat Carter vrijgelaten was...'

'Het is niet ons werk om de feiten voor haar verborgen te houden, Joe.'

'Je klinkt alsof je het rapport al geschreven hebt,' onderbrak Fox hem.

'Het was gewoon haar manier om aandacht te trekken, een schreeuw om hulp,' hield Kaye vol. 'Dat hebben we zo vaak gezien.'

'Ik niet,' corrigeerde Naysmith hem.

'Ach, je kent het type toch. Als ze zich echt van kant had willen maken had ze daar niet aan dat raam gestaan, zodat Jan en alleman kon zien wat ze gedaan had.'

'Maar stel dat er niemand was langsgelopen?'

'Dan had ze zelf wel een ambulance gebeld. Zoals ik al zei, dit soort dingen gebeuren.'

'Toch denk ik nog steeds dat...'

'Denk dan ook niet, man!' blafte Kaye Naysmith af. 'Laten we gewoon naar de beschaafde wereld terugkeren en rapporteren wat er gebeurd is.' Opnieuw keek hij Fox aan. 'Kom op, Malcolm, een beetje steun graag. Ze kon elk moment doordraaien. Gewoon botte pech dat het net gebeurde toen wij er waren.'

'We hadden kunnen proberen haar te kalmeren.'

'Voor het geval je het vergeten bent, ze stond daar haar kop van haar romp te schreeuwen. Hadden we twee minuten langer gewacht, dan hadden we alle lijpo's uit de buurt achter ons aan gekregen.' Kaye hield beide handen strak om het stuur geklemd. 'Ik zou niet weten wat we verkeerd hebben gedaan,' herhaalde hij.

Fox zag dat ze weer op de m90 zaten en Inverkeithing al gepasseerd waren.

'Wil je wat voor me doen?' vroeg hij op kalme toon.

'Wat?'

'Vlak voor de brug is een parkeerhaven. Kun je daar stoppen en me afzetten?'

'Ben je misselijk of zo?'

Fox schudde zijn hoofd.

'Wat dan?'

'Ga nou maar naar die parkeerplaats.'

Kaye gaf aan dat hij naar de linkerbaan wilde, zag de bordjes voor het parkeerterrein en zette zijn richtingaanwijzer opnieuw aan. Het was een gebied waar vrachtwagens stopten om op de veerboot te wachten die hen naar de andere kant van de riviermond bracht. Fox stapte uit en voelde hoe de langssuizende verkeersstroom hem de snelweg op probeerde te zuigen. Maar er was een stoep die naar een wandelpad over de brug leidde.

'Dit meen je toch niet?' riep Kaye tegen hem.

'Ik wil alleen maar wat frisse lucht, dat is alles.'

'En wat worden wij dan in godsnaam geacht te doen?'

'Aan de andere kant van de brug op me wachten, zo dicht mogelijk in de buurt van de oude tolhokjes.'

'Zal ik met je meekomen?' vroeg Naysmith, maar Fox schudde zijn hoofd, sloeg het portier dicht en trok zijn kraag op. Nadat hij dertig, veertig meter had afgelegd bood een onderbreking in de verkeersstroom de Mondeo gelegenheid Fox met een enkele stoot van zijn claxon te passeren. Fox wuifde terug en liep door. Hij was de Forth Roadbrug nog nooit op deze manier overgestoken. Hij wist dat er mensen waren die niet anders deden: joggers en toeristen. Het lawaai van de snelweg was oorverdovend en het hoogteverschil met de Firth of Forth duizelingwekkend, maar Fox liet zich niet weerhouden en zoog zijn longen vol vuile, rokerige lucht. Vanuit tegenovergestelde richting kwam een vrouw met een hond aangelopen. Ze droeg haar sjaal strak om haar haar geknoopt en schonk hem een knikje en een glimlach, die hij geen van beide met veel succes wist te beantwoorden. Aan zijn linkerhand zag hij de treinbrug, grotendeels ingepakt wegens onderhoudswerkzaamheden. Ook lagen er eilandjes verscholen en rechts van hem was de haven van Rosyth. De wind rukte aan zijn oren, precies wat hij verdiende, meende hij. Natuurlijk had Kaye gelijk dat het eerder een schreeuw om hulp dan een serieuze poging was geweest. Maar toch. Hun nieuws over Paul Carter was als een bom bij haar ingeslagen, en zij hadden haar daar gewoon achtergelaten. Geen belletje naar een hulpinstantie of wie haar ook maar een helpende hand had kunnen toesteken. Een buur? Een familielid uit de buurt? Nee, ze hadden zich alleen maar om hun eigen hachje bekommerd, en om het lot van die verrekte Mondeo.

Tijdens zijn jaren bij de politie had Fox niet al te veel geweld of misère meegemaakt. Een paar keer een knokpartij tussen wat zuiplappen opgebroken toen hij nog bij de geüniformeerde politie had gezeten; een handvol akelige moordzaken bij de recherche. Een deel van de aantrekkingskracht van Interne Zaken had gelegen in de nadruk op schendingen van regels in plaats van lijf en leden, op dienders die over de schreef waren gegaan maar geen gewelddadige mannen waren. Was hij daarom een lafaard? Fox vond van niet. Een tweederangs diender? Opnieuw: nee. Maar het zat in zijn aard om confrontaties uit de weg te gaan, of te voorkomen dat het ooit zover kwam – wat de reden was waarom hij het gevoel had gefaald te hebben bij Teresa Collins. Elk moment in haar aanwezigheid had hij anders en beter aan kunnen pakken.

Al lopend wreef Fox met beide handen over zijn wangen en slapen. Hij versnelde zijn pas en voelde hoe de wind halverwege de brug nog snijdender om hem heen begon te jagen. Hij bevond zich nu boven het midden van de Firth of Forth. Stalen kabels hielden hem in de lucht. Hij was overgeleverd aan hun trekkracht, dat ze niet zomaar opeens knapten. Zonder te weten waarom zette hij het plots op een hollen – eerst nog een sukkeldrafje, toen sneller. Wanneer had hij voor het laatst gerend? Hij kon het zich niet herinneren. Hij hield zijn sprint slechts enkele tientallen meters vol en aan het eind ervan stond hij puffend uit te hijgen. Twee echte joggers namen hem uitgebreid op terwijl ze langs hem snelden.

'Alles goed,' verzekerde hij ze met een wuivend handgebaar.

Misschien dat hij het zelf ook geloofde. Hij haalde zijn mobiel tevoorschijn en maakte een kiekje van het uitzicht, als herinnering voor later. Onder zich zag hij South Queensferry liggen, met zijn opzichtige jachten en de veerdienst naar Inchcolm Abbey. Hij begon naar de Mondeo te zoeken die ergens voorbij de brug moest staan, maar zag hem niet. Hadden ze het welletjes gevonden en hem achtergelaten? Opnieuw speurde hij het handjevol geparkeerde voertuigen af, hoorde toen een auto achter zich toeteren, draaide zich om en zag hoe Kaye naar de kant manoeuvreerde nadat hij zojuist de brug was gepasseerd.

Fox opende het portier aan de passagierszijde. 'Hoe heb je dat voor elkaar gekregen?' vroeg hij.

'Joe hier maakte zich zorgen dat je van plan was te springen,' legde Kaye uit. 'Dus maakten we een rondje op de rotonde, namen de brug terug naar Fife, maakten aan de andere kant eenzelfde rondje... en nu zijn we hier.'

'Fijn om te weten dat jullie bezorgd waren.'

'Dat was Joe – ik had je rustig laten springen.'

Fox glimlachte, stapte in en klikte zijn gordel vast.

'Aangename wandeling gemaakt?' vroeg Naysmith vanaf de achterbank.

'Gewoon even mijn hoofd leegmaken.'

'En?' vroeg Kaye.

'Het gaat weer prima.'

'Ik zou toch durven zweren dat ik je zag rennen.'

Fox keek Tony Kaye doordringend aan. 'Ben ik daar soms het type voor?'

Kaye produceerde een scheef lachje: 'Zou denken van niet.'

'Dus was ik ook niet aan het rennen.'

'Dat is uw versie van de gebeurtenissen, inspecteur.' Kaye wierp een vluchtige blik op Naysmith in het achteruitkijkspiegeltje. 'Wij hebben altijd nog de onze. Mag ik intussen aannemen dat we koers zetten naar onze thuisbasis?'

'Als je niet eerst bij een autowasserette langs wilt, tenminste?' Fox zag Kaye het hoofd schudden. 'Vooruit. Laten we maar eens kijken of het nieuws Bob McEwan eerder bereikt dan wij...'

IO

'Kijk aan,' zei McEwan toen ze het kantoor binnenkwamen. Met de handen in zijn zakken stond hij met zijn achterste tegen het bureau van Fox geleund.

'Je hebt het al gehoord dus.'

'Van de plaatsvervangend korpschef van Fife, dezelfde man die om onze hulp verzocht had.'

'Maar over de rest van onze vorderingen is hij wel te spreken?' vroeg Kaye.

'Dit is niet het moment voor jouw gevatheden, brigadier Kaye,' blafte McEwan hem af. 'Als een van jullie me nu eens vertelde wat er in vredesnaam gebeurd is.'

'We gingen bij haar thuis langs om haar wat vragen te stellen,' begon Fox. 'Toen ze erachter kwam dat Carter niet langer vastzit, kreeg ze een paniekaanval.'

'We besloten dat onze verdere aanwezigheid niet bevorderlijk was,' vulde Kaye aan. 'Voorzichtigheid is tenslotte de moeder van alle wijsheid en zo.'

'Hoe was ze eraan toe toen jullie bij haar weggingen?'

'Een beetje labiel,' besloot Naysmith te antwoorden.

'Een beetje labiel?' galmde McEwan. 'Dus geen gillend wrak zoals de buren beweren gehoord te hebben?'

'Ze schreeuwde wel een beetje,' gaf Fox toe.

'Over hoe ze door de politie geïntimideerd werd?'

'Ze vatte de situatie verkeerd op, chef.'

'Zo te horen was zij niet de enige.' Met de ogen gesloten kneep McEwan in de brug van zijn neus. Hij sprak verder zonder ze te openen. 'Dit geeft ze de nodige munitie, dat snappen jullie toch wel?'

'Wil de korpschef dat we vervangen worden?'

'Ik neem aan dat hij dat serieus overweegt.'

'Ze weigerde op het bureau gehoord te worden, Bob,' verklaarde Fox op rustige toon. 'We moesten wel naar haar toe.'

Eindelijk deed McEwan zijn ogen weer open en knipperde alsof hij ze opnieuw moest scherp stellen. 'Jullie hebben haar verteld dat Carter op vrije voeten is?'

'Dat was mijn schuld,' bekende Naysmith. McEwan gaf een knikje ter bevestiging.

'Tja,' zei hij, 'dan kunnen jullie nu maar beter jullie kant van het verhaal op papier zetten en dan zien we wel wat ze er op Glenrothes van vinden. Verder nog iets wat ik weten moet?'

Fox en Kaye keken elkaar kort aan.

'Nee, chef,' verklaarde Fox.

Het nieuws over hun afluisteroperatie van Scholes kon wachten: één donderslagje bij heldere hemel tegelijk, meer kon de chef nu vast niet hebben.

Toen Fox even later naar de kantine onderweg was voor een kop koffie schoot hem te binnen dat hij sinds het ontbijt niets meer gegeten had. De laatste restanten van het lunchmenu bestonden uit broodjes ei met tuinkers, dus legde hij er een van op zijn blad, samen met een KitKat en een Golden Delicious. Toen zijn mobiel overging overwoog hij niet op te nemen, maar toen hij het schermpje controleerde herkende hij de beller.

'Hoi, Evelyn,' zei hij.

'Ai,' zei Mills.

'Dus je hebt het al gehoord?'

'Er wordt zo ongeveer over niets anders gepraat. De plaatselijke pers lijkt ook al op de hoogte. Je weet wat voor draai die eraan zullen geven.'

'Die doen hun best maar.'

'Had je het idee dat ze suïcidaal was?'

'Niet meer dan wijzelf.' Met een servetje veegde Fox de gesmolten chocola van zijn vingers. 'Verkeer je nog steeds in de positie om ons te helpen?'

'Zijn jullie er straks nog om door mij geholpen te worden?'

'Hopelijk wel.'

'In dat geval... we zullen wel zien.'

'Wat bedoel je daarmee?'

'Ik bedoel dat mijn chef wel eens koudwatervrees kan krijgen.'

'Laat nog wat warm water in het bad lopen.'

Ze zweeg even en vroeg toen hoe hij zich voelde.

'Met mij gaat het prima.'

'Zo klink je anders niet.'

'Ik red me wel.' Hij keek naar het dienblad. Van het broodje was slechts één hap genuttigd, maar de KitKat was verleden tijd. Op de koffie dreef een olieachtig laagje en in de appel had hij geen trek.

'Het enige wat je kunt doen is ze de waarheid vertellen,' zei Mills. 'Geef ze jouw kant van het verhaal.'

Hij had haar kunnen zeggen dat dat nu net het probleem was. Aan elk verhaal zaten meerdere kanten, en jóúw kant kon wel eens een heel stuk afwijken van die van alle anderen. Bij Collins thuis, waren ze daar pragmatisch, laf of harteloos geweest? Anderen zouden besluiten waar de waarheid lag, en dat hoefde helemaal niet per se dé waarheid te zijn.

'Malcolm?'

'Ik ben er nog.'

'Wil je met iemand praten? We kunnen wat gaan drinken.'

'Ik drink niet.'

'Sinds wanneer?' Ze klonk oprecht verbaasd.

'Al sinds lang voordat ik jou ontmoette.'

'Dat moet ik vergeten zijn.' Ze zweeg even. 'We kunnen elkaar toch evengoed zien.'

'Een ander keertje, goed?' Fox bedankte haar, beëindigde het gesprek en rolde de appel over tafel, van zijn linkerhand naar zijn rechter en weer terug.

Na het werk stelde niemand een bezoek aan Minter's voor. Maar toen ze het bureau verlieten deed Naysmith wel iets ongebruikelijks – hij stak zijn hand uit zodat eerst Fox en toen Kaye die kon drukken. Pas naderhand zag Fox het als een bekrachtiging van het idee dat ze gezamenlijk een team vormden. Hij draaide de parkeerplaats af en reed naar huis. Hij was bijna in Oxgangs toen hij onwillekeurig de afslag naar de ringweg nam. Het was een drukke spits maar hij had geen haast, niet nu hij zijn besluit had genomen. Hij volgde de borden naar de Forth Roadbrug.

Op een van hun ritten naar Kirkcaldy waren ze langs het Victoria ziekenhuis gekomen. Het leek wel een bouwplaats, wat ook zo was: een hagelnieuw bouwwerk dat pal naast het oorspronkelijke complex zijn voltooiing naderde. Bij de receptie toonde Fox zijn politiepas en gaf Teresa Collins' naam op. Hij kreeg te horen op welke afdeling hij moest zijn en werd naar de juiste liften verwezen. Uiteindelijk belandde hij bij een balie waar een verpleegster zat.

'Geen bezoek toegestaan,' klonk het antwoord toen hij naar Teresa had gevraagd, dus trok hij opnieuw zijn pasje tevoorschijn.

'Maar alleen als ze slaapt, want ik wil haar niet storen,' lichtte hij zijn verzoek toe.

De verpleegster staarde hem aan – ze vroeg zich wellicht af wat hij met een slapende Teresa aan moest. Maar uiteindelijk zei ze dat ze even zou gaan kijken. Hij bedankte haar en keek haar na. Achter hem, naast de tochtdeuren naar de afdeling, bevond zich een rij hardplastic stoelen. Op een van die stoelen zat een jongeman druk met zijn duim te sms'en. De jonge vent was inmiddels overeind gekomen en liep naar de zeepdispenser aan de muur aan de overkant om zijn handen op een dot antibacteriële schuim te trakteren.

'Je kunt niet voorzichtig genoeg zijn,' zei hij terwijl hij in zijn handen wreef.

'Juist ja,' beaamde Fox.

'Politie?' opperde de jongeman.

'En jij bent...?'

'U ziet er als een agent uit. Ik ga er prat op dat ik de meeste rechercheurs uit de wijde omgeving van gezicht ken. Edinburgh, niet? Normen Beroepsuitoefening? Ik had al gehoord dat u in de stad was.' Hij rommelde met het schermpje van zijn mobiel. Toen hij het apparaat naar voren stak, besefte Fox dat het tevens als recorder dienstdeed.

De rossige jongeman in de zwarte parka was een verslaggever.

'Als u mij toestaat, was u eerder vandaag niet in het appartement van Teresa Collins?'

Fox hield de lippen op elkaar.

'Ik heb de signalementen gekregen van een drietal politieagenten in burger...' De journalist nam hem van top tot teen op. 'U lijkt sprekend op een van hen. Inspecteur Malcolm Fox?' Hoe Fox ook zijn best deed, er moest iets in zijn gezichtsuitdrukking veranderd zijn. De journalist schonk hem een scheef lachje. 'Dat stond op een visitekaartje dat op een stoelleuning was achtergelaten,' zij hij, bij wijze van verklaring.

'En jij heet?' vroeg Fox op gedempte toon.

'Brian Jamieson.'

'Van een lokale krant?'

'Soms. Mag ik u vragen wat er in die flat gebeurd is?'

'Nee.'

'Maar u wás er wel?' Hij wachtte een paar tellen op een antwoord. 'En nu bent u hier...'

Toen Fox zich omdraaide en in de richting beende waar de verpleegster verdwenen was, kwam ze juist om een hoek aangelopen.

'Ze is nog versuft van de kalmerende middelen,' informeerde ze hem. Fox vergewiste zich ervan dat Jamieson niet binnen gehoorsafstand was, maar dempte toch zijn stem.

'Maar verder gaat het wel goed?'

'Een paar hechtingen. We houden haar een nachtje ter observatie. De psychiatrische dienst komt morgenochtend bij haar kijken.'

Waarna ze, zo wist Fox, ofwel naar huis gestuurd werd of naar een andere instelling werd overgebracht.

'Als u twintig minuutjes wacht,' vervolgde de verpleegster, 'dan is ze vast weer weggedoezeld.'

Fox blikte in Jamiesons richting. 'Wist u dat hij journalist is?'

Ze volgde zijn blik en knikte.

'Wat heeft hij u gevraagd?'

'Ik heb hem niets verteld.'

'Kan de beveiliging hem niet van de afdeling verwijderen?'

Ze keek weer naar Fox. 'Hij zit niemand in de weg.'

'Heeft hij gevraagd of hij haar mag spreken?'

'Er is hem te verstaan gegeven dat dat niet zal gebeuren.'

'Wat doet-ie hier dan nog?'

De toon van de verpleegster werd stilaan koeler. 'Waarom vraagt u hem dat zelf niet? Als u mij nu wilt excuseren...' Ze wrong zich langs hem heen en keerde terug naar haar balie, waar een telefoon stond te rinkelen. Fox bleef een tel of dertig staan. Jamieson zat weer op zijn stoel, druk te sms'en. Toen Fox op hem af liep keek hij op.

'Wat wil je eigenlijk van haar?' vroeg Fox.

'Die vraag wilde ik u ook net stellen, inspecteur.'

'Niet nog een!' kermde de verpleegster in de telefoon. Toen ze zag dat ze naar haar keken draaide ze zich weg, met haar hand om de hoorn geslagen. Jamieson was juist van plan om het microfoontje van zijn mobiel weer onder Fox' neus te duwen, maar liet zijn arm nu zakken. Toen draaide hij zich om en vertrok. Fox bleef staan waar hij stond. Hoofdschuddend beëindigde de verpleegster het gesprek.

'Wat is er aan de hand?'

'Zojuist heeft een man geprobeerd de hand aan zichzelf te slaan,' antwoordde ze. 'Misschien redt hij het niet.'

'Hopelijk is het geen doorsneeavond,' zei Fox op meelevende toon. Ze bolde haar wangen en liet de lucht ontsnappen.

'Normaal gebeurt zoiets een keer of twee per jaar.' Ze zag dat Jamieson vertrokken was. 'Is hij ervandoor?'

'Uw werk, lijkt me zo.'

Ze sloeg haar ogen ten hemel. 'Brian kennende zit hij nu bij de Spoedeisende Hulp.'

'Zo te horen kent u hem echt.'

'Hij ging een tijdje met een vriendin van me.'

'Voor wie werkt hij eigenlijk?'

'Voor van alles en nog wat. Hoe noemde hij zichzelf ook weer...'

'Een nieuwsjager?'

'Precies.' Haar telefoon ging weer over. Ze zuchtte geërgerd en pakte de hoorn op. Fox dacht even na, maakte een kleine buiging in haar richting en verdween naar de liften.

Beneden trok hij een plastic flesje Irn-Bru uit een drankenautomaat. Morgen geen suiker, sprak hij zichzelf toe terwijl hij naar buiten ging. De lucht was inktzwart. Fox wist dat hem niets anders restte dan naar huis te rijden. Hij vroeg zich af of het budget van hun onderzoek ruimte liet voor een overnachting in een plaatselijk hotel. Achter het station, niet ver bij het park en het voetbalstadion vandaan, had hij iets aardigs gezien. Dat zou hem morgenochtend een rit besparen, maar wat moest hij hier in vredesnaam de rest van de avond doen? Een hapje bij de Italiaan... een pub misschien...

Voor de ingang van het ziekenhuis stonden een paar ambulances geparkeerd. Een stuk of wat ambulancebroeders in groene uniformen joegen Brian Jamieson weg. De verslaggever hief zijn handen in een gebaar van overgave ten hemel en met zijn mobiel tegen zijn oor gedrukt liep hij weg.

'Ik weet alleen maar dat hij geprobeerd heeft zich voor zijn kop te schieten. Mikken kon-ie niet, want onderweg hierheen leefde hij nog. Maar misschien dat hij inmiddels kassiewijle is...' Jamieson zag dat hij op het punt stond Malcolm Fox voorbij te lopen. 'Blijf even hangen,' zei hij in het toestel. Zo te zien was hij juist van plan geweest het nieuws met zijn gesprekspartner te delen, maar had Fox hem gestopt.

'Ik hoorde het net,' zei hij.

'Vreselijke zaak.' Jamieson schudde zijn hoofd. Met zijn ogen wijd open, onverstoorbaar, zijn hersens in de hoogste versnelling.

'Zijn er veel vuurwapens in Kirkcaldy?' vroeg Fox.

'Het kan een boer zijn geweest. Die hebben altijd vuurwapens rondslingeren, toch?' Hij zag dat Fox hem aankeek. 'Het is ergens buiten de stad gebeurd,' verduidelijkte hij. 'Ergens in de buurt van Burntisland Road.'

Fox deed zijn best ongeïnteresseerd te kijken. 'Weet je toevallig de naam van het slachtoffer?'

Jamieson schudde zijn hoofd en wierp een korte blik over zijn schouder naar de ambulancebroeders. 'Maar die krijg ik nog wel.' Hij schonk Fox dezelfde zelfverzekerde glimlach als eerder die avond. 'Wacht maar af.'

En Fox wachtte af. Wachtte af totdat Jamieson door de voordeur van het ziekenhuis verdween, met zijn mobiel weer tegen zijn oor geplakt. Pas toen hij volledig uit het zicht was haastte Fox zich naar zijn eigen auto.

Het politiekordon blokkeerde de kruising van de doorgaande weg en het pad naar Alan Carters huis. Fox voelde hoe het zuur zich ergens tussen zijn maag en zijn keel ophoopte. Hij vloekte binnensmonds, zette zijn wagen aan de kant van de weg en stapte uit. Het zwaailicht op het dak van de geparkeerde patrouillewagen stond nog aan en vulde de nacht met een koud, roterend, elektrisch blauw. De eenzame geüniformeerde agent was bezig politietape om twee palen aan weerszijden van het pad te wikkelen. De wind zwiepte het uiteinde van de rol uit zijn greep en hij moest zich in bochten wringen om het tape in bedwang te houden. Fox hield zijn politiepas al in de aanslag.

'Inspecteur Fox,' informeerde hij de agent. Toen: 'Voordat je hiermee verdergaat moet ik er nog langs.'

Hij stapte in zijn auto en zag hoe de agent de patrouillewagen een paar meter verderop parkeerde en de Volvo van Fox net genoeg ruimte liet zich ertussendoor te wringen. Fox maakte een wuivend gebaar en zette zich aan de trage klim.

In Carters huis brandde licht. Ervoor stond slechts één auto, Carters eigen landrover. Terwijl Fox het portier van zijn Volvo dichtsloeg hoorde hij een stem roepen.

'Wat heb jij hier in godsnaam te zoeken?'

Ray Scholes stond in de deuropening, de handen diep in zijn zakken.

'Is het Alan Carter?' vroeg hij.

'Wat dan nog?'

'Ik ben hier gisteren nog geweest.'

'Ah, we hebben hier met een onvervalste onheilsbode van doen.'

'Wat is er gebeurd?' Fox had zich pal voor Scholes geposteerd en probeerde langs hem in het halletje te turen.

'Een kogel door zijn donder gejaagd.'

'Waarom zou hij zoiets doen?'

'Dikke kans dat ik hetzelfde deed als ik hier woonde.' Scholes snoof de lucht op, richtte zijn blik weer op Fox en zwichtte, terwijl hij zich omdraaide en naar binnen ging.

Fox zelf aarzelde. 'Zouden we niet beter...?' Hij keek omlaag naar Scholes' schoenen.

'Dit is geen plaats delict,' antwoordde Scholes, die de huiskamer binnenstapte. 'Die afzetting is alleen maar bedoeld om te voorkomen dat de lijpo's zich hier komen vergapen. Wat ik wel wil weten is wat we met die hond aan moeten.'

Fox had de deur van de huiskamer bereikt. Op een handvol gloeiende sintels na was het haardvuur uitgedoofd. Links van de haard lag Jimmy Nicholl in zijn mand te hijgen, zijn ogen met moeite een fractie geopend. Fox hurkte naast het oude beest en aaide over zijn rug en kop.

'Geen briefje,' merkte Scholes op, en hij propte een reep kauwgom in zijn mond. 'Ik zie het tenminste niet.' Zijn hand maakte een wuivend gebaar boven de eettafel. 'Maar dat is ook moeilijk te zeggen met al die rotzooi...'

Rotzooi.

De hele kamer was bezaaid met stapels papier, lukraak uit de mappen gerukt. Verfrommeld, sommige tot repen gescheurd, andere op de grond gesmeten. Die op tafel waren met bloedspetters bedekt, met een donkerder plas waar Carter in zijn stoel had gezeten.

'Een pistool?' vroeg Fox, op beheerste toon maar met een kurkdroge mond.

Scholes knikte naar de tafel. Daar lag die, half verscholen onder een tijdschrift. Fox' ongeoefende oog hield het op een ouderwets uitziende revolver.

'Hoe ging het met hem toen jij hem gisteren sprak?' vroeg Scholes.

'Prima, volgens mij.'

'Totdat jij langskwam, hè?'

Fox hapte niet. 'Wie heeft hem gevonden?'

'Maat van hem uit Kinghorn. Die maakt regelmatig een wandelingetje deze kant op. Ze slaan een paar whisky's achterover en hij smeert 'm weer. Komt-ie vandaag vrolijk binnenvallen, treft hij dit aan. De arme sodemieter...'

Fox was het liefst gaan zitten maar kon het niet. Waarom kon hij niet zeggen, het voelde gewoon verkeerd. Scholes' mobiel ging over. Hij luisterde even, kreunde en hing op.

'In de ambulance overleden,' zei hij.

De beide mannen zwegen. Het enige geluid was het amechtige gehijg van de hond.

'Hebben jullie tweeën over Paul gepraat?' vroeg Scholes uiteindelijk.

Fox negeerde de vraag. 'Waar is die maat van hem nu?'

'Michaelson brengt hem naar huis.' Scholes keek op zijn horloge. 'Ik wou dat-ie opschoot, er staat een pils op me te wachten in de pub.'

'Je kende Alan Carter. Doet het je niets?'

Scholes bleef op zijn kauwgom kauwen terwijl hij Fox in de ogen keek. 'Het doet me iets,' zei hij. 'Wat had je dan gewild – geweeklaag en tandengeknars? Dat ik met mijn vuist door de lucht maai? Hij was een diender...' Hij zweeg even. 'Toen niet meer. En nu is hij dood. Ik wens hem het beste, waar hij ook is.'

'Hij was ook de oom van Paul Carter.'

'Zeker.'

'Degene die de oorspronkelijke klacht heeft ingediend.'

'Misschien heeft hij het daarom wel gedaan, overmand door schuldgevoel. Kijk, we kunnen hier de hele nacht de amateurpsycholoog uithangen als je daar zin in hebt. Maar niet nu mijn lift net komt aanrijden.'

Fox hoorde het ook: het geluid van een naderende auto.

'Wat ben je verder van plan?' vroeg hij. 'Gewoon de deur achter je dichttrekken?'

'Ik was niet van plan hier te blijven pitten. We hebben rondgekeken en gezien wat er te zien valt. De jongens in uniform kunnen het verder afwikkelen.'

'En de naaste verwanten...?'

Scholes haalde zijn schouders op. 'Dat zou alleen Paul wel eens kunnen zijn.'

'Heb je het hem verteld?'

Scholes knikte. 'Hij komt eraan.'

'Hoe klonk hij toen je het hem vertelde?'

De kamer was in stilzwijgen gehuld. Scholes keek Fox strak aan. 'Waarom lazer je niet op naar Edinburgh? Want als ik jou was zou ik maken dat ik wegkwam voordat Paul hier aankomt.'

'Jij blijft niet op hem wachten? Ik dacht dat jullie vrienden waren.'

Scholes hield zijn hoofd scheef. Er was hem klaarblijkelijk iets

85

te binnen geschoten. 'Wacht eens even, wat doe jíj hier eigenlijk?'
'Gaat je niets aan.'
'Is dat zo?' Scholes trok zijn wenkbrauwen op. 'Dat komt dan uitgebreid in mijn verslag.' Hij was even stil. 'Vetgedrukt en onderstreept.'

Gary Michaelson stond op de drempel van de huiskamer dreigend naar Fox te kijken. 'Ik dacht al dat ik iets smerigs rook,' zei hij. Toen, tegen Scholes: 'Waar ben jij mee bezig? Hem een beetje de plaats delict laten versjteren.'

'De wat?'

'Carters maat zegt dat hij er nooit zelf een einde aan gemaakt zou hebben. Dat ze het er nog over gehad hadden, wat ze zouden doen als ze kanker kregen of zo. Carter zei toen dat-ie zich aan elk laatste beetje leven vast zou klampen.'

'Iets moet hem toch op andere gedachten hebben gebracht,' zei Scholes.

'En dan nog iets. Die maat zegt dat hij het zou hebben geweten als Carter een wapen had gehad. Nog iets waar ze over gepraat hadden: zeemeeuwen afknallen vanwege al het lawaai dat ze maken.' Michaelson keek naar de mand. 'Wat doen we met die hond?'

'Wil jij 'm?' vroeg Scholes. 'Weten we eigenlijk wel hoe die heet?'

'Jimmy Nicholl,' zei Fox.

De hond spitste zijn oren.

'Jimmy Nicholl,' galmde Scholes terwijl hij zijn armen over elkaar sloeg. 'Je baasje had zo fatsoenlijk moeten zijn je mee te nemen naar de andere wereld, hè, Jimmy?' Toen, tegen Michaelson: 'Zijn we hier klaar?'

Fox was er niet uit of hij wilde blijven of vertrekken, maar Scholes liet hem geen keus. 'Vooruit, d'r uit, nu,' zei hij.

'Maar de hond...' protesteerde Fox.

'Wil jij 'm?'

'Nee, maar...'

'Dan laten we dat aan de mensen over die erover gaan.'

Ze stapten in het blauwe schijnsel van een zwaailicht; nog een patrouillewagen met daarachter een ongemarkeerd busje.

'Leef je maar lekker uit,' riep Scholes tegen de chauffeur in de eerste wagen. Maar eerst moesten er nog de nodige manoeuvres gemaakt worden: te veel wagens op een te kleine ruimte. Iemand was zo slim het hek naar het aanpalende veld te openen. Een stukje achteruit, een U-bocht en weg waren ze. Scholes en Michaelson hadden ervoor gezorgd dat Fox voorop reed. Toen ze bij de hoofdweg kwamen, knoopte dezelfde agent als eerder die avond het politietape los en liet ze door. Naast diens politieauto stond een witte scooter geparkeerd. Brian Jamieson zat er schrijlings op, met een voet op het asfalt om zijn evenwicht te bewaren. Hij zat weer te bellen maar viel even stil toen hij de bestuurder van de Volvo herkende. Fox hield zijn ogen strak op de weg gericht, met Scholes en Michaelson de eerste paar kilometer in zijn kielzog, gewoon om het zekere voor het onzekere te nemen.

VIER

I I

'Een ware onheilsbode.'

Fox wierp Tony Kaye een blik toe. 'Dat zei Scholes ook al.'

Het was de volgende ochtend en ze waren terug in Kirkcaldy. Het was uitgesloten dat ze de opslagruimte ooit nog zouden gebruiken, dus hadden ze de verhoorkamer gevorderd.

'We hebben 'm de hele dag nodig,' had Fox de brigadier achter de balie laten weten. De man had geen weerstand geboden, alleen maar geknikt en was verdergegaan met zijn paperassen.

Het had Fox verbaasd: geen leedvermaak over Teresa Collins? 'Natuurlijk,' had hij hardop in zichzelf gezegd. De man rouwde...

'Natuurlijk?' herhaalde Joe Naysmith, die net met een extra stoel uit de opslagkamer kwam aanzetten.

'Laat maar,' zei Fox.

Kaye was naar een café getogen en had drie kartonnen bekers koffie gehaald. Fox had hem de vorige avond gebeld om hem van Alan Carter op de hoogte te brengen.

'Toeval?' had Kaye gevraagd, die onmiddellijk tot de kern van de zaak was doorgedrongen.

'Moet haast wel,' zei Naysmith nu, terwijl hij de deksel van de beker wrikte en er een paar vingerhoedvormige cupjes koffiemelk bij goot.

'Dat weet ik nog zo net niet,' wierp Fox tegen. 'Gisteravond zei Scholes iets over schuldgevoel. Misschien had Carter er lucht van gekregen dat zijn neef was vrijgelaten en erover dacht in hoger beroep te gaan.'

'Dus schiet hij zich gelijk met een pistool voor zijn kop?' vroeg Kaye op ongelovige toon.

'Een revolver,' corrigeerde Fox hem.

'Daar moet toch meer achter zitten, Malcolm.'

'Of minder,' opperde Naysmith.

'Je hebt dat gesprek met hem niet opgenomen, of wel?' vroeg Kaye aan Fox.

'Het was geen formeel verhoor... en het antwoord is nee.'

'Denk je dat wij nu wat minder in het middelpunt van de aandacht komen te staan? Nu de pers zich op deze zaak kan storten verdwijnt Teresa Collins misschien naar de binnenpagina's.'

'Misschien.'

'Ben je daar nog door iemand op aangesproken?'

Fox schudde zijn hoofd. 'Bij mijn weten zitten we nog op de zaak.'

'Voor zover we nog een zaak hebben.'

Fox bevestigde deze vaststelling met een schouderophalen.

'Wat staat er voor vandaag op het programma?' vroeg Naysmith.

'Goeie vraag.' Kaye krabde aan zijn hoofd. 'Foxy?'

'Er zijn nog twee slachtoffers die we kunnen horen.' Fox kon het niet opbrengen enthousiast te klinken.

'Die dronken meiden?' Kayes toon was een stuk geestdriftiger. 'Daar zeg je wat.'

'Hoe zit het met de afluisteroperatie?' vroeg Naysmith.

'Die kon inmiddels wel eens op de rails staan,' antwoordde Fox.

'Anders kunnen we hier ook de hele dag een beetje aan onze reet gaan zitten krabben,' luidde Kayes alternatief. 'In de Mondeo heb ik nog ergens een pak kaarten liggen...'

'We hebben nog altijd een hele berg vragen voor rechercheur Scholes,' bracht Naysmith hun in herinnering. 'We waren nog maar net begonnen toen die werd weggeroepen.'

'Klopt.' Fox werkte het laatste restje koffie weg en probeerde iets van smaak in de laatste slok te ontwaren.

'En hoofdinspecteur Laird moeten we nog eens stevig aan de tand voelen,' droeg Kaye bij. 'Ook al levert dat natuurlijk geen zak op.'

'Ik begin er liever niet over,' zei Naysmith, 'maar ons gesprek met Teresa Collins is ook nog niet afgerond.'

'Laat die maar even zitten,' maande Fox.

'Scholes dan maar?' Kaye maakte aanstalten overeind te komen. 'Zal ik hem halen?'

'Dat doe ik zelf wel, Tony. Drink jij nou maar je koffie op.'

Maar toen hij koers zette naar het trappenhuis zag Fox de onmiskenbare gestalte van Ray Scholes de andere kant uit lopen. Die was op stap met een kromlopende oudere man. Zijn hand rustte lichtjes op diens schouder. Ze waren op weg naar de balie. Scholes deed zijn bezoeker geen uitgeleide maar wees hem slechts in de goede richting, waarna hij zich omdraaide om naar zijn kantoor terug te keren. Hij kreeg Fox in het oog en vertraagde zijn pas, zijn kin vooruitgestoken.

'Elke keer als ik jou zie verwacht ik dat je me ongeluk gaat brengen,' zei hij.

'Zou best eens kunnen. Je wordt in de verhoorruimte verwacht.'

Scholes schudde zijn hoofd. 'Niet nu. Er zijn misschien nieuwe ontwikkelingen in de zaak-Alan Carter.'

'Wat voor ontwikkelingen?' kon Fox niet nalaten te vragen.

'Niets wat jou aangaat,' zei hij, waarop hij naar de trap beende. Fox keek hem na, draaide zich vervolgens om en snelde naar de balie. De bezoeker was er nog. Die stond met de dienstdoende agent te praten. Ze drukten elkaar de hand. Toen hij uiteindelijk de voordeur openduwde kwam Fox hem achterop.

'Waar gaat dat heen?' blafte de brigadier achter de balie, maar Fox gaf geen sjoege. De oudere man stond beneden aan de trap en maakte een gedesoriënteerde indruk.

'Kan ik u een lift naar Kinghorn geven?' vroeg Fox hem. 'Een kleine moeite, als u dat wilt tenminste.'

De man tuurde naar Fox. Bijziend maar geen bril. Het laatste restje haar op zijn hoofd was gitzwart. Geverfd, veronderstelde Fox. Hij had kleine, diepliggende ogen en zijn mond was ingevallen, alsof hij vergeten had zijn gebit in te doen.

'Ik ga net zo lief lopen,' zei hij, nadat hij Fox uitgebreid had opgenomen. 'Ken ik u?'

'Mijn naam is Fox. Sorry, de uwe weet ik niet.'

'Teddy Fraser.'

'Bent u degene die Mr. Carter gevonden heeft?'

Fraser knikte ernstig. Het viel Fox op dat hij een smalle, zwarte das op zijn sleetse overhemd droeg. Meer rouw. 'Een vreselijke, vreselijke zaak,' mompelde hij in zichzelf.

'Heeft u zojuist inspecteur Scholes gesproken?'

'Ja.'

'Ik heb Mr. Carter maar één keer ontmoet, maar ik mocht hem meteen.'

'Je kon maar moeilijk een hekel aan hem krijgen.'

'Bent u vanochtend hierheen komen lopen, Mr. Fraser?'

'Ik loop graag. Het is niet ver.'

'Wel een drukke weg.'

'Ik ken de rustige binnenweggetjes.'

'Dat moet een hele schok zijn geweest, om Mr. Carter zo aan te treffen...'

'Een schok?' Fraser produceerde een korte, holle lach. 'Dat kunt u wel zeggen, ja.'

'Wat ik bedoel is... Ik kende hem niet echt, maar ik had het idee dat hij wel goed in zijn vel zat.'

Fraser knikte opnieuw. 'Er was niks mis met hem. De inspecteur zei dat ze zijn gezondheid zouden controleren voor het geval hij slecht nieuws van zijn huisarts had gekregen. Maar dat had-ie me vast verteld. We hadden geen geheimen voor elkaar.'

'Jullie kenden elkaar al lang?'

'We hebben samen op school gezeten. Nou ja, met twee jaar leeftijdsverschil, maar we zaten wel in hetzelfde team.'

Fox beet op zijn tong om niet te zeggen dat Fraser er een stuk ouder uitzag. Als hij twee jaar ouder was, dan was hij nu pas vierenzestig. 'Voetbal?' vroeg hij in plaats daarvan.

'Twee jaar achtereen kampioen van Fife.' Fraser zei het met zoveel trots in zijn stem dat Fox zich afvroeg of iets hem daarna ooit nog dezelfde voldoening had geschonken.

'Op welke positie speelde Mr. Carter?'

'Pal in de spits, een echte goaltjesdief. Negenentwintig doelpunten in één seizoen. Dat was een schoolrecord. Als de dominee er tijdens de begrafenis niet over begint zal ik zelf wel opstaan om iedereen eraan te herinneren.'

Fox glimlachte even. 'Wat wilde Scholes van u?'

'Ach, gewoon wat vragen over de revolver en zo. In welke houding ik Alan gevonden had. Of ik iets verplaatst had.'

'En was dat zo?'

'Ik heb alleen de telefoon gepakt en het alarmnummer gebeld.'

'Maar Mr. Carter leefde nog, toch?'

'Nauwelijks.'

'Heeft u geprobeerd hem bij kennis te krijgen?'

'Hij ademde nog. Verder was hij ver heen. Maar een revolver? Alan heeft nooit een vuurwapen gehad. En dan ook nog de deur van het slot?' Hij schudde gedecideerd zijn hoofd. 'Die hield hij op slot, zelfs als hij mij verwachtte. Als hij hoorde dat ik er aankwam, wachtte hij me bij de deur op. Zo niet, dan moest ik gewoon aankloppen en begon Jimmy Nicholl altijd te blaffen.'

'De deur zat niet op slot?'

'Geen geblaf toen ik aanklopte. Ik dacht, hij laat de hond uit, ook al zakte het beest elke paar meter door zijn achterpoten. Dus verwachtte ik dat de deur op slot zat.' Hij leek zich iets te herinneren. 'Sterker nog, de deur zat niet eens goed dicht... Toen ik aanklopte ging de deur een heel klein stukje open.'

'Het is natuurlijk mogelijk,' zei Fox, advocaat van de duivel spelend, 'dat als hij zijn daad gepland had, hij de deur bewust open heeft laten staan zodat hij gevonden kon worden.'

Fraser overwoog deze mogelijkheid en wees die toen met een schamper lachje van de hand. 'Wist u dat ik voor Jimmy Nicholl zorg? Het is het minste wat ik kan doen. Alan was gek met die hond – dus ga me nu niet vertellen dat hij Jimmy niet eerst naar een dierenarts zou hebben gebracht voordat hij zich van kant maakte.' Hij vertrok zijn gezicht.

'Mag ik u nog iets anders vragen, Mr. Fraser?'

'Het is Teddy, hoor. Iedereen noemt me Teddy.'

'Wat was dat project van hem, al die paperassen op tafel?'

'Allemaal oude meuk.'

'1985 is ook weer niet zo oud.'

'Voor sommigen wel. Ik kan het je bewijzen ook.' Fraser zweeg even en leek zich schrap te zetten om Fox' reactie te peilen. Hij vouwde zijn handen ineen en noemde een naam.

'Daar heb je me,' gaf Fox na een paar tellen toe. 'Wie is Francis Vernal?'

'Dat kun je maar beter zelf uitzoeken.'

'Waarom had Mr. Carter zoveel belangstelling voor hem?'

'Had-ie volgens mij niet echt, niet meteen.'

'Dat snap ik niet.'

'Alan was toen nog diender. Daarom heeft hij de klus gekregen.'

'Iemand betaalde hem om iets uit 1985 uit te spitten? Was het een zaak waar hij ooit zelf aan gewerkt had?'

Fraser priemde een knokige vinger in Fox' borst en stanste een ritme op de maat van zijn woorden: 'Moet – je – zelf – uit – zoeken.'

Met deze woorden maakte hij een kleine buiging, draaide zich om en beende weg met fermere tred dan Fox verwacht had. Het deed nog pijn ook, die porrende vinger van het iele mannetje. Met de muis van zijn hand wreef hij over de plek. Toen hij terugkeerde in de receptieruimte lag de dienstdoende brigadier al op de loer.

'Kom eens hier jij,' zei hij vanachter zijn balie. Fox liep op hem af. 'Je hebt Teddy toch hopelijk niet lastiggevallen?'

'Hij stond zijn mannetje. Ik neem aan dat je hem kent?'

'Al eeuwen.'

'En je kende Alan Carter ook?'

'Heb nog met hem samengewerkt.' De brigadier zette een hoge borst op. 'Eentje van de oude stempel...'

'Dat gevoel kreeg ik ook, die ene keer dat ik hem ontmoet heb. Gecondoleerd.'

De spieren in het gezicht van de brigadier trilden.

'Ik weet niet eens hoe je heet,' vervolgde Fox op verontschuldigende toon.

'Robinson. Alec Robinson.'

Fox stak zijn hand uit. Na een korte weifeling beantwoordde Robinson het gebaar.

'Aangenaam kennis te maken,' zei Fox, wat de brigadier een glimlach ontlokte.

'Het spijt me als ik het je moeilijk heb gemaakt,' antwoordde de agent. 'Je weet hoe die dingen gaan...'

'Geloof me, ik heb heel wat erger meegemaakt.' Fox was even stil. 'Maar mag ik je vragen... Heb je Alan Carter de laatste jaren vaak gezien?'

'Niet echt. Af en toe bij het voetbal of op een reünie...'

'Een bedrijvig baasje, hè?'

'Hij heeft dat bedrijf uit het niets opgebouwd.' Uit zijn toon maakte Fox op dat Robinson onder de indruk was, dus knikte hij instemmend.

'De keer dat ik hem sprak was hij nog steeds druk bezig,' vertelde hij de brigadier.

'O?'

'Met zijn speurwerk naar Francis Vernal.'

Het gezicht van Robinson verstijfde.

'Kun je daar iets meer over vertellen?'

'Daarvoor moet je niet bij mij zijn,' vertrouwde Robinson hem uiteindelijk toe.

'Bij wie dan wel?'

'Op dit moment?' Robinson dacht diep over zijn antwoord na. 'Bij niemand waarschijnlijk...'

Terug in de verhoorruimte wees Fox naar Joe Naysmith.

'Ik heb een klusje voor je. Heb je je laptop bij je?'

'Nee.'

'Er staat hier vast wel ergens een ongebruikte computer.'

'Waar heb je die voor nodig?'

'Iets op internet opzoeken.'

'Dat kan ik ook op mijn telefoon.'

'Maar kan die ook printen?' Toen Naysmith zijn hoofd schudde verklaarde Fox dat hij met minder dan een computer geen genoegen kon nemen.

'Wat wil je opgezocht hebben?'

'Francis Vernal.'

'Je bedoelt die advocaat?' zei Tony Kaye. Fox draaide zich naar hem toe. 'Die is in de jaren tachtig bij een auto-ongeluk om het leven gekomen.'

'Ga verder.'

Kaye haalde zijn schouders op. 'Ik was nog een kind...' Hij zweeg even. 'Nu ik eraan denk, had die zich geen kogel door het hoofd gejaagd?'

'Voor of na dat ongeluk?'

Opnieuw haalde Kaye zijn schouders op. Fox keek Naysmith weer aan, die de wenk ter harte nam en vertrok.

'Vanwaar je belangstelling?' vroeg Kaye terwijl de deur achter Naysmith dichtviel.

'Dat was een zaak waar Alan Carter aan werkte.'

'En wat heeft dat met ons te maken?'

'Misschien niets...'

'Misschíén niets? Ik dacht dat je Ray Scholes ging halen. Joe heeft de camera en alles klaargezet.'

Nu pas zag Fox het statief. De geluidsrecorder stond op de tafel, geflankeerd door twee microfoons.

'Die beweerde dat hij het druk had.'

'Dolletjes voor hem. Laten we allemaal vakantie opnemen totdat meneer zich een keer verwaardigt ons met zijn aanwezigheid te vereren.'

'Die twee vrouwen,' zei Fox. 'Waarom ga je geen babbeltje met ze maken?'

'Wil je soms van me af?'

'Ik dacht dat je niet kon wachten?'

'Nou ja, dat is altijd nog beter dan hier te zitten luisteren naar hoe die radertjes in je hoofd ratelen.'

'Waar wacht je nog op?'

'Eerst wil ik weten wat er aan de hand is.'

'Er is niets aan de hand. Een vent gaat dood, ik mocht hem, zijn huiskamer was net een gedenkplaats voor ene Francis Vernal.'

'En jij wilt weten waarom?'

'En ik wil weten waarom.' Fox zweeg, zijn ogen boorden zich in die van zijn collega en vriend. 'Heb je daar soms een probleem mee?'

'Vooruit, om de lieve vrede dan maar.' Kaye kwam uit zijn stoel overeind en liet zijn armen in de mouwen van zijn jasje glijden. 'Zal ik junior meenemen?'

'Als je denkt dat je hem kunt gebruiken.'

'Is hij niet met een klusje voor jou bezig?'

'Dat kan wachten.'

'En wat ben jij precies van plan terwijl wij ons in de rimboe van Kirkcaldy begeven?'

'Controleren hoe het met de afluisteroperatie staat... McEwan over de zelfmoord inlichten... proberen Ray Scholes tot een afspraak te bewegen... Geloof me, ik heb mijn handen vol.'

'Oké.' Kaye knikte langzaam. 'Maar we zullen je missen, dat weet je toch? Hé, wie weet, misschien sturen we je wel een ansichtkaart.'

I 2

Fox kon het ook niet helpen dat Evelyn Mills haar telefoon niet opnam. Dat hetzelfde ook voor Bob McEwan gold en dat Ray Scholes met de noorderzon verdwenen was. Fox bevond zich opnieuw in de receptieruimte van het bureau, turend naar een bericht op het mededelingenbord. Een advertentie van een plaatselijk taxibedrijf. Vijf minuten later zat hij in de passagiersstoel van een gedeukte, witte Hyundai. De taxichauffeur probeerde Fox over de zelfmoord uit te horen, maar hij hield de lippen op elkaar. De afzetting was verwijderd en buiten de cottage viel geen enkele activiteit te bespeuren. De chauffeur vroeg of hij moest blijven wachten.

'Goed idee.'

De man zette de motor af. Hij leek van plan uit te stappen, maar Fox weerhield hem.

'Er valt hier niets te zien,' verklaarde hij.

Dus zette de chauffeur de radio aan. Dreunende dansmuziek

voorzag de paar meter naar de voordeur van een swingende soundtrack.

Die zat op slot.

Hij maakte een rondje om het huis, maar er was geen achterdeur. Door het raam van de woonkamer tuurde hij naar binnen. Een paar van de vensters waren vanbinnen met bloedspetters besmeurd. Fox' vingers streken langs een kleine bloempot die wankel op de richel voor het raam stond. Hij tilde hem op en zag een sleutel. Ofwel een reservesleutel of daar door de politie achtergelaten. Hij opende de deur en ging naar binnen.

De mand van Jimmy Nicholl was uit de woonkamer verdwenen. Fox vroeg zich af of hij Teddy Fraser had moeten vragen hoe het met de hond ging. Volgden huisdieren hun baasjes niet vaak korte tijd later het graf in? De kamer rook naar verbrand hout. In de haard lagen de restanten van een verkoold houtblok en de schoorsteenmantel was bedekt met een dun laagje as. Fox begon de papierberg op tafel door te nemen. De krantenknipsels hadden inderdaad betrekking op het leven en sterven van Francis Vernal. Een lang artikel had als kop 'De innerlijke woelingen van een activistische patriot'. Fox kreeg de indruk dat de media hun aandacht al snel verlegd hadden van lovende necrologieën naar sappigere zaken: het roerige privéleven van de overledene. Er was een wazige foto van zijn aantrekkelijke vrouw en er werd gewag gemaakt van Vernals 'met alcohol doordrenkte levensstijl en sliert aan buitenechtelijke relaties'. Verschillende kranten hadden voor dezelfde foto van de advocaat gekozen: Francis Vernal die een delegatie van de Scottish National Party toesprak. Voor een fabriek die op last van de overheid de poorten moest sluiten. Vernal was volop op dreef, met een hand tot vuist gebald, de mond opengesperd, de tanden ontbloot. Fox wierp een snelle blik door het raam om zich ervan te vergewissen dat de chauffeur nog in zijn auto zat. Die zat te fluiten en had een krant opengeslagen.

Francis Vernal was op de avond van zondag 28 april 1985 overleden, dezelfde avond dat Dennis Taylor het in de finale van het wereldkampioenschap snooker tegen Steve Davis had opgenomen. De bestuurder van een busje had Vernals auto gevonden. Die was in de buurt van Anstruther van de weg geraakt. Een Volvo 244. Hij moest een flinke vaart hebben gehad. Vernal had achter het stuur gezeten. Dood. Zijn stoffelijk overschot was overgebracht naar het Victoria Ziekenhuis, waar ze ook het kogelgat in de buurt van zijn slaap hadden vastgesteld. Een zware drinker en roker, met een aanleg voor depressies. De electorale opmars van zijn geliefde Schotse nationalisten leek tot stilstand gekomen en de kans was groot dat Vernals droom van een socialistische Schotse republiek, in elk geval tijdens zijn leven, gedoemd was een droom te blijven. Fox spitte de kranten door. Sommige passages waren onderstreept. De opmerkingen die Alan Carter ernaast gekrabbeld had waren vrijwel onleesbaar. En daar waren er hele waslijsten van. Geen spoor van een computer of laptop, dus was er niets getypt. Fox vroeg zich af wie hem de klus gegeven had, en waarom. Een foto trok plots zijn aandacht. Van een andere bijeenkomst, langer geleden gemaakt, met een veel jongere Francis Vernal, nog voor in de twintig zo te zien. Wat meer haar op zijn hoofd, een slankere taille en smallere borstkas, maar ook toen al met opengesperde mond en gebalde vuist. Naast hem stond een andere jongeman, en Fox was stomverbaasd dat hij hem herkende. Het was Chris – de neef van zijn vader – die er precies eender uitzag als op de foto waarin Jude op zijn schouder zat. Fox pakte de foto op en staarde ernaar. Hij was uit de *Fife Free Press* geknipt. Er stond geen datum bij en slechts wat summiere achtergrondinformatie: een picknick van de SNP op de golfbaan in Burntisland: 'Francis Vernal, de bekende advocaat uit Edinburgh, verzorgt de hoofdtoespraak van de middag.' Met aan zijn zij een lachende Chris Fox die de menigte voorging in het applaus...

Met de foto in zijn hand ijsbeerde Fox door de kamer. Toen vouwde hij hem op en stak hem, schichtig om zich heen kijkend alsof hij bang was betrapt te worden, in zijn binnenzak. Op een ladekast achter de deur stond een telefoon. Hij stevende erop af. Ernaast lag een telefoonklapper. Die was open en lag omgedraaid op de kast. Fox pakte de klapper en zag dat die geopend was op de pagina voor achternamen die met de letter 'C' begonnen. Daar stond Paul Carters naam, met zowel zijn vaste als mobiele nummer. Fox bladerde door de klapper, zonder veel idee over wat hij erin verwachtte aan te treffen. Er gleden een paar visitekaartjes uit en hij bukte zich om ze op te rapen. Eentje van een Indisch restaurant, een andere van een garage. Maar de derde was afkomstig van ene Charles Mangold. Die was oudste vennoot van advocatenkantoor Mangold Bain, gevestigd in de chique New Town in Edinburgh. Fox noteerde de gegevens in zijn opschrijfboekje, tikte toen met zijn pen tegen de hoorn van de telefoon en nam de 'C' nog eens door. Die telde drie namen, waarvan één met een dikke streep erdoor, wat er wellicht op wees dat die persoon niet langer deel uitmaakte van Alan Carters leven of overleden was. Dus bleven er twee namen over.

Een daarvan was Paul Carter...

Fox pakte de hoorn en draaide 1471. Een computerstem informeerde hem dat Paul Carters 06-nummer het laatste was dat gebeld had. Het belletje was de vorige avond gepleegd, nauwelijks een uur voordat Alan Carter gevonden was. Hij legde de hoorn op de haak en trok verscheidene laden in de kast eronder open. Alles keurig op zijn plek: Alan Carter had zijn bankafschriften en rekeningen gescheiden opgeborgen. De telefoonrekeningen waren gespecificeerd. Zo te zien had Alan zijn neef het afgelopen halfjaar niet één keer gebeld. Waarom ook, ze waren niet erg dik met elkaar geweest – had Alan dat niet zelf met zoveel woorden gezegd? Maar kort na zijn vrijlating had Paul de aandrang gevoeld zijn oom te bellen. Fox vroeg zich af waarom. Opnieuw monsterde hij de kamer. Wat kon de oorzaak van de chaos geweest zijn? Was er iets gebeurd wat Alan Carter zo woest had gemaakt dat hij stapels paperassen van de tafel op de grond had gesmeten? Of was dat het werk van iemand anders geweest?

Een tikkende vinger op het raam deed Fox ineenkrimpen. Het was de taxichauffeur. Met een hoofdknik gaf Fox hem te kennen dat hij er zo aankwam. De man talmde even en nam het tafereel in zich op. Fox legde de telefoonklapper terug, zag erop toe dat hij de kamer – minus de ene geleende foto – precies zo achterliet als hij hem had aangetroffen en ging naar buiten.

De chauffeur verontschuldigde zich. 'Niet dat het mij wat aangaat, maar de meter staat al op dertig pond...'

'Het is al goed,' stelde Fox hem gerust. Hij sloot de cottage af en schoof de sleutel onder de bloempot.

'Terug naar het bureau?' vroeg de chauffeur.

'Terug naar het bureau,' beaamde Fox terwijl hij zich op de passagiersstoel nestelde.

Alle telefoontjes van en naar Ray Scholes' vaste lijn werden nu geregistreerd en opgenomen. Dit nieuws bereikte Fox in een sms van Evelyn Mills. Ook was er contact opgenomen met de netwerkprovider van zijn mobiel, en binnenkort zouden ze de beschikking hebben over de in- en uitgaande gesprekken – zij het zonder toegang tot de daadwerkelijke inhoud, die onmogelijk te verkrijgen viel zonder het hogerop te zoeken en er meer geld en menskracht tegenaan te gooien.

Uiteindelijk had Fox Bob McEwan aan de lijn gekregen en hem laten weten dat Alan Carter dood was. McEwan had afwezig geklonken – hij zat juist tussen twee begrotingsvergaderingen in – en Fox voor zijn 'input' bedankt, een woord dat hij vermoedelijk tijdens een eerdere vergadering had opgepikt.

Fox had Kaye verteld dat hij zijn best had gedaan Ray Scholes op te sporen, maar dat hij nu ergens anders heen moest: het kantoor van commissaris Isabel Pitkethly.

'Wat nu weer?' vroeg ze terwijl ze haar bril afzette en in haar ogen wreef.

'Het ligt een beetje gevoelig,' zei Fox. Ze was onmiddellijk een en al oor en zette haar bril op teneinde hem beter in zich op te nemen. Toen ze naar de stoel tegenover haar gebaarde, deed hij wat hem gevraagd werd en streek met zijn handen over zijn knieën.

'Nou,' drong ze aan, met haar ellebogen op het bureau en de handpalmen tegen elkaar gedrukt.

'Paul Carters oom zou zelfmoord hebben gepleegd.'

'Dat is mij bekend.'

'Dat gebeurde kort nadat hij een telefoontje van zijn neef had gehad...'

Ze liet het even bezinken. 'Wat dan nog?'

'Ze waren niet bepaald vrienden,' vervolgde Fox. 'Het zou nuttig zijn te weten waarom hij dat telefoontje gepleegd heeft.'

Ze leunde achterover in haar stoel. 'Hoezo? Dat verandert niets aan de zaak, toch?'

'Misschien niet,' gaf hij toe.

'Trouwens, hoe weet jij van dat belletje?'

'Ik heb 1471 gebeld.'

'Vanuit het huis van de overledene? Wat had jij daar in vredesnaam te zoeken, Fox?'

Daar had Fox niet onmiddellijk antwoord op dus verkoos hij te zwijgen.

'Dat valt ver buiten je mandaat,' zei Pitkethly op rustige toon.

Er werd geklopt en brigadier Michaelson stak zijn hoofd om de deur. Hij had zijn mond al geopend om iets te zeggen, maar sloot die weer toen hij zag dat Pitkethly bezoek had.

'Ik kom zo wel terug,' bood hij aan.

'Laat maar horen wat je op je lever hebt, Gary.'

Michaelson leek even te twijfelen, maar was te opgewonden om het nieuwtje niet te spuien.

'Het punt is, Alan Carter kan niet dood zijn, chef.'

Pitkethly keek hem aan. 'Wat zei je?'

'Hij kan niet dood zijn.'

'Hoezo niet?' Het was niet Pitkethly maar Fox die de vraag stelde.

'Omdat de revolver die hij gebruikt heeft niet bestaat. En dat is al dik twintig jaar het geval.'

Michaelson haalde een vel tevoorschijn. Fox kon niet uitmaken of het een fax of een uitdraai van een e-mail was. De rechercheur stapte op Pitkethly's bureau af en gaf haar de pagina. Ze nam alle tijd om hem door te lezen. Toen keek ze Fox aan.

'Ons babbeltje zullen we later moeten voortzetten.' Ze kwam overeind. Michaelson begeleidde haar de kamer uit, met Fox de eerste paar meter in hun kielzog, totdat zij hem tegenhield.

'Ook dit valt niet onder jouw mandaat,' was het enige wat ze zei voordat ze haar weg vervolgde richting de recherchevertrekken. Michaelson keek om en schonk Fox een brede grijns.

Fox tuitte zijn lippen en zag ze uit het zicht verdwijnen. Toen kreeg hij een idee.

Het duurde even voordat Alec Robinson op de baliebel reageerde. Fox had wel een vermoeden waarom.

'Heb je het gehoord?' vroeg Robinson.

'Gedeeltelijk,' dekte Fox zich in. 'Dat is ook snel gegaan, zeg.'

Robinson knikte instemmend. 'Zoveel vuurwapens heb je niet in Fife,' verduidelijkte hij. 'Het register is pas vorig jaar gedigitaliseerd. Geen idee waarom ze het met terugwerkende kracht hebben gedaan, dat is nu eenmaal zo.'

Fox was nog steeds niet zeker of hij het begreep. 'Dik twintig jaar geleden...' begon hij.

'Zoals ik al zei, zoveel vuurwapens nemen we hier niet in beslag.'

'Nee, maar krijg je er een te pakken, dan...' Fox tastte nog steeds in het duister.

'Dan is het demonteren en omsmelten – zo ging dat vroeger tenminste. Een paar keer per jaar, als we er zoveel hadden dat het de moeite waard was.'

Het was Fox' beurt om te knikken. 'En dit vuurwapen staat te boek als vernietigd?'

Robinson staarde hem aan. 'Ik dacht dat je dat wist.'

'Slechts gedeeltelijk.' Fox vouwde zijn armen over elkaar. 'Dus hoe is het mogelijk dat dit wapen opeens in Alan Carters huis opduikt? Heeft hij het misschien zelf achterovergedrukt?'

Robinson haalde zijn schouders op. 'Ik geloof niet dat hij ooit dat soort diensten draaide. Vuurwapens werden sowieso niet hier bewaard. In Glenrothes, dacht ik.'

Fox ademde luidruchtig uit. 'Het is een raadsel,' zei hij.

'Dat kun je wel zeggen,' beaamde Robinson. Toen, terwijl hij Fox strak aankeek: 'Ga me nu niet vertellen dat er nog een onderzoek komt. Daar zitten we echt op te wachten...'

13

'Hele leuke meiden,' zei Tony Kaye.

'Nou en of,' beaamde Joe Naysmith.

Ze waren terug in de verhoorruimte en zaten gedrieën met bekers thee rond de tafel.

'Kapsters.'

'Billie is gediplomeerd styliste, maar Bekkah is nog niet van haar niveau.'

'Een mazzel dat het rustig was in de kapsalon. Konden we ons mooi even twintig minuutjes in de zonnecabine afzonderen. Maak je geen zorgen, hij stond niet aan.'

'Zo te zien heeft Bekkah daar aardig wat tijd doorgebracht,' vulde Naysmith aan.

'En een lekker figuurtje ook, als dat tenminste niet seksistisch klinkt.'

Fox kon zien dat zijn collega's het uitstekend naar hun zin hadden gehad.

'Ze zou best eens modellenwerk willen doen,' informeerde Naysmith hem.

'Vooruit, nu even ter zake,' sputterde Fox.

'Nou...' begon Naysmith, maar Kaye nam het al van hem over.

'Een avondje stappen. Ze begonnen met de hele bups van de salon. Onderweg vielen er een paar af. Eerst een hapje bij de Chinees, toen nog wat kroegen en een club. Het is na twaalven en ze besluiten naar huis te lopen. Dan moet Bekkah opeens vreselijk nodig en die verdwijnt ergens een steegje in. Een auto stopt. Het is Paul Carter. Zegt dat hij agent is en dat hij ze op gaat brengen. Iets van schennis van de goede zeden of zo. Billie vraagt of hij ze niet gewoon thuis kan afzetten. Carter zegt misschien, maar niet zonder dat ze eerst wat tijd met hem op de achterbank van zijn wagen doorbrengt. Hij graait naar haar kruis. Ze duwt hem weg, dus vraagt hij Bekkah of ze soms liever een nachtje in de cel doorbrengt. Zelfde deal. Ze maken hem duidelijk dat hij op kan lazeren, dus gaat hij weer terug naar zijn auto om versterking op te roepen. Er komen patrouillewagens aanrijden en zij verdwijnen de cel in, zogenaamd om hun roes uit te slapen. En daar duikt Carter opeens weer op en herhaalt zijn aanbod: alle aanklachten komen te vervallen als zij hem zogezegd "ter wille" zijn. Maar die vlieger ging mooi niet op.'

'Billie had nog tegen hem gezegd dat haar vriend uitsmijter is,' wist Naysmith er snel tussen te krijgen.

'Daar wordt iemand als Carter heus niet warm of koud van.'

Fox wreef over zijn kin. 'Carters oom had een beveiligingsbedrijf,' merkte hij op.

'Nou en?'

Fox haalde zijn schouders op. 'Ik constateer het alleen maar.'

'We kunnen altijd nog eens bij die meiden langsgaan en het ze vragen.' Kaye wisselde een korte blik met Naysmith, die niet de indruk wekte geheel afkerig tegenover het idee te staan. 'Nou ja, dat was het wel zo'n beetje. De volgende ochtend werden ze zonder aanklacht vrijgelaten. En geen spoor van Carter te bekennen.'

'Maar ze dienden geen klacht in?'

'Pas nadat ze over Teresa Collins hadden gelezen.' Kaye zweeg even. 'Hoe gaat het trouwens met haar? Heb je al wat nieuws?'

'Dat moet ik nog navragen. Er waren hier wat nieuwe ontwikkelingen gaande...' Hij praatte ze bij. Van het tweetal leek Naysmith de meeste belangstelling aan de dag te leggen, hij stelde vragen en verzocht Fox een paar keer een stukje te herhalen zodat hij het beter begreep. Kaye staarde de hele tijd misnoegd voor zich uit.

'Wat heb je?' vroeg Fox hem uiteindelijk.

'Ik wil echt geen partij kiezen voor Pitkethly, maar ze heeft wel een punt: wat heeft dit allemaal met ons onderzoek te maken?'

'Paul Carter wordt op vrije voeten gesteld en een dag later maakt zijn oom zich van kant. En jij vindt dat niet een heel klein beetje verdacht?'

'Of het nu verdacht is of niet, we zijn hier om drie rechercheurs te onderzoeken, en geen van drieën heet Paul Carter. We brengen verslag uit en taaien af.'

'Dus die revolver had eigenlijk vernietigd moeten worden,' sprak Joe Naysmith in zichzelf, 'maar dat is dus kennelijk niet gebeurd. Dat moet toch ergens geregistreerd staan...'

Kaye spreidde zijn armen in een quasismekend gebaar. 'Dat is niet onze zaak,' zei hij, waarbij hij elk woord evenveel nadruk meegaf. 'Niet ons pakkie-an.'

'Maar het zou wel mét onze zaak verband kunnen houden,' maakte Fox hem duidelijk. 'Hier en daar wat tegels lichten en je weet maar nooit wat je tegenkomt...'

'Maakte Alan Carter deel uit van het team dat die wapens moest vernietigen?' vroeg Naysmith.

'Dat is de recherche nu vast druk aan het uitzoeken,' zei Kaye. 'Want dat is wat de recherche doet. Wij zijn daarentegen van Interne Zaken.'

De deur ging open. Fox wilde juist protesteren toen hij zag dat het commissaris Pitkethly was.

'Ik moet je even spreken,' zei ze, in Fox' richting wijzend. Toen, tegen Kaye en Naysmith: 'Heeft een van jullie Alan Carter nog gezien of gesproken voordat hij overleed?'

'En ook niet erna,' zei Kaye terwijl hij zijn hoofd schudde. Ze keek hem indringend aan.

'Dan ben jij de enige,' zei ze tegen Fox. 'Mijn kantoor dan maar... of voer je het gesprek liever hier?'

Fox bevestigde dat hij de voorkeur gaf aan haar kantoor. Ze draaide zich om en hij stond op om haar te volgen. Toen hij binnenkwam zat zij al achter haar bureau. Ze droeg hem op de deur te sluiten, maar toen hij aanstalten maakte om te gaan zitten gelastte ze hem te blijven staan. Ze hield een pen in haar hand die ze al sprekend aan een grondig onderzoek onderwierp.

'Jij kunt wel eens de laatste geweest zijn die Alan Carter in levende lijve gezien heeft, inspecteur. Dat betekent dat de recherche een paar vragen voor je heeft.'

'Niet echt een goed idee nu ik midden in een onderzoek zit naar drie van hen.'

'Daarom stel ik die vragen.' Ze zweeg even. 'Als ik er tenminste van uit mag gaan dat je onderzoek zich niet tot mij uitstrekt.' Hij gaf geen antwoord, wat haar dwong op te kijken. Ze kneep haar ogen tot spleetjes en was weer volledig op haar pen gefocust.

'Waarom ging je bij hem langs?'

'Hij had de oorspronkelijke klacht tegen Paul Carter ingediend.'

'Dat brengt hem nou niet direct in verband met Scholes, Haldane en Michaelson. O, en tussen twee haakjes, Haldane voelt zich een stuk beroerder sinds jullie huisbezoek, dus daarvoor worden jullie bedankt.' Opnieuw verkoos Fox niet te reageren. 'Waar heb je met Alan Carter over geprat? Wat voor indruk maakte hij op jou?'

'Ik mocht hem. Hij draaide nergens omheen, een prima gastheer.'

'Ging hij ergens onder gebukt?'

'Niet dat ik weet.' Fox zweeg even. 'Maar er speelt nog iets anders, hè?'

'Iemand van de technische recherche heeft kennelijk naar CSI gekeken. Zij was ook degene die de herkomst van het wapen heeft uitgezocht...'

'En?'

'En ze heeft wat vraagtekentjes bij de vingerafdrukken.'

'De vingerafdrukken op de revolver?'

'Niks om opgewonden van te raken, alleen maar een paar anomalieën.'

Fox bracht zich het tafereel in herinnering: Ray Scholes die er al was, papieren die op de grond gesmeten waren, de revolver half verscholen onder een tijdschrift... Hij dacht terug aan Alan Carter, hoe hij door de kamer sjokte, met de thee in de weer was, hem zijn mok aanreikte...

'Carter was rechtshandig,' verklaarde hij.

'Wat?'

'Dus waarom lag die revolver links van hem? Zijn hoofd was op tafel geklapt en de revolver lag links van hem, niet rechts.'

Ze staarde hem aan.

'Dit was kennelijk niet een van uw "anomalieën",' vermoedde hij.

'Nee,' gaf Pitkethly toe terwijl ze voor zichzelf een aantekening maakte.

'Wat dan wel?'

'Alleen Carters vingerafdrukken staan op het wapen. Er zit een eersteklas duimafdruk pal op het midden van de kolf.'

Fox deed alsof hij een revolver vasthield. Met zijn duim hoog boven op de denkbeeldige kolf geklemd. Hij probeerde die omlaag te brengen, maar dat voelde vreemd, onnatuurlijk.

'En een gedeeltelijke afdruk halverwege de loop,' zei Pitkethly ter- wijl ze de pen op het bureau gooide en haar armen over elkaar sloeg.

'Niet nog ergens anders een afdruk?'

'Je weet zeker dat hij geen bezorgde indruk maakte?'

Fox schudde zijn hoofd. 'Maar waarschijnlijk wist hij toen nog niet dat zijn neef op vrije voeten was.'

'Laten we wel reëel blijven, Malcolm.' Het gebruik van zijn voor- naam kwam voor Fox als een verrassing. Ze kon niet zonder hem. Niet zonder hem aan haar kant.

'Je moet Paul Carter laten ophalen voor verhoor,' zei hij op rus- tige toon.

'Dat kan ik niet.'

Nee, niet naar zijn eigen politiebureau, niet om door zijn eigen vrienden ondervraagd te worden.

'Ik kan hem ondervragen,' bood Fox aan.

Ze schudde haar hoofd. 'Jij bent IZ. Dit is... van een andere orde.' Toen hij haar aankeek beantwoordde ze zijn blik. 'Er is geen bewijs dat Alan Carter niet zelf de trekker heeft overgehaald,' zei ze kalm.

'Maar toch...'

'Anomalieën,' herhaalde ze. 'Carter had een beveiligingsbedrijf. Misschien had hij vijanden gemaakt.'

'En bovendien was hij bezig met een onderzoek naar een oude zaak.'

'O?'

'Toen hij stierf, lag zijn huiskamer vol knipsels en artikelen. Heeft Scholes daar niets over gezegd?'

'Hij zei dat het er nogal een zwijnenstal was...'

'Daar was bij mijn eerste bezoek anders niets van te merken. Maar naderhand zag het eruit alsof iemand de boel doorzocht had. Scholes en Michaelson waren als eersten ter plekke. Michaelson bracht Teddy Fraser naar huis en liet Scholes alleen achter...'

Pitkethly sloot haar ogen en wreef met duim en wijsvinger over haar wenkbrauwen. Fox nam plaats aan de andere kant van het bureau.

'De wittebroodsweken zijn voorbij,' maakte hij haar duidelijk. 'Nu zul je een paar belangrijke beslissingen moeten nemen. En de eerste is om het hoofdbureau te bellen. Als je daar mensen kent, praat dan eerst met hen.'

Ze knikte en opende haar ogen. Toen haalde ze een paar keer diep adem en greep naar de hoorn.

'Dat is alles, inspecteur,' zei ze gedecideerd. Maar toen hij opstond om weg te gaan speelde er heel even een dankbare glimlach om haar mond.

14

In de auto terug naar Edinburgh vroeg Naysmith of Fox nog steeds informatie over Francis Vernal wilde.

'Ik kan vanavond thuis wat gaan zoeken,' bood hij aan.

'Bedankt,' antwoordde Fox.

'En voor het geval jullie mochten denken dat Kirkcaldy maar een dooie boel is...' Hij haalde een opgevouwen uitdraai uit zijn binnenzak en gaf hem aan Fox. 'Dit heb ik al over het stadje ontdekt.'

Het was een krantenartikel over een agent van de Joegoslavische geheime dienst die in 1988 naar Kirkcaldy gestuurd was om een Kroatische dissident uit de weg te ruimen. Het verhaal was weer in het nieuws omdat de aanslag mislukt was, de dader achter de tralies zat en nu beweerde over informatie te beschikken over de moord op de Zweedse premier Olaf Palme.

Ten behoeve van Kaye las Fox het artikel hardop voor. 'Ongelooflijk,' was Kayes enige commentaar, waarna hij de cd-speler aanzette.

'Niet weer Alex Harvey,' kreunde Naysmith.

'De sénsationele Alex Harvey,' verbeterde Kaye hem terwijl hij met zijn vingers op het stuur trommelde. 'Een onontbeerlijk onderdeel van je muzikale opvoeding, jongeheer Joseph.'

'Terroristen en mafketels,' merkte Naysmith op, de ogen strak op Malcolm Fox gericht. 'Daar lijken we maar nooit van verlost te raken.'

'Nooit,' beaamde Fox, die het artikel een tweede keer aan het lezen was.

Ze besloten nog wat bij Minter's te drinken. Het was halverwege de middag en de pub was uitgestorven. Fox ging naar buiten en belde het kantoor van Mangold Bain.

'Ik vrees dat Mr. Mangold de hele dag volgeboekt zit,' kreeg hij te horen.

'Mijn naam is Fox. Ik ben inspecteur van bureau Lothian and

Borders. Als dat niet voldoende is om ergens een gaatje voor me te vinden, zegt u hem dan maar dat het om Alan Carter gaat.'

Hij werd verzocht even aan de lijn te blijven. De zangerige stem van de vrouw maakte plaats voor een volle minuut *Vier jaargetijden* van Vivaldi.

'Schikt zes uur?' vroeg ze. 'Mr. Mangold wil graag weten of de New Club acceptabel is. Hij heeft daar om halfzeven een andere afspraak.'

'Dat moet dan maar,' zei Fox, heimelijk in zijn nopjes. De New Club was een van die Edinburghse instituten waarover hij gehoord had, maar die hij nooit vanbinnen had gezien. Hij wist dat de club ergens aan Princes Street gevestigd was en gefrequenteerd werd door advocaten en bankiers die daar aan moeder de vrouw trachtten te ontkomen.

In de bar zaten Kaye en Naysmith te wachten om te vernemen of ze weer naar het bureau moesten of dat ze het voor gezien konden houden. Fox keek op zijn horloge – even voor vieren. Hij knikte om ze te laten weten dat ze af konden nokken.

'Daar moet op gedronken worden,' zei Kaye. 'Jouw rondje, Joseph.'

Naysmith kwam overeind en vroeg Fox of hij nog een Big Tom wilde. Fox schudde zijn hoofd.

'Ik moet ergens heen,' zei hij, met een half oog op de tv boven de bar. De plaatselijke nieuwslezer informeerde de kijkers dat er geen nieuws te melden viel over de explosie in de bossen bij Lockerbie.

'Een of andere zieke geest die denkt dat-ie grappig is,' sputterde Kaye. 'Tenzij jij gelooft dat de Joegoslaven erachter zitten, Joe...'

Een halfuur later kwam Fox bij Lauder Lodge aan. Toen hij de deur van zijn vaders kamer opende zag hij dat Mitch bezoek had. Een halfje Bell's-whisky stond geopend op de schoorsteenmantel.

'Hé, die pa,' zei Fox. Zijn vader maakte een uitgelaten indruk. Hij was aangekleed en zijn ogen sprankelden.

'Malcolm,' zei Mitch, met een knikje naar zijn visite: 'Ken je Sandy nog?'

Malcolm drukte Sandy Cameron de hand. In Malcolms jeugd hadden ze gedrieën menig wedstrijd van Hearts of Midlothian bijgewoond, waarbij zijn vader nooit verzuimd had te vermelden dat Sandy het in zijn jonge jaren op een haar na tot prof had weten te schoppen. Jaren later waren de beide mannen in de plaatselijke bowlscompetitie voor hetzelfde team uitgekomen.

'Dat is een fikse bel,' merkte Fox op terwijl hij toekeek hoe Cameron zijn tumbler naar zijn linkerhand verplaatste, zodat hij zijn rechter vrij had om mee te schudden.

'Een whisky shandy,' verduidelijkte Cameron, zijn hoofd overgeheld naar een fles Barr's-limonade die naast hem op de vloer stond.

'Ik snap niet hoe je het aangelengd kunt verduren,' zei Mitch, die zijn glas uitdronk.

'Misschien dat je dat dan maar eens moest leren, pa,' las Malcolm hem de les. Hij pakte een stoel en ging naast ze zitten. 'Hoe gaat het met u, Mr. Cameron?'

'Mag niet klagen, jongen.'

'Sandy was net herinneringen aan de ijsbaan aan het ophalen,' vertrouwde Mitch hem toe. Fox ging ervan uit dat het verhalen waren die hij al tig keer gehoord had. 'Je was een verrekt goede schaatser, Sandy. Je had zo beroeps kunnen worden.'

'Ik was gek op schaatsen.' Cameron glimlachte in zichzelf. 'En op voetbal...'

Maar Fox wist dat hij als technisch tekenaar geëindigd was. Getrouwd met Myra. Twee kinderen. Een voldaan bestaan.

'Wat doe jij hier?' vroeg Mitch zijn zoon. 'Ik dacht dat je met iets in Fife bezig was?'

Fox groef in zijn binnenzak en haalde de foto tevoorschijn. 'Deze kwam ik ergens tegen,' zei hij, en hij gaf de foto aan zijn vader. Met enig vertoon bestudeerde zijn vader de foto, hield het knipsel zo ver weg als zijn arm hem toestond, maar greep toen in zijn vestzak naar zijn leesbril.

'Dat is Francis Vernal,' verklaarde hij.

'Maar wie staat daar naast hem?'

'Is dat Chris?' Van pure verbazing ging zijn vaders stem een octaaf omhoog. 'Dat is Chris, hè?'

'Lijkt me wel,' beaamde Fox.

Mitch had de foto aan zijn oude vriend doorgegeven.

'Francis Vernal,' bevestigde Cameron. 'En wie is die ander nu precies?'

'Een neef van me,' legde Mitch uit. 'Chris heette die. Jong bij een motorongeluk omgekomen.'

'Hoe kende hij Vernal?' vroeg Fox.

'Chris was een vakbondsvertegenwoordiger op de werf.'

'En lid van de SNP?'

'Dat ook.'

'Ik heb Vernal ooit een keer zien spreken,' vertelde Cameron. 'Ergens in een of ander mijnwerkersinstituut – Lasswade, geloof ik. "Vurig" lijkt me de meest toepasselijke omschrijving.'

'Ik herinner me hem niet echt,' gaf Fox toe. 'Ik was een tiener toen hij overleed.'

'Er deden in die tijd allerlei geruchten de ronde,' ging Cameron verder. 'Zijn vrouw...'

'Allemaal vuige roddel,' zei Mitch laatdunkend. 'Alleen maar bedoeld om kranten te verkopen.' Hij keek zijn zoon aan. 'Waar heb je die vandaan?'

'In Fife is een ex-diender met belangstelling voor Vernal.'

'Waarom?'

'Dat weet ik niet precies.' Fox dacht even na. 'In welk jaar is Chris gestorven?'

Nu was het zijn vaders beurt om na te denken. ''75, '76... ergens eind '75, schat ik. Een crematorium in Kirkcaldy, daarna een maaltijd in een hotel vlak bij het station.' Mitch kreeg de foto weer terug en staarde ernaar. 'Een fantastische knul, die Chris van ons.'

'Nooit getrouwd?'

De vader van Fox schudde zijn hoofd. 'Hij zei altijd dat hij liever vrij en ongebonden bleef. Dan kon hij altijd zomaar op zijn motor stappen en gaan en staan waar hij wilde.'

'Waar is dat ongeluk ergens gebeurd?'

'Vanwaar opeens die belangstelling?'

Fox haalde zijn schouders op.

'Is dit voor de verandering eens een poging tot echt speurwerk?' Mitch wendde zich tot Cameron. 'Malcolm moet nog maar een jaar of twee en dan zit hij weer bij de recherche.'

'O ja? Dus je zit er niet je hele leven aan vast?'

'Niet dat Malcolm dat erg zou vinden.'

'Waar slaat dat nou op?' Onwillekeurig sijpelde er irritatie in Fox' stem door.

'Je was daar nooit echt gelukkig.'

'Wie zegt dat?'

'Dan zul je er wel weer in moeten komen,' onderbrak Cameron, 'wanneer je straks weer echt recherchewerk doet.'

'Wat ik nu doe ís recherchewerk.'

'Ja, maar toch niet echt hetzelfde,' vervolgde zijn vader.

'Het is precíés hetzelfde.'

Zijn vader schudde alleen maar langzaam zijn hoofd. Even was de kamer in stilzwijgen gehuld.

'Vurig,' herhaalde Cameron uiteindelijk. Zo te zien dacht hij terug aan Francis Vernals redevoering. 'De haartjes op je arm stonden rechtovereind. Had hij je gevraagd op te rukken naar de vijand, dan had je het gedaan ook, gewapend of niet.'

'Ik heb hem een keer bij de James Connolly-mars gezien,' voegde Mitch eraan toe. 'Niet dat ik daar veel belangstelling voor had, maar een maat van me wilde er per se heen. Dat moet ergens in de Leith Links zijn geweest. Francis Vernal stond op om de menigte toe te spreken, en je hebt gelijk, Sandy, hij had de gave van het woord. Niet dat ik het met hem eens was, maar luisteren deed ik wel.'

'Hij werd wel met Jimmy Reid vergeleken,' mijmerde Cameron. 'Maar volgens mij was hij beter. Zonder al dat gezeur over "kameraden".'

'Toch moet dat toen een verloren zaak hebben geleken,' droeg Fox bij, opgelucht dat hij niet langer het onderwerp van gesprek was. 'Nationalisme, bedoel ik.'

'Het waren rare tijden,' zei Mitch. 'Veel opgekropte woede. Aanslagen en explosies...' Hij viel even stil en schonk zich nog een whisky in, de fles inmiddels zo goed als leeg. 'Ik heb altijd Labour gestemd, maar ik weet nog hoe hoog je ma de SNP had zitten. Ze stonden bij folkconcerten leden te werven.'

'Net als voor de bioscoop toen *Braveheart* draaide,' zei Cameron.

'Malcolm heeft nooit veel belangstelling gehad voor politiek,' zei Mitch Fox. 'Die kwam niet met zijn hoofd boven het maaiveld uit – of uit de schoolboeken.'

Fox staarde naar zijn vaders whisky. 'Zal ik er een scheutje water bij doen?' vroeg hij.

'Je kunt het dak op met je scheutje water.'

De New Club bleek lastig te vinden. Het gebouw dat Fox er altijd voor had aangezien bleek toe te behoren aan de Royal Overseas League. Volgens een mevrouw bij de receptie moest het een stukje terug zijn. Er stak een harde avondwind op. In Princes Street waren inmiddels tramrails gelegd, maar het werk had een zoveelste vertraging opgelopen doordat de aannemers weer eens met de gemeente in de clinch lagen over achterstallige betalingen. Loonslaven vormden lange rijen bij bushaltes, verlangend naar haard en huis. Dat maar zo weinig winkels aan Princes Street huisnummers hadden, maakte Fox' speurtocht er niet gemakkelijker op. Nummer 86 was zijn bestemming, maar Fox was er alweer voorbijgelopen en moest nu opnieuw op zijn schreden terugkeren. Naast een pinautomaat vond hij uiteindelijk een onopvallende, geverniste houten deur. Boven de deur was een klein raam, en met enige moeite kon hij de naam ontcijferen die in het glas gegraveerd stond. Hij belde aan en werd uiteindelijk binnengelaten.

Hij had kleine, bedompte, in empirestijl ingerichte kamers verwacht, maar het interieur was ruim en modern. Een portier in uniform vertelde hem dat hij verwacht werd en ging hem voor de trap op. Er draalden wat oudere heren rond en her en der ving hij een glimp op van andere notabelen die verdiept waren in hun krant. Fox had gedacht dat de ontmoetingsplek een conversatiezaal of bar zou zijn, maar hij werd een goed uitgeruste vergaderruimte binnengeleid. Charles Mangold zat aan een grote ronde tafel, met een karaf water voor zich.

'Dank je, Eddie,' zei hij tegen de portier, die een buiging maakte en ze alleen liet. Mangold was overeind gekomen en schudde Fox de hand.

'Charles Mangold,' zei hij bij wijze van introductie. 'Inspecteur Fox, nietwaar?'

'Dat klopt.'

'Kunt u zich misschien legitimeren?'

Fox haalde zijn politiepas tevoorschijn.

'Je kunt tegenwoordig niet voorzichtig genoeg zijn.' Mangold gaf hem zijn portefeuille terug en gebaarde naar een stoel. 'Ik ben Eddie helemaal vergeten te vragen een drankje te halen...'

'Water is prima.'

Mangold schonk beiden een glas water in terwijl Fox hem aandachtig opnam. Gezet postuur, begin zestig, kaal en met een bril op. Hij droeg een donker driedelig pak, een bleekgeel overhemd met gouden manchetknopen en een bruin-blauw gestreepte das. Zijn zelfverzekerde uitstraling grensde aan zelfvoldaanheid. Of misschien dekte 'geprivilegieerd' de lading beter.

'Bent u hier eerder geweest?' vroeg hij.

'Dit is mijn eerste keer.'

'De meeste clubs hebben de deuren gesloten, maar deze weet het op een of andere manier nog steeds te bolwerken.' Hij nam een slokje water. 'Ik vrees dat ik weinig tijd heb, inspecteur. Zoals mijn secretaresse u ongetwijfeld verteld heeft...'

'Heeft u over een halfuur een andere vergadering.'

'Inderdaad,' zei Mangold terwijl hij een snelle blik op zijn horloge wierp.

'Wist u dat Alan Carter dood is, Mr. Mangold?'

De advocaat verstijfde even. 'Dood?'

'Hij heeft zichzelf gisteravond met een revolver van het leven beroofd.'

'Goeie genade.' Mangold staarde naar een van de gelambriseerde wanden.

'Wat was uw relatie met hem?'

'Hij deed wat werk voor me.'

'Een onderzoek naar Francis Vernal?'

'Ja.'

'Kende u Mr. Carter al lang?'

'Ik kende hem nauwelijks.' Mangold leek zich zorgvuldig op zijn volgende woorden te beraden. Fox wachtte geduldig af, nippend aan zijn glas. 'Een tijdje terug stond er een artikel over hem in *The Scotsman* dat gewijd was aan zijn uiteenlopende zakelijke activiteiten. Het vermeldde ook dat hij bij de politie gediend heeft en een kleine rol bij het oorspronkelijke onderzoek heeft gespeeld.'

'Het onderzoek naar de dood van Francis Vernal, bedoelt u?'

Mangold knikte. 'Niet dat er ooit veel onderzoek naar gedaan is. Men heeft het van meet af aan op zelfmoord gegooid. Er was zelfs nooit een ODO.'

Oftewel een onderzoek dodelijk ongeval. 'Dat is wel een beetje vreemd,' merkte Fox op.

'Ja,' beaamde Mangold.

'Denkt u dat er het een en ander in de doofpot is gestopt?'

'Ik ben alleen maar op de waarheid uit, inspecteur.'

'Vijfentwintig jaar na dato? Waarom heeft u zo lang gewacht?'

Mangold boog zijn hoofd lichtjes naar voren, alsof hij daarmee de scherpzinnigheid van de vraag erkende. 'Het gaat niet zo goed met Imogen,' zei hij.

'De weduwe van Francis Vernal?'

'Ik ben bang dat ze het niet lang meer maakt. Een halfjaar, een jaar nog misschien, en ik weet dat de kranten het dan allemaal weer zullen oprakelen.'

'Het verhaal dat zij hem ertoe gedreven heeft.'

'Ja.'

'U gelooft dat verhaal niet?'

'Natuurlijk niet.'

'Heeft u met Mr. Vernal samengewerkt?'

'Vele jaren.'

'En was u een vriend van hem of van zijn vrouw?'

Mangold keek Fox ijzig aan. 'Een dergelijke insinuatie kan ik niet zomaar over mijn kant laten gaan.'

'Dan doet u dat toch niet.'

'Hoor eens, het spijt me dat Alan Carter dood is, maar wat heb ik daar verder mee te maken?'

'Ik neem aan dat u al zijn onderzoeksmateriaal zult willen opeisen. Als u tenminste niet vies bent van een bloedspetter hier en daar...' Fox wekte de indruk van plan te zijn om overeind te komen en te vertrekken.

'Francis Vernal is vermoord,' barstte Mangold los. 'En er is niemand die er wat aan doet. Als ik niet beter wist, zou ik denken dat die toenmalige rechercheurs zich aan heel wat meer hebben schuldig gemaakt dan opzettelijke nalatigheid.'

'Wat wilt u daarmee zeggen?'

'Daarmee wil ik zeggen dat ze er zelf bij betrokken zijn geweest. Tegen de tijd dat ze erachter waren dat hij was doodgeschoten, was zijn auto al van de plaats delict weggesleept, was de plaats delict zelf overhoopgehaald en waren alle sporen uitgewist. Het heeft ze een hele dag gekost om het wapen te vinden – wist u dat? Dat lag gewoon op de grond, op nog geen twintig meter van waar de auto tot stilstand was gekomen.' Mangold sprak gehaast, alsof hij een onbedwingbare behoefte voelde om zijn woorden wereldkundig te maken. 'Daar komt nog bij dat Francis helemaal geen vuurwapen had, dat de directe omgeving van zijn auto vol lag met paperassen uit zijn aktetas, dat de achterruit van zijn auto aan diggelen lag en zijn voorruit nog heel was, dat er dingen ontbraken...'

'Wat voor dingen?'

'Om te beginnen zijn sigaretten – hij rookte er veertig per dag. En een briefje van vijftig pond dat hij altijd bij zich droeg, het honorarium van zijn eerste zaak.' Mangold streek met zijn hand over zijn hoofd. Toen keek hij Fox aan. 'U bent anders dan ik verwacht had... heel anders.'

'In welk opzicht?'

'Ik had verwacht dat iemand een poging zou doen me af te schrikken. Maar u bent... te jong om er deel van uitgemaakt te hebben. En op uw politiepas stond Interne Zaken. U onderzoekt dus corruptie bij de politie?'

'Ik onderzoek alle klachten tegen de politie.'

Mangold knikte langzaam.

'Dan past Francis Vernal precies in uw straatje, inspecteur. Met al die lacunes in het oorspronkelijke onderzoek...'

'Had Carter al wat vooruitgang geboekt?'

'Een beetje.' Mangold dacht even na. 'Niet veel,' gaf hij toe. 'Veel van de hoofdrolspelers zijn overleden. Ik denk niet dat hij de klus had aangenomen als Gavin Willis nog geleefd had.'

'En Gavin Willis was...?'

'Alans mentor. En een inspecteur op het moment van Francis' overlijden. Hij leidde het onderzoek. Hij was maar een jaar of tien ouder dan Alan, maar Alan keek huizenhoog tegen hem op.' Mangold boog zich lichtjes naar voren, alsof hij van plan was een confidentie met Fox te delen. 'Heeft Alan u over zijn cottage verteld?'

'Nee.'

'Die is nog van Gavin Willis geweest. Toen hij overleed heeft Alan haar gekocht. Als dat niet aangeeft hoe hecht die twee waren...'

'In dat geval,' zei Fox, 'was Carter vast niet van plan Willis' naam te besmeuren.'

'Dat weet ik nog niet zo zeker, inspecteur. Mensen houden ervan om dingen tot op de bodem uit te zoeken. Vindt u niet?'

'Hoe gaat u verder nu u uw onderzoeker bent kwijtgeraakt?'

'Een andere zoeken,' verklaarde Mangold terwijl hij Fox strak aankeek. Er werd op de deur geklopt en Eddie, de portier, meldde dat de eerste van Mangolds gasten beneden was aangekomen. Mangold kwam overeind, liep om de tafel heen, drukte Fox de hand en bedankte hem voor zijn komst: 'Betreurenswaardig dat we elkaar onder deze omstandigheden moeten treffen...'

Fox knikte hem nauwelijks zichtbaar toe en liet zich door Eddie naar de trap begeleiden.

Bij de voordeur overhandigde een zojuist aangekomen gast zijn overjas aan de portier, terwijl ze een praatje over het weer maakten. Hij wierp een snelle blik op Fox alsof hij wilde nagaan of die voor een begroeting in aanmerking kwam. Uiteindelijk kreeg Fox het summierst mogelijke knikje toegeworpen.

'Gaat u naar uw gebruikelijke plek, meneer de rechter?' vroeg de portier. 'Dan kom ik zo uw drankje brengen.'

'Mijn gebruikelijke plek,' beaamde Cardonald. Rechter Cardonald, de man die ervoor gezorgd had dat Paul Carter vrij rondliep...

Hij was niet in de stemming geweest voor weer een kant-en-klaar- of afhaalmaaltijd, dus had hij zichzelf op een restaurant in Morningside getrakteerd; een Italiaanse tent met veel verse vis op het menu. De avondkrant hield zijn aandacht zo'n tien minuten gevangen, waarna hij zijn best deed niet de indruk te wekken te veel belangstelling voor zijn mede-eters aan de dag te leggen. In werkelijkheid zat hij te denken. En hoe hij ook zijn best deed te stoppen, malen deed hij toch.

Over Ray Scholes en Paul Carter.

Over Paul Carter en zijn oom.

Over Alan Carter en Charles Mangold.

Over Charles Mangold en Francis Vernal.

Vernal en Chris Fox.

Chris en Mitch.

Mitch en Fox zelf.

Wat hem weer bij Scholes en Carter bracht. Geen wonder dat zijn hoofd ervan tolde: er was daarbinnen een *reel* gaande, zo'n klassieke Schotse volksdans, maar met te veel paren op een te krappe dansvloer. Pas toen zijn kelner op zijn tafeltje af stapte en bezorgd informeerde of alles naar wens was, drong het tot Fox door dat hij het hoofdgerecht nauwelijks had aangeraakt.

'Heerlijk,' zei hij terwijl hij een moot zeeduivel aan zijn vork prikte.

Je was daar nooit echt gelukkig...

Dan zul je er wel weer in moeten komen...

Had hij zich feller moeten verweren? Zich beter tegen de beschuldiging moeten verdedigen? Twee oude mannen met een slok op, wat had het voor zin? Hij dacht terug aan zijn jaren bij het korps, de tijd vóór IZ. Hij was ijverig en gewetensvol geweest, iemand die nooit zijn plicht verzaakte. Hij had lange dagen gemaakt, werd geprezen om zijn foutloze rapporten en talent om een team te leiden: bij hem geen opgeblazen ego's of overdreven heroïek. Hij was er niet óngelukkig geweest. Hij had er veel geleerd en moeilijkheden weten te vermijden. Als zich een probleem voordeed, had hij het aangepakt of ervoor gezorgd dat het naar elders werd doorgeschoven.

'Bij uitstek geschikt voor Interne Zaken en Ongepast Gedrag', stond er uiteindelijk steeds vaker te lezen in zijn beoordelingen. Was dat als een positieve aanbeveling bedoeld of als een manier van de recherche om hem duidelijk te maken dat hij er niet thuishoorde?

Te gewetensvol.

Te zeer bereid problemen uit de weg te gaan.

Toen hij de aandacht van de kelner had weten te trekken, zei hij dat hij uitgegeten was.

'Minder trek dan ik dacht,' had hij verontschuldigend te kennen gegeven.

Eenmaal thuis zette hij de tv aan en zapte van derrie naar drek. Het nieuws was bijna uitsluitend aan een of andere koninklijke verloving gewijd. Fox hield het tien minuten vol, waarna hij zijn computer opzocht. Hij wist dat hij tot de volgende ochtend kon wachten: Joe Naysmith zou ongetwijfeld woord houden. Evenzogoed typte hij de naam Francis Vernal op de zoekmachine in en klikte op het eerste van de 17.250 resultaten.

Een halfuur later kreeg hij een sms'je van Tony Kaye.

Aanslag door na-apers. Peebles deze keer. Rotkinderen!

Na-apers... Rotkinderen...

Zoals gewoonlijk zag Tony Kaye alleen wat hij wilde zien. Fox was er minder zeker van.

VIJF

15

Er was een parkeerhaven in de buurt van de plek waar Francis Vernals wagen van de weg was geraakt. Daar was een kleine steenstapel opgericht, met een plaquette ter nagedachtenis aan 'EEN PATRIOT'. Iemand had zelfs een boeket bloemen achtergelaten. De bloemen waren verdord, die lagen er vast al sinds de gedenkdag van het ongeluk. Mangolds werk wellicht, namens hemzelf en Vernals weduwe.

Fox was deze ochtend in zijn eigen auto naar Fife gereden, had de afslag Glenrothes genomen, was langs het stadje gescheerd en had koers gezet naar wat bekendstond als 'East Neuk': een sliert kleine vissersdorpjes geliefd bij landschapschilders en caravanbezitters. Lundin Links en Elie, St. Monans en Pittenweem, vervolgens Anstruther – door de lokale bevolking als 'Eénster' uitgesproken. Vernal was omgekomen op een stuk van de B9131 even ten noorden van Anstruther. Hij speelde geen golf maar had wel een buitenhuis aan de rand van St. Andrews. Niemand had precies kunnen verklaren waarom hij niet op de A915 was gebleven, een kortere route. De enige theorie was dat hij een pittoreske omweg had willen maken. Zodra je de kust verliet was het een en al landerijen en bosgebied. Het viel onmogelijk te zeggen op welke boom de wagen precies gebotst was. Een andere theorie: door moddersporen van tractoren op de weg was de auto in een slip geraakt. Oké, zoveel wilde Fox nog wel aannemen. Maar daarna was er nog iets gebeurd. Niet iedereen die zijn wagen in de prak rijdt, voelt vervolgens de aandrang naar een vuurwapen te grijpen. Was Vernals levensstijl met hem op de loop gegaan? Stress, een wankel huwelijk, te veel drank. Door de drank raakt hij van de weg – misschien wil hij er wel een einde aan maken. Maar na de klap leeft hij nog, dus grabbelt hij de revolver uit het handschoenenvak.

Een revolver: hetzelfde type vuurwapen als bij Alan Carter gebruikt was.

Door hem – of tegen hem.

Fox liet zijn vingers over de gedenkplaat glijden. Door de jaren heen hadden jongeren er hun namen in gekerfd. Een paar kilometer terug was hij voorbijgescheurd door wat opgevoerde auto's, met de geluidsinstallatie op volle kracht, wellicht bestuurd door een 'Cambo' of 'Ali', een 'Desi' of 'Pug'. Geen verkeerde plek: vredig. Het vage geronk van landbouwmachines. Het halfhartige gekras van een handvol kraaien. Hij rook vers omgewoelde aarde. Een rondgang door de directe omgeving bood geen aanknopingspunten. Niemand had een boeket bij een van de bomen achtergelaten. Geen van de krantenverslagen was erin geslaagd met een foto van de auto op de plek des onheils op de proppen te komen, en zelfs de weinige zwart-witfoto's van de locatie berustten kennelijk op giswerk. Mangold had gelijk: de Volvo was inderdaad weggesleept en naar een plaatselijke autosloperij gebracht voordat hij onderzocht had kunnen worden. In de eerste verslagen was het woord zelfmoord zelfs niet gevallen. Men had van een 'tragisch ongeluk' gesproken dat het land van een 'groot politiek talent' beroofd had. In memoriams waren er volop geweest, en allemaal hadden ze hetzelfde sussende script gevolgd. Een paar jaar later was er een boek uitgekomen, waarvan een half hoofdstuk aan de 'mysterieuze dood' van de 'politieke activist Francis Vernal' gewijd was. Het boek had een beknopt overzicht geboden van onopgeloste misdrijven in Schotland, maar geen nieuwe bewijzen boven tafel gebracht. In plaats daarvan hadden de auteurs vragen opgeworpen, dezelfde vragen die Fox zich gesteld had tijdens zijn online leesmarathon van de vorige avond. Een flink deel ervan had hij uitgeprint. Daarbij had hij een inktpatroon opgesoupeerd en die door een reserve vervangen. Eenmaal terug in zijn auto tilde hij de zware map van de passagiersstoel en overwoog hem open te maken. Maar toen meldde zijn mobieltje zich met een binnenkomend sms-bericht. De afzender was Tony Kaye.

Er broeit wat.

Fox belde Kaye maar die nam niet op. Hij draaide het contactsleuteltje om, maakte een U-bocht en zette koers naar Kirkcaldy.

De parkeerplaats van het bureau was vol, daarom parkeerde hij op straat. Langs een gele lijn, dus moest hij maar hopen van een bekeuring verschoond te blijven.

Het bord naast de balie gaf aan dat de alarmstatus van GEMATIGD naar AANZIENLIJK was verhoogd. De opslagruimte zat niet op slot en was leeg, dus begaf Fox zich naar de verhoorkamer. Toen hij de deur opende zag hij Paul Carter half onderuitgezakt in een stoel hangen. Aan de andere kant van de tafel zat Isabel Pitkethly.

'D'r uit,' gelastte Pitkethly.

Fox mompelde een verontschuldiging en trok de deur dicht. Kaye en Naysmith kwamen door de gang aangelopen.

'Je had me wel even kunnen waarschuwen,' snauwde Fox.

'Dat heb ik net gedaan,' antwoordde Kaye. En zowaar, zojuist had Fox een nieuwe sms ontvangen.

VK *verboden terrein!*

'Bedankt,' zei Fox terwijl hij zijn mobiel weer in zijn zak stouwde. 'Wat is er aan de hand?'

'Je had de recherche moeten zien,' kwam Naysmith ertussen. 'Daar lopen ze helemaal te flippen.'

'Het zou fijn zijn als iemand me vertelde waarom.'

'Vanwege een of ander puisterig verslaggevertje,' kwam Kaye hem tegemoet. 'Langs Kinghorn Road is een pompstation en daar ging hij heen om benzine te tanken voor dat barrel van hem...'

'En,' kwam Naysmith weer ongevraagd tussenbeide, 'hij vraagt de pompbediende of hij iets gezien heeft op de avond van Alan Carters dood. Blijkt nog zo te zijn ook.'

'Paul Carter,' nam Kaye het weer over. 'Hij had Paul Carter gezien.'

'Die een nerveuze indruk maakte.'

'Die stopte bij de pomp, uitstapte, maar tanken ho maar.'

'En maar heen en weer lopen.'

'En op zijn mobieltje kijken.'

'Dan toetst-ie een nummer in, maar zo te zien zonder iemand aan de lijn te krijgen...'

'We wisten al dat Paul Carter zijn oom gebeld heeft,' voelde Fox zich geroepen te verklaren.

'Maar hij was op weg naar de cottage,' benadrukte Naysmith.

'Een halfuur terug was het nog een duidelijk geval van zelfmoord maar nu wordt de neef opeens verdacht van moord?' Fox' vragende blik verschoof van Kaye naar Naysmith en weer terug.

'Die draait de bak in,' betoogde Kaye, 'en dat kan hij goeddeels op het conto van zijn oom schrijven...'

'Op zijn minst betekent het,' zei Naysmith, 'dat hij waarschijnlijk naar de cottage is geweest. En wat ze daar ook besproken hebben, het is uiteindelijk op een schot en een lijk uitgelopen.'

Ze hoorden voetstappen. Achter Alec Robinson kwamen twee mannen en een vrouw door de tochtdeuren aangelopen. Robinsons gezicht stond strak en ernstig. De nieuwkomers namen Fox, Kaye en Naysmith de maat, klopten vervolgens bij de verhoorruimte aan en gingen naar binnen. Op weg terug naar zijn balie vermeed Robinson oogcontact met Fox.

'Glenrothes?' speculeerde Kaye.

'Ja,' zei Fox.

Een minuut later troonden de drie rechercheurs Paul Carter mee naar buiten. Die kreeg Fox en zijn collega's in het oog en bleef staan.

'Ik word erin geluisd,' grauwde hij. 'Ik heb niks gedaan!'

De twee mannelijke agenten grepen hem elk bij een onderarm en leidden hem weg.

'Blijf met je fikken van me af!'

Terwijl de vrouw hen volgde blikte ze even over haar schouder naar Fox.

'Ken je haar?' vroeg Kaye, met zijn mond vlak bij Fox' linkeroor.

'Ze heet Evelyn Mills,' gaf Fox zich gewonnen. 'Ze zit bij IZ, net als wij.'

'En ze heeft Chanel op.'

Pitkethly stond in de deuropening van de verhoorruimte. Uit de blik die ze hem toewierp, leidde hij af dat het haar beslissing was geweest om Glenrothes erbij te betrekken. Hij knikte om haar te laten weten dat hij hetzelfde had gedaan.

'Wat had hij te zeggen?' vroeg Fox.

'Dat hij gebeld was vanaf het nummer van zijn oom. De beller had opgehangen. Bij het volgende telefoontje gebeurde hetzelfde.' Ze vouwde haar armen over elkaar. 'Hij vroeg zich af wat er aan de hand was, besloot het hem persoonlijk te gaan vragen, maar veranderde halverwege van gedachten.'

'Misschien is het wel echt zo gegaan.'

'Misschien.'

'Je klinkt niet erg overtuigd.'

Ze keek hem indringend aan en besloot niet te antwoorden. Fox, Kaye en Naysmith keken toe hoe ze met grote passen bij hen vandaan beende.

'Eindelijk thuis,' zei Kaye, toen hij de verhoorruimte binnenging. Fox zag hoe Naysmith de zwaar ogende schoudertas optilde die aan zijn voeten stond.

'De informatie die je wilde,' verduidelijkte de jongeman. 'Het heeft me de halve nacht, een heel pak papier en paar inktpatronen gekost.' Hij stond op het punt de inhoud van de tas aan Fox te overhandigen. 'Je raadt nooit hoeveel resultaten de naam Francis Vernal opleverde.'

Hij keek verbouwereerd toen Fox hem exact het juiste aantal gaf.

Het duurde een dik uur voordat Mills kans zag Fox te bellen. Voordat die opnam weifelde hij even.

'Je vriendin?' raadde Kaye.

'Met inspecteur Mills?' zei Fox in zijn mobiel en liet haar zo weten dat hij niet alleen was.

'Ik weet nog niet wat voor gevolgen dit voor de afluisteroperatie heeft.'

'Ik ook niet.'

'Als we Carter op band hebben terwijl hij iets aan Scholes opbiecht...'

'Dan is dat als bewijs misschien ontoelaatbaar,' viel Fox haar bij.

'Ik heb het OM gevraagd de voors en tegens af te wegen, maar hen kennende kan dat wel een tijdje duren.' Ze zweeg even. 'Misschien is het veiliger de boel gewoon af te blazen.'

'Aan de andere kant,' redeneerde Fox, 'is het Scholes' telefoon die afgeluisterd wordt, niet die van Carter. En het rechercheonderzoek is niet op Scholes gericht.' Het was Fox' beurt een stilte te laten vallen. 'Wat gebeurt er nu met Carter?'

'Zijn hoofdinspecteur vertelde ons dat jij degene was die met dat "linkshandig/rechtshandig"-gedoe met de revolver op de proppen is gekomen.'

'Klopt.'

'Allemaal indirect bewijs, natuurlijk...'

'Natuurlijk,' beaamde hij.

'Maar alles bij elkaar wijst het misschien wel in een bepaalde richting.'

'Op opzet?'

'Ja.'

'Een moordonderzoek?'

'Zeer waarschijnlijk.'

'Vanuit dit bureau?' Fox keek om zich heen in de kleine kamer.

'Het is het dichtstbijzijnde bureau. Uiteraard sturen we er ons eigen team op af.'

'Uiteraard. Een gecombineerde recherche- en IZ-operatie?'

'Als het de hoge heren behaagt.'

'Scholes, Michaelson, Haldane...?'

'Voorlopig uitgerangeerd.'

'Zo te horen gaat het knap hectisch worden.'

'Ben je van plan hier te blijven?'

'Totdat ik het bevel krijg mijn biezen te pakken.'

'Malcolm... je beseft toch wel dat je een getuige bent? We zullen je over Alan Carter aan de tand moeten voelen.'

'Geen probleem.'

'Scholes zit het vuurtje al op te stoken.'

'O?'

'Hij beweert dat jij daar knap snel ter plaatse was.'

'Niet half zo snel als hij en Michaelson.'

'Met dat verschil dat zij een oproep hadden ontvangen.'

'Ik zal met alle plezier op alle vragen antwoord geven, inspecteur Mills.'

'Tot gauw dan maar,' zei ze ter afronding van het gesprek.

Fox briefde het hele verhaal aan Kaye en Naysmith door en liet ze vervolgens weten dat hij naar buiten ging om een luchtje te scheppen. Aan de andere kant van de parkeerplaats stond Brian Jamieson naast zijn scooter. Naast hem stond een vrouw met een recorder die aan haar schouder bungelde en oordopjes in. Ze hield een microfoon op Jamieson gericht.

De plaatselijke radio interviewt de plaatselijke nieuwsjager.

Fox liep op ze af. Jamieson had hem al in het oog gekregen en vertelde de vrouw wie hij was. De microfoon zwaaide zijn kant uit.

'Ik moet je even spreken,' zei Fox tegen Jamieson.

'Inspecteur,' zei de jonge vrouw, 'kunt u misschien iets zeggen over de arrestatie van Paul Carter?'

Fox schudde zijn hoofd en knikte in de richting van de parkeerplaats in de wetenschap dat Jamieson hem zou volgen. Dat zou namelijk de indruk wekken dat hij belangrijk was, en Fox had zo'n idee dat Jamieson zich in het bijzijn van zijn conculega graag als belangrijk voordeed.

'We zagen dat hij opgebracht werd,' zei Jamieson toen hij Fox had bijgehaald. 'Wordt hij nu naar Glenrothes afgevoerd?'

'Waarom ben je bij dat tankstation gestopt?'

'Hoge nood. Nadat u vertrokken was, ben ik daar nog een kleine twee uur blijven hangen. Ik zat hevig om een cafeïneshot verlegen.'

'De pompbediende kende Paul Carter?'

Jamieson schudde zijn hoofd. 'Het was zijn beschrijving van de auto, niet zozeer die van de man.'

'Dus je weet niet zeker of het daadwerkelijk Carter was?'

Jamieson keek hem strak aan. 'Het voorterrein wordt door een bewakingscamera in de gaten gehouden. Ik moest op toestemming van de eigenaar wachten voordat ik de beelden kon bekijken. Daarom heb ik het niet eerder gemeld. Maar er is geen twijfel mogelijk, inspecteur, de man op de beelden is Paul Carter.'

'En daarna zie je hem wegrijden?'

'Ja.'

'Nog altijd in de richting van Alan Carters huis?'

'Wat beweert hij dan? Dat het toeval was?'

'Hij zegt dat hij later besloot om te keren.'

Jamieson dacht even na. 'De camera staat enkel op de pompen gericht.' Hij had zich voor Fox geposteerd en keek hem recht in het gezicht. 'Grappig, vindt u niet?'

'Wat?'

'Paul Carter... op een steenworp afstand van het huis van zijn oom op de avond dat die besluit zich van kant te maken. En wie zijn de rechercheurs die als eerste ter plaatse zijn? Paul Carters beste maatjes.'

Fox hield zijn gezicht strak in de plooi. 'Waarom besloot je die pompbediende te vragen of hij iets verdachts had gezien?'

Jamieson vertrok zijn mond. 'Ik voelde het aan mijn water. Dat heeft me gebracht waar ik nu ben.'

'Vandaar dat waterhoofd van je,' mompelde Fox, op weg naar de achterdeur van het bureau. Aan de achterkant van het gebouw stond Ray Scholes hem op te wachten, wijdbeens en met zijn handen in de zakken.

'Weet je wel wie dat is?' vroeg Scholes op waarschuwende toon.

Fox bevestigde dat hij het wist.

'Heb je hem iets verteld?'

'Nee.'

'Dat kun je maar beter zo houden ook.'

Fox probeerde zich langs hem heen te wringen maar werd de pas afgesneden.

'Ik moet je iets laten zien,' zei Scholes. Het was het schermpje van zijn mobiel. Fox nam het uit zijn hand en tuurde naar de boodschap. Die was afkomstig van Paul Carter.

Haal Fox voor me. Vijf minuten.

Het toestel begon te trillen. Fox keek Scholes aan.

'Dat zal voor jou zijn,' zei Scholes tegen hem.

'Ik neem niet op.' Scholes zei niets maar weigerde het toestel terug te nemen toen Fox het hem aanbood. Het getril hield op, de twee mannen staarden elkaar aan. Onmiddellijk ging de mobiel weer over.

'Je hebt je punt gemaakt,' zei Scholes. 'Neem nu maar op.'

'Hallo?' zei Fox.

'Met Carter.'

'Dat weet ik.'

'Luister, ik heb heus wel eens wat uitgevreten – dat geef ik toe. Maar hier weet ik niets van. Helemaal niets.'

'En wat moet ik daaraan doen?'

'Goddomme, Fox, in godsnaam. Ik ben een diender...'

'Je was een diender.'

'Iemand probeert me erin te luizen.'

'Dus?'

'Dus moet er toch iemand zijn die aan mijn kant staat!' Er klonk woede in zijn stem door, maar ook angst.

'Vertel dat maar aan Teresa Collins.' Fox' ogen boorden in die van Scholes.

'Je wilt een bekentenis van me?' vroeg Paul Carter. 'Van elke keer dat ik over de schreef ben gegaan of daar zelfs maar aan gedacht heb?'

'Waarom is Alan Carter gestorven?'

'Hoe moet ik dat weten?'

'Je was niet naar hem onderweg?' Fox' stem klonk hard, gevoelloos. 'Als je tegen me probeert te liegen, kan ik je niet helpen.'

'Ik zweer het je.'

'Heb je soms iemand anders gestuurd?' Fox hield zijn ogen nog steeds op Scholes gericht, die verstijfde en zijn vuisten balde.

'Nee.'

'Enig idee waarom hij je belde?'

'Dat zeg ik je toch, ik weet nergens van!'

'En wat verwacht je nu eigenlijk van mij?'

'Ray kan toch moeilijk gaan rondsnuffelen.'

'Dat zou geen bijster goede indruk maken,' gaf Fox toe.

'Maar hij vertelde me dat jij met mijn oom hebt gesproken...' Het geluid dat Carters keel voortbracht hield het midden tussen een zucht en een kerm. 'Misschien dat jij iets kunt doen... wat dan ook.'

'Waarom zou ik?'

'Dat weet ik niet,' gaf Carter toe. 'Ik zou het echt niet weten...'

Waar Carter ook was, op de achtergrond hoorde Fox nieuwe geluiden, gedempte stemmen. Hij kon niet langer vrijuit spreken. De verbinding werd verbroken en Fox controleerde het schermpje alvorens het toestel aan Scholes terug te geven.

'Nou?' vroeg Scholes.

Fox leek te twijfelen. Toen schudde hij zijn hoofd, wrong zich langs Scholes en zette koers naar de verhoorruimte. Maar Scholes gaf niet op.

'Alan Carter had vijanden,' zei hij. 'Sommigen had hij hier bij de politie opgedaan, anderen later. De Shafiq-clan – ze bezitten een hele reeks winkels en bedrijven. Die hadden heibel met een paar van Carters jongens. Daar zit een hoop oud zeer.'

Fox stond stil en stak zijn hand op. 'Je kunt niet zomaar in het wilde weg beschuldigingen rondstrooien.'

'Er zijn bomexplosies geweest in Lockerbie en Peebles. We kunnen het op terrorisme gooien, ze net zolang vasthouden tot ze praten.' Scholes zag de uitdrukking op Fox' gezicht. 'O ja,' zei hij smalend. 'Dat vergat ik even, dat het racistisch is om iemand met een rare achternaam op te sluiten.'

Fox schudde zijn hoofd en liep door. Deze keer kwam Scholes niet achter hem aan. In plaats daarvan riep hij hem na.

'Toen hij me sms'te dat hij je wilde spreken, liet ik hem gelijk weten dat het tijdverspilling was. Wat hij nodig heeft is een échte diender, en dat ben jij niet, Fox. Van geen kant.' Zijn stemvolume daalde een fractie. 'Wat hij nodig heeft is een echte diender,' herhaalde hij, terwijl Fox de tochtdeuren met een fikse zet openduwde.

16

'Is er verder nog iemand met wie we een praatje moeten maken?' vroeg Tony Kaye.

Gedrieën waren ze neergestreken op een zeewering en aten fish-and-chips uit de papieren verpakking. Aan de overkant van het water vlamde Berwick Law in een straal zonlicht op. Rechts van hen konden ze in de verte de contouren van Arthur's Seat en de skyline van Edinburgh onderscheiden. Tankers en vrachtschepen lagen voor anker in de wijde riviermond. Het was lunchtijd en zeemeeuwen fladderden verwachtingsvol rond.

'Misschien kunnen we Haldane eindelijk eens onder handen nemen,' opperde Fox.

'Je meent het,' zei Kaye.

'Wat vind jij dan?'

'Volgens mij kan er elk moment een moordonderzoek beginnen, en dan kunnen wij maar beter maken dat we verkassen. Het laatste waar ze bij het korps van Fife op zitten te wachten is dat wij ze hier een beetje bij hun moordonderzoek voor de voeten lopen.'

'Dat is waar,' gaf Fox toe.

'Toch kan ik me niet aan de indruk onttrekken dat we nog steeds hier zijn.' Kaye gooide een bolletje deeg in de lucht en keek toe hoe een meeuw een duikvlucht maakte en het uit de lucht pikte, met zijn maatjes in de aanslag om de prooi te betwisten.

'Laat maar horen dan wat er hier verder nog voor ons te onderzoeken valt.'

'We hebben de telefoontaps nog,' voerde Fox aan.

'Maar dat is niet onze operatie.'

'Scholes, Haldane en Michaelson, die hebben we nog maar nauwelijks aan de tand gevoeld...'

'Je klampt je aan strohalmen vast, Malcolm.' Deze keer was het een patatje dat door de lucht scheerde, op de grond viel en onmiddellijk belaagd werd door vier zeemeeuwen.

'Oké, ik geef het op.' Fox wendde zich naar Naysmith. 'Joe, vertel jij de man dan maar waarom we nog niet naar huis kunnen.'

'Francis Vernal,' zei Naysmith, alsof ze het zo afgesproken hadden. Voor Fox was het van meet af aan duidelijk geweest: Naysmith had dezelfde online artikelen, geruchten en vermoedens gelezen als Fox, en hij was er net zo door gegrepen. 'Iedereen ging er toen voetstoots van uit dat het zelfmoord was. De media zijn er nauwelijks in gedoken – je had nog geen vierentwintiguursnieuwskanalen of internet. Maar Vernal had vrienden laten weten het gevoel te hebben geschaduwd te worden, dat er op zijn kantoor en bij hem thuis was ingebroken. Niet dat er iets was meegenomen, maar er waren wel dingen op de verkeerde plek teruggezet.'

'Wie schaduwde hem dan?' vroeg Kaye.

'Geheim agenten, neem ik aan.'

'En waarom zouden die in hem geïnteresseerd zijn?'

'Ik heb me nooit gerealiseerd hoe ruig het er tijdens het midden van de jaren tachtig aan toe is gegaan,' zei Naysmith terwijl hij azijn van zijn vingers likte. 'Je had "Ban de bom"-demonstraties, de Star Wars-top...'

'*Star Wars?*'

'Niet de film – iets met een satellietschild, Reagan en Gorbatsjov. Kruisraketten die hierheen werden verscheept. Er waren acties bij de marinebasis op de Clyde vanwege de Polaris-onderzeeër, Friends of the Earth protesteerde tegen het veroorzaken van zure regen. Dierenrechten... Hilda Murrell...' Naysmith viel even stil. 'Haar ken je toch nog wel?'

'Stel nu dat dat niet zo is,' zei Kaye.

'Een gepensioneerde activiste. Tam Dalyell...' Naysmith zweeg.

'De parlementariër,' verklaarde Kaye. 'Ik ben niet helemaal achterlijk.'

'Tja, die beweerde dat MI5 haar vermoord heeft. Dat ze een privédetective op de loonlijst hadden die haar in de gaten moest houden...'

'Allemaal mooi en aardig, maar ik hoor niks over Francis Vernal.' Kaye verfrommelde de vettige verpakking tot een papieren bal.

'De vroege jaren tachtig waren ook een broeinest van nationalisme,' lichtte Fox hem in. 'Nietwaar, Joe?'

Naysmith knikte. 'De SNP deed het niet best in de peilingen, waardoor sommige nationalisten het Ierse voorbeeld wilden volgen. Ze meenden dat ze met een bomaanslag hier en daar wel de aandacht van Londen zouden trekken.'

'Bomaanslagen?'

'Er zijn bombrieven naar Mrs. Thatcher en de koningin gestuurd. En naar Woolwich Arsenal, het ministerie van Defensie en het stadhuis van Glasgow – dat laatste op de dag dat prinses Di er een bezoek bracht. En dan had je nog al die splintergroeperingen: de Seed of the Gael, de SNLA...'

'Het Schotse nationale bevrijdingsfront,' legde Fox ten behoeve van Kaye uit.

'De Scottish Citizen Army... het Dark Harvest Commando. Die laatste club maakte ooit een uitstapje naar het eiland Gruinard.' Naysmith liet opnieuw een stilte vallen.

'Vooruit, laat maar horen dan,' pruttelde Kaye.

'Dat is een eilandje voor de westkust. Tijdens de Tweede Wereldoorlog werd het met antrax besmet.'

'Door de Duitsers?' veronderstelde Kaye.

Naysmith schudde zijn hoofd. 'Ons eigen werk. Er waren plannen om Duitsland te bombarderen met antraxbommen, maar die wilden ze eerst testen.'

'En daarna was Gruinard onbewoonbaar,' voegde Fox eraan toe. 'Het werd van alle kaarten geschrapt zodat niemand het zou vinden.'

'Maar het Dark Harvest Commando is erheen gegaan, heeft wat grondmonsters genomen en begon die naar verschillende overheidsinstellingen te sturen.'

'En daar was Francis Vernal bij betrokken?' vroeg Kaye.

'Een paar jaar na zijn dood schreef een journalist een artikel. Daarin beweerde hij dat Vernal de financiële man van het Dark Harvest Commando was geweest.'

'En had hij daar bewijzen voor?'

'In die tijd was het heel wat lastiger om aan informatie te komen. Weet je dat gedoe nog rond dat boek, *Spycatcher*? Dat had nu op internet gestaan, en geen overheid die de bevolking had kunnen beletten het te lezen.'

Naysmith keek naar Fox, en Fox knikte om hem te laten weten dat hij goed werk had geleverd. Naysmith glimlachte en streek een hand door zijn haar.

'Ik ben er helemaal in gedoken,' zei hij op licht gegeneerde toon, bijna alsof hij zich voor zijn enthousiasme schaamde. 'Ik heb zelfs nog fragmenten van een oud tv-programma gevonden: *Edge of Darkness.*'

'Dat herinner ik me nog,' onderbrak Kaye hem. 'Een grote CIA-kerel met een golftas vol geweren...'

'Dat ging over de kernindustrie,' lichtte Naysmith toe. 'Geeft een mooi beeld hoe paranoïde iedereen toen was.' Hij haalde zijn schouders op. 'Zo komt het op mij tenminste over.'

'Hoeveel heb je over het Dark Harvest Commando boven water gekregen?' vroeg Fox hem.

'Zo goed als niets.'

'Ik ook niets.'

'Deels omdat vrijwel niemand ooit is opgepakt. En voor een ander deel omdat die club gewoon lijkt te zijn doodgebloed.'

Fox knikte langzaam.

'Polaris en zure regen,' zei Kaye bedachtzaam. 'Allemaal ouwe meuk.' Hij gleed van de zeewering en hield de papierbal boven een vuilnisbak. 'Zie je wat ik hiermee doe?' Hij smeet hem erin. 'Dat zouden we ook met deze hele zaak moeten doen.' Hij wreef zijn handen over elkaar.

'Vind je echt?' vroeg Fox.

'Ik vind het niet. Het ís zo. Wij zijn de recherche niet, Malcolm. Dit zijn allemaal geen zaken waar wij deel van uit zouden moeten maken.'

'Dat weet ik nog zo net niet.'

Kaye sloeg zijn ogen ten hemel.

'Heeft Alan Carter zelfmoord gepleegd?' vroeg Fox op kalme toon.

'Misschien,' verklaarde Kaye na een paar tellen.

'Als hij vermoord is...'

'Dan is zijn neef de eerste kandidaat.'

'Paul houdt anders heel stellig vol dat hij het niet gedaan heeft.'

'En hij is ook geen vieze smeerlap die vrouwen tot een pijpbeurt probeert te dwingen.'

'O, een smeerlap is hij zeker. Maar dat betekent niet dat we hem zomaar voor de wolven kunnen laten gooien.'

'Wie gooit hem voor de wolven?'

'Dat wil ik nu juist uitzoeken.'

Kaye was zo dicht naast Fox geschoven dat hun gezichten slechts een paar centimeter van elkaar verwijderd waren. 'Wij zijn Interne Zaken, Malcolm. Niet *Mission: Impossible*.'

'Dat weet ik.'

'Als kind was ik gek op die serie,' deed Naysmith zijn duit in het zakje. Beide mannen draaiden zich naar hem toe. Kaye keek hem met een meewarig lachje aan en schudde zijn hoofd.

'Vooruit dan maar,' zei hij, in de wetenschap dat hij het onderspit had gedolven. 'Hoe pakken we het aan?'

'Jij houdt het onderzoek gaande – een tweede ronde gesprekken met de hoofdrolspelers. Dat is ons alibi om hier te blijven.'

'Terwijl jij gaat rondsnuffelen?'

'Alleen maar een dag of twee.'

'Een dag of twee?'

'Erewoord,' zei Fox terwijl hij zijn wijs- en middelvinger opstak.

17

De politieafzetting was hogerop op het pad verplaatst. Het kordon bestond uit het gebruikelijke eind politietape dat door een verveeld ogende agent in uniform bewaakt werd. Fox en Naysmith toonden hun politiepasjes.

'De recherche moet al gearriveerd zijn,' zei Fox tegen Naysmith terwijl de agent het tape omhooghield zodat hun wagen eronderdoor kon.

Het hek naar het weideveld stond open, het veld zelf was van zijn levende have ontdaan en deed nu dienst als tijdelijk parkeerterrein: twee ongemarkeerde auto's, een patrouillewagen en twee witte busjes.

Een oude rot in pak en met kaalgeschoren hoofd stond naast een van de wagens in zijn mobiel te praten. Hij hield zijn ogen op de nieuwkomers gericht terwijl die hun wagen parkeerden en uitstapten. Fox knikte zijn kant uit en stevende op de cottage af. Hij zag gedaantes in het huis rondscharrelen. Minstens twee van hen waren technisch rechercheurs, gekleed in de voorgeschreven witte overalls met capuchon, de handen en voeten ingepakt om te voorkomen dat ze de plaats delict vervuilden.

'Daar komen ze nu mee,' mopperde Fox, denkend aan alle mensen die door het huis gestruind hadden sinds het lichaam gevonden was.

'Hé, jullie daar!'

De man met de mobiel kwam over het veld aangesneld. Hij liep met lange, afgemeten passen, waardoor hij over wat modder weggleed en bijkans zijn evenwicht verloor. Naar zijn gezicht te oordelen gebeurde dat niet voor het eerst.

'Knap verraderlijk daar,' merkte Fox op.

De man negeerde zijn woorden en hanteerde zijn mobiel als aanwijsstok. 'Wie zijn jullie?'

'Mijn naam is Fox.' Fox haalde opnieuw zijn politiepas tevoorschijn. 'Inspecteur, bureau Lothian and Borders.'

'Wat hebben jullie hier te zoeken?'

'En jouw legitimatiebewijs? Hoe zit het daarmee? Je kunt tegenwoordig niet voorzichtig genoeg zijn.'

De man keek hem doordringend aan, maar zwichtte uiteindelijk. Zijn naam was Brendan Young. Hij was brigadier.

'Glenrothes?' veronderstelde Fox.

'Dunfermline.'

'Heb jij de leiding over het onderzoek?'

'De inspecteur is binnen.'

'Nu niet meer.' De man die het huis uit kwam was één meter negentig lang en had de schouders van een rugbyspeler. Zijn ravenzwarte haar was recht over zijn voorhoofd gekamd en hij had kleine, doordringende ogen.

'Ik ben inspecteur Cash.'

'Zij zijn van Lothian and Borders,' lichtte Young hem in.

'Enigszins verdwaald, heren?' vroeg Cash.

'Ik ben hier een paar dagen terug ook geweest,' legde Fox uit, 'om met Alan Carter over zijn neef te praten.'

'Zijn jullie van IZ?'

Fox bespeurde een verharding van toon. Hetzelfde gold voor Cash' gelaatstrekken. Al met al doodnormale reacties.

'Klopt,' beaamde hij.

'Dan had ik dus gelijk met mijn eerste vraag – allejezus, jullie zijn echt de weg kwijt.' Cash glimlachte naar Young, en Young glimlachte terug. 'Dit is een geval van verdachte doodsoorzaak...'

'Nog geen moord dus?' viel Fox hem in de rede. Maar Cash gunde hem niet de voldoening van een antwoord.

'Waarom ga je niet gezellig je eigen maatjes fouilleren om te controleren of ze niet stiekem een paperclip uit de kast met kantoorspulletjes achterover hebben gedrukt?'

Met enige inspanning slaagde Fox erin een mondhoek lichtjes te vertrekken. 'Bedankt voor het advies, maar ik ben hier voor vingerafdrukken.'

Cash staarde hem aan. 'Vingerafdrukken?'

'De mijne,' verduidelijkte Fox. Toen, op geduldige toon, alsof hij een kind toesprak: 'Ik ben in de huiskamer en de hal geweest. Ik kan daar vingerafdrukken hebben achtergelaten. Als ik ze aan de technische recherche geef, kunnen zij ze verifiëren en uitsluiten.'

'Die beslissing is aan ons.'

'Uiteraard,' erkende Fox. Cash hield zijn blik nog een ogenblik op Fox gericht en keek toen naar Young.

'Ga maar iemand halen.'

Young stevende op het huis af. Fox zag dat de deur versplinterd was. Er was een koevoet aan te pas gekomen om hem open te breken. Hij liep naar de raamdorpel, tilde de bloempot op en liet Cash de sleutel zien.

'Dat heeft de recherche van Kirkcaldy je zeker niet verteld?' raadde Fox.

'Inderdaad.'

'Nou ja, je weet hoe het gaat: dit is hun territorium. Op veel medewerking hoef je niet te rekenen.'

'Dat kan ik ook zeggen.'

Opnieuw vertrok Fox zijn mondhoek, deze keer bijna tot een glimlach.

'Ben je bereid een verklaring af te leggen over de overledene?' vroeg Cash.

'Wanneer u maar wilt.'

'Hoe vaak heb je hem ontmoet?'

'Eén keertje maar.'

'Wat vond je van hem? Een goeie kerel?'

Fox knikte. 'Zij het niet het type om tegen je in het harnas te jagen.'

'O?'

'Hij leek me iemand die idioten – en familie – slecht kon velen. En dan had hij ook nog eens een beveiligingsbedrijf.' Fox' handen gleden in zijn zakken. 'Daarna ben ik hier nog eens geweest,' ging hij verder. 'Kort nadat het lichaam gevonden was. De papieren op tafel waren overhoopgehaald en deels door de kamer verspreid.'

'Iets verdwenen?'

'Dat zou ik niet weten.' Hij was even stil. 'Weet je waar Carter aan werkte?'

'Ik heb zo'n vermoeden dat jij me dat nu gaat vertellen.'

'Aan een onderzoek naar een advocaat, ene Francis Vernal. Die is onder verdachte omstandigheden om het leven gekomen. Een schot met een revolver. Indertijd als zelfmoord afgedaan. Op een kleine vijftig kilometer hiervandaan...'

'Francis Vernal? Dat was in de jaren tachtig.'

Fox haalde zijn schouders op. Een van de gedaantes in overall dook op uit het huis. Ze schoof haar capuchon van haar hoofd en trok haar overschoenen uit.

'Wie van jullie tweeën?'

'Ik,' antwoordde Malcolm Fox.

Hij volgde haar naar een van de busjes.

Uit de laadruimte haalde ze alles wat ze nodig had. De draagbare scanner weigerde echter dienst.

'Een lege batterij?' gokte Fox.

Ze moest haar toevlucht nemen tot ouderwetse inkt en papier. Het resultaat werd door beiden ondertekend, waarna ze Fox een vochtig doekje gaf om zijn vingers mee schoon te vegen. Vervolgens haalde ze een wattenstaafje langs de binnenkant van zijn wang en plukte wat haren uit zijn hoofd.

'Hé, daar kan ik er niet veel van missen,' klaagde Fox.

'Ik moet ze met wortel en al hebben,' legde ze uit. Nadat ze alles in plastic zakjes verzegeld had, sloot ze het busje af.

'Sorry voor het gedoe,' zei ze terwijl ze naar de woning terugkeerde.

'Wanneer was de laatste keer dat iemand je vingerafdrukken heeft afgenomen?' vroeg Naysmith.

'Alweer een aardig tijdje terug.' Fox zag hoe Cash hen vanuit de huiskamer in het oog hield. De inspecteur maakte een wuivend gebaar, alsof hij ze toestemming verleende te vertrekken. Naysmith zette echter koers naar de landrover.

'Kwaliteitsbak,' zei hij, turend door het raampje aan de passagierskant.

'Kijk uit dat je geen vingerafdrukken achterlaat,' waarschuwde Fox.

Naysmith deed een pas achteruit en keek om zich heen. 'Een vraagje voor jou,' zei hij. 'Waarom je wagen hier buiten parkeren als je een garage hebt?'

Fox keek in de richting waar Naysmith heen wees. Achter Carters huis kronkelde een weggetje omhoog dat naar een vervallen gebouwtje leidde.

'Misschien omdat hij bang was dat het elk moment kon instorten?' opperde Fox. Niettemin sleepte hij zich omhoog, met Naysmith een paar stappen achter zich.

De garage was met een hangslot afgesloten. Het slot zag er oud uit. De deuren bestonden uit verticale houten latten, verweerd en kromgetrokken door de elementen.

'Hier is een raam,' zei Naysmith. Toen Fox hem bijhaalde stond Joe met zijn zakdoek het raam schoon te poetsen, zonder dat het ze veel zicht op het interieur opleverde.

'Een stuk dekzeil, zo te zien...'

Ze liepen om de garage heen, schopten er hier en daar zelfs tegenaan, maar vonden geen makkelijke manier om binnen te komen.

'Ik ben met een minuutje terug,' zei Fox, en hij liep de helling af. In de gang van het huis viel niemand te bekennen, dus beende hij met kwieke tred langs de deur van de huiskamer en kwam in de kleine keuken. Links van het aanrecht bungelden sleutels aan een hele rij haken. Zijn ogen gleden erlangs, en hij koos de exemplaren die het meest in aanmerking kwamen. Toen hij zich omdraaide om terug te gaan zag hij Cash uit de woonkamer komen.

'Wat doe jij hier?'

'Ik was naar u op zoek.' Fox liet de sleutels in zijn jaszak glijden en plukte er tegelijkertijd een visitekaartje uit tevoorschijn.

'Op dit nummer kunt u me bereiken voor die verklaring,' zei hij terwijl hij het aan Cash gaf. Cash keek ernaar, toen naar Fox.

'Ik weet dat je staat te trappelen,' zei hij op neerbuigende toon, 'omdat je normaal nooit de kans krijgt met de grote jongens te spelen, maar nu moet ik je toch echt vragen op te hoepelen.'

'Begrepen,' zei Fox, die zijn best deed om in de nabijheid van een heuse rechercheur van een moordbrigade zo nederig mogelijk te ogen en te klinken. Cash begeleidde hem naar de voordeur en keek om zich heen.

'Waar is dat werkervaringsjoch van je?'

'Lokroep van de natuur,' verklaarde Fox met een knikje naar de bomen. Hij liep naar zijn wagen, opende het portier en stapte in. Cash stond weer voor het raam toe te kijken. Maar toen die een paar tellen later uit het zicht verdween, stapte Fox uit om zich weer naar de garage te begeven.

De tweede sleutel paste op het hangslot en ze waren binnen. Naysmith had gelijk. Onder een dekzeil ging iets schuil wat op een voertuig leek. Overal lag stof. Een werkbank lag vol met roestig gereedschap. Eigenhandig aangebrachte planken bogen vervaarlijk door onder het gewicht van oude verfpotten. Er stond een elektrische grasmaaier voor de paar plukjes grasveld voor en achter het huis; samen met het opgerolde verlengsnoer het nieuwst ogende object in hun blikveld.

Naysmith had een hoek van het doek opgelicht. 'Niet bepaald in rijwaardige staat,' merkte hij op. 'Eerder een geval van total loss.'

Fox liep naar de andere kant van het voertuig en lichtte een andere hoek op. De wagen was een kastanjebruine Volvo 244. Er leek weinig mis mee totdat hij het doek wat verder omhoogtrok. Er zat geen glas in de achterruit.

'Help eens even,' zei hij. Samen trokken ze het dekzeil weg. De voorkant van de wagen lag aan gort, de motor bloot, de grille en motorkap waren verdwenen.

'Dit kan niet waar zijn,' zei Naysmith, nauwelijks luider dan een fluistertoon.

Maar Fox kende geen twijfel. Vernals auto, de wagen die naar de sloperij was versleept. Fox probeerde de passagiersdeur open te wrikken, maar die zat bekneld door de schok van de botsing. De binnenkant van de Volvo zag eruit alsof die al in geen kwarteeuw meer was aangeraakt. Op de achterbank lagen stukjes gebroken glas, verder niets. Naysmith kon het portier aan de bestuurderskant evenmin open krijgen.

'Wat doet die wagen hier?' vroeg hij op kalme toon.

'Geen idee,' zei Fox. Maar toen schoot het hem te binnen. 'Dit huis was ooit eigendom van een diender, ene Gavin Willis. Die had de leiding over het oorspronkelijke onderzoek.'

'Zou hij de auto voor zichzelf hebben achtergehouden? Maar dat verklaart nog steeds niet waarom.'

'Inderdaad.' Fox zweeg even. 'Denk je dat je je door dat raam kunt wurmen?'

Hij bedoelde het gat waar eens de achterruit had gezeten. Naysmith trok zijn dure jas uit, klauterde op de kofferbak en wrong zich erdoor.

'Wat nu?' vroeg hij vanaf de achterbank.

'Zie je ergens iets waar we misschien wat aan hebben?'

Naysmith voelde onder de voorstoelen, perste zich tussen de beide stoelen door en opende het handschoenenvak. Hij vond de autopapieren en gaf ze aan Fox, die ze in zijn zak stopte.

'Een half setje reservelampen en wat snoepwikkels,' rapporteerde Naysmith. 'Dat is het wel zo'n beetje.'

Fox hoorde stemmen bij het huis. Ze zouden zich inmiddels wel afvragen waarom zijn auto er nog stond, terwijl hij verdwenen was. 'Oké, kom er maar weer uit,' zei hij.

Hij hielp Naysmith door de opening. Ze stonden naast elkaar, en terwijl Naysmith zich in zijn jas hees vloog de deur van de garage open. Cash en Young stonden in de opening.

'Waar zijn jullie mee bezig?'

'Dit is de auto van Francis Vernal,' verklaarde Fox.

Cash staarde naar de Volvo, toen weer naar Fox. 'Waar zie je dat aan?'

'Aan het merk, de kleur, het model,' legde Fox uit.

'En daar een gapend gat,' vulde Naysmith aan, en hij wees met zijn vinger naar de ontbrekende motorkap.

'En dan is daar het gat van de deur,' grauwde Cash.

'We zijn al weg.'

Cash en Young escorteerden hen naar hun wagen en keken toe hoe ze een u-bocht maakten en langzaam van de heuvel omlaag reden, met Cash er voor alle zekerheid nog een eind te voet achteraan. Ze wachtten totdat het politietape werd opgetild, wuifden even naar de agent en rolden in hun Volvo voorzichtig naar de hoofdweg.

'Wat nu?' vroeg Naysmith.

'Nu mag je je speurderskwaliteiten etaleren, Joe,' zei Fox tegen hem. 'Je gaat een bezoekje brengen aan de plaatselijke bibliotheek, een telefoonboek uit 1985 opsnorren en een lijst opstellen van alle sloperijen uit de omgeving. Als we erachter kunnen komen waar die auto heen gebracht is, maken we misschien ook een kans te achterhalen waarom hij daar weer verdwenen is.'

Naysmith knikte. 'Niet dat dat iets hoeft te betekenen, natuurlijk.'

'Hoogstwaarschijnlijk,' beaamde Fox. 'Maar niet geschoten is altijd mis, nietwaar?'

18

Nadat hij Naysmith voor de bibliotheek had afgezet, zette Fox koers naar het bureau. Regen ranselde in felle vlagen op de voorruit. Hij zette de ruitenwissers aan. De druppels waren enorm en klonken als vonken in een vuurregen. Hij dacht terug aan die dag in Alan Carters cottage, ieder aan een kant van de open haard gezeten, met bekers thee en een oude hond als gezelschap. Was er een huiselijker, gezelliger beeld denkbaar? Toch was Carter een man die vanuit het niets een beveiligingsbedrijf had opgebouwd, wat in Fox' ogen wees op een grote, misschien zelfs meedogenloze, innerlijke kracht. En dan was er nog de getuigenverklaring van zijn oude vriend Teddy Fraser: de voordeur van de cottage had te allen tijde op slot gezeten. Waarom? Waar was die beminnelijke oude baas bang voor geweest? Nergens voor misschien. Misschien was het de gewiekste zakenman in hem, altijd gedwongen alert te zijn – zo alert dat hij zelfs een revolver bij de hand had gehouden...

Als het überhaupt al zijn wapen was geweest; Teddy Fraser dacht daar anders over.

Deze keer viel bij het parkeerterrein geen spoor van Jamieson of de vrouwelijke journalist te bekennen. Fox kreeg Tony Kayes Mondeo in het oog. Pitkethly's plekje was weer onbezet, maar ze had hem onomwonden te verstaan gegeven het niet te gebruiken. Er zat niets anders op dan de Volvo weer langs de straat te parkeren en het risico van een bekeuring op de koop toe te nemen. Ook Francis Vernal had een Volvo gereden. Een veilige, betrouwbare keus, zo deden de reclames graag voorkomen – Kaye had Fox er vaak genoeg mee geplaagd. Aan weerszijden van de plek van het ongeluk telde de weg wel een aantal bochten, maar geen al te scherpe. Fox dacht aan de opgevoerde bolides die hem vlak bij het gedenkteken voorbij waren gescheurd. Had je toen ook al van die automaniakken? Wat viel er op het platteland voor de plaatselijke jeugd 's avonds anders te beleven? Kon iemand Vernal van de weg hebben gereden?

Nadat hij zijn wagen geparkeerd had en om zich heen had gekeken of hij ergens een parkeerbeheerder zag, stapte Fox uit en sloot het portier af. Hij voelde iets in zijn jaszak: het onderhoudsboekje van Vernals auto. De randen waren vergeeld van ouderdom, de hoeken kromgetrokken van het vocht. Sommige pagina's zaten aan elkaar geplakt. Achterin waren de vaste onderhoudsbeurten bijgehouden. Zo te zien was de advocaat de eerste eigenaar geweest. Tot het ongeluk had hij er drie jaar in rondgereden, met een kleine veertienduizend kilometer op de teller op het moment van zijn laatste gang naar de garage. Het onderhoudsstempel was van een autodealer aan Seafield Road in Edinburgh, sindsdien allang verhuisd. Aan de binnenkant van de achterflap van het boekje zat een doorzichtig hoesje bevestigd met daarin een paar losse vellen waarop reparatiewerkzaamheden en vervangen onderdelen waren bijgehouden. Fox opende het portier aan de bestuurderskant, mikte het onderhoudsboekje op de passagiersstoel en begaf zich naar het bureau. Halverwege het parkeerterrein ging zijn mobiel. Het was Bob McEwan.

'Chef,' zei Fox bij wijze van begroeting.

'Malcolm...' Iets in McEwans intonatie leidde ertoe dat Fox zijn pas vertraagde.

'Wat heb ik nu weer op mijn geweten?'

'Ik heb Fife aan de lijn gehad – de plaatsvervangend korpschef.'

'Wil hij ons van de zaak afhalen?'

'Hij wil jóú van de zaak afhalen.' Fox stond stil. 'Kaye en Naysmith kunnen hun verhoren voortzetten en hun rapport voorbereiden.'

'Maar Bob...'

'De moordbrigade heeft zijn kantoor gebeld. Ze waren kennelijk woest op je.'

'Alleen maar omdat ik ze gezegd heb hoe ze hun werk moeten doen?'

'Omdat je zomaar bij een potentiële plaats delict komt binnenvallen. Omdat je daarna weer iets anders vond om je neus in te steken, zelfs nadat je te verstaan was gegeven te vertrekken...'

'Ik ben er alleen maar heen gegaan om mijn diensten aan te bieden.'

McEwan zweeg even. 'Zou je dat voor een rechtbank onder ede durven herhalen, Malcolm?' Fox gaf geen antwoord. 'En weet je zeker dat Joe Naysmith die versie onderschrijft?'

'Oké,' zwichtte Fox. 'Daar heb je een punt.'

'Jij weet beter dan wie ook dat wij ons aan de regels hebben te houden.'

'Ja, chef.'

'En daarom kom je nu naar huis.'

'Is dat een bevel of een verzoek, Bob?'

'Een bevel.'

'Kan ik de kindertjes eerst nog even een afscheidszoentje geven?'

'Het zijn geen kinderen, Malcolm. Die redden zich prima zonder jou.'

Fox staarde naar de achterdeur van het bureau.

'Ik laat ze wel weten wat er gebeurd is,' zei McEwan. 'En jij bent binnen het uur terug op het bureau, is dat duidelijk?'

Fox' ogen dwaalden naar de lucht. De bui was overgedreven, maar een volgende was al onderweg.

'Ja,' zei hij tegen Bob McEwan. 'Komt voor elkaar.'

Toen Fox op het kantoor van IZ aankwam vond hij een briefje van Bob McEwan.

Weer zo'n vervloekte vergadering. En jij houdt je overal buiten...

Fox' oog viel op een paar grote supermarkttassen op de vloer naast zijn bureau. Ze waren zwaar. Uit een van de tassen pakte hij een grote archiefdoos en maakte die open. Een foto van Francis

Vernal in opperste retorische vervoering staarde hem aan. Daaronder lag een stapel aan elkaar geniete vellen, sommige half bedekt met volgekrabbelde, zelfklevende notitieblaadjes. De tweede doos leek meer van hetzelfde te bieden. Er zat geen begeleidend schrijven bij. Fox belde naar de balie en hoorde de dienstdoende agent uit.

'Een heer kwam ze brengen,' kreeg hij te horen.

'Een signalement graag.'

Er volgde een bedachtzame stilte. 'Gewoon een heer.'

'En die vroeg naar mij?'

'Die vroeg naar jou.'

Fox beëindigde het gesprek en toetste een ander nummer in, dat van Mangold Bain. De secretaresse verbond hem door met Charles Mangold.

'Ik sta op het punt te vertrekken,' waarschuwde Mangold hem.

'Ik heb uw cadeautje ontvangen.'

'Mooi. Het is alles wat Alan Carter voor zijn dood aan me gegeven heeft.'

'Het is mij niet helemaal duidelijk wat u van me verwacht...'

'Dat u er een blik op werpt, misschien? En me dan uw bevindingen laat weten. Meer verlang ik heus niet. Maar nu moet ik weg.'

Fox hing op en staarde naar de twee grote dozen. Niet hier: Bob McEwan zou te veel vragen stellen. Hij liep naar het bureau van zijn chef. Deze keer was hij het die een briefje achterliet.

Ben vroeg afgenokt. Als je me nodig hebt, ik ben thuis. Bel me op mijn vaste lijn als je het niet gelooft.

Toen reed hij naar Oxgangs en zette de twee dozen op de tafel in zijn huiskamer. Even later keerde hij met een glas Appletiser uit de keuken terug en realiseerde zich hoeveel de twee taferelen op elkaar zouden lijken: Alan Carters tafel afgeladen met papierstapels, en straks de zijne.

Met een vastberaden trek rond zijn mond ging hij aan de slag.

Zo te zien had Alan Carter een hoop werk verzet. Hij had exemplaren van *The Scotsman* van de maanden april en mei 1985 opgespoord, enkel om aan te kunnen tonen dat er nauwelijks aandacht aan de dood van de advocaat was besteed. Fox verloor zich in de krantenknipsels. Hij vond een advertentie van een computerwinkel waar hij wel eens geweest was. Die bood een ICL-personal computer te koop aan voor een kleine vierduizend pond, in een tijd dat een gloednieuwe Renault 5 – met een gratis radiocassettespeler op de koop toe – zesduizend deed. Bij de personeelsadvertenties vond hij een vacature van een bedrijf dat bewakingspersoneel vijfenzeventig pond per week bood. Een appartement in Viewforth werd aangeboden voor gesloten biedingen vanaf vijfendertigduizend pond.

Nieuwsartikelen vlogen hem om de oren: bomaanslagen in Noord-Ierland, een antikernwapendemonstratie bij Loch Long. 'Plan kernwapenbevriezing Sovjets door Washington afgeserveerd.' Protesten in Cambridgeshire tegen de voorgenomen bouw van een kruisrakettenbasis aldaar. Bedrijven die het advies kregen 'gevoelige elektronische informatie' tegen de gevolgen van een kernexplosie te beschermen. Bij haar bezoek aan Scotland Yard was de prinses van Wales een blik vergund op het bad en de oven die seriemoordenaar Dennis Nilsen gebruikt had...

Alex Ferguson was de baas van Aberdeen FC en in april voerde de club de ranglijst aan. De benzineprijs steeg met één pence naar net iets boven de vijfenveertig pence de liter. En prinses Michael van Kent verklaarde 'geschokt' te zijn te moeten vernemen dat haar vader bij de SS had gezeten. Fox betrapte zich erop dat hij naar een mok greep zonder zich te kunnen herinneren dat hij was opgestaan om thee te zetten. Er waren demonstraties voor dierenrechten, tegen zure regen, leerkrachten werd te verstaan gegeven voor de klas geen 'ban de bom'-badges te dragen. Neil Kinnock was de leider van de Labour Party en premier Margaret Thatcher was op een rondreis door het Midden-Oosten. Een peiling liet zien dat de steun voor de SNP hardnekkig ergens rond de vijftien procent van het Schotse electoraat bleef steken. Een ondergelopen kolenmijn werd met sluiting bedreigd en er werd alom gevreesd dat de Trustee Savings Bank zijn hoofdkwartier naar gene zijde van de grens zou verplaatsen.

Joe Naysmith had de naam Hilda Murrell laten vallen, en al was ze al een jaar dood, ook zij haalde de krant. De parlementariër Tam Dalyell bleef volhouden dat zij door de Britse geheime dienst vermoord was, en minister van Binnenlandse Zaken Leon Brittan diende zich in het Lagerhuis te verantwoorden.

Het verbaasde Fox hoe weinig hij zich van dit alles herinnerde. Hij had in zijn laatste twee jaar aan Boroughmuir gezeten, in het volste vertrouwen dat hem ergens een plek aan een universiteit of hogeschool wachtte. Jude was altijd meer in politiek geïnteresseerd geweest dan hij – een keer was ze langs de deuren gegaan om voor Labour stemmen te werven. Fox had zijn slaapkamer daarentegen tot zijn heiligdom omgeturnd, waar hij zich volledig aan zijn Sinclair Spectrum-computer had kunnen wijden, met de handen in het haar wanneer een spel voor de zoveelste keer weigerde op te laden omdat hij de optimale stand op de volumeknop van zijn cassettedeck maar niet kon vinden. Op zaterdag met zijn pa naar het voetbal, maar pas nadat hij had kunnen aantonen dat zijn huiswerk gedaan was. Schoolwerk was geen probleem, maar afgezien van zijn wekelijkse portie *2000 AD* en de sportpagina's kwam het niet bij hem op naar het nieuws te kijken of een krant open te slaan.

Francis Vernal was op de avond van zondag 28 april gestorven. Dezelfde avond dat een groot deel van de bevolking – Fox incluis – aan de tv gekluisterd had gezeten voor de finale van het wereldkampioenschap snooker tussen Dennis Taylor en Steve Davis. Taylor, op zeker moment acht frames achter, reeg pot na pot aaneen tot de grootste comeback van zijn carrière. Toen hij in het allerlaatste frame de allerlaatste zwarte bal potte, en de finale met 18-17 won, was dat de eerste keer tijdens de hele wedstrijd dat hij voor had gestaan. Nog dagen daarna domineerde zijn gezicht de kranten. Vernals dood was het vermelden niet waard geweest, totdat zijn necrologie verscheen, compleet met in één regel een verhaspeling van zijn naam tot Vernel.

'Dat zou nu ondenkbaar zijn,' mompelde Fox in zichzelf. De tijden van voor internet, zoals Naysmith had opgemerkt. Geruchten konden nog ingedamd worden. Zelfs het nieuws kon ingedamd worden. Ook onder de gunstigste omstandigheden was de Schotse pers toch al niet vergeven van de Woodwards en de Bernsteins. Fox kon zich zo indenken dat een redacteur een stokje had gestoken voor een al te grondige verslaggeving van de zelfmoord; er was tenslotte familie om rekening mee te houden, en misschien had hij een zwak voor de kerel gehad, had hij hem hoog zitten. Wie schoot er wat mee op om zijn naam door het slijk te halen zodat volkomen vreemden precies te weten kwamen hoe hij gestorven was?

Een patriot.

Toen hij de tweede doos opende voelde Fox zijn wenkbrauwen een paar millimeter omhoogkruipen. Fotokopieën van de originele politieaantekeningen bij de zaak, samen met de details van de autopsie en foto's. Iemand moest zich toegang hebben verschaft tot de archiefkluizen om het materiaal te bemachtigen dat Alan Carter vervolgens gekopieerd en aan zijn opdrachtgever opgestuurd had. Had hij iemand omgekocht of had Carter nog steeds vrienden bij de politie gehad? Waar bewaarde het korps van Fife zijn oude dossiers? In Edinburgh werd daar een oud pakhuis op een industrieterrein voor gebruikt. Hij keek op zijn horloge. Het zou een paar uur vergen om alles door te nemen. Hij wist dat hij een pauze moest inlassen. Het geluid van een inkomend bericht op zijn mobiel had niet op een beter moment kunnen komen. Tony Kaye en Joe Naysmith zaten bij Minter's.

Het is vandaag ww-dag, weet je nog!

Fox glimlachte in zichzelf: 'Weekend Wegwezen'-dag.

Meer aanmoediging had hij niet nodig.

19

'Je moet wel weten,' zei Kaye terwijl Fox op hun tafeltje afstevende, 'dat je het gevaar loopt in Kirkcaldy iets van een plaatselijke held te worden.'

'Hoe dat zo?' vroeg Fox, plaatsnemend op zijn stoel.

'Ze zijn niet bepaald verrukt dat de moordbrigade op hun werkterrein inbreekt, en tot nog toe ben jij de enige geweest die ze eens goed op hun nummer heeft gezet.'

'Is het inmiddels moord?'

Kaye nam een slok van zijn bier en schudde het hoofd. 'Verdachte doodsoorzaak,' bevestigde hij. Joe Naysmith keerde van de bar terug met Fox' extra gekruide tomatensap.

'Dank je, Joe,' zei Fox. 'Ben je nog wat te weten gekomen in de bibliotheek?'

'Er waren toen acht autosloperijen in Fife, waarvan zes nog in bedrijf.'

'Is het je gelukt ze alle zes te bellen?'

'Ja.'

'Had je beet?'

'Niet echt. Een kerel die ik aan de lijn had meende dat de klus vast naar Barron's Wrecking was gegaan.'

'Mag ik hieruit afleiden dat dat een van de twee sloperijen is die het bijltje erbij neer hebben gegooid?'

Naysmith knikte. 'Op de plek van de sloperij is nu een woonwijk.'

'En Mr. Barron?'

'Dat is het goede nieuws. Toen hij de boel verkocht heeft hij bedongen dat hij een van die nieuwbouwwoningen kreeg.'

'Hij woont in die wijk?'

'Nou ja, een wijk kun je het niet noemen – zes "luxevilla's".'

'En daar woont hij nu nog?'

'Ik heb hem nog niet gesproken, maar dat komt nog wel.'

'Goed werk, man.' Fox zag dat Kaye hem met een blik aankeek die verdacht veel weg had van medelijden.

'Een zinloze onderneming,' merkte Kaye prompt op.

'En jij, Tony, heb jij iets te melden?'

Kaye bezon zich op zijn antwoord terwijl hij een mondvol bier wegspoelde. Vervolgens smakte hij met zijn lippen en zei: 'Niet veel.' Fox wachtte op een toelichting en Kaye kwam hem tegemoet. 'In het centrale kantoor van de recherche is een coördinatieruimte ingericht, wat betekent dat Scholes en Michaelson uit hun kantoor gebonjourd zijn.'

'Zit Haldane nog steeds ziek thuis?'

Kaye knikte. 'Hoofdinspecteur Laird heeft besloten dat de recherche zijn intrek neemt in de verhoorkamer, dus nu zijn Joe en ik dakloos.'

'Heb je het bij Pitkethly aangekaart?'

'Veel medeleven toonde ze niet.' Kaye zweeg even. 'Er is één ding...'

'Wat?'

'De afluisteroperatie,' antwoordde Kaye. 'Wordt het niet eens tijd dat je me bij je Coco Chanel introduceert nu jij voorlopig buitenspel staat? Joe en ik moeten weten wat zij allemaal te horen krijgt.'

'Ik zal het met haar bespreken,' zei Fox.

Kaye knikte langzaam. 'En hoe zit het met jou, Foxy? Heb je genoeg omhanden om je bezig te houden?'

'Dat zit wel snor.'

'Daar twijfel ik niet aan.' Kaye dronk zijn pils uit en stond op om een nieuwe te halen. Fox schudde zijn hoofd en Naysmith verklaarde dat een halfje genoeg was om zijn glas nog eens bij te vullen. Zodra Kaye naar de toog verdween, boog Naysmith zich naar Fox.

'Kun je me nog ergens bij gebruiken?'

'Doe maar gewoon wat je nu al doet.'

Naysmith knikte. 'Ik heb over die revolver nagedacht,' ging hij verder.

'Welke revolver?'

'Die waarmee Francis Vernal is doodgeschoten.'

'Wat is daarmee?'

'Waar kwam die vandaan?'

'Dat heb ik mezelf ook afgevraagd.'

'Hoe krankzinnig zou het zijn als...?'

Fox maakte de zin voor Naysmith af: 'Als het om hetzelfde wapen ging?' Fox speelde even met de gedachte. 'Behoorlijk krankzinnig,' besloot hij.

'Is er een manier om daar achter te komen?'

'Misschien.'

'Wil je dat ik...?'

Fox schudde zijn hoofd. 'Je levert nu al prima werk.'

'En dan is er nog de auto.' De woorden rolden van Joe Naysmith' lippen, Fox had hem zelden zo opgewonden gezien. Misschien was het jonkie toch geschikter voor de recherche dan voor Interne Zaken. 'Ik bedoel, die is nooit door de technische recherche onderzocht. De technologie van toen valt in het niet bij die van tegenwoordig. Als we hem in een lab kunnen krijgen, wie weet wat ze allemaal vinden...'

'Om te beginnen jouw vingerafdrukken op het interieur,' bracht Fox hem in herinnering. 'Dat zou je op een paar ongemakkelijke vragen komen te staan.'

Dit deed Naysmith aan iets anders denken. 'Die spullen die ik in het handschoenenvak gevonden heb...'

Fox haalde zijn schouders op. 'Een onderhoudsboekje.'

Naysmith keek teleurgesteld, maar kikkerde meteen weer op. 'Maar heb ik het bij het rechte eind met dat forensisch onderzoek?'

Fox knikte langzaam. 'Laten we eerst maar eens kijken of er überhaupt een zaak is, oké?'

'Volgens internet is zijn weduwe de voornaamste kandidaat. Aantrekkelijke vrouw. Een paar jaar jonger dan hij. Van zeer gegoede komaf.' Naysmith zweeg even. 'Leeft ze nog?'

'Nog wel.'

'Misschien iemand om eens een praatje mee te maken?'

'Misschien.' Fox betwijfelde of Charles Mangold dat leuk zou vinden, maar ja... Kaye kwam met de drankjes aanzetten. Naysmith ging weer rechtop zitten.

'Moet je jullie twee nu zien zitten,' schamperde Kaye. 'Twee jongetjes die samen iets bekokstoven wat de volwassenen niet mogen horen.' Hij zette de nieuwe glazen op tafel. 'Wat denken jullie, zullen we vanavond eens gaan stappen? Het is tenslotte vrijdag.'

'Ik ga op huis aan,' drukte Fox zich.

'Ik ook,' zei Naysmith.

Kaye slaakte een zucht, schudde eerder verdrietig dan boos met zijn hoofd en zette het glas aan zijn lippen. 'Stelletje rotkinderen,' bromde hij in zichzelf. 'Vooruit, hoepel maar op dan, maar niet je huiswerk vergeten, hè.'

'Komt voor elkaar,' zei Naysmith met een glimlach.

'Eén ding nog,' voegde Kaye er met een kwispelende vinger aan toe. 'Blijf maar niet voor papa op.'

Eenmaal thuis verstuurde Fox een sms naar Evelyn Mills en nam weer plaats aan zijn tafel. Op de vensterbank lag wat ongeopende post. Die was ongeopend gebleven omdat het om een bankafschrift en een creditcardrekening ging, en geen van beide beloofde veel goeds. De maandlasten van het verzorgingshuis waren het afgelopen jaar twee keer verhoogd. Niet dat Fox het ze misgunde... Nou ja, misschien een beetje dan. Meer dan eens had hij overwogen Jude te vragen of zij pa niet in huis kon nemen. Zij had tenslotte geen baan. Hij kon haar betalen, het financieel voor haar de moeite waard maken, en dan nog was hij goedkoper uit. Hij wist niet goed waarom hij er telkens weer voor terugdeinsde. Er waren genoeg wenken die ze op kon pikken... En anders kon ze het altijd nog uit zichzelf voorstellen. Maar in plaats daarvan zat ze maar tegen hem aan te zaniken en verkondigde ze dolgraag haar deel te betalen – als ze er ooit het geld voor had.

Je kunt hem altijd nog in huis nemen...

'Dat geldt ook voor jou, Malcolm,' zei hij hardop tegen zichzelf. Hij kon zelf toch ook een thuishulp inhuren om de lunch te bereiden en wat schoon te maken. Dat moest toch te behappen zijn. Nou ja, net aan te behappen. Of eigenlijk, toch maar niet. Nee, Fox kon er zich niets bij voorstellen. Daarvoor hing hij te veel aan zijn vaste gewoontes, was hij te veel gehecht aan zijn aangeharkte leventje. Het zou niet werken...

Toen zijn telefoon ging was het bijna een opluchting. Hij nam op: het was Mills.

'Waarom sms je me als je me ook gewoon kunt bellen?' vroeg ze onmiddellijk. 'Zit je soms zo op de centen?'

'Ik dacht alleen...' Hij zweeg even. 'Maakt dat geen verdachte indruk als ik je 's avonds bel?'

Ze lachte schamper. 'Ik word voortdurend gebeld, Freddie is eraan gewend.' Freddie? Haar echtgenoot vermoedelijk. 'Maar een mysterieus sms'je...'

'Daar had ik aan moeten denken.'

'Hoe dan ook, je hebt me aan de lijn, dus wat kan ik voor je betekenen?'

'Ik vroeg me af hoe het met de afluisteroperatie staat.'

'Er valt niks te melden.' Ze zweeg even. 'Aan wie zou ik dat trouwens moeten doen?'

'Je hebt het gehoord, dus?'

'Cash schiet nog wel eens uit zijn slof.'

'Je kent hem?'

'Zijn reputatie.'

'Ga me nu niet vertellen dat je hem in het vizier hebt.'

Ze lachte even. 'Hij is nooit over de schreef gegaan, Malcolm – nog niet tenminste.'

'Jammer.' Fox wreef met een hand over zijn voorhoofd. 'Om op je vraag terug te komen, ik neem aan dat Tony Kaye nu je contactpersoon is. Ik geef je zijn nummer.' Dat deed hij, en hij vroeg vervolgens of het goed was dat hij Kaye haar naam en telefoonnummer gaf.

'Natuurlijk,' zei ze.

'Zit er al wat schot in de Alan Carter-zaak?'

'Niet veel. Kirkcaldy heeft ze niet bepaald met gejuich en tromgeroffel ontvangen.'

'Evelyn... ik moet je nog een gunst vragen.'

'Wil je dat ik een goed woordje voor je doe? Dat ik probeer je weer op de zaak te krijgen?'

'Dat niet, nee. Maar ik wil meer over het vuurwapen weten.'

'O?'

'Ik vroeg me af of er iemand is met wie ik kan praten.'

'En je wilt dat ik dat voor je regel? Je bent ook niet een beetje veeleisend, zeg.'

'Het spijt me. Een naam en misschien een telefoonnummer, meer niet.'

'En wat staat daar tegenover?' Ze klonk bijna flirterig. Fox staarde naar de papierstapels voor zich.

'Hoe bedoel je?'

'Gewoon een grapje.' Ze lachte opnieuw. 'Geen reden om zo bangig te klinken, hoor.'

'Dat is het niet, Evelyn.'

'Wat dan wel?'

'Niets.'

'Had je het in Tulliallan dan zo slecht naar je zin?'

'Tulliallan was geweldig.'

'Mmm, ik zou willen dat ik me er meer van kon herinneren.' Ze was even stil, alsof ze op zijn reactie wachtte. Toen er niets volgde, zei ze dat ze hem een sms zou sturen zodra ze meer wist over het vuurwapen.

'Nogmaals bedankt.'

'Maar kun je me dan wel vertellen waaróm je je zo voor dat wapen interesseert?'

'Niet echt, nee.' Hij was even stil. 'Misschien is het niets.'

'Je moet dat brein van je eens wat rust gunnen. Ik kan het hier helemaal horen kraken. Neem het weekend vrij. Laat je eens lekker gaan.'

'Je hebt gelijk.' Hij perste er een glimlach uit. 'Nog een fijne avond, Evelyn.'

'Droom maar lekker, Malcolm. Snurk je nog steeds...?'

Zijn mond zakte open, en terwijl hij nog op een antwoord zinde hing ze op.

ZES

20

'Het is niet hetzelfde wapen, zoveel kan ik je wel vertellen.'

Haar naam was Fiona McFadzean en ze was, zoals Mills het in haar sms genoemd had, 'de ballistisch expert van Fife'. Ze was gestationeerd op het hoofdbureau van politie in Glenrothes. Het had Fox aardig wat tijd gekost de locatie te vinden: te veel rotondes en te weinig wegwijzers. McFadzean werkte niet op het hoofdgebouw. Fox was naar een plomp bakstenen bouwwerk achter de benzinepompen gedirigeerd. Een agent in uniform stond de tank van zijn patrouillewagen te vullen.

'Ja, dat is Fiona's hol,' had hij Fox verzekerd.

McFadzean had naar de voordeur moeten komen om hem binnen te laten. Ze droeg geen witte overjas en leek volmaakt op haar gemak in haar raamloze omgeving. Langs een van de muren stond een verzameling bouwmaterialen, uiteenlopend van baksteen tot hout, die vol zaten met kogelgaten. In een cabine met een glazen voorzijde was de witte achtermuur geheel met roze spetters bespikkeld. McFadzean had Fox uitgelegd dat ze die ruimte gebruikten om bloedpatronen van pistoolschoten te simuleren.

'Waar schiet je dan op?' had Fox gevraagd.

'Alles, van watermeloenen tot varkenskoppen. Mijn oom is slager, dus dat komt goed van pas.'

Ze was een jonge, bruisende vrouw en ze gaf hem een korte rondleiding door haar domein. Een assistent zat achter een computer. Ze stelde hem voor als Paul. Zonder van zijn scherm op te kijken wuifde hij Fox bij wijze van begroeting toe.

'Is er veel wapencriminaliteit in Fife?' vroeg Fox.

'Niet echt. We zijn opgezet als een soort experimentele afdeling. Ze dreigen voortdurend de stekker eruit te trekken – er wordt continu op de begrotingen beknibbeld.'

McFadzean had niet echt een bureau. Ze leek er geen probleem mee te hebben om plaats te moeten nemen op een kruk achter een smal werkblad dat de hele lengte van de muur bestreek. Er stond een kan, en ze schonk voor hen beiden koffie in terwijl Fox zich enigszins gerieflijk op de reservekruk trachtte te installeren alvorens toch maar te besluiten te blijven staan.

'Nogmaals bedankt dat je me wilt ontvangen,' zei hij.

Ze knikte één keer, hield de beker met beide handen vast en zette die aan haar mond.

'Hoe weet je dat zo zeker van die revolvers?' vroeg Fox vervolgens. De koffie was te bitter, maar hij nam toch een tweede slok om haar niet voor het hoofd te stoten.

'De serienummers om te beginnen,' zei ze. 'Vorig jaar had Paul wat tijd over, dus heeft hij alle oude dossierstukken gedigitaliseerd.' Ze toonde Fox de uitdraai. 'Dit is de revolver die Francis Vernal gebruikt heeft. Met een loop van tien centimeter in plaats van vijftien. Hetzelfde kaliber kogels, maar met zes patroonkamers in plaats van vijf.' Fox kreeg een tweede uitdraai toegeschoven. 'De revolver die gebruikt is om Mr. Carter te doden...'

Fox bestudeerde de bijzonderheden. 'Een ander wapen,' beaamde hij. 'Hier staat dat de revolver uit de zaak-Vernal vernietigd is.'

Ze knikte. 'Dat gebeurt met alle wapens die we in beslag nemen.' Ze reikte hem een derde vel aan. Het was een gedetailleerde lijst van alle wapens die op last van de korpsen van Fife en Tayside waren omgesmolten. Veel waren het er niet. De revolver die op Alan Carters tafel was aangetroffen, had in oktober 1984 vernietigd moeten worden. Het exemplaar dat in de buurt van Vernals auto was gevonden, was een jaar later hetzelfde lot ten deel gevallen.

'Ken je de herkomst van de wapens?' vroeg Fox.

'Helaas kunnen we geen ijzer met handen breken,' zei McFadzean, blazend over haar koffie.

'Dat zal wel ergens in een dossier staan,' riep Paul. 'Waarschijnlijk in het National Ballistics Lab in Glasgow. Diep in het archief begraven.'

'Dus je weet niet waar ze oorspronkelijk vandaan zijn gekomen?' McFadzean schudde haar hoofd.

'De revolver die in Alan Carters huis gevonden is... heb je enig idee hoe die daar terecht kan zijn gekomen?'

'Die moet ergens tussen het bewijsdepot en de smeltoven pootjes hebben gekregen.'

Fox knikte instemmend. 'Is dat ooit eerder gebeurd?'

'De procedures zijn behoorlijk streng, met een heleboel ingebouwde controlemechanismen.'

'Dus niet iets wat dagelijks gebeurt.' Fox keek weer naar de uitdraaien. 'Iemand heeft hem achterovergedrukt,' concludeerde hij. 'Dat zit er dik in. Al kan iemand hem natuurlijk ook ergens hebben laten vallen of per ongeluk zoekgemaakt hebben...' Ze zag de uitdrukking op zijn gezicht. 'Oké, die kans is niet zo groot,' gaf ze toe.

'Weten we wie er toen dienst had? Wie ervoor verantwoordelijk was dat die wapens vernietigd werden?'

'Verderop,' zei ze, en ze gebaarde dat hij naar de laatste pagina moest doorbladeren.

'Ah,' zei hij, want daar zag hij een naam die hij herkende. Inspecteur Gavin Willis.

'Nou?' drong McFadzean aan.

Fox tikte met een vinger op het papier. 'Inspecteur Willis,' verklaarde hij. 'Alan Carter was zijn ondergeschikte. Toen Willis overleed heeft hij zijn huis gekocht.'

'Dat zou het wel eens kunnen verklaren,' zei Paul, ronddraaiend in zijn stoel zodat hij ze aan kon kijken. 'Het wapen lag daar ergens in het huis. Carter vond het en besloot het te houden...'

'Wat de kans er groter op maakt dat hij zelfmoord heeft gepleegd,' vulde McFadzean aan.

'Of in elk geval dat de revolver er rondslingerde zodat die door wie dan ook gebruikt kan zijn,' wierp Fox tegen. 'Was jij niet degene die opgemerkt had dat er iets niet in de haak is met de vingerafdrukken?'

Ze knikte. 'Het eerste wat we doen,' legde ze uit, 'is een vuurwapen op bewijssporen onderzoeken. Daarna controleren we voor de zekerheid of het wapen en de kogel bij elkaar horen. En vervolgens onderzoeken we de herkomst.'

'Hij was al een hele tijd niet meer gebruikt,' vervolgde Paul. 'En slecht onderhouden.'

'Roest,' verklaarde McFadzean. 'En nauwelijks olie.'

'En in de andere kamers zaten ongebruikte patronen,' vulde Paul aan. 'Die zijn zeker een jaar of twintig, dertig oud.'

'Afgaand op de vezels die we gevonden hebben, zat hij waarschijnlijk gewikkeld in een stuk stof, in een lap doodgewoon wit katoen.'

'Dus zouden ze het huis op die lap stof moeten afzoeken,' zei Fox.

'Dat is al gebeurd, op ons verzoek.'

'Maar dat heeft nog niets opgeleverd,' kwam Paul tussenbeide.

'Maar dat heeft nog niets opgeleverd,' bevestigde McFadzean.
Fox bolde zijn wangen en blies langzaam zijn adem uit. 'Wat leid
je hieruit af?'

'Dat weet ik eigenlijk niet,' vertrouwde ze hem toe. 'Pauls theorie
luidt dat iemand het wapen naar het huis heeft meegenomen, het
slachtoffer ermee vermoordde en toen diens vingers op de revolver
heeft gedrukt in een halfbakken poging het er als zelfmoord uit te
laten zien.' Ze zweeg even.

'Maar?' drong Fox aan.

'Maar... jij hebt ons net een reden gegeven om aan te nemen dat
het wapen altijd al in de cottage geweest is.'

'Misschien had Alan Carter wel goede gronden om ergens bang
voor te zijn,' verklaarde Fox. 'Misschien hield hij het wapen daarom
steeds bij de hand.'

'Dat gaat er bij mij niet in,' zei Paul terwijl hij opstond om voor
zichzelf nog wat koffie in te schenken. 'Het slachtoffer zat aan tafel.
Uit het bloedpatroon weten we dat hij daar zat toen hij werd doodgeschoten. Als iemand je je revolver ontfutselt en die op je gericht
houdt...'

'Dan is het niet erg waarschijnlijk dat je met je rug naar hem toe
blijft zitten,' beaamde Fox. Hij dacht even na. 'Maar stel dat iemand
je onder schot houdt en je opdraagt te gaan zitten? Dat diegene iets
van je wil, iets wat al op tafel ligt?'

Paul liet het bezinken en begon langzaam te knikken. 'Je vindt
het voor hem en dan schiet hij je neer?'

'Of je weigert, en je krijgt evengoed een kogel door je hoofd,'
opperde McFadzean. De ruimte was even in stilzwijgen gehuld.

'Maar was die revolver al die tijd al in het huis of heeft iemand
die meegebracht?' wilde Fox weten.

'Ik weet dat de recherche de neef van het slachtoffer in het vizier
heeft,' merkte McFadzean op. 'Die was bekend met het huis en kan
geweten hebben waar hij de revolver bewaarde.'

'Carter en zijn neef waren niet bepaald dikke maatjes,' wierp Fox
tegen. 'Als er zich in de cottage al een vuurwapen bevond, dan heeft
Carter dat zelfs voor zijn beste vriend verborgen weten te houden.
En hoe zit het met die ontbrekende lap stof?'

'Die heeft de moordenaar meegenomen,' opperde Paul.

'Als er überhaupt een moordenaar geweest is,' maande McFadzean.

'Als er überhaupt een moordenaar geweest is,' gaf haar assistent toe. Toen zei hij tegen Fox: 'En nog iets... Fiona heeft helemaal gelijk als ze zegt dat er maar weinig vuurwapens zoekraken, en tegenwoordig al helemaal niet meer, zou ik zeggen.'

'Maar in die tijd?' drong Fox aan.

'Een paar van de vuurwapens die in het bewijsdepot geëindigd zijn, komen oorspronkelijk uit het leger. In de jaren zeventig is heel wat van dat legermateriaal, waaronder explosieven, onreglementair uit legerbarakken verdwenen, voor het overgrote deel bestemd voor de Troubles.'

'Noord-Ierland?'

'De paramilitairen hadden wapens nodig. Die werden op bestelling gestolen.'

'Wat wil je daarmee zeggen?'

Paul haalde zijn schouders op. 'Die revolver kon wel eens voor Belfast bestemd zijn geweest.'

'Ulster was niet de enige plek waar terroristen actief waren,' liet Fox hem weten. 'Hier op het vasteland hebben we ook onze portie gehad.' Hij dacht aan de Scottish National Liberation Army, het Dark Harvest Commando met hun antraxsporen...

En hun mogelijke financiële man, Francis Vernal.

'Daar zeg je wat,' zei Paul. Hij liep naar een archiefkast, trok een la open en begon te zoeken. McFadzean schonk Fox een lankmoedige glimlach. Hij knikte instemmend: Paul was inderdaad goed in zijn werk. Even later had hij het betreffende dossier gevonden en reikte hij Fox een foto aan van een werktafel op een politiebureau. Speciaal voor de media lag er een ruime verscheidenheid aan vuurwapens op uitgespreid. De om en nabij tien geweren waren van etiketten voorzien; de pistolen, revolvers en munitie zaten in verzegelde bewijszakken. Fox las het bijschrift op de achterkant: *1980, het proces tegen de Scottish Republican Socialist League.* Hij knikte naar Paul.

'Nog zo'n splintergroepering om aan de lijst toe te voegen,' merkte hij op. 'En sommige van deze wapens waren van het leger afkomstig?'

'Van "inbraken" uit barakken.'

Fox keek hem aan. 'Het werk van het personeel?'

'Het enige wat je nodig hebt is een handjevol sympathisanten, wat oogjes die worden toegeknepen, een sleutel die van eigenaar verwisselt...'

'Ik zie wel patroonhulzen van jachtgeweren maar geen jachtgeweren,' zei Fox terwijl hij de foto aan McFadzean doorgaf.

'Daar is niets bijzonders aan,' zei ze. 'Die clubjes stonden niet bepaald bekend om hun hoge IQ.'

'Zelfs de leiding niet?'

'We hebben ze immers opgepakt, niet?' Ter bewijs wapperde ze met de foto.

Terwijl Paul de foto weer in de dossiermap voegde, wreef Fox over zijn kaak.

'Kan ik je nog iets vragen?'

'Brand maar los – als je me mijn woordkeus wilt vergeven.'

Hij schonk haar een glimlach. 'Heb je een hypothese over die recente explosies?'

McFadzean gebaarde naar Paul achter de computer. 'Paul heeft wat onderzoek gedaan. Het gaat om plastic houders die ze met brokjes schroot hebben gevuld – schroeven, sluitringen, rommel die je bij elke doe-het-zelfzaak kunt vinden. De explosie liet de hele boel over een afstand van dertig meter door de lucht vliegen.'

'Geen kwajongensstreek dus?'

'Tenzij ze The Anarchist Cookbook hebben gelezen,' zei Paul.

'Al hebben ze het nog niet helemaal onder de knie,' merkte Mc-Fadzean op terwijl ze haar armen over elkaar sloeg.

'Maar ze worden er wel steeds beter in,' waarschuwde haar collega.

McFadzean knikte instemmend, met een bedachtzame uitdrukking op haar gezicht.

'Ze worden steeds beter, ja,' zei ze.

'En hebben ze het eenmaal onder de knie gekregen?' vroeg Fox.

'Dan hebben ze het vast niet langer op bomen gemunt,' zei Mc-Fadzean.

Fox overwoog serieus een omweg naar Kirkcaldy te maken, misschien een hapje bij Pancake Place met Kaye en Naysmith, maar woog de risico's af en besloot ervan af te zien. In plaats daarvan reed hij terug naar Edinburgh, met onderweg een stop voor benzine en een hamburger. Hij had van tevoren gebeld, maar Charles Mangold was tot twee uur bezet. Om halftwee stond Fox voor het hoofdkantoor van Mangold Bain in de New Town. De kantoorruimtes bevonden zich op de benedenverdieping van een chic, achttiende-eeuws herenhuis aan een steil klimmende straat met uitzicht op Queen Street Gardens. De receptioniste glimlachte en vroeg hem plaats te nemen. Op de koffietafel lag een *Financial Times* naast wat recente makelaarsgidsen en een golftijdschrift.

Toen een taxi voor het pand stilhield kwam Fox overeind en zag Mangold uitstappen, zijn gezicht rood aangelopen van de alcohol. Zodra hij binnenkwam herkende hij Fox en stak zijn hand uit.

'Aangenaam weekend gehad, inspecteur?'

'Vooral veel leeswerk.'

'En, zat er nog iets interessants bij?'

'Ik heb het zowaar in één ruk uitgelezen.'

Mangold leek ingenomen met het antwoord. 'Koffie, alsjeblieft, Marianne – sterk en zwart,' blafte hij naar de receptioniste. Fox schudde zijn hoofd om haar te laten weten dat hij niets bliefde. Mangold ging hem voor door een deur rechts van de balie. Die kwam uit op wat ooit de hal van een woonhuis was geweest. Er bevond zich een ongebruikte schouw en een indrukwekkende staatsietrap. Een andere deur aan de voet van de trap gaf toegang tot wat ooit, zo vermoedde Fox althans, een woonkamer was geweest. Een open haard met antieke spiegel erboven en een uitbundig versierde kroonlijst en plafondrozetten. Mangold deed een paar lampen aan.

'Marianne zei dat het dringend was,' begon hij terwijl hij een hand op een radiator legde en zich bukte om hem open te draaien. 'Zo krijgen we het hier wel warm,' zei hij, de handen over elkaar wrijvend.

'Lekker geluncht?' informeerde Fox. 'In de New Club, neem ik aan.'

'Ondine,' verbeterde Mangold hem.

'Gisteravond... toen verwachtte u toch gasten...?'

'Ja?'

'Was Colin Cardonald er daar toevallig een van?'

Mangold schudde zijn hoofd. 'Al heb ik hem wel gezien, doezelend in zijn stoel met zijn kruiswoordpuzzel half afgemaakt.' Hij keek op zijn horloge. 'Ik neem aan dat Marianne het u gezegd heeft?'

'Ze zei dat ik maar een kwartiertje heb.' Fox volgde Mangolds voorbeeld en nam plaats aan de blinkend geboende ovale tafel. 'Maar dat gaat alleen op als ik voor u zou werken, wat niet het geval is. Ik ben een politie-inspecteur en dit is een politieaangelegenheid, en dat betekent dat ik zoveel beslag op uw tijd leg als nodig is.'

Er werd geklopt en de koffie werd binnengebracht, samen met

een fles water en twee glazen. De receptioniste vroeg Mangold of ze de koffie moest inschenken.

'Alsjeblieft, Marianne.'

Ze wachtten totdat ze vertrokken was en de deur achter zich had dichtgetrokken. Met gesloten ogen werkte Mangold gulzig zijn koffie naar binnen.

'Ik kan niet meer zo goed tegen alcohol als vroeger,' verklaarde hij. 'En ik heb vanmiddag een héle volle agenda.'

'Dan zal ik gelijk ter zake komen – goed beschouwd twee zaken.'

'Steek maar van wal.'

'Ik wil Imogen Vernal spreken.'

'Uitgesloten,' zei Mangold met een wapperend handgebaar. 'Volgende punt graag.'

'Als ik haar niet te spreken krijg, dan lever ik die twee archiefdozen bij de balie af en ziet u me nooit meer terug.'

Mangold keek Fox doordringend aan, waarbij hij zijn onderlip naar voren duwde. 'Wat moet u zo nodig van haar weten?' vroeg hij.

'Waar meent u haar zo nodig tegen te moeten beschermen?'

'Dat heb ik u al gezegd. Ze is ernstig ziek. Ik wil niet dat ze zich door uw toedoen nog beroerder voelt.' Mangold zweeg even. 'Tweede punt,' gelastte hij terwijl hij uit zijn binnenzak een joekel van een zakdoek tevoorschijn trok.

'Niet voordat we dit afgehandeld hebben.'

'Het ís afgehandeld,' verklaarde Mangold, en hij depte zijn mondhoeken.

'Ik wil haar kant van het verhaal horen,' besloot Fox zich nader te verklaren. 'Ik wil haar over haar man horen praten.'

'Ik kan u over Francis vertellen!'

'U bent niet met hem getrouwd geweest.'

'Ik heb hem net zo goed gekend als Imogen.'

Fox nam niet eens de moeite hierop te antwoorden. In plaats daarvan ging hij verder met punt twee.

'Al die groeperingen indertijd... de SRSL, SNLA, het Dark Harvest Commando... en hoe heet die Gaelische club ook weer...?'

'Siol nan Gaidheal.'

'Dat is 'm.'

'De Seed of the Gael.'

'Hoe nauw was Vernal daarbij betrokken? Ik weet alleen maar wat ik gelezen heb.'

'Daar zal Imogen u niet bij kunnen helpen. Die geruchten hebben haar nooit bereikt.'

'Maar u heeft ze wel gehoord?'

'Uiteraard.'

'En gelooft u ze?'

'Ik heb Francis er een paar keer naar gevraagd. Hij deed die praatjes altijd af met die blik van hem.'

'Maar wat is uw eigen indruk?'

Mangold nam een slok van zijn koffie terwijl hij de vraag liet bezinken. 'Was hij een actieve paramilitair? Nee, dat dacht ik niet. Maar hij kan wel op andere manieren geholpen hebben.'

'Met juridische adviezen?'

'Mogelijk.'

'Wat verder nog?'

'Ze moesten aan geld zien te komen en dat veilig bewaren. Frank zou wel geweten hebben hoe je dat moest aanpakken.'

Fox knikte. 'Was hij hun financiële man?'

'Daar heb ik geen harde bewijzen voor.'

'Zou hij het geld bij zich hebben gedragen?'

Mangold reageerde met een schouderophalen.

'Aan wat voor bedragen moet ik denken?'

'Duizend pond,' speculeerde Mangold. 'Begin jaren tachtig hebben er een paar bankovervallen plaatsgevonden, een paar berovingen van geldwagens.'

'Zijn die toen niet door de SNLA opgeëist?'

'Zo ging het gerucht indertijd.'

'Al die jaren dat u met hem heeft samengewerkt... Waren er nooit dubieuze bezoekers... besprekingen achter gesloten deuren... verdachte telefoontjes?'

'Niet meer dan bij enig ander advocaat,' antwoordde Mangold met een scheef lachje. Hij staarde naar de bodem van zijn kopje. 'Ik moet echt niet meer drinken tijdens die lunches. Straks voel ik me zwaar beroerd.' Hij keek even op naar Fox. 'Zijn we klaar, inspecteur?'

'Nog niet helemaal. Heeft u wel eens namen opgevangen?'

'Namen?'

'Van leden van deze groeperingen?'

'Daar weet MI5 ongetwijfeld meer van dan ik.'

'Maar die zijn er nu niet...'

Mangold gaf zich gewonnen en trok zijn wenkbrauwen in gedachten verzonken samen. 'Nee, geen namen,' zei hij uiteindelijk.

'Vrienden die niet echt bij hem leken te passen?'

'We gingen met de meest uiteenlopende mensen om, inspecteur. Je begon de avond in een paar pubs en eindigde in het gezelschap van zwervers en moordenaars. Je wist nooit of je wakker zou worden met een tatoeage of een besmetting – of dat je überhaupt wakker zou worden.'

Omdat hij voelde dat het van hem verwacht werd, perste Fox er een glimlach uit. 'Hoe zit het met uw eigen politieke overtuiging, Mr. Mangold?'

'Nu ben ik een voorstander van een verenigd koninkrijk.'

'En toen?'

'Grofweg hetzelfde.'

'Grappig dat u zo goed bevriend was met zo'n verbeten nationalist.' Fox zweeg even. 'Of is dat waar Mrs. Vernal om de hoek komt kijken?'

'Ik heb liever dat ze helemaal nergens bij komt kijken,' zei Mangold op rustige toon.

'Het kan niet anders,' hield Fox vol, terwijl ook hij zijn toon matigde. Mangold maakte plots een vermoeide, verslagen indruk. Hij hief zijn handen in een gebaar van overgave ten hemel en liet ze vervolgens hard op de tafel neerkletsen.

'Ik zal zien wat ik kan doen.' Hij was even stil en staarde opnieuw in zijn kopje. 'Hoogste tijd voor nog een koffie.'

'Bedankt voor uw tijd.' Fox maakte aanstalten overeind te komen. 'Maar vergeet niet – ú bent naar mij toe gekomen.'

'Ja,' zei Mangold, bijna met spijt in zijn stem.

'O, één dingetje nog...'

Mangold was opgestaan en keek Fox recht aan.

'Heeft Alan Carter het ooit met u over de auto gehad?'

Mangold keek beduusd. 'Welke auto?'

'De Volvo van Francis Vernal.'

'Nee, niet dat ik weet. Waarom vraagt u dat?'

'Nergens om,' zei Fox met een schouderophalen. Maar in werkelijkheid dacht hij: wat heeft hij verder nog voor jou achtergehouden... en waarom?

Mangold bleef in de kamer, Fox had hem verzekerd dat hij zichzelf wel kon uitlaten. Voor de balie van de receptioniste bleef hij staan. Ze keek op van haar werk en glimlachte.

'Marianne, nietwaar?' vroeg Fox. Ze voegde een knikje aan haar glimlach toe. 'Er is iets wat ik Charles altijd al eens heb willen vragen maar wat ik om een of andere reden steeds vergeet...'

'Ja?'

'De firmanaam, Mangold Bain – is die Bain er nog?'

'De naam was Vernal Mangold,' legde ze uit.

'Ach ja, totdat die arme Francis overleed...' Hij deed zijn best zich als een van Mangolds oudste cliënten voor te doen. 'Natuurlijk bent u vast te jong om hem gekend te hebben, niet?'

'Natuurlijk,' beaamde ze, enigszins van haar stuk gebracht dat hij haar voor iemand van dat tijdsgewricht had kunnen aanzien.

'Dus Mr. Bain...?' drong hij aan.

'Er is nooit een Mr. Bain geweest. Het is iemands meisjesnaam.'

'Van Imogen, de weduwe van Mr. Vernal?' gokte Fox. 'Is ze een partner in de firma?'

'Dat niet, nee. Mr. Mangold bedoelde het als een... tja, als een manier om zijn nagedachtenis te eren, neem ik aan.'

'Was zijn nagedachtenis er niet meer bij gediend geweest als hij de naam Vernal gewoon op het briefpapier had laten staan?' vroeg Fox. Marianne leek dit nooit eerder te hebben overwogen. 'Bedankt voor uw hulp,' zei Fox tegen haar, en met een hoofdknik nam hij afscheid.

21

Fox zat aan zijn bureau in het kantoor van IZ en staarde naar zijn lege computerscherm. Bob McEwan was aan de telefoon. Zoals altijd had het gesprek betrekking op de aanstaande reorganisatie. Interne Zaken zou opgeslokt worden door 'Normen en Waarden'. In de woorden van McEwan zou IZ van 'micro' naar 'macro' overgaan.

'Maar vraag me niet wat het betekent.'

Fox had Tony Kaye en Joe Naysmith ge-sms't en wachtte op hun antwoord. Hij had overwogen naar de centrale bibliotheek te gaan om in het krantenarchief te duiken. Hij beschikte over knipsels uit *The Scotsman*, maar niets uit *The Herald* of enig andere Schotse krant uit die tijd. Hij betwijfelde of hij iets zou vinden. De media hadden hun toch al geringe belangstelling voor het verhaal snel verloren.

Toen de deur van het kantoor openging zag Fox de korpschef een bezoeker binnenleiden. De naam van de grote baas was Jim Byars. Hij was in vol ornaat, compleet met pet, wat enkel kon betekenen dat hij naar een vergadering ging of eropuit was iemand te imponeren. De bezoeker was een man van achter in de veertig met een gebruind gezicht, vierkante kin en grijzend haar. Hij droeg een driedelig pak met zijden das. Een pochet stak zichtbaar uit zijn borstzakje.

'Ah, Malcolm,' zei de korpschef. Toen, speciaal voor zijn gast: 'Dit is de afdeling Normen Beroepsuitoefening, ANB.'

'De "rubberenzolenbrigade"?' zei de bezoeker met een glimlachje. Hij sprak met een Engels accent. Aan de hand die hij Fox toestak droeg hij geen ringen. Fox had vluchtig in McEwans richting gekeken. Hij kon zien dat zijn baas in tweestrijd verkeerde. De beleefdheid gebood dat hij het gesprek beëindigde om de bezoeker te begroeten, maar ook wilde hij Byars laten zien dat hij zijn salaris waard was. Hij maakte een wuivend handgebaar naar de korpschef en gesticuleerde dat hij het gesprek zo snel mogelijk zou afronden. Byars' gebaar maakte duidelijk dat dit niet nodig was.

'Ik geef hoofdinspecteur Jackson hier alleen maar even een rondleiding,' zei de korpschef tegen Fox. Toen, tegen Jackson: 'Malcolm Fox is inspecteur, qua rang rechercheur, al gebruiken wij die term niet.'

'Veel zaken op het bordje momenteel?' vroeg Jackson aan Fox.

'Valt wel mee,' antwoordde Fox, die wenste dat hij zijn computer had aangezet. Zijn bureau zag er leeg uit; anderhalve centimeter papierwerk in zijn in-bakje. Had Jackson iets met de ophanden zijnde reorganisatie te maken? Speurde hij soms naar functies die wegbezuinigd konden worden? Hij leek er helemaal de man naar: het type kordate, nietsontziende boekhouder.

'Je bent nu toch in Fife bezig, niet?' vroeg de baas, die prompt zijn wenkbrauwen optrok toen hij zich realiseerde hoe dom de vraag had geklonken.

'Vandaag niet, chef. Maar de rest van mijn team wel.' Fox slikte. Er was geen reden om aan te nemen dat de korpschef wist dat hij buitenspel was gezet. En zelfs als hij het wist, was dat niet iets wat je aan een bezoeker rondbazuinde. 'Wat brengt u hier?' vroeg Fox in plaats daarvan aan Jackson. Byars was hem voor met het antwoord.

'Hoofdinspecteur Jackson is van Special Branch, de politieveiligheidsdienst, afdeling Terrorismebestrijding.'

'Ik wist niet dat we daar veel last van hadden in Edinburgh,' voelde Fox zich geroepen op te merken.

Jackson schonk hem opnieuw een schamper lachje. 'De explosie in het bos bij Peebles?' droeg hij aan. 'En daarvoor Lockerbie?'

Fox knikte om aan te geven dat hij ervan gehoord had.

'Wij denken dat dit wel eens een vorm van proefdraaien kan zijn geweest, inspecteur.'

'Waarom Peebles?'

'Het had overal kunnen zijn.' Jackson zweeg even. 'Weet je het vliegveld van Glasgow nog? De daders leidden rustige leventjes in de buitenwijken.'

'En omdat Peebles deel uitmaakt van Lothian and Borders,' legde Byars uit, 'assisteren wij hoofdinspecteur Jackson en zijn team.'

Niet echt een boekhouder dus.

Jackson keek om zich heen in het kantoor alsof hij elk detail van de kamer in zijn geheugen wegborg. Bob McEwan deed wanhopige pogingen een einde aan zijn gesprek te maken. 'Wat is er in Fife aan de hand?' vroeg de Engelsman.

'Niet veel,' antwoordde Fox.

'Het betreft een rechercheur,' vertelde Byars aan Jackson. 'Voor het gerecht gedaagd omdat hij over de schreef was gegaan. Wij zijn gevraagd uit te zoeken of zijn collega's hem gedekt hebben.'

Jackson keek Fox aan, en Fox wist wat hij dacht: gelijk heb je, maat – nooit meer weggeven dan absoluut noodzakelijk is.

McEwan had opgehangen en voegde zich bij hen. Byars verzorgde een vers rondje kennismakingen plus toelichtingen.

'Interessant,' zei McEwan, zijn armen over elkaar slaand. 'Dat houdt ook nooit op, hè?'

'Wat bedoel je?' vroeg Jackson hem.

'Terrorisme van eigen bodem. Malcolms huidige zaak houdt daar zijdelings verband mee...'

'Echt waar?' vroeg Jackson plots vol belangstelling.

Dat moest Naysmith geweest zijn. Het moest Joe Naysmith wel geweest zijn die het aan McEwan doorgebriefd had.

Fox deed het met een omstandig schouderophalen af. 'Een uiterst oppervlakkig verband,' maakte hij zich ervan af.

Maar Jackson liet zich niet afschepen. 'In de zin van?' drong hij aan.

'Iemand die Malcolm verhoord heeft,' kwam McEwan hem tegemoet. 'Die deed onderzoek naar een advocaat die betrokken was bij de Schotse afscheidingsbeweging.'

'Een kwarteeuw geleden,' benadrukte Fox.

De korpschef keek Jackson aan. 'Heel iets anders dus dan die bommenleggers van jou in Peebleshire.'

'Heel iets anders,' gaf Jackson toe. Zijn volgende vraag was aan Fox gericht: 'Hoe is het met die advocaat afgelopen?'

'Omgekomen bij een auto-ongeluk.'

'Anders dan die onderzoeker,' vulde McEwan aan. 'Die heeft zich door zijn hoofd geschoten.'

'Goeie grutten,' zei Jackson tegen Fox. Waarop hij opnieuw datzelfde verontrustende lachje ten beste gaf.

Toen Naysmith Fox een uur of wat later op zijn mobiel belde, was McEwan vertrokken naar een zoveelste vergadering elders in het gebouw en zat Fox alleen in het kantoor. Voordat Naysmith iets had kunnen zeggen, bedankte Fox hem omstandig dat hij McEwan het hele verhaal van Alan Carter en Francis Vernal uit de doeken had gedaan.

'Hij vroeg me gewoon waar ik mee bezig was,' antwoordde Naysmith.

'Hoe dan ook, je wordt reuze bedankt. Nu hebben we de belangstelling gewekt van Special Branch, van hun afdeling Terrorismebestrijding,' maakte Fox de situatie duidelijk.

'Dat zou best eens een voordeel kunnen zijn,' wierp Naysmith tegen. 'Kun je hem niet vragen of ze iets over Vernal in het archief hebben? Of hij echt geschaduwd werd?'

'Dacht je dat hij mij dat zou vertellen? Als hij het al weet. Dit speelde dik twintig jaar geleden – denk maar niet dat zo'n Special Branch-agent zomaar bij dit soort informatie kan.'

'Misschien niet,' gaf Naysmith zich gewonnen. 'Maar hoe komen we er anders achter of ze hem in de gaten hielden?'

'Daar komen we niet achter,' antwoordde Fox uiteindelijk. Even bleef het stil.

'Wil je horen wat ik te weten ben gekomen?' vroeg Naysmith.

'Wat ben je te weten gekomen?'

'Hoe het zit met Barron's Wrecking.'

'Je hebt Barron gesproken?'

'Hij is inmiddels behoorlijk op leeftijd, maar wat een geheugen. Toen ik daar iets over zei, grapte hij dat het kwam doordat hij het grootste deel van zijn zaakjes buiten de boeken had gehouden. Hij zei nog dat ik hem bij de fiscus kon verlinken als ik wilde...'

'Ben je er ook nog aan toegekomen hem naar die wagen te vragen?'

'Dat stond nog in zijn geheugen gegrift. Die was met een takelwagen afgeleverd, maar voor die er goed en wel stond kwam iemand vragen of hij ergens anders heen gebracht kon worden.'

'Gavin Willis?' opperde Fox.

'In eigen persoon,' bevestigde Naysmith. 'Ze wisten die wagen tot bij de cottage te slepen, maar daarna waren er vier man nodig om hem de helling op naar de garage te duwen.'

'Heeft hij ook gezegd waarom Willis die auto wilde?'

'Ik denk niet dat hij Willis ernaar gevraagd heeft. Die heeft Barron contant betaald en daarmee was de kous af.'

'En er is niemand bij hem langs geweest om naar die Volvo te vragen?'

'Willis stopte hem een extra twintigje toe en zei Barron dat hij maar moest zeggen dat die in de pletmachine vermalen was.'

'En het is nooit bij Barron opgekomen naar het waarom te vragen?'

'Zoals hij het zelf zei: "Wanneer iemand van de politie je opdraagt iets te doen, dan doe je het."'

'Ik betwijfel of dat tegenwoordig nog steeds het geval is.' Fox dacht even na. 'Willis had dienst toen die vuurwapens vernietigd moesten worden,' liet hij Naysmith weten. 'Best mogelijk dat hij het wapen achterovergedrukt heeft dat later bij Alan Carter is opgedoken.'

'Maar waarom?'

'Daar ben ik nog niet uit. Wist Barron zich nog meer over die auto te herinneren? Heeft hij er misschien iets uit gegapt?'

'Niets wat hij van plan is toe te geven.'

'Dat was dan dat,' zei Fox, ijsberend door het uitgestorven kantoor.

'Wat wil je dat ik nu doe, Malcolm?'

'Gavin Willis. Ik zou best willen weten hoe en wanneer hij overleden is. Misschien dat hij nog ergens familie heeft...'

'Dat kan ik nagaan.' Naysmith klonk alsof hij voor zichzelf een aantekening maakte.

'Heb je Tony nog gezien?' vroeg Fox.

'Die vertelde me dat hij Billie en Bekkah op een kop koffie ging trakteren.'

'Die kapsters?' Fox bleef voor het raam staan. Hij keek uit over het parkeerterrein, met daarachter Fettes College. De leerlingen leken op huis aan te gaan. Een hele stoet ouders stond wachtend in hun auto's klaar om de meesten van hen af te halen. 'Wat gaat er in die man om?'

'Opspelende hormonen?' veronderstelde Naysmith.

Fox keek toe hoe de korpschef Jackson naar zijn auto begeleidde. Jackson had een privéchauffeur; ook zijn luxesedan was niet verkeerd. Hij stapte achter in de zakenauto, Byars sloeg het portier voor hem dicht. Terwijl de wagen optrok, schoof er een raampje omlaag. Jackson staarde omhoog in de richting van het iz-kantoor. Ook al kon hij Fox daar onmogelijk zien staan, die deinsde toch achteruit, al wist hij zelf niet goed waarom.

22

De weduwe van Francis Vernal woonde in een vrijstaand victoriaans herenhuis in Grange, een buitenwijk van Edinburgh. De nauwe straten waren van verkeer en voetgangers verstoken. Bijna geen enkel huis was zichtbaar. Net als hun eigenaren, en de rijkdom van die eigenaren, waren die verschanst achter hoge stenen muren en massief houten toegangspoorten. Charles Mangold had stug volgehouden dat Fox haar alleen in zijn bijzijn kon bezoeken. Fox had even stug volgehouden dat die vlieger niet opging. Niettemin zat Mangold hem in een stationair draaiende, zwarte taxi op te wachten toen Fox bij de oprijlaan arriveerde. Toen Fox uit zijn wagen stapte om zich via de intercom te melden, dook Mangold van de achterbank van de taxi op.

'Ik sta erop,' zei de advocaat.

'U doet maar.'

'Stel dat Imogen wil dat ik erbij ben?'

'Dan kan ze mij dat persoonlijk zeggen. Maar totdat het zover is, blijft u aan deze kant van de poort.'

Mangold was woest maar zei niets. Sputterend keerde hij naar zijn taxi terug en trok het portier met een harde knal achter zich dicht. Fox liet via de intercom weten dat hij een afspraak had. De poort zwaaide zachtjes zoemend open en hij keerde terug naar zijn auto. De oprijlaan was lang en slingerde tussen dicht struikgewas door. Fox eindigde op een parkeerplek van steengruis, voor een met puntgevels getooid huis van twee verdiepingen. Het schemerde, vogels nestelden in de oude, volgroeide bomen. Gewoontegetrouw sloot hij zijn Volvo af. De voordeur van het huis was open en in de deuropening stond een vrouw van in de dertig. Ze stelde zich voor als Eileen Carpenter.

'Ik zorg voor Mrs. Vernal.'

'U bent haar verpleegster, bedoelt u?'

'Onder andere.'

De gang rook muf, maar er was wel afgestoft. Carpenter vroeg of hij thee wilde.

'Graag,' zei hij terwijl zij hem voorging naar de salon. De kamer kon bogen op een enorme erker. De stoel van Imogen Vernal stond zo gedraaid dat ze uitkeek op de tuin aan de zijkant van het huis.

'U zult me vast vergeven dat ik niet opsta,' zei ze. Fox stelde zich voor en schudde haar hand. Haar asblonde haar was dun en sprieterig, haar wangen en voorhoofd toonden kleine wondjes. Haar huid was bijna doorzichtig, met adertjes die zich zichtbaar aftekenden. Fox schatte dat ze hooguit vijftig kilo woog. Maar haar ogen, hoe vermoeid ook, stonden helder en levendig, de pupillen verwijd als gevolg van haar medicijnen.

Rechts van haar stond een eetkamerstoel waarop Fox plaatsnam. Een boek lag opengeslagen op de vloer, een gebonden roman van Charles Dickens. Fox vermoedde dat het voorlezen van haar werkgeefster ook tot het takenpakket van Eileen Carpenter behoorde.

'Wat een huis,' zei Fox.

'Ja.'

'Heeft u hier ook met uw man gewoond?'

'Mijn ouders hebben het voor ons gekocht, als huwelijksgeschenk.'

'Geweldige ouders.'

'Rijke ouders,' verbeterde ze hem glimlachend.

Op de schoorsteenmantel stonden ingelijste foto's van haar man. Eentje kwam hem bekend voor: de redenaar volop op dreef, de vuist gebald terwijl hij zijn gehoor toesprak.

'Ik had hem wat graag horen spreken,' zei Fox naar waarheid.

'Ik geloof dat ik ergens nog wat opnames heb.' Ze zweeg even en stak een vinger op. 'Nee,' corrigeerde ze zichzelf, 'die heb ik aan

de nationale bibliotheek geschonken, samen met zijn boeken en ge-
schriften. Er zijn hele proefschriften aan hem gewijd, moet u weten.
Toen hij stierf schreef een Amerikaanse senator een in memoriam
voor *The Washington Post*.' Ze knikte bij de herinnering.

'Hij was me d'r eentje,' beaamde Fox. 'In het openbaar.'

Ze kneep haar ogen een stukje toe. 'Charles heeft me over u verteld, inspecteur. Wat spijtig van die andere man, die meneer die
overleden is...' Ze was even stil. 'Staat Charles voor de poort te
wachten?'

'Ja.'

'Hij is nogal beschermend van aard.'

'Was hij een van uw minnaars?'

Het duurde lang voordat ze antwoord gaf, alsof ze niet goed wist
wat te zeggen. 'U schildert me wel heel erg als een jezabel af.' Haar
tongval werd merkbaar Schotser.

'Ik had gewoon de indruk dat hij buitengewoon op u gesteld is.'

'Dat klopt,' beaamde ze.

'En er deden geruchten de ronde dat uw huwelijk nogal stormachtig was.'

'Stormachtig?' Ze proefde het woord. 'Geen slechte omschrijving.'

'Hoe heeft u elkaar ontmoet?'

'Op de barricades.'

'Toch niet letterlijk?'

'Zo goed als – tijdens een demonstratie op de universiteit. Bij een
protestactie tegen Vietnam, dacht ik.' Ze leek het verleden terug te
halen. 'Maar het kan ook tegen de apartheid geweest zijn, of Rho-
desië. Hij was toen al advocaat; ik een studente. We konden het
meteen goed vinden samen...'

'Ondanks het leeftijdsverschil?'

'Mijn ouders waren er aanvankelijk op tegen,' gaf ze toe.

'Was Mr. Vernal ook toen al nationalist?'

'In zijn jonge jaren was hij communist. Toen Labour. Dat nationalisme kwam pas later.'

'U deelde zijn politieke overtuiging?'

Ze nam hem grondig op. 'Het is mij niet helemaal duidelijk wat
u precies van me wilt, inspecteur.'

'Ik vond gewoon dat we elkaar eens moesten spreken.'

Ze zat dit nog te overpeinzen toen Eileen Carpenter met een dienblad binnenkwam. De theepot was klein en op het blad stond slechts

één porseleinen kop-en-schotel. Het was losse thee die vergezeld kwam van een zilveren zeefje. Fox bedankte haar. Ze vroeg haar werkgeefster of ze nog ergens behoefte aan had.

'Nee, alles is naar wens, dacht ik zo,' antwoordde Imogen. 'Misschien kun je dat ook even aan Charles laten weten.' Toen, speciaal ten behoeve van Fox: 'Anders zit hij maar te wachten tot zij hem op de hoogte komt brengen.'

Licht blozend verliet Carpenter de kamer.

'Niet dat ze spioneert, niet echt,' zei Imogen tegen Fox. 'Maar Charles maakt zich nu eenmaal snel zorgen...'

Fox schonk zichzelf thee in. 'Weet u waarom hij Alan Carter ingehuurd heeft?' vroeg hij.

'Om de moord op mijn man op te helderen.'

'Is het wat u betreft een uitgemaakte zaak dat hij vermoord is?'

'Zo goed als.'

'Heeft u dat indertijd ook kenbaar gemaakt? Ik kan me niet herinneren iets dergelijks in de kranten gelezen te hebben.'

'Eerlijk gezegd was ik een beetje bang.'

Dat wilde Fox wel geloven. 'Maar u heeft alleen vermoedens, geen daadwerkelijke bewijzen?'

'Niet meer dan u zelf al vergaard zult hebben,' gaf ze toe terwijl ze haar handen in haar schoot legde.

'En zelfmoord...?'

'Dat is geen optie, daar was Francis veel te laf voor. Ik heb daar de laatste tijd veel over nagedacht. Ik heb ze gezegd dat ik met de chemotherapie, met alles kap – dat ik het echt niet langer aankan. Je krijgt dan wel morfine tegen de pijn, maar voelen doe je die toch, ergens achter al die watten in je hoofd. Zelfmoord moest wel overwogen worden, maar dat specifieke traject vereist een zekere moed. Ik ben niet moedig, en Francis was dat evenmin.'

'Hij was toch niet ziek?'

'Sterk als een os.'

'Ondanks de sigaretten?'

'Ja.'

'Was er misschien een echtelijke twist geweest?'

'Niet meer dan gewoonlijk.'

'Kwam daar die stormachtige relatie weer om de hoek kijken?'

'Wel stormachtig maar niet wankel. Heeft iemand in relatie tot hem nog het woord "vurig" laten vallen?' Ze zag Fox knikken. 'Hadden ze dat niet gedaan, dan had me dat teleurgesteld. Ziet u, dat was Francis ten voeten uit: in zijn leven, zijn politieke overtuiging. Het maakte niet uit of je voor of tegen hem was, zolang je maar pit had.'

'Vlak bij de plek waar hij gestorven is staat een steenstapel...'

'Die heeft Charles daar neer laten zetten.'

'En het jaarlijkse boeket bloemen?'

'Van mij.'

Fox boog een stukje naar voren. 'Mrs. Vernal, wie heeft hem vermoord, denkt u?'

'Dat weet ik niet.'

'In de periode voor zijn dood... maakte hij zich ergens zorgen om?'

'Nee.'

'Hij dacht dat hij geschaduwd werd.'

'Daar beleefde hij juist genoegen aan, dat betekende dat hij ze dwarszat.'

'Wie zijn "ze"?'

'De gevestigde orde, neem ik aan.'

'En op welke manier zat hij ze dwars?'

'Met zijn toespraken. Met zijn vermogen om mensen te beïnvloeden, ze tot andere gedachten te brengen.'

'De peilingen wezen er niet op dat hij véél mensen tot andere gedachten wist te brengen.'

Met een hooghartige hoofdbeweging verwierp ze de opmerking. 'Iedereen die hem ontmoette... hij liet niemand onberoerd.'

Ze zweeg en zag hoe Fox de foto van haar man samen met Chris Fox tevoorschijn haalde.

'Kent u deze man?' vroeg hij haar.

'Nee.'

'Hij heet Chris Fox. Hij overleed bij een motorongeluk, een paar jaar voor uw man. Het gebeurde in de buurt van Burntisland.'

Ze liet het even bezinken. 'Niet zo ver bij waar ze Francis vermoord hebben vandaan. Denkt u dat er een verband is?'

'Niet echt.'

'Hij heeft dezelfde achternaam als u.'

'Hij was een neef van mijn vader.'

Ze keek hem aan. 'Heeft hij Francis goed gekend?'

'Ik heb geen idee.' Fox keek nog eens goed naar de foto alvorens hem weg te stoppen. Hij nam nog een slokje van zijn thee. 'Ik hoorde iets over inbraken...'

'Ja, hier en op zijn kantoor. Tweemaal in evenveel weken.'

'Bij de politie aangegeven?'

Ze knikte. 'Er is nooit iemand voor gepakt.'

'Was er veel buitgemaakt?'

'Geld en juwelen.'

'Geen papieren van uw man?'

'Nee.'

'Sprak Francis ooit over voornemens om zelf de wet te overtreden?'

'Hoe bedoelt u?' Ze leek geheel gefocust op het uitzicht uit het raam, ook al was het inmiddels donker en was de tuin onzichtbaar.

'Er wordt wel beweerd dat hij zich met bepaalde groeperingen inliet...'

'Daar sprak hij nooit over.'

'Maar nieuws is het nu ook weer niet?'

'Hij kende heel veel mensen, inspecteur. Het is best mogelijk dat een enkeling van hen de strijd naar een niveau wilde tillen dat de wet in die tijd niet toestond.'

'En zou hij die zienswijze gesteund hebben?'

'Misschien.'

'Schieten u ook namen te binnen?'

Ze schudde haar hoofd. 'U denkt wellicht,' zei ze, 'dat politieke vrienden soms in vijanden veranderen. Maar als Francis al vijanden had – en dan bedoel ik échte vijanden – dan hield hij dat voor zichzelf.'

'Maar u wist dat hij gewapende groeperingen steunde? Mr. Mangold meende dat u daar geen flauw vermoeden van had.'

'Charles weet ook niet alles.'

Fox nam nog een slokje thee en zette de kop-en-schotel terug op het dienblad. Een kleine minuut lang was de kamer in stilte gehuld. Hij kreeg het gevoel dat dit was hoe ze hier zat als ze alleen was – kalm en sereen en wachtend op de dood, starend naar haar spiegelbeeld in het raam, de rest van de wereld ver weg. Hij moest aan zijn vader denken. *Ik slaap niet... Ik lig hier alleen maar...*

Uiteindelijk schraapte hij zijn keel. 'Wat denkt u dat hij op die bewuste weg te zoeken had?'

'Politiek gezien, bedoelt u?'

Hij glimlachte om het misverstand. 'Nee, op de weg tussen Anstruther en St. Andrews.'

'Het was weekend...' Haar stem leek even weg te sterven. 'Hij bracht de weekends vaak in Fife door.'

'In zijn eentje?'

'Niet met mij.'

Uit haar toon maakte hij op wat ze bedoelde. 'Andere vrouwen?' opperde hij. Ze gaf hem het kleinst mogelijke knikje. 'Veel?'

'Geen idee.'

'Daar gebruikte hij het buitenhuis voor?'

'Dat neem ik aan.' Ze keek omlaag naar haar schoot en veegde iets van haar knie, iets wat voor Fox onzichtbaar bleef.

'En Anstruther...?' hielp hij haar op weg, geduldig wachtend tot ze zover was. Uiteindelijk slaakte ze een diepe zucht.

'Daar woonde zij.' Ze hield hem in haar blik gevangen. 'Ik mocht er zeker wezen toen Francis me ontmoette, maar ach, u weet zelf hoe die dingen gaan.'

'Een beetje,' kwam hij haar tegemoet, omdat zij dit keer geduldig op zijn antwoord bleef wachten.

'Ze was ook student. Alice Watts, zo heette ze.'

'Dat heeft hij u verteld?'

Ze schudde haar hoofd. 'Ik vond brieven van haar. Verborgen in het bureau op zijn kantoor. Het duurde maanden voordat ik ze vond, er was zoveel om door te nemen.'

'Woonde ze in Anstruther?'

Imogen Vernal staarde opnieuw naar het raam. 'Ze studeerde politicologie en filosofie aan St. Andrews. Hij hield daar een praatje voor de studenten en naderhand hebben ze elkaar ontmoet. Je zou haar een soort groupie kunnen noemen.' Haar stem was nauwelijks luider dan een fluistering. 'Ik heb nooit iemand over haar verteld.'

'Ook Charles niet?'

Ze schudde haar hoofd.

'Dus kan Alan Carter ook niet van haar geweten hebben?'

'Het is mogelijk dat Charles ervan wist,' zei ze. 'Hij was tenslotte Francis' beste vriend. En mannen praten wel eens onder elkaar, toch? Wanneer ze samen wat gaan drinken.'

Fox gaf toe dat dat wel voorkwam. De temperatuur in de kamer was een paar graden gedaald. Eigenlijk dienden de zware gordijnen gesloten te worden en moest de gaskachel nodig aan.

'Ik wil u bedanken dat u me ontvangen heeft en zo openhartig bent geweest,' zei Fox. 'Misschien dat we dit nog eens kunnen herhalen?'

Maar de weduwe van Vernal was nog niet met hem klaar. 'Ik

heb haar gezocht, moet u weten. Ik moest haar gewoon zien. Niet om met haar te praten, alleen maar om haar te zien. Ik wist haar adres van de brieven. Maar toen ik erheen ging had ze haar boeltje gepakt en was ze verdwenen. Van de universiteit hoorde ik dat ze met haar studie gestopt was.' Ze zweeg even. 'Dus neem ik aan dat het niet uitgesloten is dat ze van hem gehouden heeft.'

'Heeft u die brieven nog, Mrs. Vernal?'

Ze knikte. 'Ik vroeg me al af of u ernaar zou vragen.' Van de vloer naast haar stoel pakte ze een stapeltje brieven op die nog in hun envelop zaten – zonder adressen of postzegels. Persoonlijk bezorgd dus.

Fox draaide ze om zonder ze te openen. 'U had zich hierop voorbereid,' verklaarde hij. 'Waarom ben ik de eerste aan wie u dit vertelt?'

Ze glimlachte naar hem. 'U stond erop om hier alleen te komen,' legde ze uit. 'U trotseerde Charles. In mijn ogen wijst dat op iets... op zekere kwaliteiten.'

'U heeft vast de geruchten uit die tijd gehoord?' voelde hij zich nu gerechtigd te vragen. 'De kranten zinspeelden erop dat u er een hele serie minnaars op na hield en dat een van hen misschien...'

'Daar moet u geen woord van geloven,' verklaarde ze. 'Francis was de enige man van wie ik hield, van wie ik altijd gehouden heb. Tot ziens, inspecteur. En bedankt voor uw komst.' Ze zweeg even terwijl ze aan iets anders dacht. 'U heeft me eerder gevraagd wie hem vermoord heeft. In zekere zin denk ik dat we dat allemaal gedaan hebben. Maar zou ik een gokje wagen, dan zou ik mijn geld op uw beroepsgroep zetten.'

'U bedoelt de politie?'

'De politie, de geheime dienst, u bent daar beter in thuis dan ik. Maar wees gewaarschuwd, inspecteur: de man die Charles in dienst nam is dood. U kunt maar beter voorzichtig zijn.'

'Waarom denkt u dat Mangold hem überhaupt in dienst heeft genomen?'

'Ik dacht dat ik die vraag al beantwoord had. Wat denkt u?'

'Om het mysterie op te helderen nu u er beiden nog bent om het te vernemen.'

Ze dacht er even over na en schudde toen langzaam haar hoofd. 'Misschien.'

'Wat kan er anders achter zitten?'

'Charles wil dat ik een lagere dunk van Francis krijg, zodat ik een hogere dunk van hem krijg.'

'Wil hij soms bewijzen dat uw man zich niet alleen met andere vrouwen inliet, maar ook met terroristen?'

Ze schonk hem een mager lachje. 'Zodat ik mij op mijn sterfbed tot hem bekeer. Dat ik tot inkeer kom en hem aan mijn boezem druk – al dan niet overdrachtelijk gesproken.'

'Dat lijkt me niet erg waarschijnlijk.'

'O, begrijpt u me alstublieft niet verkeerd, Charles is een goede vriend – liefdevol, loyaal.'

'Maar dat is minder wederkerig dan hij zou willen?'

'Ja.'

'En dat hij uw meisjesnaam aan de firmanaam toevoegde...?'

'Was onderdeel van zijn hofmakerij,' beaamde ze. 'Wat vindt u, moet ik me gevleid voelen?'

Daar had Fox geen antwoord op. Toen hij de immense en karig ingerichte salon verliet, zag hij haar spiegelbeeld in het raam, net zoals zij hem weerspiegeld zag.

Fox lag die avond in bed aan Imogen Vernal te denken. Ze had de chemokuur opgegeven, maar niet het leven zelf. Ze hield nog immer van haar man. En op haar beurt werd ze liefgehad door Charles Mangold. Hij vroeg zich af of de weduwe rijk was – een erfenis van haar ouders, geld nagelaten door haar man – of dat Charles Mangold voor Eileen Carpenter en de rest betaalde. Hij dacht aan zijn eigen vader, knokkend tegen alzheimer, de geregelde bezoekjes van zoon en dochter, de uitstapjes naar de zeepromenade van Portobello, het ijs dat van zijn kin droop totdat er een zakdoek werd opgediept...

De brieven van Alice Watts aan Francis Vernal lazen eerder als essays: ellenlang, breedvoerig, politiek. Maar er waren ook gevoelige momenten, zij het zonder het bijbehorende bloemrijke proza, zonder tekeningen van doorboorde hartjes, zonder reeksen kusjes aan het eind. Fox kon er niet uit opmaken of Fox haar ooit teruggeschreven had. Het was duidelijk dat hij geregeld in Anstruther bij haar over de vloer kwam, maar de brieven waren niet gedateerd. Afgaand op de paar gebeurtenissen waarvan ze melding maakte moesten ze ergens uit 1984-1985 stammen.

Zijn mobiel lag op het nachtkastje op te laden. Toen die overging moest hij er eerst het kabeltje uit trekken alvorens op te kunnen nemen. Het was Evelyn Mills die hem om elf uur 's avonds belde.

'Evelyn?'

'Heb ik je wakker gemaakt?'

'Wat is er?'

Even bleef het stil. 'Grappig, vind je niet?' antwoordde ze uiteindelijk met licht nasale stem. 'Dat je weer in mijn leven opduikt. In mijn leven, nu, op dit moment bedoel ik.' Fox besefte dat ze gedronken had.

'Botert het niet zo thuis?'

'Nee... valt wel mee.' Opeens leek ze zich het late tijdstip van haar belletje te realiseren. 'Ik had tot morgen moeten wachten.'

'Geeft niets.'

'Freddie is een schat van een man, weet je.'

'Natuurlijk.'

'Jullie zouden het vast goed met elkaar kunnen vinden. Iedereen is gek op Freddie.'

'Dat is mooi.'

Weer volgde een stilte. 'Ik ben vergeten waarvoor ik je belde,' gaf ze toe.

'Gewoon om een praatje te maken misschien.'

'Nee, wacht even, nu weet ik het weer. Paul Carter heeft met Scholes gepraat.'

'O?'

'Hij lijkt bang, weet niet meer wie hij vertrouwen kan. Hij vroeg nog net niet aan Scholes of hij soms iets met de dood van zijn oom te maken had.'

'Hoe reageerde Scholes?'

'Die zei dat hij van de pot gerukt was.'

'Leken ze vrijuit te praten?'

'Niets wees erop dat ze doorhadden dat ze afgeluisterd worden.'

'Heb je het al aan Kaye en Naysmith doorgegeven?'

'Nog niet. Zal ik ze de opname geven?'

'Zij zijn degenen die het onderzoek doen.' Hij zweeg even voor hij verderging. 'Nog nieuws over het Alan Carter-onderzoek?'

'Er zit schot in de zaak.'

'Hoe lang duurt het nog voordat ze die neef in staat van beschuldiging stellen?'

'Niemand weet nog of we het überhaupt moord moeten noemen.'

'"Volgens de politie onder verdachte omstandigheden om het leven gekomen?"' vroeg Fox in de bewoordingen die de pers gebruikt zou hebben.

'Het OM is om advies gevraagd,' antwoordde Mills. 'Hoe staan de zaken aan jouw kant?'

'Lekker ontspannen, de voetjes omhoog.'

'Bofkont.'

'Ja, bofkont,' beaamde Fox.

'Ik moest maar eens hangen.'

'Als je zin hebt in een praatje, Evelyn, je kunt me altijd bellen...'

'Dank je, Malcolm.' Opnieuw viel ze even stil. 'Zoals je zelf uit bittere ervaring weet: een paar glazen wijn en ik kan nergens meer weerstand aan bieden.'

'Dat neem ik mezelf kwalijk.'

'Wat neem je jezelf kwalijk?'

'Ik was degene die nuchter was die avond.'

'Het is heus niet alsof je me gebruikt hebt.'

'Maar toch...'

Met dubbele tong hief ze een flard Edith Piaf aan, om vervolgens in een vermoeide lach uit te barsten.

'Twee glazen water voor het slapengaan, dat helpt,' adviseerde Fox.

'Dat zegt Freddie ook altijd.' De zucht die ze slaakte vervormde tot geknetter op de lijn.

'Slaap lekker, Evelyn.'

'Trusten, Malcolm.'

Hij plugde het toestel in de oplader en ging weer liggen, met zijn hoofd op het kussen, de ogen gesloten. De lamp naast zijn bed was nog aan, maar zo had hij het graag. Wanneer hij 's ochtends opstond deed hij hem uit alvorens de gordijnen te openen. Hij vouwde zijn handen achter zijn hoofd en opende zijn ogen om naar het plafond te staren. Uiteindelijk zou hij wel indommelen.

Zoals altijd.

Maar eerst moest er nog meer worden nagedacht.

ZEVEN

23

De ochtend was onstuimig. Fox parkeerde op de strandpromenade en nam plaats op de achterbank van de auto naast de zijne.

'Koffie,' zei Joe Naysmith, en hij reikte hem een beker meeneem-koffie aan. Fox bedankte hem en verwijderde de deksel. Het vocht was lauw maar nog steeds drinkbaar.

'Hou je onze stoelen op bureau Fettes voor ons warm?' vroeg Tony Kaye.

'Gisteren hebben we een bezoekje gehad van Special Branch,' liet Fox hem weten. 'Die zijn met die bomexplosies in de weer.'

'Kwajongens die wat vuurwerk afsteken,' zei Kaye. 'Daar durf ik mijn huis om te verwedden. Typisch iets voor die terrorismejongens om te doen alsof het om iets ernstigs gaat – zo houden ze het publiek angstig en kunnen zij hun lekkere luizenbaantjes houden.'

'Sinds wanneer knutselen kinderen spijkerbommen in elkaar?' wierp Fox tegen.

'Je gaat toch niet beweren dat we nu ook al naar jihadi's in kilts moeten uitkijken?' Kaye sloeg zijn ogen ten hemel. 'Alsof we al niet genoeg op ons bordje hebben.'

'Misschien is het Dark Harvest Commando wel terug,' opperde Naysmith.

'Ja, jij en Malcolm moesten maar eens naar dat antraxeiland peddelen om te zien of ze daar weer aan het graven zijn.' Kaye schudde langzaam zijn hoofd.

'Maar intussen...?' drong Fox aan.

'Intussen heb ik een belletje van je maatje Mills gehad,' kwam Kaye hem tegemoet. 'Ik kwam net onder de douche vandaan – ze zit erbovenop, hè?'

'Wat had ze te vertellen?'

'Dat er bij de receptie een cadeautje op ons lag te wachten.'

'Nou?'

Naysmith hield een geheugenstick omhoog. Hij bukte zich en pakte de laptop op die tussen zijn voeten stond. De drie mannen dronken hun koffie terwijl ze naar de opname luisterden. De tap dateerde van tien over acht de vorige avond en was wisselend van kwaliteit.

'Daar ben ik dan, eindelijk thuis,' klaagde Paul Carter. 'Tien uur aan een stuk ondervraagd.'

'Balen,' zei Scholes meelevend.

'Megabalen. Iemand heeft me gigantisch verneukt.'

'Weet ik toch.'

'Enig idee wie?'

'Herinner je je de Shafiqs nog? Ik zat me af te vragen of een van die zonen misschien nog een rekening te vereffenen had.'

'Dat was vorig jaar.'

'Nou ja, ik heb het toch maar aan Cash gemeld.'

Naysmith draaide zich om in zijn stoel. 'Dat heb ik even snel nagezocht: de familie Shafiq bezit bedrijven in heel Fife.'

Fox knikte en luisterde verder.

'Je oom had een paar halvegaren op de loonlijst,' hoorden ze Scholes zeggen. 'Tosh Garioch, Mel Stuart...'

'Die ken ik,' zei Carter.

'Dan weet je dat ze allebei gezeten hebben. Gassies met korte lontjes en opgepompte lijven van het bodybuilden en de verboden supplementen.'

'Die werkten als portier voor oom Alan.'

'Ja.'

'En jij denkt dat ze misschien een appeltje met hem te schillen hadden?'

'Niet echt,' gaf Scholes uiteindelijk toe.

'Bij de recherche lijken ze te denken dat ondergetekende hier de enige is met een motief.'

'Ik doe mijn best, maat.'

'Hoor eens, Ray,' zei Carter, 'ik kan begrijpen dat je misschien gedacht hebt dat je me een dienst bewees...'

'Ho, wacht eens even, Paul. Ik heb hier niets, maar dan ook niets mee te maken, laat daar absoluut geen misverstand over bestaan.'

'Hoe zit het met Gary of Mark?' (Oftewel Michaelson en Haldane.)

'Je zit helemaal op het verkeerde spoor.'

'Je klinkt alsof je denkt dat ik het gedaan heb.'

'Er is nog niets zeker. De plaats delict ziet er dan misschien wat dubieus uit, maar het blijft zelfmoord totdat het tegendeel bewezen is.'

'Ik heb hem niet vermoord, Ray.'

'Dat zeg ik toch – misschien heeft niemand hem vermoord.'

Op de achtergrond klonk het geluid van een openslaande deur en een vrouwenstem.

'Ik moet hangen, Paul,' zei Scholes op een toon die eerder opgelucht dan verontschuldigend klonk. 'Laat je niet kisten, hè.'

'Kan ik even langskomen?'

'Vanavond niet, maat.'

'Het... het spijt me. Van alles.'

'Je slaat je er wel doorheen, Paul. Vergeet niet, jij bent Mr. Teflon, alles glijdt van je af.'

'Mr. Teflon,' galmde Paul Carter op vermoeide en weinig overtuigde toon.

Naysmith klapte zijn laptop dicht. 'Dat was het,' verklaarde hij.

'Carter zei dat het hem speet,' merkte Kaye op. 'Vermoedelijk vanwege al het gelazer waarmee hij Scholes heeft opgezadeld, waaronder meineed.'

'Wat meer achtergrondinformatie zou wel van pas zijn gekomen,' stelde Naysmith vast. 'Wat vind jij, Malcolm?'

'Hij is behoorlijk stellig dat hij zijn oom niet afgemaakt heeft.'

'Ja,' pareerde Kaye, 'net zoals hij voor de rechtbank heel stellig volhield dat hij die vrouwen met geen vinger had aangeraakt.'

'Nu je het toch over ze hebt...' begon Fox.

'Ik heb nog eens met Billie en Bekkah gesproken,' was Kaye hem prompt ter wille. 'Opmerkelijk dat Scholes die twee neanderthalers noemde: Tosh Garioch is heel toevallig Billies huidige scharrel.' Kaye draaide zich in zijn stoel om zodat hij Fox recht aankeek. 'Toen jij zei dat Alan Carters bedrijf ook portiers leverde...'

'... dacht jij: ik zal eens kijken of er een verband is?' Fox knikte langzaam. 'Dat is er dus.'

'Nogal toevallig allemaal, hè?' zei Kaye terwijl hij zijn mond vertrok. 'Het botert niet tussen Alan Carter en zijn neef... hij dient een klacht tegen hem in... en daar rolt niks uit totdat Teresa Collins van gedachten verandert en Billie en Bekkah zich melden.'

'En dan blijkt Billies vriendje,' vulde Naysmith aan, 'ook nog eens voor die oom te werken.'

'Dus wat denk jij?'

'Dat er nog het nodige spitwerk te verrichten valt,' antwoordde Kaye. 'Maar ik begin zowaar wat licht in de tunnel te zien.'

'Je bedoelt dat Paul Carter er door zijn oom in geluisd is?'

'Als dat zo is,' redeneerde Naysmith, 'dan had hij des te meer reden om op wraak uit te zijn.'

'Waardoor hij ook weer in de picture komt voor die moord.'

'Als het al moord was.' Het was Naysmith' beurt om zich in zijn stoel om te draaien teneinde oogcontact met Fox te maken. 'Stel dat Alan Carter zijn neef nog dieper in de shit wilde laten zakken? Hij had al besloten er een eind aan te maken. Hij belt Paul zodat dat telefoontje als het laatste geregistreerd staat dat hij ooit gepleegd heeft – in de wetenschap dat Paul dan heel wat lastige vragen over zich heen zal krijgen.'

'Iets te vaak naar *Midsummer Murders* gekeken, Joe?' vroeg Kaye met een schamper lachje.

'Het is een mogelijkheid,' gaf Fox toe. Na het laatste restje koffie weggewerkt te hebben, perste hij de deksel in de geplette beker. 'Heb je al iets over Gavin Willis gevonden?'

'Nog niet.'

'Je zou het Alec Robinson kunnen vragen.'

'Wie is dat?'

'De brigadier van dienst.'

'Die kijkt me altijd aan alsof ik net al zijn pennen gejat heb,' klaagde Naysmith.

'Anders kun je misschien Hendryson proberen. Die deelde de lakens uit voordat Pitkethly erbij gehaald werd.'

'Niet zo snel, Foxy,' zei Kaye. 'Straks denkt dit knaapje nog dat hij een echte grotemensenrechercheur is.'

'En hoe zit het met jou, Tony? Bevalt het om eigen baas te zijn?'

'Mij hoor je niet klagen.'

'Maar je begint wel te geloven dat er misschien toch iets schort aan die zaak tegen Paul Carter.'

'Misschien.'

'Wees daar maar niet zo zeker van. Afgelopen vrijdag had ik Carter aan de telefoon, net nadat ze hem opgebracht hadden. Hij gaf toe dat hij "wel eens wat uitgevreten had".'

'Zijn bewoordingen?'

Fox knikte bevestigend.

'Waarom belde hij jou?' vroeg Naysmith.

'Hij weet niet meer wie hij nog kan vertrouwen.'

Kaye dacht hier even over na. 'Ik was van plan nog eens met Teresa Collins te praten,' vertrouwde hij ze toe. 'Dit keer op neutraal terrein, misschien in een café of een pub. Wisten jullie dat ze uit het ziekenhuis ontslagen is?'

'De psychiater heeft haar gezond verklaard?'

'Ik weet alleen dat ze weer thuis is.'

'Je pakt haar toch wel een beetje voorzichtig aan, hè?'

'Ik kan best invoelend doen en zo, hoor.'

'En zie, het volk trekt juichend door de straten,' zei Malcolm Fox.

Het grondplan van St. Andrews ging Fox boven de pet.

Op de kaart zag het er overzichtelijk genoeg uit. Een hoofdweg voerde je de stad in naar een paar winkelstraten die evenwijdig aan elkaar liepen. Hij had een uur de tijd om de stad te voet te verkennen en bleef maar op nieuwe gezichtshoeken stuiten. De golfbaan – ja, vanzelfsprekend was er een golfbaan. Twee stukken strand aan weerszijden ervan. Maar ook een kasteelruïne. Een toren. En verscholen tussen eerbiedwaardige universiteitsgebouwen ving hij af en toe een glimp op van moderne architectuur, van glas en staal. En een haven. St. Andrews had zijn eigen haven, niet ver bij het zeebad vandaan. Vandaag waren er geen badgasten die het weer trotseerden. Kliffen... met bordjes die onoplettenden op het rechte pad moesten houden, en straaljagers die met grote regelmaat gierend door de lucht joegen, wat hem eraan herinnerde dat er niet al te ver hiervandaan een RAF-basis was.

Massa's studenten leken volmaakt op hun gemak, krioelend door dit doolhof zonder te verdwalen. Oudere inwoners wisselden op straat ongedwongen de laatste roddels uit. Lachende toeristen maakten jacht op thee met scones, reisdekens in Schotse ruit en miniatuurwhiskyflesjes in de vorm van golfballen. Maar met zijn wagen geparkeerd in wat hij dacht dat de hoofdstraat was, kostte het Fox verschillende pogingen hem terug te vinden, en tegen die tijd verkeerde hij niet alleen in een verhevigde staat van opwinding, hij was ook nijdig op zichzelf. Twee hoofdstraten: dat hij dat niet eerder had kunnen bedenken.

Hij liep hier maar wat te dralen omdat hem, toen hij eindelijk de juiste persoon op de universiteit gevonden had, te verstaan was gegeven dat het wel een uur of twee kon duren voordat ze eventueel iets hadden opgediept. De assistente van de afdeling Inschrijving en Registratie deed het voorkomen alsof het allemaal Fox' eigen schuld was. De paar bijzonderheden waarover hij beschikte had ze genoteerd: Alice Watts/politicologie en filosofie/1985.

'Geboortedatum?'

Hij had zijn schouders opgehaald en zijn hoofd geschud.

'Thuisadres?'

Weer een schouderophalen. 'Tijdens de semesters verbleef ze in Anstruther.'

'Eerste jaar van inschrijving?'

'Sorry. Geen idee.'

Dus liep hij nu de stad te verkennen, geïntrigeerd dat al die als los zand aan elkaar hangende stadselementen niet iedereen tot een milde vorm van waanzin dreven. Hij vergeleek het met Edinburgh: studenten, toeristen en inwoners die ieder hun eigen ruimte bedongen en zich een eigen beeld van de stad vormden. Op de strandpromenade liet hij een elegant restaurant in de vorm van een glazen doos voor wat het was om in het café van het Byre Theater een panino met tonijn en gesmolten kaas te nuttigen. Gebaseerd op het gesprek van die ochtend met Kaye en Naysmith had hij een paar aantekeningen neergekrabbeld. Hij had vergeten de assistente om haar doorkiesnummer te vragen, dus kon hij niet navragen of er al voldoende tijd verstreken was. Met een krant als gezelschap keerde hij terug naar haar kantoor, maar ze viel nergens te bekennen. In plaats daarvan was er een jongeman. Hij droeg een pullover zonder mouwen en een strikje, en had Fox gevraagd plaats te nemen. Terwijl Fox *The Independent* doorbladerde, was hij zich ervan bewust dat de man hem voortdurend heimelijke blikken toewierp. Ongetwijfeld had hij te horen gekregen dat Fox van de politie was. Elke keer wanneer Fox zijn starende blik trachtte te beantwoorden, was de man alweer op zijn beeldscherm gespitst, zijn vingers druk in de weer met de muis en het toetsenbord.

'Sorry,' zei de assistente toen ze met kordate pas door dezelfde deur binnenkwam als Fox daareven. Ze liep naar haar kant van het bureau, trok haar jas uit, hing die aan een haakje en duwde haar haar in model. 'Het was een heel gegraaf.' Ze had een grote, bruine envelop bij zich. Terwijl Fox zich naar de balie begaf, trok ze er enkele A4'tjes uit.

'Dit is wat we over haar hebben,' zei ze.

Alice Watts was in maart 1965 in Glasgow geboren, dus ze was op het moment van Vernals dood twintig geweest. In september 1983 had ze zich bij St. Andrews ingeschreven. Bijgevoegd waren twee inschrijvingsfoto's van paspoortformaat, eentje uit 1983, de andere uit 1984. In een jaar tijd was ze spectaculair veranderd: op de eerste oogde ze timide en onderdanig, op de tweede vastberaden, met een wilde look. In haar eerste jaar had ze in een studentenhuis gezeten, tijdens het tweede op het adres in Anstruther.

'Een hele tocht,' merkte Fox al lezend op.

'Maar Anstruther is prachtig,' wierp de secretariaatsassistente tegen.

Haar thuisadres was in een straat met een postcode van Glasgow. Er zat ook een telefoonnummer bij. Fox bladerde door naar een volgend vel en zag dat hierop haar examenresultaten vermeld stonden, samen met voortgangsrapportages van de betreffende docenten. De eerste beoordelingen kon hij niet anders dan als 'juichend' omschrijven, maar toen begon het haar mentoren op te vallen dat Alice meer tijd aan 'demonstraties dan aan scripties' besteedde. Ze raakte 'steeds nauwer betrokken bij de studentenpolitiek, wat ten koste gaat van haar studieresultaten'. Fox draaide de vellen om, maar ze waren maar aan één kant bedrukt.

'Niets van na het tweede jaar?' vroeg hij.

'Ze is vertrokken.'

'Van de universiteit getrapt?'

De assistente schudde haar hoofd en wees naar de betreffende passage. Alice was gewoon niet meer op komen dagen. Er waren brieven verstuurd naar haar adres in Anstruther en uiteindelijk naar haar ouderlijk huis. Ze had op geen enkel schrijven gereageerd. Fox controleerde de betreffende data. Zoals de weduwe al had gezegd, had Alice na de dood van Francis Vernal niets meer met haar universiteit te maken willen hebben.

'Er is nooit meer iets van haar vernomen,' zei de assistente. Ze boog zich naar Fox en vroeg op gedempte toon: 'Is ze soms vermoord?'

Fox staarde haar aan en schudde zijn hoofd.

'Wat dan wel?' vroeg ze met opengesperde ogen, hongerend naar de sappige details. Haar mannelijke collega was opgehouden met typen en was een en al aandacht.

Fox liet zich niet vermurwen en hield de vellen omhoog. 'Die neem ik mee,' informeerde hij de assistente. 'Oké?'

'De originelen blijven hier,' zei ze, niet in staat haar teleurstelling in hem te verhullen. 'Ik zal ze voor u moeten kopiëren.'

'Gaat dat lang duren?'

'Een paar minuten.'

Met een knikje gaf Fox zijn instemming te kennen. Toen zag hij dat ze haar hand naar hem ophield.

'Dat is dan dertig pence per vel,' zei ze. 'Tenzij u een studentenpas heeft...'

Het adres in Anstruther was een appartement met uitzicht op de haven. Er stonden zoveel dagjesmensen in de rij voor de fish-and-chipstent dat de stoet tot op de stoep uitwaaierde. De vrouw die nu in de flat woonde was een kunstenares. Ze offreerde Fox een kopje kruidenthee, maar kon hem verder weinig bieden. Ze had de woning van de vorige eigenaar gekocht, die inmiddels was overleden. Ja, het was ooit een huurhuis geweest, maar bijzonderheden wist ze niet. Soms kwam er post voor mensen van wie ze nooit gehoord had, maar die gooide ze gewoon weg. De naam Alice Watts zei haar niets en geen van de vroegere bewoners was ooit langs geweest. Fox prees haar werk omstandig – de wanden waren behangen met kleurrijke schilderijen van vissersboten, havens en kustformaties –, maar toen hij aanstalten maakte haar aan haar bezigheden over te laten, drukte ze hem een visitekaartje in de hand en liet hem weten dat ze ook werk in opdracht deed.

'Dat zal ik in gedachten houden,' zei hij, en hij blies gehaast de aftocht.

Hij overwoog een uitstapje naar Glasgow te maken – dat zou zo'n anderhalf uur in beslag nemen – maar besloot vanuit zijn auto een paar telefoontjes te plegen. Uiteindelijk belde iemand van bureau Govan terug. De agent was persoonlijk naar het adres gereden.

'Het is een kantoorgebouw,' liet hij Fox weten.

'Een kantoorgebouw?' Fox fronste zijn wenkbrauwen terwijl hij naar de inschrijvingsgegevens van Alice Watts staarde. 'Hoe lang staat dat er al?'

'Tot 1982 was het een pakhuis. In 1983 werd het gerenoveerd.'

1983, het jaar dat Watts aan St. Andrews was gaan studeren.

'Dan moet ik een verkeerd adres hebben.'

'Lijkt me ook,' beaamde de agent. 'In die hele straat is geen woonhuis te bekennen. Ook nooit geweest, zover ik weet.'

Fox bedankte hem en hing op. Opnieuw probeerde hij het nummer van Alice Watts. De langgerekte pieptoon vertelde hem dat het nummer niet bestond. Hij hield de beide foto's van Alice naast elkaar. De laaghangende zon was door de wolken gebroken, en hij zag zich gedwongen de zonneklep omlaag te klappen. Zelfs met de raampjes dicht kon hij het gefrituurde deeg en de oliedampen uit de fish-and-chipstent nog ruiken.

'Ik zit met een revolver die niet zou mogen bestaan en een studente die spoorloos verdwenen is,' zei hij hardop tegen de foto's. 'Dus heb ik een vraagje voor je, Alice: wie ben je in godsnaam?'

En waar was ze nu?

24

'Bedankt dat je gekomen bent,' zei Tony Kaye.

Het café lag in een uitgeblust ogend winkelcentrum naast het busstation: een en al harde tl-verlichting en discounters. Teresa Collins had donkere wallen onder haar ogen, en hij nam aan dat de vlekken op haar kleren bloedspetters van een paar dagen eerder waren. Hij was zowaar naar haar straat teruggegaan en had daar een tijdje in zijn Mondeo gezeten. Donkere vegen op het huiskamerraam – opnieuw bloed. Hij had haar niet opgezocht, maar een briefje in haar brievenbus gestopt met zijn telefoonnummer en het verzoek, en gewacht tot zij contact met hem had opgenomen.

'Ik ben uitgehongerd,' zei ze, de haarklitten uit haar ogen strijkend. Op de rug van haar handen prijkten verbleekte tatoeages – het product van huisvlijt – en één pols zat in het verband, de andere kon het met een grote pleister af. Hij schoof haar het menu toe.

'Neem maar wat je wilt,' zei hij.

Ze bestelde een roomijs met banaan en slagroom en een beker warme chocola.

'Ik wilde me nog verontschuldigen voor laatst,' zei hij, toen de bestelling geplaatst was.

'Klopt het van Paul Carter? Is hij opgepakt voor moord?'

Kaye knikte en voelde zich niet bezwaard door de leugen. 'Van hem zul je geen last meer hebben.'

'Arme man,' mompelde ze.

'Bedoel je Paul?'

Ze schudde haar hoofd. 'Degene die hij vermoord heeft.'

Hij zag dat ze ernstig om een sigaret verlegen zat. Het pakje lag voor haar op tafel, en haar vingers speelden met de goedkope plastic aansteker. Maar toen de ijscoupe eenmaal gebracht was, deed ze zich uitgebreid te goed. Drie suikerzakjes verdwenen in het begeleidende drankje. Er stak bijna iets kinderlijks in de manier waarop haar gezichtsuitdrukking milder werd terwijl ze at, alsof ze lang verloren genoegens terughaalde.

'Smaakt het?' vroeg hij.

'Ja.' Maar zodra ze uitgegeten was vroeg ze of ze konden gaan. Hij rekende af, zijn eigen koffie nog onaangeroerd, en zij ging hem voor de winkelstraat in, stak de begeerde sigaret op en inhaleerde diep.

'Waar wil je heen?' vroeg hij.

Ze haalde haar schouders op en bleef doorlopen. Ergens bij een verkeerslicht staken ze over. Hij wist dat ze grofweg in de richting van het voetbalstadion liepen.

'Kirkcaldy heeft wel eens betere tijden gekend,' vermoedde hij.

'Ook slechtere.'

'Heb je hier je hele leven gewoond?'

'Ik heb ooit een tijdje in Londen gezeten – ik haatte het daar.'

'Hoe lang?'

'Totdat het geld op was. Het kostte me een kleine drie dagen om liftend thuis te komen.'

Het aantal winkels nam geleidelijk af en de meeste wekten de indruk de deuren permanent gesloten te hebben. Een paar hoge flatgebouwen scheidden hen van de zee. Teresa liep op een van de flats af, langs twee half gesloopte deuren en bleef voor een lift staan.

'Ik wil je wat laten zien,' zei ze. De lift hotste naar de bovenste verdieping. Toen ze de galerij op stapten, sloeg de wind hard in hun gezicht. Ze spreidde haar armen breed uit en trad de kolkende, razende lucht tegemoet.

'Als kind kwam ik hier zo graag,' verklaarde ze. 'Ik verwachtte altijd dat de wind me mee zou nemen en me ergens anders heen zou brengen.'

Kaye tuurde de diepte in en werd een paar tellen door duizeligheid bevangen. Hij hield zijn blik strak op het uitzicht op Edinburgh aan de andere kant van het water gericht.

'Ik had hier een tante wonen,' zei Teresa. 'Nou ja, niet echt een tante, gewoon een goede vriendin van ma. Ik trok altijd bij haar in als pa thuis was.' Ze zag dat Kaye het niet helemaal kon volgen. 'Die zat in het leger – was altijd heel lang weg. Als hij thuiskwam, was het altijd een en al seks en zuipen, en soms nog wat klappen.'

'Je moeder wilde niet dat je dat zag?'

Collins haalde haar schouders op. 'Misschien. Maar misschien wilde ze gewoon niet dat hij ook wat bij mij flikte.' Ze was even stil en keek hem strak aan. 'Waar-ie ook heen ging... wat voor verhalen hij ook zat op te dissen... een cadeautje heeft hij nooit voor me meegebracht. Niet één keer. Mannen, je reinste klootzakken zijn het. Ben er nog nooit eentje tegengekomen die deugde.'

'Dan ben ik dus ook een klootzak.'

Ze ontkende het niet, maar probeerde in plaats daarvan opnieuw een sigaret op te steken. Hij hield zijn jas open om het vlammetje van de aansteker af te schermen.

'Dank je,' zei ze, en ze blies over de balustrade leunend een lange sliert rook uit.

'Wat is er met je tante gebeurd?' vroeg hij.

'Verhuisd. Later hoorde ik dat ze dood was.'

'En je vader en moeder?'

'Ma kreeg een beroerte. Een jaar later was ze dood. Van pa heb ik geen idee waar die uithangt.'

'Zou je het wel willen weten?'

Ze schudde haar hoofd.

'Is er momenteel een man in je leven, Teresa?'

'Nu en dan,' gaf ze toe. 'Maar alleen als ik op zwart zaad zit.' Ze glimlachte schuldbewust. 'Heb jij toevallig wat geld over?'

'Ik kan je een briefje van twintig lenen.'

'En waarom zou jij dat doen, meneer de agent?'

Hij haalde zijn schouders op en begroef zijn handen diep in zijn jaszakken.

'Wat wil je eigenlijk van me?' vroeg ze terwijl ze met moeite haar haar uit haar ogen streek.

'Ik ben alleen maar nieuwsgierig.' Ze wachtte tot hij verderging. 'Van die eerste klacht tegen Paul Carter heb je nooit veel werk gemaakt. Maar later wel. Waardoor ben je van gedachten veranderd?'

'Ik kon niet toestaan dat hij ermee wegkwam.'

'Dat klinkt nogal ingestudeerd.'

'Nou en? Ik heb het ook vaak genoeg moeten zeggen. Dacht je soms dat iemand me betaald heeft – is dat het?'

Hij kneep zijn ogen een stukje toe. 'Dat is geen seconde bij me opgekomen,' zei hij op rustige toon.

Ze draaide zich van hem weg, sloeg haar armen om zich heen, met de sigaret strak tussen haar duim en wijsvinger geklemd.

'Daar hoefde niemand me voor te betalen,' zei ze. 'Ik deed het omdat het gedaan moest worden.'

'Maar je hebt er wel met iemand over gepraat, hè? Is dat wat je bedoelde?' Hij deed een stap dichterbij en dacht aan wat ze in het café tegen hem gezegd had – *arme man...* 'Pauls oom? Alan Carter?'

Ze staarde omhoog naar de lucht. De wind maakte zich weer meester van haar haar, wikkelde het om haar gezicht zodat het leek alsof ze erdoor gesmoord werd.

'Alan Carter?' drong Kaye aan.

Ze duwde zich op haar tenen omhoog en gooide haar armen weer in de lucht. Heel even dacht Kaye dat ze van plan was zich in het luchtledige te storten. Hij ging zover dat hij al een hand naar haar uitgestrekt hield. Ze kneep haar ogen dicht, als een kind dat zich klaarmaakt het luchtruim te kiezen.

'Teresa?' zei Kaye. 'Al die dingen die je over Paul Carter gezegd hebt – waren die waar?'

'Hij heeft zijn verdiende loon gekregen,' lepelde ze op. 'Hij heeft het korps te schande gemaakt.'

Niet haar woorden, maar Kaye kon zich wel voorstellen dat ze van een collega-diender afkomstig waren – of van een gepensioneerde collega.

'Kan hem er niet ongestraft mee weg laten komen... ik ben heus niet de enige... er zijn vast nog anderen.' Haar ogen waren nog steeds geloken. 'Zijn verdiende loon.' Kayes vingers sloten zich rond haar magere onderarm.

'We moesten maar eens op de lift aan,' zei hij.

'Kan ik niet nog even blijven?'

'Niet in je eentje, nee.' Ze opende haar ogen en keek hem aan. 'Het is voor je eigen veiligheid, Teresa.'

'Dat soort dingen zeggen ze allemaal,' zei ze tegen hem. 'Ze willen allemaal voor je zorgen.' Kaye vroeg zich af of het alleen de gierende wind was die een traan uit haar oog tevoorschijn perste. 'Maar dan veranderen ze,' zei ze zachtjes, terwijl ze zich gewillig door hem van haar droomvlucht uit de werkelijkheid liet wegvoeren.

Joe Naysmith wierp één blik op de brigadier van dienst en wist genoeg. Al vanaf het eerste moment dat de moordbrigade haar opwachting had gemaakt, oogde hij alsof hij elk moment kon ontploffen. Zíjn bureau, zíjn koninkrijkje – maar nu niet meer. Rechercheurs en agenten in uniform liepen af en aan in de receptieruimte, spullen sjouwend, hem overstelpend met vragen en verzoeken. Dan hadden ze weer stoelen nodig, of bureaus of opladers voor in de coördinatieruimte. Ze keurden hem nauwelijks een blik waardig en trokken zich niets van hem aan.

Nee, Naysmith betwijfelde of hij iets uit brigadier Robinson zou loskrijgen. Maar dat gaf niet: hij had een ander plan. De recherchevertrekken waren één grote chaos, maar in een hoek vond hij Cheryl Forrester, die alle bedrijvigheid opgewonden gadesloeg. Ze zag hem en gebaarde naar de gang. Tegen de tijd dat ze zich bij hem gevoegd had, stond hij al munten in de frisdrankautomaat te werpen.

'Wil je een blikje van het een of ander?' bood hij aan.

'Sprite,' zei ze, en ze ging dichter tegen hem aan staan omdat twee rechercheurs langssnelden.

'Gaat het nog een beetje?' vroeg hij terwijl hij haar het gekoelde blikje aanreikte.

'Geweldig,' zei ze. 'Kom je me weer vragen stellen?'

'Min of meer.' Hij besefte dat ze in de gang geen moment rust zouden krijgen, dus voerde hij haar mee naar het trappenhuis. Ze vroeg hem of hij zelf niet iets wilde drinken.

'Ik ben door mijn kleingeld heen,' bekende hij. Ze glimlachte en bood hem haar geopende blikje aan. Hij nam een slok en gaf het terug.

'Wat geheimzinnig allemaal,' zei ze terwijl ze haar omgeving in zich opnam.

'Ik moet je om een gunst vragen,' zwichtte hij. 'Herinner je je Gavin Willis, een oud-rechercheur van dit bureau?'

'Ik heb de naam wel eens horen vallen.'

'Die is al lang geleden overleden,' vertelde Naysmith haar. 'Maar ik neem aan dat je hoofdinspecteur Hendryson wel kent.'

'Natuurlijk.' Ze likte de Sprite van de bovenkant van het blikje.

'Ik vroeg me af of er een manier is om met hem in contact te komen.'

'Hij is met pensioen.'

'Komt hij nog wel eens langs?'

Ze schudde haar hoofd. 'Is nogal een tocht, helemaal uit Portugal.'

'Hij is naar Portugal verhuisd?'

'Volgens mij wilde zijn vrouw dat. Af en toe stuurt hij een ansichtkaart, dan wrijft hij ons altijd in hoe warm de zee is.'

'Dus iemand moet zijn adres hebben.'

Forrester keek hem strak aan. 'Wat moet je daarmee?'

'Geen idee,' veinsde hij. 'Ik ben maar gewoon de loopjongen van de baas.'

'Dat gevoel ken ik.' Ze zweeg even en hield haar hoofd een beetje scheef. 'Heb je plannen voor vanavond?'

'Hoezo?'

'Ik dacht, dan kun je me een drankje aanbieden en me daarna mee uit eten nemen, als je zin hebt. Tegen die tijd heb ik vast wel wat voor je opgediept.'

Naysmith dacht een paar tellen na. 'Ik weet het niet, Cheryl.'

'Omdat je van Interne Zaken bent?'

'Ja.'

'Ik ben toch geen verdachte of zo?'

'Maar je komt straks wel in het eindrapport voor.'

'Nou en?'

'Het heeft iets met beroepsethiek te maken.'

'We gaan een hapje eten, dat is alles. En dan krijg je het adres waar je chef naar op zoek is.'

Naysmith deed alsof hij de voors en tegens afwoog. 'Vooruit dan maar.'

'Als je het tenminste niet te druk hebt.' Ze zat hem nu te plagen.

'Ergens in de buurt?' veronderstelde hij.

Opnieuw schudde ze haar hoofd. 'In North Queensferry zit een te gek tentje.'

'Waarom daar?'

'Daar woon ik.'

'Je meent het?'

Toen er een glimlach op haar gezicht doorbrak, moest hij wel teruglachen.

'Ja,' zei hij. 'Ja, waarom ook niet, verdomme.'

25

Professor John Martin – JDM voor vrienden en collega's – woonde in een chic nieuwbouwappartement achter de dierentuin van Edinburgh. Al was het inmiddels avond en een paar graden koeler, toch gunde hij Fox met alle plezier een kijkje op het balkon.

'Kunt u ze horen?' vroeg hij.

Fox knikte. Dieren: gesnuif en gebrul en gekrijs.

'Soms kun je ze ook ruiken,' zei de professor. 'Iedereen in de buurt met een tuin loopt bij de dierentuin om mest te bedelen. Die beschikt, afgezien van de andere kwaliteiten, over zekere afwerende eigenschappen.'

'U bedoelt?'

'De mest schrikt de katten af, die voorkomt dat ze de bloemperken onderschijten.'

Het appartement op de derde verdieping bood geen daadwerkelijk uitzicht op de dierentuin zelf, maar Fox kon zowel de contouren van de Pentland Hills in het zuiden onderscheiden als de verkeersgeluiden op Corstorphine Road. Professor Martin was weer naar binnen gegaan, dus volgde Fox hem en schoof hij de deur achter zich dicht. Er stond klassieke muziek op, zij het nauwelijks hoorbaar: het klonk modern en minimalistisch. De ruime kamer telde een wand boordevol boekenplanken en een crèmekleurige lederen zithoek. Een boog gaf toegang tot een kleine keuken vol glimmend chroom en met mahoniefineer afgewerkte keukenkasten.

'Leuk optrekje,' zei Fox. 'Woont u hier al lang?'

'Een paar jaar.' Martin had voor hen beiden wat te drinken ingeschonken; rode wijn voor zichzelf, water met belletjes voor Fox. 'Toen de kinderen het nest verlaten hadden zijn we kleiner gaan wonen.' Martin draaide de wijn rond in zijn glas en keurde hem met zijn neus. 'Ik moet bekennen dat mijn nieuwsgierigheid gewekt is. Vertel eens, hoe heeft u mij gevonden?'

Fox haalde zijn schouders op in een poging bescheiden over te komen. 'Van het weekend heb ik uitgebreid op internet gesurft op zoek naar militante Schotse actiegroepen uit de jaren tachtig. Uw naam viel voortdurend. En toen ik zag dat u een boek over het onderwerp had geschreven...'

'Dat al jaren niet meer in de handel is,' benadrukte Martin. 'Het was mijn proefschrift.'

Fox nam aan dat dat wel zo'n beetje moest kloppen. Martin was hooguit midden veertig: lang, afgetraind, knap. Fox had een tennisracket in de hal zien liggen en elders een foto van Martin gespot met een of andere trofee die hij gewonnen had. Het boek was in 1992 uitgekomen.

'Eind jaren tachtig geschreven?' vermoedde Fox.

'En er in 1990 de laatste hand aan gelegd,' bevestigde Martin. 'Maar u heeft me nog steeds niet verklaard hoe u me gevonden heeft.'

'In uw online biografie zag ik dat u aan de universiteit van Edinburgh doceert.' Fox haalde nogmaals zijn schouders op. 'Maar voordat ik het secretariaat belde dacht ik, laat ik eerst de telefoongids eens proberen.'

Martin grinnikte. 'Makkelijk zat dus, als je weet hoe.' Hij hief zijn glas in een proostend gebaar. 'Maar ik moet bekennen dat ik de helft van het boek waarschijnlijk alweer vergeten ben. Sindsdien heb ik mijn specialisme nogal verlegd.'

'Schotse politiek,' dreunde Fox op, 'staatsrechtelijke procedures, parlementaire statuten...'

Martin maakte nog een proostend gebaar.

'Geen onverstandige zet,' stelde Fox vast. 'Gewapende activisten zijn tegenwoordig een stuk zeldzamer.'

Martin glimlachte. 'De les die Noord-Ierland ons geleerd heeft – neem je terroristen genadig in de moederschoot op, en voor je het weet kleden ze zich allemaal in pakken en bestieren ze het land.'

'Geldt dat ook voor Schotland?'

Martin dacht hier even over na. 'Dat kan ik niet met zekerheid zeggen. De SNP heeft haar leven gebeterd, met een leider wiens charisma naadloos aansluit op hun retoriek. De devolutie, de decentralisatie van de staat, heeft ze het podium verschaft. Er is geen grond meer voor rancune.'

'De jaren tachtig liepen over van rancune.'

'En de jaren zeventig niet minder,' vulde Martin aan. 'Met wortels die nog veel verder teruggaan.' Hij zweeg even. 'Ik weet niet of ik nog ergens een exemplaar van het meesterwerk heb rondslingeren.'

'Ik heb het al besteld,' biechtte Fox op.

'Ah, daar komt het internet weer om de hoek.'

'Volgens mij is het een recensie-exemplaar.'

'Dan heeft het een zekere zeldzaamheidswaarde. Mijn uitgever heeft zich niet bepaald om de promotie bekommerd.' Professor

Martin zweeg even. 'Heeft het met die bomexplosies te maken?'

'Pardon?'

'Peebles en Lockerbie? Maar er is toch hopelijk niemand die serieus denkt dat de SNLA en haar kliek terug is?'

'Een van mijn collega's stelde vrijwel dezelfde vraag. Maar ik geloof niet dat iemand het in die richting zoekt. En het is zeker niet waarom ik hier ben. Ik wilde u wat vragen over Francis Vernal stellen.'

Martin nipte van zijn wijn en keek bedachtzaam. 'Die man had ik graag ontmoet,' merkte hij uiteindelijk op. 'Op papier zien zijn redevoeringen er al indrukwekkend uit, maar hem te horen spreken, dat was van een andere orde. Er bestaan nog een paar opnames van. En wat filmfragmenten.'

Fox knikte.

'Is er nieuw bewijs boven tafel gekomen?'

'Het is eerder een kwestie van persoonlijke belangstelling.'

'Geen officiële politieaangelegenheid dus?'

'Laten we het op semiofficieel houden.'

Martin knikte en leek opnieuw in gedachten verzonken. 'Het was al met al een hels karwei, moet u weten,' zei hij uiteindelijk. 'Op een ochtend kreeg ik het gevoel dat er iemand in mijn huis geweest was en een paar hoofdstukken had bekeken. En toen het proefschrift in de universiteitsbibliotheek was opgenomen, werd het gestolen. Het heeft er amper een week gestaan...' Hij schudde zijn hoofd. 'Ik begon die samenzweringstheorieën nog bijna te geloven ook.'

'Tot dat moment had u ze van de hand gewezen?'

'Francis Vernal was een alcoholist met een slecht huwelijk. Je hoeft er niet bepaald van op te kijken dat het zo gelopen is.'

'Heeft u zijn weduwe geïnterviewd voor het boek?'

'Ze wilde me niet ontvangen.'

'Hoe heeft u uw research gedaan?'

'In welk opzicht?'

De cd was afgelopen. Martin pakte een piepkleine witte afstandsbediening van de salontafel en dezelfde serie melodieën begon van voren af aan.

'U heeft geprobeerd Mrs. Vernal te spreken te krijgen. Dat klinkt als een "participerende" aanpak. Dus vraag ik me af of u nog mensen uit de daadwerkelijke groeperingen te pakken heeft gekregen.'

'Alleen een paar meelopers en sympathisanten. Ik had ze allemaal aangeschreven.'

'Maar?'

'Maar vrijwel niemand heeft gereageerd, dus probeerde ik het nog eens – met hetzelfde resultaat.' Hij was even stil. 'Wat heeft dit met Francis Vernal te maken?'

'Deed het gerucht niet de ronde dat hij een soort bankier was geweest voor een paar van die groeperingen?'

'Ja.'

'Ik probeer een beeld van hem te krijgen.' Nu was het Fox' beurt een stilte te laten vallen. 'Denkt u dat hij zelfmoord heeft gepleegd?'

'Of hij heeft zichzelf van kant gemaakt of zijn vrouw heeft hem laten vermoorden.'

'Waarom zou ze dat doen?'

'Misschien om al haar minnaars te beschermen, of anders omdat haar man vreemdging.'

'Zij beweert dat de kranten al die verhalen over haar ontrouw uit hun duim hebben gezogen.'

Martins wenkbrauwen schoten een fractie omhoog. 'U heeft haar gesproken?' Hij klonk geïntrigeerd en onder de indruk. Er volgde een nieuwe toost, deze keer met een leeg glas. Hij ging naar de keuken om zichzelf bij te schenken. Fox wachtte tot hij terugkwam.

'Heeft u ook maar iets gevonden wat Vernal met deze terroristische groeperingen in verband brengt?' vroeg hij.

'Híj zou ze ongetwijfeld "vrijheidsstrijders" genoemd hebben, of anders "het verzet".' Martin liet de wijn weer in zijn glas ronddraaien. 'Alleen maar wat anekdotische dingetjes,' gaf hij uiteindelijk toe. 'Zijn naam viel af en toe. Er waren notulen van vergaderingen, meestal in geheimschrift, maar niet al te lastig te ontcijferen. Volgens mij werd hij doorgaans met "Rumpole" aangeduid.'

'Van *Rumpole of the Bailey*, de tv-serie?'

'Ook een advocaat tenslotte.'

Fox knikte bevestigend. 'Dus hij was bij vergaderingen aanwezig?'

'Ja.'

'En leidde hij die vergaderingen soms ook?'

'Zijn naam is nooit als zodanig gevallen. Heeft u wel eens van Donald MacIver gehoord?'

Fox knikte: nog een naam die hij op internet had opgediept. 'Die zit tegenwoordig in Carstairs.' Carstairs: de maximaal beveiligde psychiatrische inrichting.

'Wat de reden was waarom ik hem niet te spreken kon krijgen. MacIver was de leider van het Dark Harvest Commando. Het is vrijwel zeker dat hij Francis Vernal gekend heeft...' Martin zweeg even. 'Wilt u soms zeggen dat Vernal vermoord is door een van de groeperingen die hij steunde?'

'Dat weet ik niet.'

'Of door een of andere duistere samenzwering van het establishment?'

Fox haalde zijn schouders op. 'Hij beweerde dat er bij hem thuis en op zijn kantoor was ingebroken, en zijn weduwe bevestigt dat. Misschien werd hij wel geschaduwd. En nu vertelt u me zojuist dat u ook het gevoel had dat iemand stiekem uw werk heeft ingekeken.'

'Eerlijk gezegd is het daar niet bij gebleven: mijn eerste uitgever ging failliet, een tweede besloot ineens van de uitgave af te zien. Uiteindelijk moest ik bij een kleine linkse uitgeverij aankloppen. En die heeft zich er met een jantje-van-leiden van afgemaakt.'

'U weet wel hoe u iemand lekker moet maken,' zei Fox gekscherend.

'Ik hoop maar dat u zich niet blauw betaald heeft voor uw exemplaar.'

'Het is het ongetwijfeld dubbel en dwars waard.'

'Ik garandeer niets, inspecteur.' Martin leunde achterover in zijn stoel, met zijn armen op de beide leuningen.

'Heeft u nog meer namen?'

'Een paar zijn waarschijnlijk nog steeds een beetje knetter – die hebben zich als kluizenaar teruggetrokken op de westelijke eilanden, waar ze hun anarchistische blogs schrijven. Maar de meesten zullen erachter gekomen zijn dat ze na verloop van tijd precies de mannen zijn geworden die ze vroeger verachtten.'

'De gevestigde orde, met andere woorden?'

'Over het algemeen genomen waren het intelligente mensen.'

'Zelfs degenen die op Guinard in de antrax zaten te wroeten?'

'Zelfs zij,' zei professor Martin, doezelig van alle wijn. 'Nu is het allemaal anders, niet? Nationalisme is inmiddels de hoofdstroom geworden. Als u het mij vraagt gaan ze de komende verkiezingen verpletterend winnen. Over een paar jaar zouden we wel eens in een onafhankelijke Europese democratie kunnen leven. Geen koningin, geen Westminster, geen nucleaire afschrikking. Wie had dat een paar jaar terug kunnen voorspellen, laat staan een kwarteeuw geleden?'

'Zo'n beetje alles waar de SNLA en al die anderen voor gestreden hebben,' beaamde Fox.

'Zo'n beetje, ja.'

'Is er, afgezien van de psychiatrische patiënten en de kluizenaars, iemand met wie ik wat uitgebreider over deze zaken kan praten?'

'Kent u John Elliot?'

'Ik geloof van niet.'

'Hij is voortdurend op tv. Die doet het nieuws en actualiteitenprogramma's.'

'Nooit van gehoord.'

'Hij heeft het zelfs tot een vermelding in mijn boek geschopt.'

'Wat dacht u van Alice Watts?'

'Wie?'

Fox herhaalde de naam, maar het was duidelijk dat de professor nooit van haar gehoord had. Fox liet hem toch maar de twee inschrijvingsfoto's zien. Martin knipperde een paar keer met zijn ogen, alsof hij ze scherp moest stellen. 'O ja,' zei hij plots geanimeerd. 'Wat goed om eindelijk een naam bij haar gezicht te hebben.' Hij kwam weifelend overeind, maar wist de boekenkast zonder brokken te bereiken. Fox liep met hem mee en keek toe hoe hij een exemplaar van zijn eigen boek uit de kast plukte: *No Mere Parcel of Rogues. How Dissent Turned Violent in Post-War Scotland*.

'Pakkende titel, trouwens,' merkte Fox op.

'Een verhaspeld citaat van Burns.' Martin hield het boek op tweederde opengeslagen, bij een katern dat uit zwart-witfoto's bestond. Hij wees naar een van de foto's. Die besloeg een halve pagina en was, zo dacht Fox, van een antikernwapendemonstratie.

'Coulport,' bevestigde Martin. 'Daar bevond zich het depot voor het onderhoud en de doorvoer van de kernkoppen van de Polaris. Elke week maakte een nucleair konvooi vanuit Coulport de tocht naar de Koninklijke Kruitfabriek bij Reading.'

'Maar dat is honderden kilometers.'

'Ik weet het – en dat over de weg! Een ongeluk... een kaping... de risico's die ze toen namen, daar kan ik met mijn hoofd niet bij.'

Die bewuste dag – zondag 7 april 1985, drie weken voor Vernals dood – waren tien demonstranten gearresteerd. Martins vinger gleed naar de foto die de onderste helft van de pagina besloeg.

'Ziet u die Vernal van u?' vroeg hij.

'Ik zie hem,' zei Fox op rustige toon. Deze tweede foto was van een demonstratie voor een politiebureau, vermoedelijk de plek waar de tien 'martelaren' vastgehouden werden. Eén man, ouder dan degenen om hem heen, vormde het middelpunt van de foto: Francis

Vernal. Naast hem, in tuinbroek en met een muts op, stond Alice Watts. 'Met wie staat ze daar arm in arm?' vroeg Fox. Hij doelde niet op Vernal, maar op de man links van haar. Rijzig, met lange zwarte haren, een borstelige zwarte baard en een zonnebril op.

'Ik wou dat ik het wist. Hoe heette die jongedame ook weer?'

'Alice Watts,' herhaalde Fox.

'Watts...' Er verscheen een brede grijns op zijn gezicht. 'Bravo, inspecteur – twintig jaar te laat, maar toch: bravo.'

'Verklaar u nader.'

'Weer een van de codenamen opgelost,' legde Martin uit. '"Stoom".' Hij glimlachte nog steeds.

'Stoom als van James Watt?'

'En van James Watt naar Alice Watts.'

Fox gaf met een hoofdknikje te kennen dat dit alleszins denkbaar was. 'Heeft u de notulen van die vergaderingen nog?' vroeg hij.

'Ik heb alleen mijn aantekeningen van hún notulen – ik mocht ze inzien maar niet meenemen.'

'En die heeft een sympathisant u laten zien?'

'In feite precies het tegenovergestelde. Een van de problemen met al die splintergroeperingen was dat ze zich maar bleven afsplitsen. En als die facties uit elkaar gingen verliep dat even vijandig als bij de meeste scheidingen. Ik mocht de notulen inzien zodat ik met eigen ogen vast kon stellen hoe amateuristisch de groepering geworden was.'

Fox stak een vinger op om de woordenstroom van de professor te stuiten. 'Over welke groepering hebben we het hier precies?' vroeg hij.

'Het DHC.'

'Het Dark Harvest Commando?'

Martin knikte. 'Zelfs naar de maatstaven van de extremisten waren die extreem – de gewapende vleugel van de Scottish Citizen Army. Die antrax heeft u al genoemd...'

'En Alice Watts was daar lid van?' Fox keek nog eens goed naar de foto.

'Ik denk het wel, ja.' Martin was even stil. 'Is dat belangrijk, inspecteur?'

'Wat zou u zeggen als ik u vertelde dat ze ook Francis Vernals minnares was? En dat ze vrijwel onmiddellijk na zijn dood van de aardbodem verdwenen is?'

De professor was even uit het veld geslagen. Hij sloeg het boek dicht en drukte het zijn tegen zijn borst. 'Dan zou ik zeggen,' zei hij kalm, 'dat er misschien een herziene editie van mijn boek op stapel staat.'

'Het wordt nog beter,' zei Fox. 'Voor zover ik kan overzien heeft Alice Watts nooit bestaan...'

Die avond keek Fox tv met het geluid uit en negeerde hij een belletje van zijn zus en twee van Evelyn Mills. Hij zat zich af te vragen hoe het zou zijn om naast een dierentuin te wonen, om de dieren te horen en te ruiken zonder ze ooit te zien.

En hoe het zou zijn om student te zijn en ervoor te kiezen in een gehucht als Anstruther te wonen.

Of om voor het tv-nieuws en actualiteitenprogramma's te werken.

Of om in Carstairs opgesloten te zitten.

Of om van moord verdacht te worden.

Pas toen de aftiteling over het scherm rolde, drong het tot hem door dat het een film was geweest. Hij kon zich er niets van herinneren.

Jude had hem een sms gestuurd: *Ga bij pa langs. Het is JOUW beurt!*

Ze had gelijk, dat spreekt voor zich. En het is niet alsof je wat beters te doen hebt, Foxy, zei hij in zichzelf.

No Mere Parcel of Rogues – 'Niet zomaar een pak boeven' –, een verhaspeld citaat van Burns, volgens professor Martin. Fox had Robert Burns sinds zijn schooltijd niet meer gelezen. Hij pakte zijn laptop, de bron van alle kennis, deels zelfs betrouwbaar. Hij zou het betreffende citaat opzoeken. En dan misschien nog een paar namen nagaan: Donald MacIver, John Elliot.

En daarna linea recta naar bed, beloofde hij zichzelf.

Misschien met het raam een paar centimeter open, om de geluiden en geuren van de nacht binnen te laten...

ACHT

26

Fox stond vroeg op en ging bij zijn vader op bezoek. In de tuin van Lauder Lodge stond een bank en het leek Mitch wel wat er te gaan zitten, dus zorgde Fox dat hij goed werd ingepakt. Iemand van het personeel gaf hun een reisdeken voor zijn benen. Bij hoed en sjaal trok Mitch echter de grens.

'Als je me nog verder inbakert ben ik rijp voor zo'n Egyptische graftombe.'

De hoge tuinmuren boden beschutting tegen de windvlagen van de Noordzee. De tuinman zag eruit alsof hij elk moment zelf als gast kon intrekken. Hij knikte goedendag en ging verder met zijn werk.

'Tuinieren was nooit aan mij besteed,' vertelde Mitch zijn zoon.

'Ma was degene met de groene vingers,' beaamde Fox.

'Als het aan mij had gelegen, had ik er één groot terras van gemaakt.'

'Weet je nog die keer dat ik aan de waslijn hing? Die brak en ik knalde met mijn kop op de tuintegels.'

'Je moeder belde me vanuit het ziekenhuis. Drie hechtingen, toch?'

Fox wreef over zijn kruin. 'Vijf,' verbeterde hij zijn vader.

Mitch glimlachte. 'Weet je wat je moeder zei toen ze belde? Dat het een hele toer zou worden om het bloed eruit te krijgen.'

Fox wist het nog: het gestreepte badlaken dat om zijn hoofd gewikkeld was om het bloeden te stelpen. Die had hij daarna niet meer teruggezien.

Mitch zag hoe zijn zoon een geeuw onderdrukte. 'Een latertje?'

'Nogal.'

'Werk of plezier?'

'Drie keer raden.'

'Er is niks mis met werk, Malcolm, maar het leven heeft meer te bieden. In elk geval verklaart dat waarom ik je een tijdje niet gezien heb.'

'Maar Jude is toch langs geweest?'

'Op zaterdag en zondag – je afwezigheid is niet onopgemerkt gebleven.'

'Ik heb het druk gehad.'

'Dus geen poging om ons te ontlopen?'

'Nee.' Fox verschoof op de bank. 'Maar het lijkt wel alsof het altijd op ruzie uitdraait.'

'Jij en je zus?' Mitch knikte langzaam. 'Ik denk dat het haar dwarszit dat het geld voor dit huis uit jouw zak komt.'

'Daar maak ik geen punt van.'

'Ze hebben de maandlasten weer verhoogd, is het niet?'

'Het geeft niet.'

'Misschien ziet Jude dat anders.'

Fox kon daar enkel een schouderophalen tegenoverstellen.

'Hoe staat het in Fife?' vroeg Mitch na een korte stilte.

'Ik ben in St. Andrews geweest.'

'Daar heb ik ooit nog in een caravan gezeten, toen je ma en ik vrijers waren. Het was nog een heel gedoe om ervoor te zorgen dat haar pa er niet achter kwam.' Mitch keek zijn zoon aan. 'Wat was daar zo grappig aan?'

'Ik hoor tegenwoordig nooit meer iemand "vrijer" zeggen.'

'Hoe noemen ze het dan?'

'Daten, denk ik.' Fox zweeg even. 'Zijn we wel eens naar St. Andrews geweest? Als gezin, bedoel ik.'

'Misschien ooit een dagje... Dacht je je er iets van te herinneren?'

Fox schudde zijn hoofd. 'Volgens mij is er zoveel wat ik vergeten ben.'

'Dacht je soms ik niet? Ik weet nog dat die caravan zachtgroen was, maar wat ik gisteravond gegeten heb, ik zou het je niet kunnen zeggen.' Mitch zag hoe zijn zoon opnieuw een geeuw probeerde te onderdrukken.

'In de badkamer heb ik pillen liggen. Waarom neem je er niet stiekem een paar mee?'

'Misschien geen gek idee,' zei Fox, half serieus, half schertsend.

'Jude ging weer door de inhoud van de schoenendoos heen. Ik weet niet of ze het voor mij doet of voor zichzelf.'

'Allebei misschien.'

'Er zitten anders genoeg herinneringen in. Alleen geen foto's van de caravan.' Hij zweeg even. 'We hadden altijd fijne vakanties samen. Misschien is dat wel waar Jude naar op zoek is, naar de tijd dat jullie nog een team waren.'

'We vormen nog steeds een team: zij bezoekt je, ik betaal de rekening.'

'Er zijn nog andere verzorgingshuizen waar ik heen kan, weet je. Huizen die goedkoper zijn dat dit hier. Geen wonder dat je geen geld hebt voor een nieuw overhemd of een andere das.'

Fox blikte omlaag naar zijn borst. 'Wat is er mis met mijn hemd en das?'

'Die had je de vorige keer dat je hier was ook al aan.'

'Is dat zo? Daar kan ik me niets van herinneren.'

Zijn vader keek hem plots grijnzend aan en gaf hem een pets op zijn knie. 'Nee, ik ook niet, ik zit je maar wat te plagen.'

'Nou, dank je wel.'

'Graag gedaan.'

Ze zaten nog steeds te glimlachen toen de thee werd gebracht.

'Trouwens,' zei Mitch, 'het spijt me van laatst, dat ik je zat te stangen waar Sandy bij was.'

'Was dat wat je deed: stangen?'

'Ik zag dat je gekrenkt was. Maar we weten allebei hoe goed je bent in je werk.'

'Dat is anders niet wat je zei. Je zat je af te vragen of ik wel geschikt ben voor een carrière buiten IZ. Dat heb ik mezelf trouwens ook afgevraagd.'

'Nou ja, hoe dan ook, het spijt me dat ik dat gezegd heb.'

'Geeft niks, dan heb ik tenminste wat om Jude mee om de oren te slaan als ze weer eens beweert dat ik je lieveling ben.'

'Maar dat is ook zo, dat weet je toch.'

Fox keek zijn vader aan. 'En dat zeg je ook tegen Jude wanneer ik er niet bij ben?'

'Natuurlijk doe ik dat.'

Toen Mitch begon te lachen, kon zijn zoon alleen maar meedoen.

De drie mannen – Fox, Kaye en Naysmith – zaten bijeen in hun kantoor op het hoofdbureau. Terwijl Naysmith, de ene geeuw na de andere onderdrukkend en hoognodig aan een scheerbeurt toe, voor alle drie koffie aan het zetten was, vertelde Kaye Fox over zijn ontmoeting met Teresa Collins.

'Het punt is,' besloot hij, 'dat als Alan Carter haar inderdaad zover heeft gekregen tegen zijn neef te getuigen, we weer met Paul opgescheept zitten als de hoofdverdachte voor de moord.'

'En het is inmiddels officieel moord,' bevestigde Naysmith. 'Het

OM heeft de moordbrigade groen licht gegeven.'

'Wanneer heb je dat gehoord?' vroeg Kaye.

Naysmith aarzelde. 'Gisteravond,' gaf hij uiteindelijk toe.

'Wie is je bron, Joe?' Kaye wierp hem een roofzuchtige glimlach toe. 'Een zekere jongedame bij de recherche? Jullie hebben het laat gemaakt, zo te zien.'

Naysmith schonk koffie in en hield zijn rug naar zijn collega's gekeerd.

'Billie en Bekkah kenden Alan Carter toch alleen via Billies vriendje?' vroeg Fox aan Kaye.

'Tosh Garioch,' bevestigde Kaye. 'Zal ik een praatje met hem maken?'

'Kan geen kwaad.'

'Hebben we een reden om aan te nemen dat hij zijn oude baas zou verlinken?'

Fox antwoordde met een schouderophalen en pakte de mok aan die Naysmith hem voorhield. Terwijl Kaye zijn beker aanpakte maakte hij kusgeluidjes. Naysmith fronste zijn wenkbrauwen maar ontweek Kayes blik.

'Joe,' zei Fox uiteindelijk, 'heb je nog iets over Gavin Willis opgedoken?'

'Niet precies.' Naysmith nam behoedzaam op het bureau plaats, liet zijn benen over de rand bungelen en zette zijn beker naast zich neer. 'Het enige waar ik de hand op heb weten te leggen is het telefoonnummer van hoofdinspecteur Hendryson. Die woont in Portugal. Daar hoort ook een adres bij...' Hij zwaaide met een vel dat uit een opschrijfboekje was gescheurd.

'En daar heeft hij alleen maar zijn eerbaarheid voor te grabbel hoeven gooien,' merkte Tony Kaye op.

'Trouwens,' vervolgde Naysmith, zonder acht te slaan op Kaye, 'met ingang van vanochtend is Mark Haldane terug van ziekteverlof.'

'Dan kunnen jullie twee hem mooi eens echt aan de tand voelen,' zei Fox. Hij was uit zijn stoel overeind gekomen en schreef het nummer van Naysmith over. 'Portugal, hè?' zei hij, naar het nummer kijkend.

'Portugal,' bevestigde Joe Naysmith.

'En dat heb je van Cheryl Forrester?'

'Ja.'

'Uitkijken geblazen, Joe.'

'Geen verbroedering met de vijand,' vulde Kaye plagerig aan.

'Ze is de vijand niet.' Zonder het te willen klonk Naysmith defensief.

'Nu niet misschien,' maande Fox. 'Maar toch...'

Bob McEwan kwam juist binnen toen Kaye en Naysmith op het punt stonden te vertrekken. 'Op weg naar Fife?' vroeg hij.

Kaye gebaarde in de richting van Fox. 'Hoe lang nog tot we ons maatje terug hebben?'

'Dat is niet aan mij. Hoe lang nog totdat ik een volledig rapport van jullie kan verwachten?'

'Niemand geeft iets toe,' zei Kaye.

McEwans blik verschoof naar Naysmith. 'Klopt dat, Joe?'

'Ja, chef.'

'Je klinkt niet erg overtuigend.'

'Niemand geeft iets toe,' galmde Naysmith. 'En die telefoontap heeft...' Hij brak zijn zin abrupt af, naar adem snakkend door Kayes elleboog die zijn nieren had gevonden.

'Welke telefoontap?' vroeg McEwan op rustige toon.

'Die wilden we juist afblazen, Bob,' verklaarde Fox terwijl hij op zijn chef af liep.

'Ik heb voor geen enkele afluisteroperatie toestemming gegeven.'

'Het was op instigatie van Fife.'

'Ik had er evengoed van moeten weten.'

'Het spijt me.'

McEwan priemde een beschuldigende vinger naar Fox. 'Hier ben ik niet van gediend, Malcolm.'

'Ja, chef.'

McEwan keek hem doordringend aan en richtte zijn blik weer op Kaye en Naysmith. 'En nu opzouten.'

Dat liet Kaye zich geen twee keer zeggen en hij duwde Naysmith voor zich uit de deur door.

'Wat is er aan de hand, Malcolm?' vroeg McEwan.

'Niets.'

'Wie wordt er afgeluisterd?'

'Scholes,' gaf Fox toe. 'Maar nu Paul Carter van moord wordt verdacht, blazen we de operatie af.'

'De richtlijnen laten aan duidelijkheid niets te wensen over: drie interviews, drie rapporten, meer niet.'

'Soms heeft zo'n zaak de neiging uit te dijen, Bob. Dat weet je zelf.'

Opnieuw wees een vinger vermanend richting Fox. 'De richtlijnen laten aan duidelijkheid niets te wensen over,' herhaalde McEwan, waarbij hij elk woord evenveel nadruk gaf. 'Als er iets aan jullie werkwijze veranderd is, dan moet ik het hoe en waarom weten. Begrepen?'

'Begrepen, chef.'

Fox wist dat hij alleen maar zijn tijd hoefde af te wachten. De beide mannen namen achter hun bureau plaats en togen stilzwijgend aan het werk. Toen Fox opstond om nog eens koffie te zetten, sloeg McEwan zijn aanbod af, waaruit Fox afleidde dat hij bij de chef nog steeds in een slecht blaadje stond. Drie kwartier later keek McEwan op zijn horloge, zuchtte en maakte aanstalten op te staan.

Een zoveelste planningsbijeenkomst.

'Genoeg omhanden om je bezig te houden?'

'Altijd,' antwoordde Fox.

McEwan vond de juiste paperassen, maar kwam weer terug omdat zijn mobiel nog naast een van de stopcontacten lag op te laden. Toen hij voor de tweede keer vertrok, stond Fox op en liep hij naar de deur om zich ervan te vergewissen dat de gang leeg was. Hij sloot de deur, ging terug naar zijn bureau, pakte de hoorn en toetste het nummer voor Portugal.

'Ben jij dat, Andrew?'

'U spreekt met Fox. Ik bel vanuit Edinburgh.'

'Blijft u even hangen,' kwinkeleerde ze. Hij hoorde hoe ze het toestel op een massieve ondergrond neerlegde en naar haar man riep.

'Rab! Telefoon voor je. Van thuis.'

Het duurde even voordat er enige activiteit plaatsvond. Fox trachtte zich een voorstelling van het tafereel te maken: een uitzicht over een blauwe, spiegelgladde baai. Een groot, houten terras met ligstoelen. De gepensioneerde hoofdinspecteur op slippers en in een te wijde korte broek. Misschien was er nog ergens een golfbaan in de buurt, en een expat golfmaatje, ene Andrew, wiens stem een beetje op die van Fox leek...

'Robert Hendryson,' zei een stem toen het toestel weer werd opgepakt.

'Mr. Hendryson, u spreekt met Malcolm Fox. Ik ben een inspecteur van bureau Lothian and Borders.'

'Ik weet wie je bent.'

'O?'

'Dat heeft Pitkethly me verteld.'

'Is dat zo?'

'Die belde me voortdurend toen ze het net van me overgenomen had. Haar draai vond ze snel genoeg, maar ze wist niet altijd het juiste aanvraagformulier of de sleutel van een bepaalde kast te liggen.'

'En ze houdt nog steeds contact?'

'Ze wilde me op de hoogte brengen van Alan Carter.'

'U heeft hem dus gekend?'

'Vaag. Hij was recherche, ik niet. Je zult zelf ook wel weten dat er iets van een stammenstrijd bestaat. Bovendien was Alan Carter al voor zichzelf begonnen toen ik het commando in Kirkcaldy overnam.'

'Wat heeft Pitkethly u precies verteld?'

'Alleen maar dat Interne Zaken op oorlogspad was, onder leiding van een zekere Fox. Vanwege dat gedoe rond Paul Carter...'

'Die u waarschijnlijk beter gekend heeft dan zijn oom,' verklaarde Fox.

'Paul kon een lastpost zijn, inspecteur. Maar hij behaalde wel resultaten, en tot ik al praktisch met pensioen was heb ik nooit een kwaad woord over hem gehoord.'

'Dus u heeft nooit aan zijn onschuld getwijfeld toen die beschuldigingen tegen hem geuit werden?'

'Iedereen is onschuldig totdat het tegendeel bewezen is,' declameerde Hendryson. Toen: 'Gaat het daar soms over?' Hij dacht even na en beantwoordde vervolgens zijn eigen vraag. 'Natuurlijk gaat het daarover. Jij wilt weten of de recherche echt geprobeerd heeft Paul de hand boven het hoofd te houden. Misschien denk je wel dat het niet bij de recherche gebleven is, dat het hele bureau samenspande?'

'Geenszins.'

'Ik hoef je helemaal niet te woord te staan.' Er klonk een groeiende ergernis in zijn stem door. 'Ik kan nu de telefoon neerleggen.'

Fox wachtte totdat Hendryson even een adempauze inlaste. Toen het zover was noemde Fox een naam en wachtte opnieuw af.

'Wat?' zei Hendryson, overvallen door de plotselinge wending.

'Gavin Willis,' herhaalde Fox. 'Ik vroeg me alleen maar af wat u me over hem kunt vertellen. Niets om u zorgen over te maken, de man is al jaren dood.'

'Wat wil je weten?'

'Ik ben gewoon nieuwsgierig. Alan Carter is dood, en ik kreeg de indruk dat die twee erg dik met elkaar waren.'

'Wat heeft dat in vredesnaam met IZ te maken?'

'Dat is een billijke vraag. Paul Carter is de meest waarschijnlijke kandidaat voor de moord op zijn oom. Toevallig neem ik een minderheidsstandpunt in – ik geloof niet dat hij het gedaan heeft. Dus probeer ik me een beeld van Alan Carters leven te vormen in de hoop dat het me helpt te begrijpen waarom hij overleden is.'

Het kostte Hendryson enige tijd om dit te overdenken. 'Ja,' zei hij uiteindelijk. 'Daar zit wat in. Het punt is, ik heb de man nauwelijks gekend en hem nooit in actieve dienst meegemaakt.'

'Hoe dan wel?'

'Nu en dan waren er wel eens bijeenkomsten. Je zou ze reünies kunnen noemen, maar soms was het gewoon een paar drankjes na het werk.'

'Wat voor man was het?'

'Een grote kerel, een echt no-nonsensetype. Het soort diender dat vroeger gekoesterd werd. Hij kende iedereen in Kirkcaldy, en als er eens wat gebeurde had hij een goede neus voor wie het op zijn geweten had. Graffiti op een muur of een steen door een ruit... Dikke kans dat er ter plekke op een wat onorthodoxe wijze wat snelrecht werd toegepast.'

Fox dacht aan een zin die Alan Carter gebruikt had: *dit is een buitengebied, hier handelen we de zaken meestal onder elkaar af...* 'Een draai om de oren?' veronderstelde hij.

'Wanneer de situatie erom vroeg, en geen slappe linkse hap om "mag niet" te jammeren. We zouden heel wat beter af zijn als het nog steeds zo toeging.'

'Bent u daarom geëmigreerd?'

'Vrouwlief snakte naar een beetje zon op haar gezicht,' verklaarde Hendryson. 'Maar je moet toch toegeven, het politiewerk is er een stuk lastiger op geworden.'

'We worden alleen maar eerder op ons gedrag aangesproken,' wierp Fox tegen.

'Als IZ'er vind je dat natuurlijk een goede zaak.'

Fox wilde niet in een discussie verwikkeld raken, dus vroeg hij in plaats daarvan hoe hecht Willis en Alan Carter met elkaar waren geweest.

'Als een leraar en zijn beste leerling. Vanaf het eerste moment dat Alan tot de recherche toetrad heeft Gavin hem onder zijn hoede genomen.'

'Hebben ze samen aan de zaak-Francis Vernal gewerkt?'

Het duurde even voordat Hendryson de naam kon thuisbrengen. 'Die advocaat? Diegene die zijn wagen in de prak reed en zich toen van kant maakte?'

'Dat is hem.'

'Over welke zaak hebben we het precies?'

'Ik bedoelde alleen maar de plek van het ongeluk... het verzamelen van het bewijsmateriaal, dat soort dingen.'

'Ik heb geen idee.'

'Wist u van de auto van de overledene?'

'Wat valt daarover te weten?'

'Het blijkt dat Willis hem van de sloop gered heeft. Dat hij al die jaren bij hem in de garage gestaan heeft.'

'Dat is nieuws voor mij, inspecteur.'

'En nu u het weet, wat vindt u ervan?'

'Ik ben met pensioen, ik vind niets.'

'Nogal een gelukkig toeval, nietwaar Mr. Hendryson? Dat u net afscheid van het korps had genomen toen dit allemaal op het punt stond los te barsten.'

'Wat nou "allemaal"? Bedoel je soms Paul Carter?'

'Om te beginnen. Alan Carter is naar u toe gekomen, en u besloot de zaak aan uw eigen afdeling Interne Zaken over te dragen...'

'Ja, en?'

'Nooit in de verleiding geweest het onder het tapijt te vegen?'

'Daar wilde Alan niets van weten. Die eiste een onderzoek.'

'Of anders?'

'Of anders zou hij naar de krant stappen.'

'Desondanks wist uw eigen IZ weinig klaar te spelen, nietwaar?'

'Niet totdat die vrouw van gedachten veranderde.'

'Teresa Collins?'

'Ja.'

'Waarom denkt u dat ze opeens besloot haar verhaal te doen?'

'Geen idee.'

'Daar zal Alan Carter toch niet gelukkig mee zijn geweest, dat het oorspronkelijke onderzoek op niets uitliep.'

De stilte die volgde werd slechts onderbroken door statisch geknetter.

'Is er verder nog iets?' antwoordde Hendrysons stem uiteindelijk.

'Wanneer is Gavin Willis overleden?'

'In 1986. Ergens eind januari. Op een dag zakte hij op straat in elkaar. Een hartaanval.'

'En toen heeft Alan Carter zijn cottage op de kop getikt?'

'Wat dan nog?' Hendryson wachtte, maar Fox had geen antwoord dat de moeite van het geven waard was. 'Zijn we klaar?'

'Geniet maar lekker van het zonnetje zolang u nog kan,' waarschuwde Fox de man, waarna hij het gesprek beëindigde.

27

Hij had zijn auto in de straat voor het bureau geparkeerd. Brigadier Alec Robinson keek links en rechts om zich heen terwijl hij de parkeerplaats overstak en strekte zijn hals om zich ervan te vergewissen dat er geen getuigen achter de ramen stonden. Zonder plichtplegingen nam hij plaats op de passagiersstoel.

'Rijden,' gelastte hij.

Fox deed wat hem werd opgedragen. Toen ze het politiebureau achter zich hadden gelaten, begon Robinson zich een beetje te ontspannen. Over zijn uniform droeg hij een door het korps verstrekt buitenjack – niet echt een burgerkloffie, maar het beste wat hij in de gauwigheid voor elkaar had kunnen krijgen.

'Bedankt dat je dit wilt doen,' betuigde Fox zijn erkentelijkheid. Robinson deed het vertoon van dankbaarheid met een schouderophalen af.

'Ik ga mijn collega's echt niet verlinken, hoor,' waarschuwde hij.

'Dat vraag ik ook niet van je. Ik wil alleen maar wat meer over Gavin Willis te weten komen. Van iedereen hier ben jij de oudste oudgediende die ik krijgen kan.'

Robinson keek hem aan. 'Ook niet echt een manier om me te paaien.'

'Zou je het anders willen dan?' Fox zag Robinson zijn hoofd schudden. 'Welke rang had je in die tijd, midden jaren tachtig?'

Robinson dacht een paar tellen na. 'Wijkagent,' antwoordde hij.

'Dus je had niet veel met de recherche te maken?'

'Niet veel.'

'Dan neem ik aan dat je Willis en Carter niet al te goed gekend hebt.'

'Af en toe werkten we samen – "huis-aan-huisbuurtonderzoeken", de omgeving uitkammen op zoek naar een vermist persoon...'

'En avondjes in de pub, hè?'

'Niet alleen avondjes, niet in die tijd.'

Fox knikte instemmend. 'Zuipfestijnen bij de lunch? Tegen de tijd dat ik aanmonsterde werden die net uitgefaseerd.'

Robinson keek hem aan. 'Hoe lang zit je al bij Interne Zaken?'

'Een paar jaar.'

'Bevalt het?'

'Misschien wil ik er gewoon mijn steentje aan bijdragen dat de politie aan de goede kant staat.'

'Is dat je vaste antwoord?'

Fox glimlachte. 'Af en toe verander ik de woordkeus.'

'Maar is het ook de hele waarheid?'

'Daar ben ik niet zeker van.' Fox zweeg even terwijl hij bij een kruising naar links en naar rechts keek. 'Net zomin als ik er zeker van ben dat Paul Carter zijn oom vermoord heeft.'

'Wie dan wel?'

'Daar wil ik graag achter komen. Heb jij enig idee?'

'Hoe past Gavin Willis in het plaatje?'

'Willis en Alan waren niet alleen collega's, ze waren ook beste maatjes. Alan verafgoodde de man, zozeer zelfs dat hij diens huis kocht toen Willis overleed.' Fox wierp een korte blik op Robinson. 'We vonden Francis Vernals auto weggestopt in een garage achter het huis.'

'O ja?'

'Heb jij enig idee waarom Willis hem al die jaren gehouden heeft, terwijl hij iedereen in de waan liet dat die tot schroot verwerkt was?'

Robinson schudde zijn hoofd.

'Of waarom Alan Carter hem daar heeft laten staan?'

Opnieuw schudde hij zijn hoofd.

'Dan zitten we dus met een raadsel,' leek Fox zich gewonnen te geven. 'Maar er is nog iets. De revolver waarmee Alan Carter gedood is maakte deel uit van een door de politie in beslag genomen partij wapens die ergens tijdens de jaren tachtig vernietigd had moeten worden, toen Gavin Willis daar de scepter over zwaaide.'

'O ja?' herhaalde Robinson.

'Jij kende beide mannen, én je kent Alans neef. Er is iets waar ik mijn vinger niet achter kan krijgen, en ik hoopte dat jij me kunt helpen.'

'Gavin Willis was een harde,' gaf Robinson toe.

'Dat gevoel had ik al.'

'En nu en dan nam hij het niet zo nauw met de regels.'

'Dat was in die tijd min of meer de norm.'

'Dat zou ik denken. Mensen waren bang voor Gavin Willis. Maar alleen als ze het verdienden. Zolang je geen problemen maakte had hij geen reden om zich met je te bemoeien.'

'Hij was Alan Carters mentor. Denk je dat iets daarvan op hem afstraalde?'

'Alan was van een andere generatie. Die was heus niet zomaar een soort kopie.'

'Maar waren er ook overeenkomsten?' Fox dacht even na. 'Had hij soms vijanden gemaakt?'

'Niet alleen binnen het korps, ook erbuiten.'

'Je bedoelt zijn beveiligingsbedrijf?'

'Vorig jaar had hij wat onenigheid met de Shafiqs.'

'Scholes kan het maar niet nalaten iedereen daarop te wijzen. Ook weet ik dat Alan mensen eerder om hun spierballen dan om hun hersens inhuurde.'

'Breekt er in een club een vechtpartij uit, dan heb je niet veel aan dure diploma's. Alan Carter wist dat. Hij is gelijk na zijn schooltijd bij de politie gegaan, net als ik. Wij leerden het vak al doende, niet uit een boekje.'

'Had Willis wel eens moeilijkheden? Hoorzittingen, tuchtmaatregelen, dat werk?'

Robinson schudde zijn hoofd.

'Hoe zat het met Alan Carter?'

'Niets. Maar Paul daarentegen...'

'Een ongeleid projectiel uit een familie van dienders – en dus beschermd.'

'Ray Scholes hield hem op het rechte pad, uit respect voor zijn pa en oom.' Robinson verschoof wat in zijn stoel zodat hij Fox beter aan kon kijken. 'Denk je echt dat Paul het niet gedaan heeft?'

'Op dit punt is het knokken tegen de bierkaai.'

'En je denkt dat het allemaal op de een of andere manier verband houdt met Gavin Willis?'

'Misschien. Als Gavin Willis degene was die die revolver voor de smeltoven behoed heeft.'

'En Francis Vernal dan...?'

'Ik weet niet wat daar gebeurd is. Ofwel slordig politiewerk of pressie van boven. Die zaak had onderzocht moeten worden, maar dat is nooit gebeurd.'

'Ik geloof nooit dat Gavin Willis het over zijn kant had laten gaan als iemand hem had opgedragen de zaak te laten vallen.'

'Misschien heeft hij die auto daarom wel bewaard: bewijsmateriaal dat op het punt stond vernietigd te worden.'

'Maar hij heeft er nooit iets mee gedaan.'

'Dat geldt ook voor Alan Carter, maar Alan heeft hem toch al die jaren onder dat zeildoek laten staan.'

'1985, inspecteur. Dat is een hele poos terug. Denk je echt dat je nu nog schot in de zaak kunt krijgen?'

'Zou het iemand wat uitmaken als het me niet lukte?'

Robinson schudde opnieuw het hoofd. 'Maar misschien wel als het je wel lukt.' Hij tuurde door de voorruit. 'Zet me hier maar af, de rest loop ik wel.'

'Weet je het zeker?'

'Beter een eindje lopen dan dat we samen gezien worden.'

Fox zette zijn richtingaanwijzer aan en bracht de wagen aan de kant van de weg tot stilstand. Robinson maakte zijn gordel los en stapte uit. Fox dacht dat hij ter afscheid misschien nog iets zou zeggen – een woord van advies of hulp –, maar hij sloeg gewoon het portier achter zich dicht en beende weg terwijl hij zijn jack dichtritste. Fox roffelde met zijn vingers op het stuur.

'Je bent nergens,' zei hij tegen zichzelf. Toen zijn telefoon ging, nam hij met een halfhartig 'Ja?' op.

'Zo te horen weet je er al van,' zei Evelyn Mills.

'Waarvan?'

'Mijn chef heeft ons opgedragen de afluisteroperatie af te blazen. Ik heb me nog hardgemaakt voor je, maar nu Paul Carter van moord verdacht wordt...'

'Kunnen telefoontaps een mogelijke rechtszaak in de waagschaal stellen,' maakte Fox de beweegreden voor haar af.

'Het spijt me, Malcolm.'

'Om eerlijk te zijn zou mijn eigen baas sowieso de stekker eruit hebben getrokken.'

'Heb je het uiteindelijk maar opgebiecht?'

'Iemand liet het zich ontvallen.'

'Dan is-ie nu dus boos én teleurgesteld. Nou ja, we hebben ons best gedaan.'

'Daar ben ik je dankbaar voor.'

'Dan kun je me mooi een keertje mee uit eten nemen.' Ze wachtte, maar Fox gaf geen sjoege. 'Eerlijk gezegd leverde die tap toch niets op.'

'Alleen maar dat ene belletje?'

'Nog een tweede, vanochtend. Een afspraak om vanavond wat te gaan drinken.'

'Carter en Scholes?'

'En die andere twee.'

'Haldane en Michaelson?'

'Ja.'

'Uit wiens koker kwam dat?'

'Het was Paul Carters idee. Ik denk dat hij zichzelf ervan wilde overtuigen dat hij nog een paar vrienden overheeft. Hij klonk alsof het flink aan hem begint te vreten.'

'Hoe reageerde Scholes?'

'Die klonk nogal afwerend, maar Carter bleef maar drammen.' Ze was even stil. 'Is het belangrijk?'

'De eerste keer sinds de rechtszaak dat ze met zijn vieren wat gaan drinken.'

'Voor zover wij weten.'

'Voor zover we weten,' beaamde Fox.

'Zou je daar niet graag voor luistervink spelen?'

'Wou jij soms zeggen dat je zo'n kans zou laten schieten?' Ze lachte even. 'Zou het echt iets uitmaken wat ik zeg?'

'Waar gaan ze heen?'

'De Wheatsheaf, om acht uur. Kijk maar uit dat je niemand van de moordbrigade tegen het lijf loopt.'

'Bedankt, Evelyn.'

'Ik probeerde je gisteravond te bellen, Malcolm...'

'Ik moet ingedommeld zijn.'

'Geen poging dus om me af te schepen?'

'Nee.'

'Weet je dat heel zeker?'

Hij verzekerde haar dat hij het heel zeker wist, hing op, toetste vervolgens Kayes nummer in en wachtte. Toen Kaye opnam vroeg Fox hem of hij ergens mee bezig was.

'Een babbeltje aan het maken met Tosh Garioch.'

'Krijg je wat uit hem los?'

'Uit hem? Die houdt zelfs de stank van zijn eigen scheten nog voor zichzelf – nee, ik mag niet liegen: in dat opzicht is hij bijzonder scheutig.'

'Paul Carter gaat vanavond wat met zijn makkers drinken.'

'Het hele stel?'

'Het hele stel.'

'Hoe weet je dat?'

'Dat is het laatste wat we via die telefoontap te weten zijn gekomen.'

'En jij vindt dat we erbij moeten zijn?'

'De pub heet de Wheatsheaf. Waarom ga je er niet even langs, kijken of er een manier is om je onopgemerkt tussen de mensen te begeven?'

'Ze kennen onze gezichten.'

'Er is altijd nog de verkleedkist.'

'Een hoed, een sjaal, een bril?' Kaye klonk weinig overtuigd.

'Joe is aldoor op de achtergrond gebleven. Jij en ik hebben alle verhoren gedaan.'

'Klopt.'

'Gewoon een vent die in z'n eentje aan de bar staat... Wie zoekt daar wat achter?'

'Misschien heeft Joe al plannen voor vanavond.'

'Vast niets wat hij niet kan afzeggen.'

Kaye leek het plan te overdenken. 'Kan geen kwaad om er even een kijkje te nemen. Zodra ik met Garioch klaar ben.'

'Dank je, Tony.'

'Luister, één dingetje nog.'

'Ja?'

'Die kompaan van je, Evelyn Mills.'

'Wat is er met haar?'

'Ze belde me. Ik had het gevoel dat ze zat te vissen – of je een relatie hebt, dat soort dingen.'

'Bedankt dat je me het laat weten.'

'Ik wil je heus niet ontmoedigen, hoor – integendeel zelfs.'

'Ze is getrouwd, Tony.'

'Dat is zo verkeerd nog niet, Malcolm.'

'Ik hang nu op.' Hij kon Kaye nog horen gniffelen terwijl hij het gesprek beëindigde.

Fox startte zijn auto, niet helemaal zeker waar hij naar op weg was. In elk geval de eerste vijf minuten niet, totdat hij plots besefte dat hij zich op Kinghorn Road bevond. Hij passeerde het pompstation waar Paul Carter de avond van de moord gesignaleerd was. Hij gaf rechts aan, waarna de Volvo de helling beklom en voor de deur van de cottage tot stilstand werd gebracht. Het weideveld was leeg; geen busjes of patrouillewagens in zicht. Nu de coördinatieruimte in Kirkcaldy in bedrijf was, had de moordbrigade het werk in Gallowhill Cottage afgerond, maar niet nadat ze het raam van de huiskamer dichtgespijkerd hadden om nieuwsgierigen dwars te zitten. Fox stapte uit en controleerde de deur, maar daar zat een hangslot op en er lag geen sleutel onder de bloempot op de richel. Hij liep naar de garage. Naar de contouren van het zeildoek te oordelen stond Francis Vernals wagen er nog steeds. Hij maakte juist aanstalten omlaag te klauteren toen hij een voertuig hoorde naderen. Paul Carter parkeerde zijn zilverkleurige Astra direct achter de Volvo en blokkeerde zo Fox' aftocht.

'Wat doe jij hier?' vroeg Carter, die het portier aan de bestuurderskant met een harde knal dichtsloeg.

'Gewoon een beetje rondkijken,' was alles wat Fox kon bedenken.

Carter reageerde niet. Hij plukte wat sleutels uit zijn zak, vond de juiste, maakte het slot los en trapte de deur open.

'Is dit nu allemaal van jou?' vroeg Fox.

'Totdat ze me die moord weten aan te wrijven,' sputterde Paul Carter. 'Niemand heeft nog een testament gevonden en ik ben zijn naaste familie.' Hij ging naar binnen, met Fox op zijn hielen.

'Wat gebeurt er nu met dat bedrijf van je oom?'

'Dat legt het loodje, neem ik aan. Hij was de enige met tekenbevoegdheid.' Carter keek om zich heen in de gang. 'Wat moet ik in godsnaam met die klerebende aan?'

'Er zijn bedrijven die huizen leeghalen,' stelde Fox voor.

'De fik erin gaat sneller. Ik kan elk moment weer opgepakt worden.'

'Is rechter Cardonald er nog steeds niet uit?'

'Die klojo neemt er alle tijd voor.'

'Was je verbaasd dat hij je vrijliet?'

'Had-ie dat maar nooit gedaan.' Carter ging de huiskamer binnen. 'Ze zijn hier lekker bezig geweest,' merkte hij op.

'Ze hebben mijn vingerafdrukken afgenomen,' bekende Fox.

'De mijne ook.'

Fox nam Carters gezicht grondig op. Als hij werkelijk zijn oom vermoord had, zou het hem dan niet zijn aan te zien nu hij hier zo stond? Zouden beelden van die avond dan niet door zijn hoofd flitsen? Hij zag er angstig en geagiteerd uit, maar zonder een spoor van berouw of onmiskenbaar schuldgevoel. Fox zag dat de tafel leeg was; elke snipper papier was door het onderzoeksteam in bewijszakken gestopt en meegenomen. Niemand had echter de moeite genomen de bloednevel van het raam te wassen. Carter trok een la open. Ook daar waren alle papieren uit verwijderd: al die keurig bijgehouden rekeningen en bankafschriften. Carter schoof hem weer dicht en stond in het midden van de kamer, streek een hand door zijn haar en krabde aan zijn hoofdhuid.

'Wanneer ben je hier voor het laatst geweest?' vroeg Fox.

'De avond dat hij overleed, nadat Scholes me gebeld had. Hij wilde me het nieuws persoonlijk vertellen.'

'En daarvoor?'

'Dat is alweer maanden... misschien wel een jaar geleden.'

Hij zei dat je hier een keertje dronken was komen aanzetten en over van alles en nog wat hebt staan raaskallen.'

'Ik was erbij in de rechtszaal, weet je nog,' sputterde Carter. 'Ik heb het uit zijn eigen mond gehoord.'

'Maar het was niet gelogen?'

'Ik was straalbezopen. Ik heb geen flauw idee wat ik toen wel of niet gezegd heb.'

'En dat was de laatste keer dat je hier geweest bent?'

'Ja.'

'Nadat hij je beschuldigd had, ben je toen niet terug geweest om verhaal te halen?'

'Wat zou ik daarmee opgeschoten zijn?'

'Waarom denk je dat hij je op de avond van zijn dood gebeld heeft?'

'Geen idee.'

'Had je hem sinds de rechtszaak nog gesproken?'

Carter schudde zijn hoofd. Hij liep naar de wand naast de open haard en liet zijn hand over het slecht aansluitende behang glijden. 'Dat heeft-ie allemaal eigenhandig gedaan. Van onder tot boven. Mijn pa zei altijd dat hij twee linkerhanden had.' Zijn hand stuitte op een kier, en hij schoof zijn vinger onder het behang zodat het losscheurde. 'Twee linkerhanden, dat was 'm ten voeten uit.'

Zonder verder nog iets te zeggen liep hij de kamer uit en de trap op. Na een paar tellen kwam ook Fox in beweging. Onder het puntdak waren drie kamers: twee slaapkamers en een badkamer.

'Moet je dit zien,' zei Carter. Hij wees naar het behang in de grote slaapkamer dat aan de bovenkant schots en scheef tegen het plafond geplakt was en bij de hoeken loskwam. Toen schopte hij met de hak van zijn schoen tegen een loszittende plint om te laten zien dat die nooit deugdelijk vastgespijkerd was. De deur sloot niet goed en de deurknop zat los.

'Twee linkerhanden,' herhaalde hij.

Fox zag scheuren in het pleisterwerk, scheef geplaatste ramen, losse vloerplanken. Een paar kastdeuren stonden open en gaven te kennen dat Alan Carters vrouw niet de moeite had genomen al haar kleren mee te nemen toen ze hem verlaten had. Had hij ze gehouden in de hoop dat ze ooit terug zou keren? En daarna, na haar dood, om haar nagedachtenis in ere te houden? In de badkamer ontbraken tegels rond de douche en het bad deed zwaar verouderd aan. De kranen van de beide wastafels drupten. Fox probeerde niet te lang bij het toiletgerei van de overledene stil te staan: zijn scheermes, de kleefpasta voor zijn kunstgebit, het nagelschaartje.

'Wat zou jij met dit huis doen?' vroeg Carter.

'Hetzelfde als wat je oom vermoedelijk gedaan heeft toen hij het in zijn bezit kreeg: alles eruit slopen en opnieuw beginnen.'

'Toen hij het pas gekocht had sleepte pa me een paar keer mee. Die vond het reuze komisch, de manier waarop oom Alan dacht dat hij de boel aan het opkalefateren was terwijl hij het er alleen maar erger op maakte...' Carter leek zich even in de herinnering te verliezen, maar schudde die toen van zich af. 'Misschien moest ik er maar de fik in jagen en de verzekering opstrijken.'

'Kijk maar uit tegen wie je het zegt.'

Carter perste er een glimlach uit. Hij zag er uitgeblust uit, de verhoren hadden hun tol geëist en anders de starende blikken en gefluisterde commentaren op straat wel.

'Het rare is, als kind mocht ik hem graag, en ik dacht dat hij mij ook mocht.'

'Hoe heette zijn vrouw ook weer?'

'Tante Jessica. Dat moest altijd voluit. Als je eens "Jess" of "Jessie" probeerde was ze er altijd als de kippen bij om je te verbeteren. Later bleek ze er stiekem een ander op na te houden. Dat was dus einde verhaal.'

'Maakte je het leven van je ouders echt tot zo'n hel?'

'Dat doen wel meer jochies.'

'En toen je geen jochie meer was?'

Carter haalde zijn schouders op en begaf zich van de badkamer naar de logeerkamer. Die was als opslagruimte in gebruik, tjokvol dozen en koffers.

'De fik erin,' mompelde hij opnieuw, alvorens zich naar Fox te wenden. 'Ik was heus niet zo anders dan alle anderen. Als hij je verteld heeft dat ik een of ander monster was, dan loog hij.'

'Hij heeft je erbij gelapt,' verklaarde Fox op rustige toon.

'Dan was hij misschien wel het monster. Is dat wel eens bij je opgekomen?'

'Ja, dat is inderdaad bij me opgekomen.'

Dit had Carter niet verwacht. Met borende ogen nam hij Fox grondig op. Die bespeurde een trillende zenuw net onder een van zijn ogen. Carter was zich ervan bewust en hield een vinger tegen de huid gedrukt, alsof het daarmee weg zou gaan.

'Weet je wat ze in de gevangenis met smerissen uitvreten?' vroeg hij kalm, waarna hij zijn eigen vraag beantwoordde. 'Tuurlijk weet je dat, jij zet ze tenslotte aan de lopende band achter de tralies.'

'Alleen wie het verdient.'

'Vind je dat ík het verdien?' Carter verhief zijn stem. 'Omdat ik ooit één keertje een kleine, sneue snol om een halfuurtje van haar o zo kostbare tijd gevraagd heb?'

'Waarom hebben die andere twee vrouwen een klacht ingediend?'

Carter ramde met de muis van zijn hand tegen de muur. 'Dat weet ik niet!' riep hij. 'Daar moet zij ze toe aangezet hebben!'

'Ze kende ze niet.'

'Met die twee heb ik nooit iets gedaan, zelfs nooit geprobeerd.' Deze keer haalde hij met zijn voet naar de muur uit en spleet het pleisterwerk.

'Vergeet niet dat dit nu jouw huis is.'

'Ik wil het helemaal niet!' Opnieuw gleed zijn hand over zijn gezicht. 'Ik heb er zo stront genoeg van. Ik wil mijn leven terug. Elk moment kan die rechter een besluit nemen, of Cash kan me moord ten laste leggen. Fijne keus, hè?' Hij keek Fox aan. 'Ach, waarom sta ik jou dit aan je neus te hangen? Het zal jou aan je reet roesten.'

Hij duwde Fox met zijn schouder opzij en stormde met twee treden tegelijk de trap af. Fox wachtte een paar tellen voordat hij hem volgde. Tegen de tijd dat hij in de hal stond, had Carter de motor van de Astra al gestart en maakte een onhandige U-bocht. Vanuit de deuropening zag Fox de wagen heuvelafwaarts scheuren. Het hangslot bungelde aan de deur. Zonder sleutel liet het slot zich niet sluiten. Paul Carter had zich er geen seconde om bekommerd – de cottage was niet meer dan de zoveelste molensteen om zijn nek.

Fox trok de deur zo goed en zo kwaad als het ging dicht, stapte in zijn auto en zette zich aan de lange reis terug naar Edinburgh.

Tot de post van die dag, die op de deurmat op hem lag te wachten, behoorde het exemplaar van No Mere Parcel of Rogues. De omslag was sleets en het fotokatern hing los in de band, maar het boek was nog bruikbaar. Fox bladerde er een uur of wat doorheen. Professor Martin was weinig scheutig met namen geweest. Toch noteerde Fox er een paar. Maar toen, net voor de index, viel zijn oog op de opmerking dat alle namen in het boek verzonnen waren 'ter bescherming van de opgevoerde personen'.

'Je wordt bedankt,' zei Fox.

Hij ging terug naar de documentatie die Charles Mangold hem gegeven had. Er zaten rechtbankverslagen uit de vroege jaren tachtig tussen, en deze keer waren de namen echt. Ook waren er foto's, gemaakt op politiebureaus nadat de verdachten opgepakt waren. Wat gekneusde gezichten, snijwondjes op lippen en neuzen, blauwe ogen.

Donald MacIver was een paar keer het vermelden waard bevonden, evenals John Elliot. Wikipedia had een hele pagina aan de nieuwslezer gewijd. Toen Fox zijn portret zag realiseerde hij zich dat hij hem een paar keer het Schotse nieuws had zien presenteren. Het artikel vermeldde dat hij als student bij een 'marginale politieke beweging' betrokken was geweest en terecht had gestaan wegens het beramen van de kaping van een ministersauto. Fox vergeleek de foto's – jawel, de presentator en de radicale student waren een en dezelfde persoon. Zijn haar was langer geweest, zijn kleding sjofeler, de huid valer. Fox zou de twintigjarige Elliot niet als knap hebben omschreven, maar zijn recente promotiefoto's toonden een man met een geprononceerde kaaklijn, glinsterende ogen, een gezonde teint, het haar onberispelijk gekapt, de tanden parelwit, zijn overhemd splinternieuw. Elliot stond op de loonlijst bij een managementbureau en kon geboekt worden voor 'zakelijke en liefdadigheidsevenementen'. Fox noteerde het telefoonnummer, stond op om zijn rug te strekken en ging naar de keuken om thee te zetten.

Om zes uur zette hij de tv aan, maar de hoofdpunten van het nieuws werden door iemand anders te berde gebracht. Hij werkte nog een uur aan zijn bureau, belde zijn zus om haar te vertellen dat hij in Lauder Lodge op bezoek was geweest, raakte in de gebruikelijke woordenwisseling verwikkeld en werkte vervolgens een blikje geprakte tonijn naar binnen.

Om halfnegen ging zijn telefoon. Het was Tony Kaye.

'Vertel op,' zei Fox.

'Ze hadden hem in de smiezen,' snauwde Kaye, wat zoveel wilde zeggen dat Joe Naysmith er niet in geslaagd was onopgemerkt te blijven in de Wheatsheaf.

Fox ademde luidruchtig uit. 'Heeft hij nog iets opgevangen?'

'Het zag er niet bepaald zwart van de mensen, en zij zaten aan een tafeltje en hij was aan die bar gekluisterd – een goeie drie meter verderop.'

'Wat gebeurde er precies?'

'Hij zegt dat het Haldane was. Die bleef hem maar aanstaren en zei toen iets tegen de anderen. Scholes kwam gelijk op hem af gestormd en zei tegen Joe dat-ie op moest lazeren. Daarna werd het stil in de pub. Iedereen wist inmiddels wie Joe was, en Joe wist dat hij het verder wel op zijn buik kon schrijven...'

'Het was tenslotte maar een gok,' gaf Fox zich gewonnen.

'Wat mij betreft is het Joe's schuld.'

'Ik mag aannemen dat hij meeluistert?'

'We zitten in de Mondeo, op een meter of veertig bij die pub vandaan.'

'Heeft het nog zin ze te schaduwen?'

'Niet als we niet kunnen horen wat ze te zeggen hebben,' antwoordde Kaye.

'Vooruit dan maar. Dan kunnen jullie net zo goed naar huis gaan. En bedank Joe voor zijn poging.'

'Fox zegt dat je bedankt wordt,' hoorde hij Kaye tegen de ongelukkige Naysmith zeggen.

'Je bent veel te streng, Tony Kaye.'

'Streng maar rechtvaardig, zoals iedereen weet.'

Fox wenste zijn collega een fijne avond.

NEGEN

28

John Elliot was een item aan het opnemen voor een uitzending later die dag. Het pluspunt was dat Fox het centrum van Glasgow kon vermijden. De keerzijde: hij bevond zich op een industrieterrein aan de rand van de stad. Om een of andere reden was er een modern, zwart hotel neergeplempt, waar Elliots filmploeg het restaurant had overgenomen. Verbijsterde hotelgasten ontbeten in de caféruimte, waar filmlampen werden opgesteld en camera's op hun statief werden geklikt.

'Een klassieke guerrilla-aanpak,' zei de opnameregisseur tegen Fox. Die kreeg een kleine cafetière voorgeschoteld met een paar minichocoladecroissants. In de hoek van het restaurant werd Elliot door een mevrouw van de make-up onder handen genomen. Er stond een grote, verlichte spiegel en iets wat nog het meest van een gereedschapskist weg had, maar dan gevuld met cosmetische producten in plaats van moersleutels.

'Wat een vak,' merkte Elliot tegen Fox op terwijl hij hem via de spiegel aankeek. Zijn haar werd in model gekamd, zijn neus en voorhoofd op overmatig geglim gecontroleerd en een papieren handdoek moest de kraag van zijn overhemd tegen vlekken beschermen. Zijn ogen glansden, en Fox vroeg zich af of er druppels aan te pas waren gekomen. Hij ging gekleed in een overhemd met het bovenste knoopje los, een zwart katoenen jasje en een gebleekte spijkerbroek met rafels onder aan de pijpen.

'Bedankt dat u me zo snel te woord wilde staan.'

'Zodra ik hier klaar ben hebben we ongeveer een kwartier. Daarna moet ik terug naar de studio.'

De regisseur was naast Elliot komen staan. Hij hield een script vast en keek gespannen.

'De chef-kok zegt dat de scharen van de kreeft aan elkaar zijn geplakt, dus er is geen gevaar,' legde hij uit.

'De glitter en glamour van de tv,' zei Elliot terwijl hij Fox weer in de ogen keek en hem bijkans bedolf onder zijn sneeuwstorm van een glimlach.

Er volgde een repetitie, waarna het drie opnames duurde voordat het item erop stond. Er waren overgangsshots en er werd geëxperimenteerd met verschillende camerastandpunten en belichtingen, en andere zaken die Fox niet helemaal begreep. Anderhalf uur nadat ze begonnen waren hadden ze hun drie minuten aan materiaal. Terwijl Elliot door de zaal op Fox af liep, veegde hij met een vochtig doekje over zijn gezicht. De filmapparatuur werd ingepakt en tafels en stoelen werden op hun oorspronkelijke plek teruggeschoven. Een van de hotelgasten, een vrouw van middelbare leeftijd, onderschepte Elliot en vroeg hem haar ontbijtmenu te signeren.

'Met alle plezier,' zei hij. Er leek een kleine rilling door haar heen te gaan terwijl ze toekeek hoe hij zijn handtekening zette.

'Komt dat vaak voor?' vroeg Fox, toen hij eindelijk de gelegenheid kreeg de presentator de hand te drukken.

'Liever een fan dan wat ik in Sauchiehall Street na sluitingstijd naar mijn hoofd geslingerd krijg. Laten we daar plaatsnemen.' Elliot knikte naar een muurbank in de ruim opgezette caféruimte. 'Zo,' zei hij terwijl hij met zijn handen op zijn knieën sloeg, 'mijn infame verleden blijft me achtervolgen...'

'Het is toch niet bepaald een geheim?'

'Mijn hele leven is publiek bezit, inspecteur.'

Een kelner kwam langs om te informeren of ze iets wilden drinken. Elliot bestelde een muntthee, maar veranderde van gedachten en maakte er bronwater van. Fox nipte nog van zijn halfvolle kopje lauwe koffie.

'Bent u nog steeds in politiek geïnteresseerd?' vroeg hij toen de kelner verdwenen was.

'De vraag is: ben ik dat ooit geweest?'

'U bent er praktisch voor in de gevangenis beland...'

Elliot knikte langzaam. 'Maar dan nog. In hoeverre was dat niet allemaal een pose? Ik bedoel, studenten in die tijd... we dachten niet altijd even helder na over waarom we deden wat we deden.'

'Wat zat er dan achter? Een manier om bij het andere geslacht in het gevlij te komen?'

Elliot schonk hem een scheef lachje. 'Misschien.' Hij schoof heen en weer op de bank op zoek naar een gerieflijke houding. 'Die rechtszaak... dat was goed beschouwd een lachertje. We werden als moedjahedien afgeschilderd, maar eigenlijk waren we gewoon een stelletje snotneuzen dat maar een spelletje speelde.' Hij sperde zijn ogen wat verder open, wellicht in de hoop dat Fox zijn ongeloof zou delen. 'Een regeringsauto kapen? Losgeld voor de minister eisen?' Hij schudde zijn hoofd. 'Dat losgeld kwam tussen twee haakjes neer op de eis van een referendum over Schots zelfbestuur – hoe onbesuisd wil je het hebben?'

'U denkt niet dat het succes gehad zou hebben?'

'Natuurlijk zou het geen succes gehad hebben! Op de publieke tribune zaten de mensen ons uit te lachen. Toen we tijdens de rechtszaak onze tactiek uitlegden zag je ze met hun schouders schokken. De officier van justitie weidde maar uit over de "planning", terwijl wij konden aantonen dat de hele voorbereiding bestaan had uit een paar avondjes in de pub en wat krabbels op de achterkant van een servetje.'

'Dat kon wel eens verklaren waarom geen van jullie achter de tralies belandde.'

'De universiteit nam niet eens de moeite ons eruit te schoppen, zo serieus werd het dus genomen.'

'Tegenwoordig was het waarschijnlijk anders afgelopen,' merkte Fox op.

'Vast.'

'U studeerde aan de universiteit in Stirling?' Elliot knikte en bedankte de kelner die zijn water kwam brengen. Er hoorde een rekening bij, maar de presentator verwees de kelner naar iemand van zijn filmploeg.

'Ziet u nog wel eens iemand van de oude club?'

'Haast nooit.'

'Niet één die nog actief is?'

'"Actief"? In de zin van bezig een staatsgreep te beramen? Nee, geen van hen is nog "actief".' Hij nam een slok van zijn water en onderdrukte een boer. 'We waren jong en onbezonnen, inspecteur.'

'Gelooft u dat echt?'

'Houdt u mij soms voor een soort "slaper"?'

Fox retourneerde Elliots glimlach. 'Zeker niet. Maar u bent een publiek persoon. Het is gewoon een kwestie van goede pr om een militant verleden te bagatelliseren, te doen alsof het weinig om het lijf had, om het tot een amusante anekdote voor tijdens het diner om te turnen...'

'Daar zit wel wat in, waarschijnlijk.'

'En het waren heel andere tijden.'

'Zeker.'

'Plus dat het Dark Harvest Commando, voor zover ik kan overzien, uitermate serieus en doelgericht te werk ging. Had u alleen maar voor de grap meegedaan, dan betwijfel ik of ze uw aanwezigheid geduld hadden.'

Elliots gezicht betrok een beetje. 'Het DHC ging mij te ver,' vertrouwde hij Fox toe.

'Maar u bent wel bij vergaderingen geweest?'

'Een paar keer.'

'Heeft u Donald MacIver gekend?'

'Arme Donald. Uiteindelijk hebben ze hem te pakken gekregen en wisten ze hem zelfs krankzinnig te laten verklaren nadat hij een medegevangene belaagd had. Hij zit nu in Carstairs.'

'Ooit overwogen bij hem op bezoek te gaan?'

'Nee.' Elliot leek verbaasd door de vraag.

'Hij en Francis Vernal moeten behoorlijk goed bevriend zijn geweest...'

'Ik kan niet geloven dat daar nog steeds niemand in gedoken is,' zei Elliot.

'In welk opzicht?'

'We wisten allemaal dat Francis geliquideerd was – hij stond bij MI5 op de dodenlijst. Toen hij overleed leek het niemand wat te kunnen schelen; geen politieonderzoek, de kranten maakten er nauwelijks melding van...' Hij nam nog een slokje water. 'Maar het had het gewenste resultaat.'

'Hoe bedoelt u?'

'Veel groeperingen wisten nu wat hun te wachten kon staan en ontbonden zich. Die hadden er geen zin in om net als Francis Vernal te eindigen.'

'Hoe goed heeft u hem gekend?'

'Niet.'

'U heeft hem nooit bij een vergadering ontmoet?'

'Ik ben een paar keer in dezelfde ruimte geweest als hij, maar ik was voetvolk. Hij zat met de grote jongens aan tafel.'

'Hij regelde het geld, toch?'

'Nog een reden waarom de groeperingen uiteenvielen. Toen Francis van het toneel verdween, verdween ook het geld. Het was niet zo dat we bankrekeningen hadden. Er lag niet ergens een chequeboek met "Dark Harvest Commando" erop.'

'Dat wil ik wel geloven.'

Elliot herinnerde zich iets. 'Er was een vergadering waar de ge-

236

moederen een beetje verhit raakten. Hawkeye had ergens geld voor nodig. Francis stapte naar buiten en kwam terug met een stapel vijfjes en tientjes.'

'Waar was dat?'

'In een pub in Glasgow. Daar gebruikten we soms een zaaltje. Zo'n achenebbisj tent met zaagsel op de vloer en vaderlandslievende liedjes...'

'Lag het geld dus bij Vernal in de auto?'

'Dat neem ik aan.'

De wagen die door Gavin Willis van de sloop gered was. Had hij hem naar zijn garage laten slepen om hem daar te demonteren? En zo ja, hoe had hij dan van dat geld geweten? En als er geld te vinden was geweest, wat had hij er dan mee gedaan?

En waarom die auto dan vervolgens toch al die jaren houden...?

'Wie is Hawkeye?' besloot Fox te vragen.

Elliot haalde zijn schouders op. 'Zijn echte naam heb ik nooit geweten. Normaal gesproken was hij er het type niet naar om bij vergaderingen op te dagen. Iedereen was een beetje bang voor Hawkeye.'

'O?'

'Voor hem was radicalisme allesbehalve een spelletje. Ik ben er behoorlijk zeker van dat hij voor twee, drie gewapende overvallen verantwoordelijk is geweest. De leden roddelden wat graag over Hawkeye als hij er niet bij was – hij was onze Robin Hood. Hij liefhebberde trouwens ook met explosieven.'

'De bombrieven die naar Downing Street en het Lagerhuis zijn gestuurd?'

'Hoogstwaarschijnlijk.'

'Vanwaar de naam Hawkeye?'

'Geen idee.' Elliot had zijn water opgedronken. De filmapparatuur was ingepakt, de ploeg was op weg naar de busjes. 'Ik moet weg,' verontschuldigde hij zich. 'Denkt u echt dat u de waarheid na al die jaren boven water kunt krijgen?'

'Dat zou ik niet weten.'

'En gelooft u dat daar echt iemand op zit te wachten, inspecteur?'

Fox bespaarde zich de moeite van een antwoord. In plaats daarvan greep hij in zijn jaszak en haalde professor Martins boek tevoorschijn. 'Heeft u dit wel eens gezien?' vroeg hij.

'Ik heb ervan gehoord,' verklaarde Elliot terwijl hij het boek van

Fox aannam en het doorbladerde.

'U heeft het nooit willen lezen?'

'Archeologie boeit me niet zo.'

Fox nam het boek uit zijn handen, vond de foto van Vernal en Alice Watts voor het politiebureau en hield het op die pagina voor Elliot open.

'Kunt u zich haar herinneren?'

'Nee.'

'U heeft haar nooit bij een bijeenkomst gezien?'

Elliot schudde zijn hoofd. 'Is het belangrijk?'

'Het schijnt dat ze een relatie met Mr. Vernal had. Daar zou ik graag eens met haar over praten.'

'Ik wou dat ik u kon helpen.'

'In die tijd heette ze Alice Watts...'

Elliot probeerde de naam te plaatsen maar slaagde er niet in. 'In die tijd?' viste hij.

Fox gaf geen antwoord, maar toen hij aanstalten maakte het boek te sluiten trok Elliot het uit zijn handen, nog steeds bij de bewuste foto geopend. '7 april 1985...'

'Was u er bij die dag?'

'Dat kunt u wel zeggen, ja. Ik was een van de arrestanten. Maar aan het einde van de avond werden we alweer vrijgelaten.'

'En u herinnert zich niet dat u Alice Watts daar gezien heeft?'

Elliot schudde opnieuw zijn hoofd. 'Wel grappig om Hawkeye weer eens te zien.' Hij draaide het boek naar Fox. 'Daar heb je hem, arm in arm met de jongedame.' Fox nam het boek aan en bestudeerde de foto. De man die professor Martin niet had kunnen identificeren, die met het lange haar, de baard en de zonnebril.

'U weet het zeker?'

'Behoorlijk zeker.' Een van de opnameassistentes had voor hen postgevat. Ze hield haar klembord tegen haar borst gedrukt en tikte op een denkbeeldig horloge rond haar pols.

'Ik moet nu echt gaan,' verontschuldigde Elliot zich tegenover Fox.

'Is er verder nog iets wat u over Hawkeye weet?'

'Vrees van niet.'

'Een voornaam? Zijn accent?' Fox probeerde niet wanhopig over te komen.

'Schots,' was alles wat Elliot zei terwijl hij overeind kwam. Daar was die glimlach weer, de blinkende tanden die de wereld duidelijk maakten dat John Elliot het ver geschopt had, dat hij in het heden leefde, niet in het verleden.

'Kunnen we nog eens praten?' stelde Fox voor.

'Ik zou niet weten wat ik verder nog te zeggen heb.'

'Maar misschien dat ik nog wat vragen heb.'

Elliot spreidde zijn armen, een gebaar dat moest onderstrepen dat hij Fox alles verteld had wat hij wist.

'U bent de eerste terrorist die ik ooit ontmoet heb,' vertelde Fox hem.

'Dan hoop ik maar dat ik aan uw verwachtingen voldaan heb.' Elliots stem klonk hard, bruusk.

'Momenteel maken we weer jacht op bommenleggers. Ik vraag me af of die over een paar jaar ook tv-programma's presenteren.'

'Als u me nu wilt excuseren.' Hij draaide zich om en liep achter de assistente aan. Fox volgde een stap of twee achter hen.

'Heeft uw kant gewonnen?' vroeg hij.

Elliot bleef even staan en leek de vraag serieus te overdenken. De assistente wilde iets te zeggen, maar hij maande haar tot stilte.

'We zijn nog nooit zo dicht bij een onafhankelijk Schotland geweest,' zei hij tegen Fox. 'Misschien is dat proces wel begonnen toen de regering in Londen begon te beseffen dat ze niet langer om ons bestaan heen konden.'

'Zo te horen bent u uw gevoel voor politiek nog niet helemaal kwijt, Mr. Elliot.'

'Ik kan mij geen partijdigheid veroorloven, inspecteur.'

'Slecht voor het publieke imago?'

De assistente stond zowaar aan zijn arm te rukken. Met een minuscule buiging in Fox' richting liet hij zich uiteindelijk gewillig meevoeren naar de wachtende bus.

Fox' mobieltje ging. Terwijl hij opnam staarde hij nog naar de foto.

'Paul Carter is dood,' liet Tony Kayes stem hem weten.

'Wat?'

'Ergens afgelopen nacht. Ze hebben hem vanochtend vroeg uit de haven gevist.'

'Verdronken?'

'Ze zijn nu met hem onderweg naar de patholoog-anatoom.'

'Jezus Maria op een houtvlot, Tony...'

'Precies.'

'Weet je verder iets?'

'Niet veel.'

Fox dacht terug aan zijn laatste ontmoeting met Carter. Ook bedacht hij dat Joe Naysmith hem nog korter geleden gezien had.

'De Wheatsheaf,' merkte Fox op.

'Waarschijnlijk kan ik maar beter iemand laten weten dat we daar geweest zijn.'

'Toen ik hem in de cottage zag was hij er knap beroerd aan toe.'

'Maar suïcidaal? Daar leek hij me het type niet voor.'

'Mij ook niet.'

'Weet je, Malcolm, voor de verandering zou ik wel eens gewoon een simpel, rechttoe rechtaan sterfgevalletje aan de hand willen hebben.'

'Zit je in Kirkcaldy?'

'Op het bureau is de stemming nogal gelaten.'

'Weten ze er op de coördinatiekamer van?'

'Ja.'

'Hoe zit het met Scholes?'

'Van dat stel heb ik nog niemand gezien.'

'Je kunt maar beter met inspecteur Cash gaan praten. Hem over gisteravond vertellen.'

'Oké.'

'Wordt de autopsie in het ziekenhuis verricht?'

'Zover ik weet wel.'

'Dan zie ik je daar.'

'Dat zal Cash niet leuk vinden.'

'Mooi zo, daar ben ik helemaal voor in de stemming.'

'Kun je voor mij een plaatsje op de eerste rij reserveren?' vroeg Tony Kaye.

'Breng een paar witte handschoenen mee en je mag voor scheidsrechter spelen.' Fox hing op en stevende op zijn auto af.

29

'Altijd in de kelder,' merkte Joe Naysmith op terwijl ze door een gang zonder ramen liepen. De drie mannen wreven hun handen met antibacteriële gel in. 'Het pathologisch lab, de autopsiezaal...'

'Wou je soms dat ze op het parkeerterrein zaten?' wierp Tony

Kaye tegen. 'Zodat iedereen de lijken kan zien?'

'Er was een tijd,' verklaarde Fox, 'dat het grote publiek een lijkschouwing best op prijs kon stellen.'

'Dat is omdat het grote publiek, zoals we allemaal weten, ziek en gestoord is.' Kaye duwde nog een tweetal deuren open en wenste bijna dat hij ze dicht gelaten had.

'Wel, wel,' zei Cash op lijzige toon. 'Daar heb je ze, het hele stel compleet. Komen jullie even een kijkje nemen naar wat jullie aangericht hebben?' Hij wendde zich naar brigadier Brendan Young. 'Er is niets waar die rubberenzolenbrigade meer op kikt dan een diender de dood in jagen.'

'Terwijl jullie hem alleen maar een moord probeerden aan te wrijven,' kaatste Fox terug. 'Hoe lang duurde dat verhoor ook weer – negen, tien uur aan één stuk?'

Cash priemde een beschuldigende vinger naar Fox. 'Ik meen me te herinneren dat ik jou van het onderzoek geknikkerd had.'

'En dat beviel me ook uitstekend, maar we hebben wat nieuws dat we met je moeten delen.'

Cash liet zijn handen in zijn zakken glijden en wipte op zijn tenen. 'Nu gaan we het beleven,' zei hij tegen Young.

'Maar eerst wachten we af wat de autopsie oplevert.'

'Dan kun je achter in de rij aansluiten,' sputterde Young terwijl hij op zijn mobiel keek hoe laat het was.

Precies op dat moment zwaaiden de deuren met het woord AUTOPSIEZAAL erop open. De patholoog-anatoom was in vol ornaat en maakte een ongeduldige indruk.

'Hoeveel van jullie willen toekijken? We hebben maar drie setjes operatiekleding.'

Naysmith vernam het opgelucht. Kaye keek Fox mistroostig aan in de wetenschap dat de hogeren in rang op hun strepen zouden staan. Vijf minuten later stonden Fox, Cash en Young in de autopsiezaal, luisterend naar het gezoem van de ventilator en de patholoog die zijn assistent op de huid zat.

'We komen een man tekort, maar daar valt nu niets aan te doen,' zei hij tegen Cash. Fox wist dat de Schotse wet 'corroboratie' voorschreef, wat zoveel wil zeggen dat er een tweede patholoog aanwezig diende te zijn. 'We kunnen hem altijd tot morgen in de koelkast leggen...'

Maar Cash schudde zijn hoofd. 'Nee, we doen het nu.'

Paul Carter lag languit op de metalen tafel. Er sijpelde nog steeds water van het dode lijf dat via een drainagesysteem naar emmers onder de tafel werd afgevoerd. Fox keek in het opgezwollen gezicht van Carter. In de kleine, bijna claustrofobische ruimte hing een zilte geur. Misschien had hij dit toch verkeerd ingeschat: hij was bij weinig autopsies aanwezig geweest, nu moest hij maar hopen dat hij niet van zijn stokje ging. Ook Brendan Young maakte geen okselfrisse indruk. Tijdens de obductie sprak de patholoog-anatoom in een microfoontje. Hij drukte met volle kracht op de borst en er spoot een gorgelende stroom water uit de mond van het lijk. Fox voelde zijn mond uitdrogen en zijn hart in zijn keel bonzen. Het stoffelijk overschot had waarschijnlijk acht à tien uur in het water gelegen, waarmee het tijdstip van overlijden op ergens tussen elf uur 's avonds en één uur 's nachts werd vastgesteld. De patholoog nam de temperatuur op en controleerde de pupillen. Zodra hij de Y-incisie gemaakt had en de ribbenkast had opengewrikt, kon hij de inhoud van de longen onderzoeken.

'Het lijdt geen twijfel dat hij verdronken is,' zei hij. 'Maar of hij in het water gevallen is of gesprongen...' Hij maakte een schokschouderend gebaar dat een schouderophalen had kunnen zijn.

Tijdens het vervolg van het onderzoek, bij het verwijderen en wegen van de organen, schuifelde Brendan Young steeds verder naar achteren totdat hij, met zijn ogen vrijwel geheel gesloten, tegen een muur leunde. Fox liet zich niet kennen, al volgde hij de verrichtingen meer met zijn oren dan zijn ogen.

'Een gebroken neus,' constateerde de patholoog, bijna in zichzelf, terwijl hij het gezicht van alle kanten bestudeerde.

'Misschien is het lichaam tegen de zeewering geslagen,' opperde Cash.

'Afgelopen nacht stond er niet veel wind... ik betwijfel of de stroming sterk genoeg was om een dergelijke wond te veroorzaken.' De patholoog verschoof zijn aandacht naar Carters handen en armen. 'De knokkels zijn geschaafd... Dat geldt ook voor zijn vingertoppen.'

'Heeft hij misschien gevochten?' veronderstelde Fox.

'Of hij is op de grond gevallen. Hield zijn handen instinctief voor zich en schaafde ze bij de val.' Uiteindelijk werd de maag geopend.

'Ruiken jullie dat?' vroeg de patholoog-anatoom terwijl hij zich naar zijn publiek wendde.

'Sterkedrank,' zei Cash.

'Bier, zo te ruiken. En iets sterkers.' De man boog zich over het lijk en snoof de geur op. 'Whisky.'

'Dus hij is lazarus en maakt een wandelingetje bij de haven.'

'Dat is één scenario. Een ander is dat er iets van een handgemeen heeft plaatsgevonden.'

'Maar hij leefde nog toen hij in het water belandde?' vroeg Fox.

'Vrijwel zeker,' verklaarde de patholoog.

Een kwartier later trokken ze hun beschermende kleding uit, plensden water over hun handen en gezicht en keerden terug naar de gang, terwijl ze de patholoog en zijn assistent hun werk lieten afmaken.

'Kom op, gooi het eruit,' zei Cash tegen Fox. Een ongelukkige woordkeus, daar brigadier Young net een paar minuten boven de wasbak had gehangen om het laatste restje braaksel uit zijn keel te verwijderen. Hij zag bleekjes en zweette hevig. Toen Naysmith hem een kauwgompje aanbood, griste hij het uit zijn hand.

'Carter had gisteravond een ontmoeting in een plaatselijke pub,' zei Fox. 'Maar voordat ik je vertel met wie, wil ik je woord dat je mij en mijn team niet buiten het onderzoek houdt.'

'Beloven kan ik niets,' zei Cash.

Fox dacht er op zijn gemak over na. Hij maakte zelfs even oog-contact met Kaye.

'Eerst moet ik weten wat jij weet,' vervolgde Cash op ietwat mildere toon.

'Die ontmoeting was met Scholes, Haldane en Michaelson,' gaf Fox zich gewonnen.

Cash' handen gleden weer in zijn zakken. Die gewoonte begon Fox op de zenuwen te werken. Het leek wel of de inspecteur het grootste deel van zijn poses aan oude misdaadfilms ontleende.

'Hoe weet je dat?' vroeg hij.

'We hadden Naysmith er op afgestuurd om ze af te luisteren.'

'Hoe wist je trouwens van die ontmoeting?'

'Wat doet dat ertoe? Waar het om draait is dat ze gisteravond met zijn vieren op stap zijn geweest. Jij wilt vast een praatje met ze maken en ik wil horen wat ze te zeggen hebben.'

Cash keek Naysmith aan. 'Hoe laat ongeveer?'

'Het was even voor achten toen ze met hun drankjes aan een ta-feltje gingen zitten,' was Naysmith hem ter wille.

'En hoe laat gingen ze weg?'

Naysmith wierp Kaye een smekende blik toe.

'Ze kregen hem in de smiezen,' zei Kaye tegen Cash. 'Om tien over heel stonden we weer buiten.'

Cash zweeg een paar gelukzalige momenten om zich ten volle aan het gepruts van Interne Zaken te laven.

'Dus jullie undercoveroperatie heeft maximaal een kwartier geduurd?' Hij wendde zich weer naar Fox en grinnikte hem vol leedvermaak toe.

'Zo is het mooi geweest, je hebt je lolletje gehad,' zei Fox koeltjes. 'Het punt is, zij weten in wat voor gemoedstoestand Paul Carter verkeerde en hoe laat ze opbraken.'

'Zal best.' Cash knikte instemmend.

'Dus moeten we met ze praten.'

Cash staarde hem strak aan. 'Ik kon niets beloven, weet je nog.'

Fox had er schoon genoeg van. Hij posteerde zich pal voor Cash. 'Volgens mij zie je iets over het hoofd: mijn rapport gaat rechtstreeks naar jouw korpschef. En dat rapport bevat nu al boeiend leesvoer. De enige reden waarom we hier zijn, is dat jouw chef iedereen kan laten zien hoe brandschoon alles is. Het laatste wat hij wil is dat de pers er lucht van krijgt dat iemand ons een duimbreed in de weg legt. Dan zullen er namen vallen, Cash.' Fox zweeg even. 'Je voornaam is me ontgaan. Voor de zekerheid kun je die maar beter voor me spellen.'

Cash liet Fox lang wachten, wat Fox in het geheel niet stoorde. Hij wist dat de man uiteindelijk zou inbinden. Ten slotte hief die zijn handen in een gebaar van overgave ten hemel.

'Samenwerking is altijd mijn motto geweest,' zei hij met een zuur lachje. 'We staan tenslotte allemaal aan dezelfde kant, toch?'

Fox bleef hem in de ogen staren, hun gezichten niet meer dan een paar centimeter van elkaar verwijderd.

'Waarvan akte,' zei hij tegen de rechercheur.

Op het bureau wachtte hun nog meer nieuws, nieuws dat alles veranderde. Cash overpeinsde het en besloot dat hij de drie collega's van Paul Carter tegelijkertijd in dezelfde ruimte wilde spreken. De verhoorkamer was te krap, dus vorderde hij het recherchekantoor. Brigadier Young was eropuit gestuurd om Scholes, Haldane en Michaelson te halen.

'Wij beschikken over opnameapparatuur,' zei Fox tegen Cash. Met een knikje verleende de rechercheur zijn instemming met het opstellen van de video- en audioapparatuur. Joe Naysmith ging aan de slag, terwijl de drie anderen – Cash, Fox en Kaye – met bureaus sleepten om de benodigde ruimte vrij te maken. Er waren acht stoelen nodig: vijf aan de ene kant, drie aan de andere. Mobieltjes gingen over maar werden niet opgenomen. Met een gigantisch grote witte zakdoek veegde Cash het zweet van zijn voorhoofd.

'Jullie drie,' zei hij tegen Fox, 'zijn hier als toehoorder.'

'Totdat je anders besluit,' beaamde Fox.

De deur ging open en vier gestalten marcheerden naar binnen. Haldane en Michaelson zagen er verbouwereerd uit, Scholes eerder alert. Young wees naar de drie stoelen.

'Wat moet dit voorstellen?' vroeg Scholes.

'Ik heb een paar vragen voor jullie,' verklaarde Cash.

Scholes nam de drie agenten van IZ op en liet met een knikje weten dat hij begreep hoe de vork in de steel zat. 'De volgende keer dat je weer zo'n stunt uithaalt,' zei hij terwijl hij naar Naysmith gebaarde maar de ogen strak op Fox gericht hield, 'neem dan iemand die oud genoeg is zodat de kroegbaas niet om zijn legitimatie hoeft te vragen.'

Met een knalrood hoofd controleerde Naysmith de apparatuur. Scholes wendde zich tot zijn collega's.

'We zitten hier omdat we gisteravond met hem op stap zijn geweest,' zei hij tegen ze. Toen pas ging hij zitten. Even was het kantoor in stilte gehuld, tot Naysmith 'oké' zei. Cash haalde diep adem en vouwde zijn armen over elkaar.

'Dit komt allemaal knap hard aan,' zei hij. 'Het spijt me dat jullie een vriend hebben verloren...'

Scholes gaf een grom ten beste.

'Zoals je net al zei, jullie zijn gisteravond met hem op stap geweest...'

'We hebben een paar glaasjes gedronken in de Wheatsheaf,' verklaarde Michaelson.

'Hoe laat was dat?'

'We zijn er even na negenen, uiterlijk halftien, weggegaan.'

Cash had uitsluitend oog voor Scholes, ongeacht of hij nu wel of niet het woord voerde. 'Waar zaten jullie met zijn vieren over te praten?'

'Over van alles en nog wat.'

'De dood van zijn oom?'

'Eventjes.'

'Zijn jullie met z'n allen bij de Wheatsheaf weggegaan?'

Er volgde niet direct een antwoord. Haldane blikte kort naar Scholes.

'Nou, Haldane?' drong Cash aan.

'We hadden wat woorden gehad,' sneed Scholes zijn collega de pas af. 'Logisch dat je van streek bent als je er net achter komt dat je geschaduwd wordt.' Hij keek Naysmith indringend aan. 'Paul maakte er een hele heisa van.'

'En met een paar drankjes op kon hij nogal uit zijn slof schieten.'

'Dat was het niet,' liet Haldane zich ontvallen. 'Je kreeg gewoon zo'n koppijn van die vent, zoals die maar eindeloos zat door te zeuren.'

'Doorzeuren? Waarover?'

'Interne Zaken, de rechtszaak die hem boven het hoofd hing, zijn oom, de beschuldigende vingers.'

'Die arme kerel draaide helemaal door,' merkte Scholes op.

'Dus jullie hadden woorden in de pub?' vroeg Cash.

Scholes knikte. 'We hebben hem daar in zijn sop gaar laten koken.'

'Dus hij bleef daar alleen achter?'

'Wij moesten de volgende dag weer werken.'

Cash knikte langzaam. 'Ik heb de uitbater gebeld. Hij dacht dat het tegen elven liep toen Carter daar de deur uit wankelde. Volgens die kroegbaas had hij zeker zes grote pils en drie borrels op. Hij zweeg even, spreidde zijn armen en drukte vervolgens zijn vingertoppen tegen elkaar. 'Hoe denken jullie dat hij in het water is terechtgekomen?'

'Wat doet dat ertoe?' Scholes keek Cash laatdunkend aan. 'Het maakt jouw werk er heel wat makkelijker op, hè, nu hij er niet meer is om zich te verdedigen. Je schuift hem die moord in de schoenen en klaar is Kees. Een rechtszaak is overbodig... alle losse eindjes netjes weggewerkt.'

'Ah, maar dat is nu net niet het geval.' Cash wachtte om zijn woorden goed tot hem door te laten dringen.

'Hoe bedoel je?' vroeg Michaelson uiteindelijk.

'Eerder vandaag kregen we een telefoontje. Een toevallige passant liet daar gisteravond laat zijn hond uit. Hij zag een man op het strand. Die werd door een andere man achtervolgd. De eerste vent riep niets, schreeuwde niets, hij holde alleen maar zo hard hij kon.' Cash onderbrak zichzelf, wachtend op een reactie.

'Waarom denk je dat het Paul was?' vroeg Scholes uiteindelijk.

Cash haalde zijn schouders op. 'Alleen maar omdat de getuige zag dat hij de zee in rende. Zijn enige mogelijkheid om te ontkomen. De toeschouwer hield ze voor een stelletje dronkenlappen die een geintje uithaalden.' Hij keek omlaag naar zijn schoot. 'We komen net bij de autopsie vandaan. Op een of andere manier had agent Carter een gebroken neus en geschaafde handen opgelopen...'

'Ho, wacht eens even,' zei Haldane met onvaste stem. Hij pakte de leuningen van zijn stoel beet en maakte aanstalten overeind te komen.

'Zitten,' gelastte Cash.

Scholes legde een hand op Haldanes schouder en Haldane liet zich weer op zijn stoel zakken.

'Wat heeft dit met ons te maken?' vroeg Scholes.

'Zeg jij het maar.'

'Oké, dat doe ik. Het antwoord is: niets. We hebben Paul in de pub achtergelaten, zijn naar onze auto's gelopen en naar huis gereden.'

'Jullie zaten niet boven de alcohollimiet?'

'Natuurlijk niet. We zijn nog altijd politie, hoor.'

'En jullie gingen ieder jullie weegs, wat betekent dat geen van jullie de gangen van de ander kan bevestigen – als jullie niet over paranormale krachten beschikken tenminste.'

Michaelson lachte schamper en schudde zijn hoofd. 'Dit is toch goddomme niet te geloven,' verklaarde hij terwijl hij een vinger naar Fox uitstak. 'Jullie is ook niets te gortig om ons in de stront te duwen.'

'Kan je vrouw getuigen dat je voor tienen thuis was?' vroeg Cash.

'Zeker weten.'

'En jij, brigadier Haldane?'

'Ik ging bij mijn moeder langs. Kort na elven ben ik bij haar weggegaan.'

'Een echte nachtbraakster, die ma van je.'

'Ze doezelde wel een paar keer weg; dat heeft ze wel vaker bij het nieuws...'

Cash knikte. 'Dat brengt ons bij jou, inspecteur Scholes.'

'Ik kan mijn oren niet geloven.' Uitwendig maakte Scholes een onbewogen indruk, maar hij had zijn emoties maar net aan onder controle. Toen hij sprak, klonk het alsof zijn stem zich uit een dwangbuis probeerde te bevrijden. 'Paul was onze máát. En nu beweer je dat een van ons hem in elkaar gemept heeft? Nu zeg je dat hij zo bang voor ons was dat hij de zee in rende?' Scholes begon zowaar te lachen en gooide zijn hoofd in zijn nek.

'Ik wacht wel, hoor,' zei Cash, op een toon alsof hij alle tijd van de wereld had.

Scholes hield op met lachen. 'Dan kun je me nu net zo goed met-een opsluiten,' verklaarde hij. 'Ik ben naar Milnathort gereden om bij mijn vriendin langs te gaan. Ze was er niet, dus reed ik weer te-rug. Ik heb niemand gezien of gesproken.' Hij keek Cash strak aan. 'Dus moet ik het gedaan hebben.'

'Tenzij je iemand anders kunt bedenken. Carter was vast niet de graagst geziene gast van Kirkcaldy.'

Scholes leek het te overdenken. 'Inderdaad, je hebt gelijk,' gaf hij toe. 'Hier zit ik dan, nota bene in één ruimte met de mensen die hem waarschijnlijk het meest gehaat hebben.' In navolging van Cash duwde hij zijn vingertoppen tegen elkaar en boog zich naar hem toe. 'Stel je me nog in staat van beschuldiging of hoe zit het?'

'Gun hem die lol niet, Ray,' zei Michaelson.

'Dit verhoor is afgelopen.' Cash kwam overeind en keek op zijn horloge. Ten behoeve van de opnameapparatuur zei hij hardop hoe laat het was. Scholes bleef zitten, zijn ogen op Fox gericht.

'Het spijt me van Paul,' zei Fox tegen hem.

'Alsof iemand daar een ruk mee opschiet,' antwoordde Scholes.

30

'Wat dacht je van een confrontatie?' vroeg Tony Kaye aan Cash toen Scholes, Haldane en Michaelson vertrokken waren. 'Misschien heeft de getuige genoeg gezien voor een identificatie.'

'Wij hebben iets anders gehoord,' wierp brigadier Young tegen. 'Slechts twee vage gestalten. En dat het mannen waren kon hij alleen maar afleiden uit hun lengte en uit hoe ze zich bewogen.'

'Dus het is niet meer dan een vermoeden dat Paul Carter degene was die achtervolgd werd?' vulde Fox aan.

Cash wierp hem een veelzeggende blik toe. 'De zaken onnodig ingewikkeld maken is zo te zien jouw stiel, Fox.'

'Ik zou het "tunnelvisie voorkomen" willen noemen.'

Cash richtte zich tot Brendan Young. 'Laat die getuige sowieso opdraven. We moeten toch nog een behoorlijke getuigenverklaring afnemen.'

'Als Carter het water in gerend is en toen verdronken,' vroeg Joe Naysmith, 'hoe luidt de aanklacht dan?'

'Die komt er dan misschien wel niet,' erkende Cash. 'Aan de andere kant, als hij in een vechtpartij betrokken was geraakt en zich realiseerde dat hij niet kon winnen en zich uit de voeten maakte...'

'En als de belager de achtervolging inzette,' vervolgde Young, 'en hem de stuipen op het lijf joeg...'

'Dan heeft die belager zich ergens schuldig aan gemaakt,' besloot Kaye.

'Maar die beslissing is aan ons,' maande Cash. 'Dat wil zeggen: aan de recherche, dus niet aan Interne Zaken.' Hij wendde zich weer naar Fox. 'Dus jij en je vrolijke clubje halfbakken prutsers kunnen nu naar de andere kant van de Forth opsodemieteren.'

'Dat gaat niet gebeuren,' antwoordde Fox. 'Niet voordat we dat persoonlijk uit de mond van jouw korpschef vernemen.'

'Je hoort hier niet eens te zijn, man!' Cash porde met een vinger in Fox' onverzettelijke borst.

'Wij hebben jullie die drie op een presenteerblaadje aangereikt.'

'Wil je soms dat ik je voeten kus?'

'Een eenvoudig "dankjewel" volstaat.'

'Zes,' onderbrak Young Fox. 'Jullie hebben ons zes man op een presenteerblaadje aangereikt.'

'Klopt,' zei Cash, en hij knikte instemmend. 'Ik was even vergeten dat jullie drie er gisteravond ook bij geweest zijn.'

'Alleen Naysmith en ik,' verbeterde Kaye hem.

'Is dat juist?' vroeg Cash aan Fox.

'Ik was thuis in Edinburgh.'

'Was er iemand bij je?'

'Nee.'

Cash richtte zijn aandacht op Kaye en Naysmith. 'Dan beginnen we met jullie twee.' Hij liep naar de videocamera. 'Hoe werkt dat ding, knul?'

Naysmith keek Fox aan voor nadere instructies.

'Oké, je hebt je punt gemaakt, Cash,' verklaarde Fox.

'Ik ben nog maar net begonnen: dit moet volgens het boekje gedaan worden. En ga me nu niet vertellen dat iz hier niet mee akkoord gaat. Een plaatselijke diender ligt op een autopsietafel en ik zit hier met twee getuigen die hem op de avond van zijn dood gezien hebben.' Cash gebaarde naar brigadier Young. 'Weet jij hoe dat ding werkt, Brendan?'

'Zo moeilijk kan het niet zijn,' stelde Young.

Cash keerde zich weer naar Fox. 'Ben je er nou nog? Moet ik soms een klacht tegen je indienen?'

Fox leek bereid voet bij stuk te houden, maar Kaye wees met een ruk van zijn hoofd naar de deur.

'Dan wacht ik wel buiten,' zei Fox tegen niemand in het bijzonder.

'Precies waar je thuishoort,' sputterde Brendan Young.

Fox zat een tijdje in zijn auto met zijn vingers op het stuur te trommelen en door de voorruit naar buiten te staren zonder echt iets te zien. Hij zette de radio aan maar vond geen zender van zijn gading. Er waren geen berichten op zijn mobiel achtergelaten. Ten slotte stapte hij uit en ijsbeerde over de parkeerplaats. Hij dacht aan Paul Carter, weggeborgen in de kille somberte van het mortuarium, in zijn laatste ogenblikken op de vlucht en in de greep van angst. Toen zag hij Alan Carter voor zich, achter zijn tafel in Gallowhill Cottage – sereen, niet bevreesd voor wie het ook was die achter hem gestaan had.

Niet bevreesd of nietsvermoedend.

Francis Vernal was van de weg geraakt, of van de weg gereden. Misschien zelfs doodgeschoten terwijl hij reed? Er zou een scherpschutter voor nodig zijn geweest, maar scherpschutters konden gevonden worden.

Fox' laatste herinnering aan de levende Paul Carter: rennend van het huis naar zijn auto.

Ik heb er zo stront genoeg van... Ik wil mijn leven terug...

'Anders ik wel, maat,' mompelde Fox terwijl hij zijn mobiel oppakte om de sms te lezen.

Start de auto – we nokken hier af!

Hij kwam net bij de achterdeur van het bureau aan toen die openzwaaide. Kaye voorop, Joe Naysmith in zijn kielzog.

'Nou?' vroeg Fox.

'Hij heeft ons zo lang aan het lijntje gehouden als hij kon,' meldde Kaye. 'Ik geloof niet dat hij Joe's verhaal helemaal slikte, maar ja, dat deed ik ook niet.'

'Ik was naar North Queensferry gereden,' legde Naysmith aan Fox uit.

'Om zijn schatteboutje te zien,' vulde Kaye aan.

'Vroeg Cash naar haar naam?' Fox keek toe hoe Naysmith zijn hoofd schudde. 'Maar beter ook. We moeten hem niet nog meer munitie geven. De hoge heren kunnen elk moment tot de conclusie komen dat we meer problemen veroorzaken dan oplossen.'

'Oost west, thuis best,' antwoordde Kaye handenwrijvend. 'Ik kan niet wachten.'

'We hebben een klus gekregen,' bracht Fox hem in herinnering.

Kaye sloeg zijn ogen ten hemel. 'Die je niet eens geprobeerd hebt te klaren omdat je zo nodig in die suffe geschiedenisboekjes moest duiken.'

'Ik was buitenspel gezet, weet je nog.'

'Het probleem met jou, Malcolm, is dat het je zo goed aan die zijlijn beviel dat ik zou zweren dat je tussen een groep cheerleaders terechtgekomen was.'

Naysmith glimlachte om het beeld. Na een paar tellen zwichtte Fox. Uiteindelijk lachte ook Kaye mee.

'En als ik het je nou eens liet zien?' opperde Fox.

'Wat wou je laten zien?'

'Joe is er al eens geweest, het is wel zo gepast als jij er ook een kijkje neemt.'

Naysmith knikte begrijpend. 'Met hoeveel auto's?' vroeg hij Fox.

'Eén is voldoende. En de mijne staat het dichtst bij.'

Wat inderdaad zo was; hij had hem opnieuw op de plek van commissaris Pitkethly achtergelaten.

De deur was nog steeds van het slot, zo te zien was er sinds Fox' laatste bezoek niemand meer geweest.

'Wie erft het?' vroeg Kaye, praktisch ingesteld als altijd. Hij nam de cottage op alsof hij serieuze plannen had het pand te kopen.

'Paul Carter lijkt het enige naaste familielid te zijn,' antwoordde Fox terwijl hij de deur openduwde.

'Ik zou de landrover nemen,' merkte Joe Naysmith op. 'Eerder dan het huis.'

'Moet je je voorstellen dat je hier wordt rondgeleid.' Kaye volgde Fox de huiskamer in. 'En dat de makelaar dan voortdurend om de hete brij heen moet draaien...'

'Mogen we hier eigenlijk wel zijn?' vroeg Naysmith. 'Dit is toch nog steeds een plaats delict?'

'Eentje die helemaal schoon gekloven is,' stelde Fox hem gerust.

Hij hield Tony Kaye in het oog. Ondanks zijn tekortkomingen had Kaye het instinct van een volbloed rechercheur. Niet dat Fox nieuwe ontdekkingen verwachtte: hij hoopte slechts dat Kaye een paar van zijn eigen theorieën zou bevestigen.

'Alan Carter zat hier,' verklaarde hij terwijl zijn vingers over de rug van de massief houten stoel gleden. 'Met alle documentatie voor zich, alles wat hij over de dood van Francis Vernal had weten op te diepen.'

'Alles? Weet je dat zeker, Malcolm?'

'Alles waar wij van weten.'

'Heeft hij de moordenaar binnengelaten?'

'Volgens Carters beste vriend zat de deur normaal gesproken op slot.'

'Geen sporen van braak?'

Fox schudde zijn hoofd.

'Iemand die hij kende dus, en zo komen we weer bij de neef uit.'

'De papieren waren verplaatst, deels op de grond gegooid.'

'Dat kan de overledene ook zelf gedaan hebben,' merkte Kaye op. 'In een vlaag van irritatie... een driftbui.'

Naysmith leunde met zijn achterste tegen de leuning van Alan Carters favoriete fauteuil. 'Waarom is de hond gespaard?' vroeg hij.

'Goeie vraag,' antwoordde Kaye met een goedkeurend knikje. 'De moordenaar is misschien een dierenvriend?'

'De animositeit was niet jegens de hond,' zei Fox.

'Wat de moordenaar betreft,' voegde Naysmith eraan toe, 'moest Carter dood. Punt uit.'

Kaye gromde iets wat op instemming leek. 'Dus wat had hij precies weten op te diepen?' vroeg hij Fox.

'In de zaak-Vernal bedoel je?' Fox dacht na alvorens te antwoorden. 'Niet bijzonder veel, bij mijn weten.'

'Dus dat kan wel eens op niets uitlopen, en dan zijn we weer terug bij af: de neef.'

Kaye maakte een rondje door de kamer, trok links en rechts laden open, nam snuisterijen onder de loep en hurkte zelfs voor de open haard neer en tuurde naar de as en de uitgebrande sintels op het haardrooster. Hij krabbelde overeind, snoof en beende naar de keuken, waarna ze gedrieën de trap op gingen naar de eerste verdieping.

'De cottage was ooit eigendom van Gavin Willis,' verklaarde Fox. 'Willis was de mentor van Alan Carter – de door de wol geverfde rechercheur en het grasgroene agentje. Toen Willis overleed kocht Carter dit huis en leefde er zijn gebrekkige doe-het-zelfkwaliteiten op uit.'

'Hij had zich beter bij zijn politiewerk kunnen houden,' beaamde Kaye.

'Toen Paul Carter een jochie was, had zijn vader hem af en toe hierheen gesleept – en oom Alan maar volhouden dat hij geen hulp nodig had.'

'Dat loog hij,' stelde Kaye vast.

'Een beetje stukadoren... een nieuw behangetje...'

Kaye keek Fox aan. 'Denk je dat hij ergens naar op zoek was?'

'Toen Vernal overleed raakte er geld zoek. Een paar duizend pond.'

'In contanten? Dat zou onder elk behang een aardige bobbel opleveren.'

'Misschien was het geen geld,' speculeerde Fox.

Kaye had het inmiddels door: hij begreep dat Fox hem als klankbord gebruikte en gaf hem dat met een knipoog te kennen.

'De auto?' vroeg Naysmith. 'Dat is een veel betere plek om iets te verbergen.'

'Inderdaad,' beaamde Fox.

'Maar die auto stond toch in de garage?' vroeg Kaye. 'Waarom dan het halve huis slopen?'

'Misschien dat Alan Carter niet van de auto wist,' antwoordde Naysmith. 'Niet van meet af aan.'

'Misschien,' gaf Fox toe.

'Ben je echt van plan om hier met gereedschap terug te keren om de boel binnenstebuiten te keren?' vroeg Kaye. Hij zag Fox zijn hoofd schudden. 'Omdat je ervan uitgaat dat áls er iets te vinden viel Alan Carter het al gevonden heeft?'

Deze keer haalde Fox zijn schouders op.

Kaye maakte weer zijn rondje, laden en kastdeuren opentrekkend. 'We zijn allemaal smerissen,' merkte hij op. 'Waar zouden wij iets verbergen?'

'Vol in het zicht?' opperde Naysmith.

'Dat zou best eens kunnen werken, zolang het zoeken aan sukkels als Cash en zijn hulpje wordt overgelaten. Wat denk jij, Fox?'

'Onder een matras... een loszittende vloerplank misschien...'

Kaye staarde hem aan. 'Joe heeft tenminste nog een beetje fantasie.'

'Hier buiten ligt een paar hectare landbouwgrond met honderden bomen. Het kan overal verstopt zijn.'

Kaye liet het bezinken. 'Het lijkt me dat Paul nog steeds de meest voor de hand liggende kandidaat is.' Hij zweeg even. 'Kunnen we nu naar huis?'

Fox beantwoordde de borende blik van zijn collega. 'Ik zou graag willen dat je eerst nog even in de garage rondkijkt,' verzocht hij.

'En dan gaan we naar huis?'

'Misschien,' hield Fox een slag om de arm.

De sleutel van het hangslot hing weer aan zijn haak in de keuken. Zo te zien had niemand van de recherche bijzonder veel belangstelling voor de roestende schroothoop aan de dag gelegd. Naysmith en Fox trokken het dekzeil weg terwijl Kaye de gereedschappen en verfblikken op de met spinrag bedekte planken bestudeerde.

'Hij is bij de plek van het ongeluk vandaan gesleept voordat iemand hem echt kon onderzoeken,' verklaarde Fox.

'Willis is hoogstpersoonlijk naar de sloop gegaan,' vulde Naysmith aan. 'En liet ze die kar hierheen slepen.'

'Nou en?' Kaye veegde het stof van zijn handen.

'Het enige wat we echt van Willis weten is dat hij van de oude stempel was, dat hij bijzonder goed met Alan Carter overweg kon en dat hij mogelijk wapens achteroverdrukte in plaats van ze te vernietigen.'

'Geen van die zaken brengt hem in verband met Francis Vernal.'

'Behalve dan dat Vernal met radicale groeperingen in contact stond en dat die radicale groeperingen wapens hadden.'

'Wat weten we over het wapen waarmee die advocaat gedood is?'

'Zo goed als niets,' gaf Fox toe.

Kaye vouwde zijn armen over elkaar. 'Oké,' zei hij, 'laat me de meest bizarre, gestoorde samenzweringstheorie horen die je kunt bedenken.'

Fox aarzelde maar heel even. 'De geheime dienst,' zei hij. 'Vernal werd gevolgd, er is bij hem thuis en op kantoor ingebroken. Zijn maatjes van het Dark Harvest Commando joegen de gevestigde macht de stuipen op het lijf.'

'Ze hebben hem uit de weg geruimd? Waarom?'

'Hij vormde een bedreiging,' opperde Naysmith.

'Was hij dat ook echt?' vroeg Kaye aan Fox.

Fox dacht daar even over na. 'Hij was hooguit degene die het geld regelde. Er is niemand die echt denkt dat hij een van die groeperingen leidde.'

'Wie dan wel?'

'Donald McIver.'

'Heb je hem gesproken?'

'Die zit in Carstairs.' Fox zweeg even. 'Vind je dat ik met hem moet gaan praten?'

'Dat is aan jou, niet aan mij.' Kaye liep om de Volvo heen. 'Hebben jullie de wagen onderzocht?'

'Ik,' zei Naysmith. 'Ben erin geklommen en heb wat rondgesnuffeld.'

'Iets gevonden?'

'Nee.'

'Het onderhoudsboekje,' corrigeerde Fox hem.

'Hebben jullie in de kofferbak gekeken?'

Toen Fox zijn hoofd schudde pakte Kaye een beitel van de werkbank en begon het metaal open te wrikken. Naysmith schoot hem met een schroevendraaier te hulp. Uiteindelijk braken ze het slot open. De achterbak was gevuld met stro: de laatste overblijfselen van wat ooit een nest moest zijn geweest. De reserveband was lek, het rubber vergaan. Kaye tilde hem op en keek eronder. Toen hij de viltlaag probeerde te verschuiven, verkruimelde die. Er lag een krik onder, verder niets. Fox realiseerde zich dat hij zijn adem had ingehouden, half en half in de verwachting dat het geld tevoorschijn zou komen. Kaye produceerde een niet te interpreteren grom en liep naar het andere eind van de wagen om het verkreukelde chassis te inspecteren. 'Ik dacht dat die wagens als een tank gebouwd waren. Die moet een aardige vaart hebben gehad...'

'Vernal had zijn minnares bezocht,' vertelde Fox.

'Had hij soms haast om weg te komen?'

'Iemand kan hem gevolgd zijn.'

'Daar heb je die geheim agenten weer. Denk je dat ze ons inzage in hun dossiers zullen geven?'

'Dat betwijfel ik.'

Kaye legde het dekzeil op de vloer, ging erop liggen en schuifelde onder de wagen. 'Zo te zien is er nergens mee geknoeid. Al is dat lastig te zeggen na al die jaren...' Toen hij weer tevoorschijn kwam veegde hij zijn kleren schoon. 'Heeft die vriendin nog iets te zeggen?'

255

'Die is kort daarop van de aardbodem verdwenen.'

'Wat jij als bewijs opvat dat iemand haar een stevige portie angst heeft aangejaagd.'

'Niet noodzakelijkerwijs.'

Kaye wreef over zijn kaak. 'Als ik eerlijk ben, Malcolm, denk ik niet dat je ook maar iets hebt.'

'Maar is dat omdat er niets te vinden valt?'

Kaye kneep zijn ogen tot spleetjes en dacht even na. 'Zover zou ik niet willen gaan.'

'Maar zou je ook door blijven zoeken?'

'Ik persoonlijk?' Kaye schudde langzaam zijn hoofd. 'Een rustig leventje, dat is wat ik wil. Maar jij, jij...' Hij had niet het gevoel dat het nodig was de zin af te maken.

Fox staarde naar de auto en pakte een hoek van het zeildoek. Joe Naysmith hielp hem de wagen te bedekken.

Fox zette ze af op het parkeerterrein achter het bureau.

'Wat staat er op het programma?' vroeg hij.

Kaye keek Naysmith aan. 'Volgens mij zijn we klaar om het eindverslag voor te bereiden.'

'Ik heb misschien nog een paar aanvullende vragen,' wierp Naysmith tegen.

'En zijn die soms voor onze welriekende rechercheassistent Forrester bestemd?'

Naysmith deed zijn best geen kleur te krijgen. Kaye grinnikte en sloeg hem op de schouder.

'En jij?' vroeg hij Fox.

'Cash wil me hier absoluut niet in de buurt hebben.'

'Het perfecte excuus om je archeologische opgravingen voort te zetten.'

'Zoiets, ja.'

Kaye knikte en sloeg een arm om Naysmith' schouders. Hij strooide versiertips rond terwijl het tweetal op de achterdeur van het bureau afstevende. Fox zat in zijn auto, liet de motor in zijn vrij draaien en dacht aan de in de prak gereden kastanjebruine Volvo. Willis had die wagen niet voor niets gewild. Hij moest gedacht hebben dat die bewijs was van het een of ander, een soort verzekeringspolis tegen iets of iemand. Als het hem alleen om het geld te doen was geweest, waarom had hij die auto dan toch laten staan? En hoe had hij überhaupt van dat geld kunnen weten? Tenzij hij banden had onderhouden met het Dark Harvest Commando. Nauwe banden.

Een lid?

Een sympathisant?

Fox keek omlaag naar de vloer voor de passagiersstoel. Daar lag het onderhoudsboekje van de 244. Hij bukte zich en pakte het op. Wat had Naysmith ook weer gezegd...?

Vol in het zicht...

En Tony Kaye: *Dat zou best eens kunnen werken...*

Verschillende pagina's kleefden aan elkaar. Toen Fox een poging deed ze van elkaar te trekken, dreigden ze te scheuren. Hij gleed met zijn vingers over het boekje om te voelen of er iets in verstopt zat. Achterin zat een doorzichtig plastic hoesje met daarin de verplichte jaarlijkse keuringen en rekeningen van onderhoudsbeurten. Ook die verkeerden in een niet al te beste staat. De wagen stond op naam van Mr. F. Vernal, zijn adres in The Grange. De onderhoudsbeurten waren verzorgd door een garage in het zuiden van Edinburgh.

Nieuwe banden... olie verversen... remvloeistof... tienduizend-kilometerbeurt... nieuwe ruitenwissers...

Fox staarde naar een van de velletjes en probeerde er wijs uit te worden. Het had hetzelfde briefhoofd – MJM Motors – maar het handschrift was anders. Het leek op een rekening maar was het niet. 'Jij gluiperige smeerlap,' zei Fox zachtjes voor zichzelf uit. Het werk van Gavin Willis, kon niet anders. Een lijst van vuurwapens die geleverd waren aan een zekere 'Hawk' – allicht kort voor Hawkeye. Het totaalbedrag kwam uit op een kleine twaalfhonderd pond. Fox kreeg de indruk dat er drie of vier verschillende leveringen waren geweest van in totaal twaalf vuurwapens en een flinke voorraad munitie. Twee revolvers, twee pistolen, een jachtgeweer en zeven gewone geweren. Fox liet zijn vinger over de naam Hawk glijden.

Of hij nu lid of sympathisant was geweest, hier had Fox onomstotelijk bewijs dat Gavin Willis wapens geleverd had, dealtjes gemaakt had met een zekere Hawkeye, die de wapens vervolgens voor zijn gewapende roofovervallen had gebruikt.

Willis moest het Alan Carter verteld hebben, en Alan Carter had willen verhinderen dat de reputatie van zijn mentor bezoedeld werd. Niemand zou er ooit van mogen weten, zelfs niet toen Willis al in zijn graf lag.

'Je kon het risico niet nemen, hè?' mompelde Fox hardop. 'Je kon het risico niet nemen dat iemand anders de cottage kocht en iets zou vinden.'

Had die revolver er altijd al gelegen? Had Alan Carter hem bewaard? In dat geval had iemand die dus van hem afhandig gemaakt en Carter gedwongen aan de tafel te gaan zitten... Fox schudde langzaam zijn hoofd. Dat kon hij zich niet voorstellen. Alan Carter had zijn mannetje gestaan, wie de belager ook geweest was. Had iemand hem bevolen te gaan zitten, hij zou het geweigerd hebben.

Toch?

Fox nam de overige rekeningen door, maar vond geen verdere aanknopingspunten. Hij vroeg zich af of Alan Carter van de rekening geweten had. Nee, want dan had hij die wel vernietigd. En wat dat aangaat, als hij een wapen had gevonden, zou hij zich daar dan niet ook van hebben ontdaan? Ja, hij had het hele huis binnenstebuiten gekeerd en alles vernietigd wat als bezwarend materiaal opgevat kon worden. De reputatie van Willis moest koste wat kost beschermd worden. De woorden van Tony Kaye lagen nog vers in zijn geheugen: *Ik geloof niet dat je ook maar iets hebt...*

'Strikt genomen niet helemaal correct, *compadre*,' zei Fox vastberaden.

TIEN

3 1

Een paar dagen lang gebeurde er niets.

Interne Zaken was terug op het kantoor in Edinburgh. Kaye en Naysmith werkten aan hun rapport voor de korpsleiding van Fife. De boodschap was luid en duidelijk: met de dood van Paul Carter was de rol van IZ ten einde gekomen.

'Geef de bazen in Fife gewoon wat jullie bijeengesprokkeld hebben,' had Bob McEwan gezegd.

Het lichaam van Alan Carter was vrijgegeven, maar niet dat van zijn neef. Het was Carters wens geweest gecremeerd te worden, zijn as werd uitgestrooid over de rozenperken bij het crematorium. Fox had de plechtigheid bijgewoond. Teddy Fraser nam het voortouw bij de eerbewijzen en zowaar, toen de dominee verzuimde melding te maken van Alans vaardigheden op het voetbalveld, zette hij de omissie recht door iedereen aan de negenentwintig-doelpunten-in-een-seizoen te herinneren. Jimmy Nicholl was er ook, en Teddy had het gezeglijke beest naar de kist gedragen terwijl hij elk hulpaanbod van de hand wees.

De kapel zat bomvol. Fox vroeg zich af of het bij Paul Carters begrafenis ook maar half zo druk zou zijn – hij had er zijn twijfels bij. De korpsleiding van Fife voelde zich wellicht verplicht het gezicht te laten zien, maar veel stadsvolk zou het laten afweten. Ze wisten van de geruchten: Alan Carters lichaam was alleen maar vrijgegeven omdat ook zijn moordenaar was omgekomen.

Terwijl ze op de komst van de doodskist stonden te wachten, schudden afgezwaaide dienders elkaar de hand, wisselden klopjes op ruggen en schouders uit en haalden herinneringen op. Robinson maakte zijn opwachting in vol ornaat, de zilveren knopen tot blinkens gepoetst. De halve stad leek Alan Carter gekend te hebben. Er waren fronsende blikken en gemurmelde commentaren aangaande de aanwezigheid van de familie Shafiq, degenen met wie Carters bedrijf een aanvaring had gehad. De vader en twee zoons; de zoons met het haar strak achterover op het hoofd geplakt, strak in het pak en met hun eeuwige Ray-Ban op.

Fox had Teddy naar de ruzie gevraagd.

'Een storm in een glas whisky,' verklaarde die. 'Behalve dan dat pa geheelonthouder is.'

Ook Scholes, Haldane en Michaelson waren aanwezig, maar gingen Fox – en de Shafiqs – nadrukkelijk uit de weg. Naderhand hadden Fox en Evelyn Mills wat gedronken.

'Het onderzoek gaat gewoon door,' vertelde ze hem. 'Dat de hoofdverdachte toevallig overleden is wil niet zeggen dat we de zaak onder het tapijt vegen.' Ze zweeg even. 'Anderzijds...'

'Zal niemand zich uit de naad werken,' opperde Fox.

Zoveel had Fox al opgemaakt uit de blikken van Cash en Young, zittend in de kerkbanken, de gezichten ontspannen, het karwei geklaard.

'Het punt is, Evelyn, dat als Paul het niet gedaan heeft de moordenaar nog steeds vrij rondloopt.'

'Geef me dan een naam... iets concreets.'

Charles Mangold had hem de avond tevoren min of meer dezelfde vraag gesteld.

'Imogen gaat hard achteruit, inspecteur. Ze maakt het misschien niet lang meer.'

'Het spijt me dat te horen,' had Fox gezegd.

'De tijd dringt.'

'Ik doe wat ik kan.'

Behalve dan dat hij vrijwel niets gedaan had. Het grootste deel van zijn tijd was Fox kwijt geweest aan voorbereidingen op zijn rol als getuige in een rechtszaak; een zaak van een kleine anderhalf jaar terug zou eindelijk voor de rechter komen. Terwijl hij zijn aantekeningen teruglas, realiseerde hij zich dat er hier en daar wat hiaten in zaten – kleine omissies in de voorgeschreven procedures – die een goede raadsman in het oog zou krijgen en waar die op in zou blijven hakken als een bokser die een sneetje boven het oog van een tegenstander ontwaart. Fox had aan zijn verweer gewerkt, grondig aan twee, drie tegenargumenten geschaafd, om op het laatste moment te horen te krijgen dat de rechtszaak werd uitgesteld.

Dus zat hij nu in het kantoor op bureau Fettes, bood Kaye en Naysmith nu en dan een helpende hand bij het opstellen van hun rapport en schonk een luisterend oor aan McEwan en diens zwartgallige gefoeter op de laatste paar vergaderingen en de vele bezuinigingsvoorstellen.

'Zijn we dienders of boekhouders? Als ik de hele dag met een rekenmachine in de weer had willen zijn, had ik wel beter opgelet bij de wiskundelessen van Mr. Gentry...'

Toen de telefoon op Fox' bureau ging, was het iemand van de balie die hem liet weten dat hij bezoek had.

Hoofdinspecteur Jackson.

Fox kneep zijn ogen tot spleetjes. 'Weet je zeker dat hij mij moet hebben?' Jackson: de toerist van Special Branch, de afdeling Terrorismebestrijding.

'Jij bent de enige Fox hier,' zei de dienstdoende brigadier. 'Wil je dat ik hem afpoeier?'

'Stuur hem maar door naar de kantine,' instrueerde Fox, waarna hij ophing en zijn armen met moeizame schouderbewegingen in de mouwen van zijn jasje wurmde.

Jackson stond in de rij voor het buffet, het blad nog leeg. Toen hij de kassa bereikt had haalde Fox hem bij.

'Wat kan ik voor je meenemen?' vroeg Jackson.

'Thee,' zei Fox.

'Twee thee,' bestelde Jackson bij de serveerster.

'Een pot met twee theezakjes?' stelde ze voor.

'Super,' antwoordde Jackson met een brede glimlach.

Ze kozen een tafeltje bij het raam en namen tegenover elkaar plaats.

'Wat brengt u hier?' vroeg Fox.

'Ik kwam toevallig langs.' Jackson zag de uitdrukking op Fox' gezicht en glimlachte opnieuw. 'Nee, niet echt.'

'Hoe staan de zaken in Peebles en Lockerbie?'

'Goed.'

'Heeft u uw bommenleggers al gevonden?'

Jackson keek hem strak aan. 'Ze moeten daar ergens zijn. Ik had gedacht dat jij dat wel zou begrijpen.'

'Hoe bedoelt u?'

'Gezien de zaak waar je aan werkt.'

Het was Fox' beurt zijn tafelgenoot aan te staren. 'Wat heeft die ermee te maken?'

'Ik was nieuwsgierig. Dus heb ik wat spitwerk verricht. Je moet toch toegeven dat het internet een echte slangenkuil is. Halve waarheden en giswerk en theorieën die de grenzen van de geloofwaardigheid op de proef stellen...'

'Een complete stortvloed aan samenzweringstheorieën,' beaamde Fox wat al te nadrukkelijk.

'Maar van wat ik gehoord heb is die onderzoeker van jou door zijn neef vermoord. Iets met een langgekoesterde wrok.' Jackson nam een slokje thee en keek Fox over de rand van het kopje aan.

'Niets aan het handje dus,' antwoordde Fox.

'Waarom had Alan Carter zoveel belangstelling voor Francis Vernal?'

'Interessanter nog, vanwaar uw belangstelling?'

Jackson haalde de schouders op, als om toe te geven dat de vraag niet onredelijk was. 'Ik heb een inspecteur gesproken. Die vertelde me dat de auto van de advocaat gevonden is.'

Je wordt bedankt, Cash...

'Die wagen was zogenaamd naar de sloop gegaan,' ging Jackson verder, 'maar iemand besloot hem te houden.'

Fox produceerde een geluid dat zich niet liet interpreteren.

'Willis. Is dat niet zijn naam?'

'Was zijn naam,' corrigeerde Fox hem.

'Willis en de onderzoeker waren vrienden... collega's...'

'Ik snap nog steeds niet wat u dit kan schelen.'

'Of jou, nu we het daar toch over hebben,' kaatste Jackson terug. 'Voor wie werkte Alan Carter?'

'Waar haalt u het idee vandaan dat hij voor iemand werkte?'

'Die advocaat is een kwarteeuw geleden omgekomen. Het ligt toch voor de hand dat iets, of eerder iemand, zijn nieuwsgierigheid gewekt heeft.'

'Wat dan nog?'

Jackson nam opnieuw een slok thee en verschoof zijn blik naar de wereld aan de andere kant van het raam. 'Die grenzen aan de geloofwaardigheid waar ik het net over had... Er zijn heel wat samenzweringsdenkers die geloven dat de veiligheidsdiensten een hand hebben gehad in de dood van Francis Vernal.'

'En u bent hier om me te vertellen dat ze het mis hebben?'

'Het spel wordt tegenwoordig heel anders gespeeld, inspecteur. Er zijn talloze nieuwe manieren om roddels en valse informatie te verspreiden. En er zijn heel wat mensen die er belang bij hebben om de veiligheidsdiensten beentje te lichten en zwart te maken.' Hij vestigde zijn blik weer op Fox. 'Het zou mijn gemoedsrust ten goede komen als ik wist wie de opdracht gegeven heeft voor het onderzoek naar Vernals dood.'

'In elk geval niet iemand die een appeltje met jullie te schillen heeft,' verklaarde Fox.

'Weet je dat zeker?'

'Het is een vriend van de weduwe. Hij wil dat ze het een plekje kan geven voordat ze sterft.'

'Geen verborgen motieven?'

Fox haalde zich de zwaarlijvige advocaat met de rode konen voor de geest. 'Geen verborgen motieven,' zei hij.

In gedachten verzonken tuitte Jackson zijn lippen. 'Dat stel ik op prijs, inspecteur.' Hij leek zich te beraden op zijn volgende woorden.

'U had wat spitwerk verricht,' hielp Fox hem herinneren.

Jackson knikte langzaam.

'En heeft u wat gevonden?'

'Iets en niets. Onze vriend Vernal werd al een tijdje door ons in het vizier gehouden.'

'Special Branch, onze eigen politieke veiligheidsdienst?'

'Zoiets.'

'MI5 dan?'

Jackson vertrok alleen even zijn mond. 'Hij werd geobserveerd.'

'Op de avond dat hij verongelukte?'

'Ja.'

'Werd hij geschaduwd? Kan dat de reden zijn geweest waarom hij te hard reed?'

'Dat kan ik niet met zekerheid zeggen.'

'Maar er waren...' Fox zocht naar de juiste woorden. 'Er waren agenten? Die zijn wagen volgden?'

Jackson knikte, maar zei niets.

'Maar dat betekent dat toen hij verongelukte' – Fox' ogen boorden zich in die van Jackson – 'er mensen ter plekke waren... binnen luttele seconden...'

'Die hebben hem niet doodgeschoten. Die controleerden alleen of hij nog leefde en maakten toen dat ze wegkwamen.'

'Om een ziekenwagen te bellen?'

Jackson schudde zijn hoofd. 'Vrees van niet.'

'Waarom niet?'

'Dat risico konden ze niet nemen. Eén teken van betrokkenheid en de hele operatie had in het honderd kunnen lopen.'

'Ze hebben hem daar gewoon aan zijn lot overgelaten?'

'Hij ademde nog. Zo slecht was hij er niet aan toe.'

'En dit staat allemaal in die dossiers?'

'Als je tussen de regels door leest.'

Fox dacht even na. 'Staat daar tussen de regels door toevallig ook of zij hem uitgeschakeld hebben?'

'Nee.'

'Hoe kunt u daar zo zeker van zijn?'

'Zij waren enkel een schaduwteam. Het was geen gewapende eenheid.'

'En er lag geen opdracht hem te vermoorden?'

'Absoluut niet.'

'Maar ze hebben wél bij hem thuis en in zijn kantoor ingebroken...?'

Zoveel leek Jackson wel bereid toe te geven. 'In die jaren kenden beide kampen hun losgeslagen elementen, inspecteur. Laten we niet vergeten dat Vernals vrienden regelrechte terroristen waren. Bommen, wapens en bankovervallen – zo luidde Vernals motto.' Er volgde een korte stilte. 'Ik vertel je dit omdat we aan dezelfde kant staan, jij en ik...'

Fox staarde hem aan. 'Een auto-ongeluk, een gewond slachtoffer... En dan lopen ze gewoon weg?' Jackson gaf geen antwoord. 'Nou?' hield Fox aan.

'Ze hebben eerst nog even snel rondgekeken.'

'De wagen doorzocht, bedoelt u?' Fox zag dat hij het bij het rechte eind had. 'Verdomme nog aan toe... er ontbrak van alles: zijn sigaretten, zijn geluksbriefje van vijftig...'

'Daar zijn ze later over aan de tand gevoeld. Ze hadden niets ontvreemd.'

'Hadden ze toevallig een revolver aangetroffen?' vroeg Fox uiteindelijk.

'Nee. Die werd pas later gevonden.'

'Ja, op een aardig afstandje van de Volvo.' Fox dacht even na. 'En dit heeft u allemaal uit die dossiers?'

Jackson knikte.

Fox was benieuwd naar de DHC-fondsen, ergens weggestopt in Vernals auto... Waren die agenten soms op het verborgen geld gestuit?

Even was het stil aan tafel. 'Vernal en zijn vrienden probeerden ons op de knieën te dwingen,' zei Jackson op rustige toon.

'Wie heeft hem vermoord?' vroeg Fox.

'Dat weten we niet.'

'Kan ik die mensen te spreken krijgen die hem geschaduwd hebben?'

'Nee.'

'Dan weten we nu ook gelijk wat dat aan dezelfde kant staan waard is.'

'Denk je echt dat die nieuw licht op de zaak kunnen werpen?'

'Dat is lastig te zeggen zonder ze gesproken te hebben.'

Jackson leunde achterover in zijn stoel. 'Krijg ik die naam nog van degene die Alan Carter heeft ingehuurd?'

'Niet van mij.'

'Veel van die mannen zijn er ongestraft mee weggekomen, inspecteur. Die lopen nog steeds vrij rond en koesteren het verleden.' Hij zweeg even. 'En ze kregen in die tijd ook heel wat hulp...'

Fox vroeg zich af of Gavin Willis als wapenleverancier bij de veiligheidsdiensten in het 'vizier' was gekomen. Maar hij kon Jackson er niet naar vragen, niet zonder zelf heel wat prijs te geven, dus concentreerde Fox zich op de thee die voor hem stond.

Jacksons mobiel stond op de trilstand. Hij vibreerde nog toen Jackson hem uit zijn zak plukte en het schermpje bestudeerde.

'Dit telefoontje moet ik even aannemen,' zei hij terwijl hij overeind kwam. Hij liep naar de ingang van de kantine, zijn rug naar Fox gekeerd. Fox zag hoe de man zijn hoofd liet zakken terwijl hij stond te luisteren naar hetgeen de beller te vertellen had. Toen hij ophing en zich naar Fox draaide stond zijn gezicht grimmig.

'Ik moet gaan,' zei hij.

'Peebles?' gokte Fox.

Jackson schudde zijn hoofd. 'Hoe lang doe ik erover om naar Stirling te rijden?'

'Op dit uur van de dag... een uur misschien, als het meezit wat korter.'

'Alweer een explosie,' lichtte Jackson toe. Zijn mobiel begon weer te trillen. 'Ik moet nu echt weg.'

Terwijl hij wegliep nam hij de telefoon op.

'Die maffe eikels met hun bommen ook,' mompelde Fox in zichzelf. Waarom leek daar maar nooit een einde aan te komen? Zijn eigen mobiel ging. Toen hij opnam en de beller zich bekendmaakte, wist hij dat ook hem een reis te wachten stond.

32

Het organiseren van de trip had verscheidene dagen en menig tele-foontje in beslag genomen, maar nu reed Fox dan door de poort van het Carstairs State Hospital. Voor de meeste mensen was Carstairs niet meer dan een halte op de nachtlijn tussen Londen en Edinburgh. Veel was er niet te vinden: het station, een dorpje met een winkel en niet ver daarvandaan het domicilie van veel van de gewelddadigste en onberekenbaarste gevangenen van Schotland. Hij parkeerde op een geheel omheind terrein. Een poort zoemde open en hij betrad het hoofdgebouw. Tegelijk met hem kwamen nog meer bezoekers aan. Die leken vertrouwd met de veiligheids-maatregelen. Handen werden door een machine gecontroleerd. Die moest uitsluitsel geven of de bezoeker de afgelopen dagen met drugs in aanraking was geweest. Bij een positieve uitslag geen bezoek die dag. Tassen werden gecontroleerd en mobieltjes naar het scheen willekeurig ingenomen en met een wattenstaafje op verdovende middelen getest. De rij schuifelde voort. De gezichten stonden ge-dwee, zij het gespannen. Een vrouw had haar dochtertje meege-bracht. Het meisje hing aan haar moeder en sabbelde op een speen waar ze waarschijnlijk een jaar of twee te oud voor was.

'Inspecteur Fox?' Een vrouw wrong zich langs de rij. Ze schudde Fox de hand en stelde zich voor als Gretchen Hughes. 'Dat is Duits,' verklaarde ze, alsof ze een vraag voor wilde zijn die haar altijd ge-steld werd.

'Bedankt voor het terugbellen,' zei Fox.

'Graag gedaan.' Ze ging naar een loket en bemachtigde een iden-titeitsbadge voor hem. Fox nam aan dat hier dezelfde procedures golden als in gewone gevangenissen, dus leverde hij tegelijkertijd zijn mobieltje in.

'Donald krijgt niet vaak bezoek,' vertelde Hughes hem.

'Soms wel dus?'

'Het afgelopen jaar niet één keer.'

'En daarvoor?'

Ze nam hem uitgebreid op. Ze had kort blond haar en bleek-blauwe ogen. Aan haar ringvinger droeg ze een onopgesmukte gou-den ring die op het bestaan van een Mr. Hughes duidde.

'Voor dit soort informatie zult u vast een officiële aanvraag moe-ten indienen.'

'Vast,' beaamde Fox, terwijl zij hem voorging langs de rij. Hij had slechts om een onderhoud met Donald MacIver verzocht. 'Maar zou Donald het me kunnen vertellen?'

'Ik denk niet dat u blind kunt varen op zijn antwoord.'

'Is hij een fantast?'

Ze staarde hem opnieuw aan en lachte hem toe. 'Heeft u zich in de materie ingelezen?'

Fox was niet van plan te bekennen dat hij dat inderdaad gedaan had.

'Nee, geen fantast,' besloot ze te antwoorden. 'Maar hij heeft goede en slechte dagen. Al houdt de medicatie hem redelijk in evenwicht.'

'Zijn er onderwerpen die ik beter kan vermijden?'

'Niet zolang u hem Mr. MacIver noemt. Ik heb een kleine twee jaar met hem gewerkt voordat we elkaar tutoyeerden.'

'Hoeveel gevangenen hebben jullie hier?'

Ze liet een afkeurend 'ts ts' horen. 'Patiënten, inspecteur. Onthoudt u dat alstublieft.'

'Patiënten worden gewoonlijk beter en gaan weer naar huis,' antwoordde Fox. 'Komt dat hier vaak voor?'

Deuren werden van het slot gehaald en achter hen op slot gedraaid. Fox wist zelf niet goed wat hij precies verwacht had. Het was hier een stuk rustiger dan in een gevangenis. Mensen in overvloed, maar ze bewogen traag, behoedzaam. Het personeel ging in t-shirts gekleed en wekte de indruk hun gast minder te vertrouwen dan hun vaste clientèle.

'Waar kan ik hem ontmoeten?' vroeg hij in de stilte. Hij trachtte uit te vissen of Gretchen Hughes misschien een arts of psychiater was, maar haar naamkaartje gaf niets prijs.

'Op zijn kamer,' antwoordde ze. 'Daar zit hij graag.'

'Oké.'

Even later kwamen ze bij een geopende deur aan. Hughes klopte met haar knokkels op de deurstijl.

'Donald, dit is de bezoeker over wie ik je verteld heb...'

Ze deed een stap naar achteren zodat Fox de kamer kon betreden. MacIver zat aan een tafel. Er was ruimte voor een eenpersoonsbed en een paar planken. Een antieke kaart van Schotland was met plakgum aan de muur bevestigd. MacIver zat een krant te lezen. Naast hem op de vloer lag nog een hele stapel. Met een dik blauw kleurkrijtje streepte hij zinnen en passages aan. Op de pagina die hij onder handen had leek hij tot dusver vrijwel elke alinea onderstreept te hebben. Tegenover hem stond een stoel, dus liet Fox zich daar behoedzaam op zakken.

'Heb je verder nog iets nodig?' vroeg Hughes. Fox begon zijn hoofd te schudden, totdat het tot hem doordrong dat de vraag voor MacIver bedoeld was.

'Niets,' mompelde de man, nog steeds verdiept in zijn taak.

'Dan kun je me op de gang vinden,' zei ze terwijl ze zich terugtrok maar de deur open liet staan. Fox nam MacIver uitgebreid op en probeerde hem als 'patiënt' te zien in plaats van als 'gevangene'. De man was zo'n één meter negentig, vijfennegentig lang en breed-geschouderd. Hij had lang grijs haar dat tot halverwege zijn rug reikte en een grijze baard die een tovenaar tot eer zou strekken. De ogen achter de ronde brillenglazen waren groot, de glazen zelf be-smeurd en aan een schoonmaakbeurt toe. Zijn kortgeknipte vin-gernagels waren bedekt met korsten vuil, en er hing een zweem van zwavel in de cel.

'Mr. MacIver, mijn naam is Fox.' Fox zag de nieuwsberichten weerspiegeld in de bril. Een volgende passage diende onderstreept te worden. MacIver deed dit met een uiterste precisie, alle woorden overslaand die hij niet essentieel achtte. Voor zover Fox kon zien handelde het artikel over de plannen voor een nieuwe verkeersbrug over de Firth of Forth.

'Ze hebben de tol afgeschaft, moet u weten,' zei Fox. 'Voor de Forth Roadbrug. Een van de eerste dingen die de SNP deed toen ze aan de macht kwamen...'

'Noemt u dat macht?' onderbrak MacIver hem. De stem klonk alsof die uit een diepe put opwelde. 'Macht is precies wat dát niet is.' Fox wachtte op een toelichting, maar MacIver was alweer ver-diept in zijn werk.

'Wat is macht dan wel?' besloot hij te vragen.

'Iets wat je als een wapen in je handen kunt houden, iets wat je naar believen kunt gebruiken om je vijanden in het hart te treffen. Wanneer je licht brengt in het leven van wie het verdient en de rest in ijzige duisternis dompelt – dát is macht.'

Fox ging de titels af van de boeken die op een van de planken op-gestapeld lagen. Sommige herkende hij, sommige niet. 'Ik weet nog dat we op school MacDiarmids gedichten lazen,' merkte hij op.

'Christopher Murray Grieve, dat was zijn echte naam.'

'Heeft u hem gekend?'

'Misschien dat we elkaar wel eens zijn tegengekomen. Je had toen van die kroegen in Edinburgh en Glasgow. Met dominees en communisten, leunstoelfilosofen...' Zijn stem stierf weg en hij stopte met zijn arbeid, starend naar de pagina zonder iets te zien. Uiteindelijk keek hij op, recht in het gezicht van zijn bezoeker. 'Hebben we elkaar eerder ontmoet? Word ik geacht u te kennen?'

'Nee.'

'Ik vergeet namelijk van alles.'

'Mijn naam is Fox en ik ben geïnteresseerd in Francis Vernal.'

'Die is overleden.'

'Dat weet ik.'

'Een martelaar voor de goede zaak.'

'Meent u dat echt?'

'Wanneer Francis een menigte toesprak kon hij koningen maken en breken.'

'Dus u heeft hem behoorlijk goed gekend?'

'Hij was een van die uiterst zeldzame figuren – een denker én een doener. Een man die niet alleen over de dingen praatte, maar zich ook inzette om ze te verwezenlijken.'

'Een bedrijvig baasje,' leek Fox in te stemmen.

'En daarom moest hij sterven.'

'U denkt dat hij een doelwit was?'

'De man is van korte afstand door het hoofd geschoten. Amper een maand later was het mijn beurt. Die weken hadden ze goed besteed door vals bewijsmateriaal in mijn kelder te verbergen. Allemaal reuze imposant hoor, zoals ze de deur intrapten en in hun stralingspakken mijn huis binnenstormden. Ik had een roze streepjespyjama aan.' Hij articuleerde zorgvuldig. De paar tanden die Fox kon onderscheiden waren bijna zwart en ongelijkmatig. 'Ik mocht me niet eens aankleden. En ze wisten precies waar ze hun "bewijzen" konden vinden.'

'Eerst ging u naar de gevangenis.'

'Ja, maar dat was ze niet genoeg. Ze vonden dat ik er veel te goed gedijde, te veel invloed had op de mannen, ze de ogen voor de tirannie opende.'

'Toen heeft u met een medegevangene gevochten...'

'Die hadden ze betaald. Dat is de enige verklaring waarom ik als enige gestraft werd! Eerst met eenzame opsluiting, toen Barlinnie, toen Peterhead...'

'Meer gewelddadigheden?'

'Meer ophitserij en intimidatie,' verbeterde MacIver hem. 'Allemaal bedoeld om iemands geest te breken en hem het gekkenhuis in te jagen.' Hij hief een vinger naar Fox op. 'Maar ik ben net zo bij mijn volle verstand als u. Vertelt u ze dat maar als u straks naar huis gaat.'

Fox knikte, alsof hij ermee instemde. 'Wat deed Francis Vernal nu precies? Binnen de organisatie, bedoel ik.'

'Francis was onze eenpersoonsdenktank. Er zaten heel wat heethoofden bij die in het gareel gehouden moesten worden. Dat kon je aan hem wel overlaten.'

'Hij regelde ook de financiën, toch?'

'Hij maakte zich op verschillende manieren verdienstelijk.'

'Het geld was afkomstig van overvallen en berovingen,' hield Fox aan. 'En jullie gebruikten dat om wapens en explosieven te kopen?'

'Een noodzakelijk kwaad.'

'Bewaarde Mr. Vernal ook wapens in zijn auto?'

MacIver knipperde een paar keer met zijn ogen alsof hij zojuist uit een dutje ontwaakt was. 'Wat doet u hier? Wat moet dat met al die vragen?' Hij keek omlaag naar de krant alsof hij die voor het eerst zag. 'Burns heeft het perfect verwoord: *Te grabbel voor 't Engelse goud.*' Hij priemde met een vinger naar de schets van de nieuwe brug. 'Dat is precies wat hier gebeurt.'

'O wat een pak boeven in onze natie,' maakte Fox het citaat af terwijl hij een hand in zijn zak stak. Hij hield de foto uit professor Martins boek vast, het kiekje van Vernal met Alice Watts en Hawkeye. Die legde hij samen met de twee inschrijvingsfoto's van Alice op de krant.

'Francis,' zei MacIver terwijl hij met zijn duim over Vernals gezicht wreef. 'En Alice.' Hij sperde zijn ogen open en pakte een van de kiekjes op, hield het omhoog en keek er aandachtig naar.

'Heeft u enig idee wat er met haar gebeurd is?' vroeg Fox.

De oude man schudde zijn hoofd. Met zijn vrije hand streek hij over zijn baard. Hij leek geheel in beslag genomen door het portret. 'Jeugd, daadkracht, schoonheid – alles wat een beweging nodig heeft.'

'Ze sliep met Vernal.'

'Alice had vele aanbidders.'

'Onder wie uzelf? Heeft u nadien nog iets van haar vernomen?'

'Ze heeft de juiste beslissing genomen. Eerst vermoordden ze Francis, toen pakten ze mij op. Alice is ondergronds gegaan.'

'En Hawkeye?' Fox boog zich wat naar voren en tikte op de foto. Hawkeye gearmd met Alice.

'Die loopt nog steeds ergens rond, dunkt mij. Ergens op de wereld waar een zaak is die het waard is gestreden te worden.'

'Kent u zijn echte naam?'

'Hij was altijd Hawkeye.'

'Heeft u nog contact met mensen van vroeger?'

'Waarom zouden ze me op willen zoeken? Ik heb niets te bieden.'

'Onlangs sprak ik John Elliot. Die is niet bepaald ondergedoken.'

'Ik heb hem op tv gezien.'

'Heeft hij u nooit bezocht?'

MacIver schudde zijn hoofd.

'Die foto komt uit een boek,' ging Fox verder. 'Dat is geschreven door John Martin, een academicus.'

'Zoals de zanger?'

'Anders gespeld. Hij had een onderhoud met u aangevraagd, maar dat heeft u geweigerd.'

'Is dat zo?'

'Dat zegt hij.'

MacIver haalde zijn schouders op. 'Ik kan me hem niet herinneren.'

Fox dacht even na. 'Zegt de naam Gavin Willis u iets?'

'Gavin Willis.' MacIver liet de woorden door zijn mond rollen. 'Gallowhill Cottage?'

'Ja.'

'Een prachtig plekje. Ergens helemaal in Fife...'

'Vlak bij Burntisland. Gavin was politieagent toen u hem kende.' MacIver knikte. 'En een sympathisant?' Fox liet een korte stilte vallen. 'Of meer dan een sympathisant?'

'Hij is nooit actief lid geweest.'

'Maar hij bezorgde u wapens, niet? Misschien dat hij ze in zijn cottage bewaarde totdat jullie ze nodig hadden. En ik neem aan dat hij ze ook voor jullie kon laten verdwijnen wanneer dat zo uitkwam.' *Na een bankoverval bijvoorbeeld: wie zou het helemaal merken wanneer er een extra wapen in de oven verdween? Het bewijs voor eens en voor altijd vernietigd...* 'Gavin heeft de wagen van Francis Vernal achtergehouden, Mr. MacIver. Enig idee waarom?'

'Slimme kerel,' zei MacIver op rustige toon. 'Ik heb me altijd afgevraagd...'

'Wat afgevraagd?'

'Of iemand het geld gevonden had.'

'Het geld van de gewapende overvallen? Een paar duizend pond, niet?'

'Dat is wat ze zeiden. Ze wilden niet dat het grote publiek ervan wist.'

'Wat wist?'

'We waren goed in wat we deden. We stuurden antrax naar de hoogste bazen van het land, maakten overheidsgebouwen met de grond gelijk, beroofden banken en geldwagens...' Hij glimlachte bij de herinnering. 'We waren een paar honderd man sterk, en ik ben de enige die ze ooit opgesloten hebben.'

'Hoeveel geld lag er in die wagen, Mr. MacIver?'

'Dertig-, veertigduizend pond.' MacIver zweeg even om na te denken. 'Om en nabij.'

'Bewaarde hij dat in de kofferbak?'

MacIver knikte. 'Onder de reserveband.'

Fox zag weer voor zich hoe Tony Kaye de bagageruimte van de wagen openwrikte en de half vergane band optilde – zonder iets eronder.

'Bent u zeker van dat bedrag? Dertig à veertig mille?'

'Dat was een boel geld in die tijd.'

Fox knikte instemmend en herinnerde zich de prijs van een appartement in 1985: vijfendertigduizend pond. Genoeg om een moord voor te plegen? Zonder meer; mensen waren voor heel wat minder uit de weg geruimd.

'Op dit moment ontploffen er weer bommen in Schotland,' vertelde hij MacIver. 'Vindt u dat die bomaanslagen te rechtvaardigen zijn?'

'Rechtvaardiging is een interessant woord, daar kunnen we tot sint-juttemis over redetwisten.' MacIver hield Fox in zijn blik gevangen. 'Ze hebben goede gronden en zijn gepassioneerd, betrokken. Overal om zich heen zien ze de systemen falen terwijl de status-quo gehandhaafd blijft. Frustratie verandert in woede en woede in het gevoel onrecht te zijn aangedaan.'

'Zo voelde u dat zelf vroeger ook?'

'Zo voelden we het allemaal!' Met zijn groeiende agitatie klonk ook zijn stem steeds schriller. Opeens stond Gretchen Hughes in de deuropening, geflankeerd door een paar verpleeghulpen.

'Alles in orde?' vroeg ze.

MacIver was overeind gekomen. Hij tuurde omlaag naar de krant met alle onderstreepte passages, griste die van tafel en begon hem aan repen te scheuren. De verplegers deden een stap naar voren. Fox maakte plaats voor ze.

'Verraden en afgescheept met spiegeltjes en kralen,' sputterde MacIver. 'Is dat nou macht? Waarom noem je het niet eerlijk bij de naam?'

Hughes legde haar hand op Fox' arm.

'Het wordt tijd om te gaan,' zei ze.

Fox liet zich niet vermurwen. 'Wat is het dan wel?' vroeg hij MacIver. De hand rond zijn arm verstevigde zijn greep.

'Zo is het mooi geweest, inspecteur.'

'Een soort sterven,' verklaarde MacIver, zijn stem onvast. 'En daar betalen we de prijs voor. Let op mijn woorden – daar betalen we de prijs voor...' Hij liet zich in zijn stoel vallen.

'U moet nu echt gaan,' zei Hughes tegen Fox.

'Ik ben al weg,' stelde hij haar gerust terwijl hij achterwaarts de kamer uit schuifelde.

33

Fox kon op geen enkele manier zelf met hoofdinspecteur Jackson in contact komen, dus reed hij in de richting van Stirling. De nieuwsberichten op de radio attendeerden hem erop dat de ontploffing ergens vlak in de buurt van het plaatsje Kippen had plaatsgevonden. Fox' gps adviseerde hem de A73 en de M80 te nemen. Geleidelijk aan daalde zijn hartslag naar iets wat voor een normaal ritme moest doorgaan terwijl hij zijn bezoek aan Carstairs in zijn hoofd terugspeelde. MacIver was weinig van zijn vuur kwijtgeraakt. Hij was dan misschien niet zo'n begaafd redenaar als Francis Vernal, Fox zag hem wel een gepassioneerd betoog afsteken, op verhitte toon weliswaar maar toch ook rationeel. Ook kon Fox zich voorstellen dat jonge mensen aan zijn lippen hingen. Hij zou als een man met gerechtvaardigde grieven hebben geklonken, zij het met weinig antwoorden – afgezien van rebellie en opstand.

Fox stopte bij een pompstation, vulde de tank van de wagen en bleef op het parkeerterrein staan terwijl hij een sandwich at en een flesje Irn-Bru dronk. Toen hij weer op de snelweg zat en de eerste borden voor Kippen ontwaarde, maakte hij plots deel uit van een konvooi en kleefde achter een busje met een satellietschotel op het dak. De tv-ploegen waren onderweg om de bomexplosie te verslaan. Uiteindelijk sloeg het busje af naar een recreatiegebied aan de voet van een keten van heuvels. Wandelpaden leidden de bossen in en er bevond zich een modderig parkeerterrein vol patrouillewagens. Fox parkeerde in de dichtstbijzijnde berm en stapte uit. Journalisten spraken in hun mobieltjes of met elkaar. Agenten in uniform probeerden te voorkomen dat ze op eigen houtje gingen ronddwalen. Verdwaasde wandelaars keerden bij hun auto's terug om tot de ontdekking te komen dat die ingesloten waren. Van Jackson viel geen spoor te bekennen. Fox toonde zijn politiepasje aan een van de agenten, die hem naar het pad aan zijn rechterhand verwees. Onder normale omstandigheden was het een aangenaam tochtje geweest, al zou Fox voor lichter schoeisel hebben gekozen. Een paar keer gleed hij weg over het gebladerte en wist zich ternauwernood staande te houden. Verderop in het bos werd de stilte unheimisch. Diep ademhalend stond hij stil om te luisteren. Het gebied deed hem denken aan de Hermitage of the Braid, een natuurpark in de buurt van waar hij in Edinburgh was opgegroeid. Als kind was hij er met Jude geweest, hadden ze er verstoppertje gespeeld en stokken nagerend die door de smalle, snelstromende beek werden meegesleurd. Tot op de dag dat ze andere jongens interessanter was gaan vinden dan haar broer.

Hij had zijn telefoon al gepakt, in de verleiding om haar te bellen en de herinnering te delen, maar hij aarzelde. Van de andere kant van het pad kwamen een paar agenten in uniform aangelopen. Ze vroegen hem om zijn legitimatie.

'Ik ben geen journalist,' verzekerde hij ze, maar zijn pasje werd evengoed aan een grondige inspectie onderworpen. De agent die hem de politiepas teruggaf leek een vraag op de lippen te branden – wat heeft deze explosie in godsnaam met iz te maken? –, maar Fox was al doorgelopen voordat hij de kans had gekregen. De klim ging geleidelijk over in een plateau en aan zijn linkerhand zag hij een open ruimte. Daar hadden zich verschillende personen verzameld. Fox liep op ze af zonder iemands aandacht te trekken. Jackson stond met zijn armen over elkaar gevouwen met een vrouw te praten. Een brunette in een crèmekleurige regenjas en met groene rubberlaarzen aan. Ook zij hield haar armen over elkaar gevouwen.

Fox bleef staan wachten totdat Jackson hem zou opmerken. Het was de vrouw die het eerst haar hoofd draaide, turend door haar wimpers in een poging de nieuw aangekomene thuis te brengen. Jackson draaide zich om om te zien wat haar aandacht had getrokken. Hij mompelde iets tegen haar en beende in Fox' richting.

'Wat heb jij hier in vredesnaam te zoeken?' vroeg hij op gedempte toon.

'Sorry,' verontschuldigde Fox zich. 'Als ik uw nummer had gehad, had ik u gebeld.'

Jackson probeerde hem bij de open plek vandaan te leiden, maar Fox bleef staan waar hij stond. Er was een kleine krater waar ieders belangstelling naar uit leek te gaan. Geblakerde bladeren en rondgeslingerde aarde. Even vroeg Fox zich af waarom de bomen glinsterden, tot het tot hem doordrong dat zich overal stukjes spijker, schroef en bout in het schors hadden vastgezet.

'Zo te zien hadden ze de verhoudingen deze keer precies goed.'

Jackson stelde zich tussen Fox en de krater op. 'Hoor eens, ik geef je mijn nummer, dan praten we later wel.'

'Ik heb eigenlijk maar één vraagje.'

Jackson leek hem niet te horen. Hij gaf hem zijn visitekaartje. Het adres was New Scotland Yard, Londen.

'Eén vraagje maar,' herhaalde Fox.

'Kan het niet wachten?'

Fox staarde hem aan. Jackson slaakte een zucht en sloeg zijn armen over elkaar.

'Dat schaduwteam – zo noemde u ze toch? Die agenten die Vernals auto doorzochten toen hij daar gewond op de bestuurdersstoel lag...'

'Wat is er met ze?'

'Hebben die soms kort daarop hun baan opgezegd? Of begonnen ze plots poenige horloges of Italiaanse pakken te kopen?'

'Waar heb je het over?'

'Ik heb net gehoord dat er zo'n dertig, veertig mille in die auto heeft gelegen.'

'En jij denkt dat zij dat gestolen hebben?'

Fox haalde zijn schouders op. 'Het is een mogelijkheid, wat betekent dat ik het eigenlijk in mijn rapport moet opnemen.'

'Hoor eens, je schrijft maar wat je niet laten kan. Ik heb je verteld wat ik in het archief gevonden heb.'

'Behalve hun namen.'

'En die krijg je ook niet.'

'Zijn ze nog in dienst?'

'Geen idee.'

Verderop bij de bomkrater schraapte de vrouw haar keel. Jackson nam de wenk ter harte. 'Je moet nu echt gaan,' zei hij tegen Fox.

'Wie is dat?'

'De korpschef van regio Midden-Schotland en ze staat op me te wachten.'

'Ik herkende haar niet zonder haar uniform,' zei Fox. 'Dan zal ik u niet langer ophouden.'

Dat was niet aan dovemansoren gericht. Met lange passen beende Jackson naar de kring van onderzoekers en mompelde iets van een verontschuldiging.

Op de terugtocht deed Fox kalm aan. Een zoveelste team van technisch rechercheurs passeerde hem, zware apparatuur de heuvel op slepend. De tv-bussen hadden hun satellietschotels in de juiste posities gedraaid. Een verslaggever hield net zijn praatje voor de camera. Fox herkende het gezicht. De man werkte voor hetzelfde programma als John Elliot. Op een of andere manier was Elliot, die toch ooit zelf in terrorisme geliefhebberd had, degene die met de reportages over restaurantmenu's werd opgezadeld.

'De autoriteiten hebben nog geen officiële verklaring afgegeven,' vertelde de verslaggever de mensen thuis, 'maar over ongeveer een uur zal er een persconferentie plaatsvinden...'

De opnametechnicus was niet in zijn sas. Ergens achter in een nabij geparkeerde auto zat een hond te blaffen. Het baasje van het beest stond intussen verhaal te halen omdat zijn auto door de bus van de reporter was ingesloten.

'Zitten we hier in een godvergeten uithoek,' klaagde de cameraman, 'is er nog steeds altijd wel iets...'

Na Fox waren er nog meer auto's gearriveerd, die nu achter zijn Volvo geparkeerd stonden. Plaatselijke bewoners zo te zien, nieuwsgierig naar wat er aan de hand was. Fox zwenkte om de wagens heen en zette koers richting de M90. Zijn mobieltje liet hem weten dat hij een gesprek gemist had. Hij luisterde zijn voicemail af. Het was Fiona McFadzean die hem vroeg terug te bellen. Maar zijn mobiel had hier geen bereik, dus besloot Fox tot een omweg in noordoostelijke richting over de A91 naar Fife en hield de borden voor Glenrothes aan. Op zeker moment bevond hij zich in de buurt van de politieacademie in Tulliallan, waardoor hij weer aan Evelyn Mills moest denken. Binnenkort stond er een meerdaagse cursus op het programma – Bob McEwan had het in het voorbijgaan gemeld. Niemand op kantoor had belangstelling getoond, maar Fox vroeg zich af of Mills er misschien van gehoord had. Drie dagen en nachten... terug op de plaats van het misdrijf...

'Ze is getrouwd,' hield hij zichzelf hardop voor, en hij zette vervolgens de radio aan in een poging zijn gedachten te overstemmen.

'Je had niet helemaal hierheen hoeven te rijden,' zei McFadzean toen ze hem binnenliet. Paul zat achter zijn computer en wuifde Fox bij wijze van begroeting toe. Fox beantwoordde de groet met een hoofdknikje.

'Ik was toch in de buurt,' loog hij.

'Ik hoorde net over Kippen – het wordt almaar grimmiger, vind je niet?'

Fox bromde iets onverstaanbaars. 'Wat wilde je me vertellen?'

McFadzean gebaarde naar Paul, die een rukje met zijn hoofd gaf, wat zoveel betekende dat Fox geacht werd naar de computer te komen.

'Weet je nog dat je naar die revolvers gevraagd had? Dat je meer over hun herkomst wilde weten?'

'Ja.' Fox boog naar voren om een beter zicht op het beeldscherm te krijgen. Wat hij te zien kreeg was een papieren bewijsspoor. Paul was erin geslaagd het scherm in twee helften te splitsen, met aan de ene kant informatie over de revolver die Alan Carter gedood had en aan de andere het wapen dat in de buurt van Francis Vernals lichaam gevonden was.

'Er is een verband,' verklaarde Paul. 'Beide wapens zijn in juni 1982 als "verloren of zoekgeraakt" opgegeven.'

'Ergens op een legerbasis gestolen?'

'Bijna raak, maar net niet helemaal. Het verbaasde me echt dat ze in de jaren tachtig nog revolvers gebruikten, maar kennelijk waren sommige officieren daarop gesteld.' Paul klikte weer op de muis en Fox las de informatie.

'De Falklandeilanden?'

'De Falklandeilanden,' bevestigde de jongeman. 'Die maand is de oorlog uitgebroken. Er zijn toen heel wat legerspullen uitgedeeld en nooit meer teruggekomen.' Lijst na lijst zette zijn woorden kracht bij. Hij klikte zo snel op de muis dat Fox het niet bij kon houden, wat ook de bedoeling was.

'Hoe zijn die wapens hier terechtgekomen?' vroeg Fox.

'Waarschijnlijk door militairen mee teruggesmokkeld,' droeg McFadzean bij. 'Ofwel als aandenken, of om te verkopen.'

'In dit geval zonder meer het laatste,' vulde Paul aan. 'Midden jaren tachtig zijn er hier in Groot-Brittannië nog aardig wat vuurwapens uit die oorlog opgedoken, zij het vooral pistolen in plaats van revolvers.' De politierapporten verschenen een voor een op het scherm. 'Londen, Manchester, Nottingham...'

'Birmingham, Newcastle, Glasgow,' vervolgde McFadzean.

'En Belfast,' zei Paul met nadruk. 'We mogen Belfast niet vergeten...'

'We hebben zelfs een van die handelaren te pakken gekregen,' zei McFadzean tegen Fox. Een politiefoto floepte in beeld.

'Een zekere William Benchley,' zei Paul. 'Die opereerde vanuit Essex. Zwaaide na het einde van de oorlog af – kreeg zelfs nog een medaille opgespeld – maar begon toen een handel in gestolen wapens.'

'Heeft hij die bewuste revolvers verkocht?'

Paul haalde zijn schouders op en keek zijn chef aan.

'Geen idee,' bekende ze.

'Waar is hij nu?' Fox bestudeerde de foto van de kaalgeschoren, stuurs kijkende Benchley.

'Een paar jaar terug op Barbados overleden. Verdronken in zijn eigen zwembad.'

'Daar was-ie na zijn vrijlating naartoe verhuisd,' lichtte Paul toe. 'Gezien zijn levensstijl daar zou ik denken dat een deel van dat wapengeld ergens veilig op hem lag te wachten toen hij vrijkwam.'

'Veel heeft hij er niet aan gehad,' merkte Fox op terwijl hij het krantenartikel over Benchleys dood las.

'Hoe dan ook,' maande Paul, 'we hebben geen redenen om aan te nemen dat hij die bewuste wapens verkocht heeft.'

'Iemand heeft ze verkocht.'

'Iemand heeft ze verkocht,' beaamde de jongeman. 'Dat wapen dat bij het auto-ongeluk van Vernal gevonden is, daar heb ik verder niets over.'

Fox pikte de hint op. 'Ga verder,' zei hij.

'Daar heb ik nog aardig wat spitwerk voor moeten doen...' Paul zweeg even. 'Aan internet had ik niets. Een groot deel van de archieven en dossiers van het korps van Fife is nog niet gedigitaliseerd.'

'Paul moest zowaar voor één keertje achter zijn scherm vandaan komen.'

Paul beantwoordde McFadzeans sarcasme met een uitgestoken tong. Toen reikte hij Fox een stapeltje aan elkaar geniete fotokopieën aan. 'De revolver die naast Alan Carter is gevonden, is in oktober 1984 bij de politie ingeleverd. Hij was ergens in een heg in Tayport gevonden.'

'In de buurt van Dundee?' vroeg Fox.

'Aan de andere kant van de Taybrug, de kant van Fife. De politie heeft zich toentertijd nog afgevraagd of hij misschien voor een overval gebruikt was. Een kerel met een vuurwapen had een bookmaker uit Dundee van de recette van die week afgeholpen. Drie dagen daarna werd het wapen gevonden.'

'Dus de revolver was vanuit de Falklandeilanden in Dundee terechtgekomen?'

Paul haalde zijn schouders op. 'Dat wapen kan eerst nog een hele stoet eerdere eigenaars hebben gehad.'

'Is die overvaller ooit opgepakt?'

Maar Fox kon al uit de kopieën opmaken dat de overval nooit was opgehelderd. De opbrengst van een weekje gokken, een kleine negenhonderd pond. Zou dat genoeg geweest zijn om een club als het Dark Harvest Commando in verleiding te brengen? Dit kon je toch moeilijk een bankoverval noemen...

'Kun je hier iets mee?' vroeg McFadzean terwijl Fox nog stond te lezen.

'Dat weet ik nog niet,' bekende Fox. Toen klopte hij Paul op zijn schouder. 'Hoe dan ook, een verdomd knap staaltje werk...'

Eenmaal thuis belde Fox Tony Kaye.

'Hoe staat het met jullie rapport?'

'Straks zal iedereen zweren dat het door twee genieën geschreven is.'

'Niets nieuws onder de zon dus. Wat ga je vanavond doen?'

'Uit eten met vrouwlief. Ga je mee?'

'Daar heb ik geen tijd voor, Tony.'

'Ik vergeet maar steeds wat een druk sociaal leven je leidt.' Kaye zweeg even. 'Nou ja, het aanbod staat...'

'Dank je, maar ik zit vol. Hoe gaat het met de kleine?'

'Die zit weer eens in Fife. Naar de kapper geweest en alles.'

'Cheryl Forrester zeker?'

'Hij is smoor.'

'Zeg hem dat-ie ophoudt met die flauwekul, wil je? We hebben geen idee wat voor nieuwtjes ze misschien voor Scholes en de anderen verzamelt.'

'Zie je haar voor een matahari aan?'

'Ze zou de eerste niet zijn.' Fox lag languit op de bank met de afstandsbediening van de tv in zijn vrije hand. Hij zapte naar een nieuwszender, het geluid stond uit. 'Heb je over Stirling gehoord?'

'Klinkt als een na-aper. Die idioten zien het op tv en denken dan: hé, dan kan ik ook, een beetje leven in de brouwerij schoppen.'

'De korpsleiding neemt het anders serieus.'

Het bleef even stil terwijl Tony Kaye de informatie verteerde. 'Wat deed je daar?'

'Ik was op zoek naar hoofdinspecteur Jackson.'

'Die kerel van Special Branch?'

'Ik moest hem iets vragen.'

'Dit gaat over Vernal, hè? Ben je nog steeds aan het spitten?'

'En ik denk dat ik op een paar wormen gestuit ben. Volgens Jackson hadden de geheim agenten niets met de dood van Vernal te maken. Maar Donald MacIver beweert dat er een flinke berg geld in de kofferbak verborgen had gezeten. Zo'n dertig, veertig mille.'

'Wie is Donald MacIver nou weer?'

'Een leider van een van de splintergroeperingen uit die tijd.'

'En waar is die nu?'

Fox aarzelde even voordat hij antwoord gaf. 'Carstairs.'

'Je bent naar Carstairs geweest?'

'Ik moest wel, Tony.'

'Zat-ie in een dwangbuis?'

'Hij is een beetje een opgewonden standje, maar verder klonk hij niet onsamenhangend.'

'En jij gelooft dat van dat geld?'

'Ja.'

Kaye leek even na te denken. 'Dan heeft Gavin Willis er de hand op gelegd,' giste hij.

'Wat heeft die er dan mee gedaan?' pareerde Fox. 'Trouwens, hoe kon hij überhaupt van dat geld geweten hebben?' Maar uiteraard was er een dikke kans dat Willis ervan geweten had. Vuurwapens die voor cash verruild werden, ergens midden in de nacht op een verlaten parkeerterrein...

'Meer vragen dan antwoorden, Malcolm,' merkte Tony Kaye op. 'Mag ik je een goede raad geven?'

'Dat ik de zaak moet laten rusten, zeker?'

'Zoiets, ja. Geef alles wat je gevonden hebt aan de recherche – niet per se die van Fife; er is vast wel iemand in Edinburgh aan wie je het kwijt kunt.'

'Net nu ik er lol in begin te krijgen?'

'Dus zo noem je dat.' Kaye slaakte een zucht. 'Je hoeft niemand iets te bewijzen, Malcolm. Mij niet, de hoge heren niet, niemand niet.' Hij was even stil. 'Neem dan tenminste vanavond vrij. Ga eens lekker naar de film of zo.'

'Eigenlijk moet ik bij Mitch op bezoek.'

'Behalve dan dat je dat moeilijk een vrije avond kunt noemen. Er draait vast ergens iets met Jason Statham.'

'Die met al die explosies en auto's die in de prak worden gereden? Moet ik daar dan van opknappen?'

'Zolang je maar niet thuis in je sop blijft zitten gaarkoken, meer zeg ik niet.'

Fox bedankte Kaye en hing op. Hij had geen zin in buiten de deur eten, niet opnieuw in zijn uppie. Hij ging online en zag dat *The Maltese Falcon* in het filmhuis draaide. Vijf minuten lang hield hij zich voor dat hij zou gaan.

Toen reed hij naar Lauder Lodge om bij pa op bezoek te gaan.

Mitch was weggedommeld. Hij rook naar whisky, en ook al zat hij in zijn stoel, zijn pyjama had hij al aan. Fox keek op zijn horloge: het was nog voor achten. Ruim een uur zat hij tegenover zijn vader terwijl hij de foto's in de schoenendoos doornam, vooral gespitst op kiekjes van zijn neef Chris, Jude als kleuter en zijn moeder. Nu en dan wierp hij een blik op zijn slapende vader, de mond een beetje opengezakt, zijn borst rustig op en neer bewegend.

We voetbalden samen, jij en ik: je wilde mij op doel – minder kans op een blessure, zei je. En avond na avond zat je bij me, terwijl ik de tafels van vermenigvuldiging in mijn hoofd probeerde te stampen. Je lachte om hopeloze tv-comedy's en schreeuwde tegen blunderende scheidsrechters, alsof ze je aan de andere kant van het glazen scherm konden horen. En elk jaar op de tweede zondag van november, de herdenkingsdag voor de gesneuvelde soldaten, stond je in de houding om de volle minuut stilte in acht te nemen. In de keuken was je weinig soeps, maar voor het slapengaan maakte je altijd een kopje thee voor ma. Zij wilde twee klontjes, jij deed er altijd maar eentje in en zei dan dat ze van zichzelf al een zoeterd was.

Kijk hier nou, Jude op een ezel op het strand van Blackpool. Jij

loopt naast haar om te zorgen dat haar niets overkomt. Je hebt je
broekspijpen opgerold, een concessie aan de zomerzon. Je hebt het
hele jaar voor de zomervakantie gespaard, elke week een beetje van
je loon opzijgelegd.

Ben je tevreden over hoe we geworden zijn?
Komt er ooit een dag dat je niet meer over ons inzit?

Op zoveel van de foto's stonden gezichten die Fox niet thuis kon brengen, geen van hen nog in leven. Momenten die vastgelegd waren in de tijd, maar dan afgevlakt, schraler. Je zag het strand maar kon de zilte hitte niet voelen. Je kon een glimlach bestuderen, en de ogen boven die glimlach, maar je kon niet zien wat daarachter verborgen lag: de hoop en de angsten, de ambities en de ontrouw.

Toen iemand van het personeel de deur opendeed, duurde het even voordat Fox zich bewust werd dat er iemand was.

'Tijd voor uw vader om naar bed te gaan,' zei ze.

Fox knikte instemmend. 'Ik zal u een handje helpen,' zei hij zachtjes.

Maar ze schudde haar hoofd. 'De voorschriften,' lichtte ze toe. 'Ik moet me aan de regels houden, anders kan ik straks naar mijn baan fluiten.'

'Ja, natuurlijk,' zei Fox, en hij begon de foto's op te ruimen.

Onderweg naar huis stopte hij bij een fish-and-chipstent en bestelde haggis als avondmaal. Terwijl hij op een verse portie patat wachtte, stond hij bij het buffet tv te kijken. Het Schotse nieuws stond op: de persconferentie van eerder die dag. Camera's flitsten en regiokorpschef Alison Pears las een geschreven verklaring voor, gevolgd door een vragenronde. Ze had haar haar in model gebracht en droeg haar standaarduniform. Ze leek op een kalme, gebiedende toon te spreken, al verstond hij er door het gesis van de frituur geen woord van. Het verslag schakelde naar het parkeerterrein in Kippen, naar dezelfde journalist die Fox daar eerder die dag gezien had. 'Live ter plaatse' werd boven in beeld gemeld. Nu de avond gevallen was stonden er minder auto's en er waren geen blaffende honden om de opname te versjteren. De verslaggever hield een van die grote, pluizige microfoons voor zich. Het was gaan motregenen. Regendruppels spetterden op de lens van de camera. De reporter deed zijn best zowel goed geïnformeerd als geïnteresseerd over te komen, maar Fox bespeurde iets van uitputting in zijn onverstoorbare voorkomen. Via zijn oordopjes leek iemand hem een vraag te stellen, en hij knikte alvorens te antwoorden. De regisseur schakelde naar een wazige foto van de bomkrater. Die was zo te zien met een mobieltje gemaakt, waarschijnlijk door een wandelaar gekiekt voordat het gebied afgezet had kunnen worden. Gevolgd door een tweede beeld, dit keer een close-up van een van de bomen waarop zich brokjes schroot hadden vastgezet.

'Een verdraaid vervelende zaak,' zei de uitbater van de snackbar. Fox meende een Poolse tongval te herkennen, maar het kon ook Bosnisch zijn of Roemeens – of wat eigenlijk niet. Een andere keer zou hij er misschien naar gevraagd hebben, gewoon uit nieuwsgierigheid.

Maar vanavond niet.

Thuisgekomen at hij zijn haggis op de bank en zag hij de persconferentie opnieuw voorbijkomen. Toen er naar de studio werd teruggeschakeld, had de presentator nieuws te melden.

'De politie heeft zojuist bevestigd dat het onderzoek zich in een duidelijke richting ontwikkelt. Wij houden u op de hoogte zodra zich nieuwe ontwikkelingen voordoen. Maar nu voor het laatste sportnieuws naar Angela...'

Fox moest op zeker moment zijn weggedommeld, want hij werd languit liggend op de bank wakker, met zijn schoenen nog aan en een halfleeg bord op zijn borst. Het eten was inmiddels koud en onappetijtelijk. Zijn vingers roken naar saus, en hij ging naar de keuken om het restant van het maal in de pedaalemmer te kieperen en zijn handen te wassen. Met een mok thee keerde hij terug naar de bank, waar hij opnieuw op de aanblik van korpschef Pears vergast werd. Ze waren live naar haar doorgeschakeld terwijl ze op de trappen stond voor wat volgens Fox het hoofdbureau van Midden-Schotland moest zijn, vermoedelijk in Stirling zelf. Ze werd door hevige windvlagen bestookt en moest de haren uit haar gezicht strijken. Deze keer had ze geen verklaring om voor te lezen, maar ze klonk nog altijd even beheerst en professioneel. Fox knipperde de slaap uit zijn ogen. Telkens als ze even zweeg om naar een vraag van een journalist te luisteren, stak ze haar kin een stukje naar voren. Fox probeerde zich voor de geest te halen aan wie ze hem deed denken – aan Jude misschien; de vooruitgestoken kin een teken van concentratie. Maar Jude was het niet.

Het was een foto.

Fox sleepte zijn laptop naar de bank en typte haar naam in de zoekbalk in.

Alison Pears was een van de enige twee vrouwelijke korpschefs van Schotland. Ze was getrouwd met de financier Stephen Pears. Fox kende die naam. Pears stond voortdurend in de kranten, sloot de ene deal na de andere en leek de noodlijdende Schotse financiële sector eigenhandig overeind te houden. Hij vond foto's van het stel, en Fox moest toegeven dat de korpschef wist hoe ze uit de verf moest komen. In een cocktailjaponnetje zag ze er moeiteloos glamoureus uit. Op tv was ze echter in een gevecht met de elementen verwikkeld, en ze droeg hetzelfde uniform als in de eerdere uitzending. De regen geselde bijna horizontaal in haar gezicht. De doorlopende tekst beneden in beeld meldde: 'Drie arrestaties na bomexplosie.'

'Snel gedaan,' zei Fox terwijl hij zijn mok in een proostend gebaar naar haar ophield.

Toen ging hij zelf aan de slag, spoorde zoveel van haar cv op als hij kon, zonder erin te slagen vroege foto's van haar te lokaliseren. Niettemin was hij behoorlijk zeker van zijn zaak.

Uiterst behoorlijk zeker.

In 1985 was ze net afgestudeerd aan de Schotse politieacademie in Tulliallan. Nog geen Pears in die tijd – ze moest haar man nog ontmoeten en zijn naam aannemen.

Alison Watson was in 1962 in Fraserburgh geboren. Zo'n sprong was dat nu ook weer niet, van Alison Watson naar Alice Watts. Hij pakte de foto uit professor Martins boek en de twee inschrijvingskiekjes. Daar had je die licht vooruitgestoken kin. Die was ook zichtbaar in verscheidene van de online foto's: bij een filmpremière, een diner bij een prijsuitreiking, een afstudeerplechtigheid, hand in hand met haar echtgenoot. Stephen Pears glom. Was die gebruinde huidskleur het product van skitripjes of van een zonnestudio? Zijn haar zat onberispelijk, de tanden fonkelden, hij droeg een gevaarte van een horloge om zijn pols. Hij was gedrongen, zijn gezicht pafferig door het succes. Ze hadden elkaar twaalf jaar geleden voor het eerst ontmoet en waren tien jaar getrouwd.

'Mr. en Mrs. Pears, het is me het stel wel,' mompelde Fox in zichzelf. Maar daar hielden haar connecties niet op. Haar broer Andrew was lid van het Schotse parlement en maakte deel uit van de snp-regering: Andrew Watson, minister van Justitie.

Minister van Justitie...

Fox schoof de laptop opzij en liet zich in de kussens van de bank zakken, zijn hoofd achterovergeklapt naar het plafond.

Wat moet ik hier in godsnaam mee aan? vroeg hij zichzelf af.

En wat betekende het precies?

ELF

34

'Jezus nog aan toe, Foxy, heb je afgelopen nacht überhaupt een oog dichtgedaan?'

'Niet lang,' gaf Fox toe terwijl Kaye een stoel pakte en tegenover hem plaatsnam. Het was even na negenen en de kantine van het hoofdbureau van politie deed uitstekende zaken met broodjes bacon en worst en schuimende cappuccino's. Fox had een halfleeg kopje thee voor zich staan, naast een appel waaraan hij nog niet begonnen was. Kayes dienblad telde een grote koffie en een Tunnock's-karamelwafel.

'Lekker gegeten gisteravond?'

'De prijs was er ook naar,' gromde Kaye. 'Ben je nog de deur uit geweest zoals ik je had aangeraden?'

Fox knikte langzaam.

'Ik weet niet welke film jij gezien hebt,' merkte Kaye op, 'maar zo te zien gaat die voor ons allebei de dag verpesten.' Hij slurpte zijn koffie op, wat een witte melkstreep op zijn bovenlip opleverde, en scheurde de verpakking van zijn wafel open.

Fox begon bij het begin, min of meer. De eerste waarneming van Alison Pears in levende lijve, toen op tv. Vervolgens het verband en zijn bevindingen en vermoedens.

'Ze staat breeduit op de voorpagina van de *Metro* van vandaag,' zei Kaye, en hij pulkte wat restjes karamel tussen zijn tanden vandaan. 'Drie terreurverdachten van eigen bodem in voorarrest.'

'Haar broer was vanochtend ook op tv,' voegde Fox eraan toe. Hij had op de bank liggen kijken na er het grootste deel van de nacht te hebben doorgebracht, deels druk in de weer met zijn laptop. Andrew Watson: vier jaar jonger dan zijn zus, kort rood haar, een bril met stalen montuur, een mollig gezicht met sporen van jeugdpuistjes. Die ziet er niet patent uit, zou Mitch Fox gezegd hebben.

'Hij is alleen maar minister van Justitie geworden omdat zijn voorgangers er of een zooitje van gemaakt hebben of ruzie met het "grote stamhoofd" kregen.' Met wie Kaye, zo wist Fox, de premier bedoelde.

'Altijd handig, zo iemand aan jouw kant als je korpschef bent...'

Kaye perste er een meesmuilend lachje uit. 'Ga je haar straks echt voor de voeten werpen dat ze een terroriste geweest is?'

'Nee.'

'Wat dan wel?'

'Dat ze een undercoveragente was.'

Kaye staarde hem aan. 'Een undercoveragente?' herhaalde hij.

'Dat ze in het Dark Harvest Commando en god mag weten welke club is geïnfiltreerd.'

'En op de koop toe ook nog eens het bed heeft gedeeld met Francis Vernal?' Kaye haalde diep adem. 'Als dat ooit uitkomt...'

'Dat zou haar reputatie geen goed doen,' bevestigde Fox.

'Dus dat wordt een vertrouwelijk onderonsje?'

'Dat neem ik aan.'

'Jij liever dan ik. Ze is nu opeens wel mooi het uithangbord voor gelijke kansen binnen de politie – het glazen plafond aan diggelen. Niemand wil dat dat beeld aangetast wordt.'

'Nee,' beaamde Fox.

'Jezus, moet je zien wie we daar hebben!' Kaye glimlachte terwijl Joe Naysmith moeizaam naar het tafeltje sjokte, met enkel een cafeïnerijk energiedrankje in zijn hand. Naysmith' ogen stonden slaperig en hij had een scheerbeurt overgeslagen.

'Ja, ja,' luidde zijn commentaar terwijl hij naast Kaye plaatsnam.

'Ze is duidelijk meer vrouw dan jij aankan, jongeheer Joseph,' ging Kaye verder. 'Misschien moest je haar maar aan mij overlaten.'

Naysmith kneep zijn ogen dicht en nam een grote slok van zijn drankje. Toen hij ze weer opende keek hij van Kaye naar Fox en weer terug. 'Nog iets gebeurd waar ik van moet weten?' vroeg hij.

Fox maakte een nauwelijks waarneembare hoofdbeweging naar Tony Kaye.

'Mannenpraat, Joe,' verklaarde Kaye. 'Niets om je jeugdige koppie over te breken.'

'Hoe gaat het met agent Forrester?'

'Goed.'

'Nog nieuws in de zaak-Paul Carter?'

Naysmith dacht een paar tellen na en knikte toen. 'Er is nog een getuige opgedoken,' besloot hij ze toe te vertrouwen. 'Die heeft ergens na middernacht een man in de hoofdstraat zien lopen. Een man met soppende schoenen.'

Fox fronste zijn wenkbrauwen. 'Niet Carter dus?'

'Deze kerel was kaal. Nou ja, kaalgeschoren. Maar het is zeker dat hij in het water had gelegen. Hij maakte een bezorgde indruk. En hij kan wel eens een tatoeage in zijn nek hebben.' Naysmith zweeg even en hield zijn ogen op Kaye gericht. 'Aan de zijkant van zijn nek.'

'Wie is het?' vroeg Fox.

Kaye wreef een hand over zijn gezicht. 'Dat klinkt als een bekende van mij.'

'Wie?'

'Tosh Garioch,' antwoordde Kaye. 'Het vriendje van Billie.'

Naysmith knikte. 'Het kan natuurlijk altijd iemand anders zijn, maar het klopt met de beschrijving die je van hem gaf nadat je hem gesproken had.'

'Garioch? Is dat niet die portier? Die ene die voor Alan Carters bedrijf werkte?'

'Helemaal,' bevestigde Kaye. 'Met een grote tatoeage van een distel die in zijn nek omhoogkruipt. Kaalgeschoren kop. Een strafblad.' Hij richtte zijn blik weer op Naysmith. 'Heb je iets aan Forrester laten doorschemeren?'

Naysmith schudde zijn hoofd. Kaye en Fox wisselden een blik.

'Tijd voor beslissingen,' merkte Kaye op. 'Al staan onze keuzes me heel wat meer aan dan die van jou, Foxy...'

Stirling.

Voor het hoofdbureau van politie van regio Midden-Schotland waren veiligheidscontroles ingericht, compleet met gewapende agenten die de media op afstand hielden en gespitst waren op demonstranten en sympathisanten van de terroristen.

In het hoofdgebouw was de alarmstatus naar ERNSTIG opgeschroefd. Tijdens al zijn jaren bij de politie had Fox dat niet eerder meegemaakt. Bij ERNSTIG hield het op, hoger was er niet.

Fox had al een halfuur in de wachtruimte gezeten. Om hem heen gonsde een verwachtingsvol geroezemoes. Hij had de stellige indruk dat dit normaal niet het geval was. Ergens vlak in de buurt werden de drie verdachten ondervraagd. Buiten voor het bureau hadden tv-stations hun tenten opgeslagen. Groepjes krantenjournalisten waren bij elkaar in de auto's gekropen. Foerageurs waren eropuit gestuurd en teruggekeerd met Engelse en Schotse pasteitjes, warme dranken en zakjes chips. Onderweg naar het bureau had Fox de verslaggever van de vorige dag in het oog gekregen. Die maakte een even opgewonden als uitgeputte indruk en wreef in zijn handen om zich warm te houden. Een oordopje bungelde vooralsnog ongebruikt over zijn schouder. Bij de ingang van het parkeerterrein waren een paar agenten geposteerd met ME-helmen op en kogelvrije vesten rond de borst bevestigd die bij gebrek aan iets interessanters door de aanwezige cameramannen gefilmd werden.

Fox' mededeling aan de vrouw achter de balie was kort en bondig geweest. 'Ik moet de korpschef spreken. Mijn naam is Fox. Afdeling Normen Beroepsuitoefening, bureau Lothian and Borders.' De vrouw had zijn politiepasje aandachtig bekeken.

'U weet wellicht dat ze het momenteel nogal druk heeft?' had ze gevraagd op een toon waar het sarcasme vanaf droop.

'Wie niet?' was zijn repliek geweest. Uit haar gezichtsuitdrukking maakte hij op dat ze geen vrienden zouden worden.

'Neemt u plaats, inspecteur.'

'Dank u.'

Na vijf minuten was hij naar de balie gelopen, om enkel te horen te krijgen dat ze de 'baas' nog niet te pakken had kunnen krijgen.

Tien minuten later van hetzelfde laken een pak.

Hij had zich met zijn mobiel beziggehouden: het nieuws en zijn e-mails gecontroleerd, oude berichten verwijderd... en naar de drukte om zich heen gekeken.

Na twintig minuten: een nee schuddende receptioniste.

Toen er een halfuur verstreken was volgde eenzelfde hoofdgebaar.

En toen waren de journalisten naar binnen gedromd, met cameraploegen in hun kielzog. Die kregen allemaal bezoekerspasjes uitgereikt en werden naar de plek verwezen waar de persconferentie gehouden werd. Fox besloot in de rij aan te sluiten. De receptioniste keek hem vragend aan.

'Dan gaat de tijd wat sneller,' legde hij uit. Dus vulde ook hij zijn persoonsgegevens in en kreeg een pasje toegeschoven, samen met een doorzichtig hoesje met een klemmetje aan de achterzijde. Dat bevestigde hij aan zijn jasje, en hij volgde de meute naar binnen.

De grote vergaderruimte zat barstensvol. Fox merkte op dat er een soort ongeschreven wet bestond, waarbij de plekken vooraan automatisch voor de oudste en meest ervaren journalisten gereserveerd waren. Zijn eigen tv-verslaggever was er ook, op een plekje aan het gangpad. Stoelen waren in rijen neergezet. Sommige zagen eruit alsof ze uit de kantine gehaald waren, andere uit kantoren. Een jonge vrouw in burger deelde persberichten rond. De aanwezigen waren met hun mobieltjes in de weer en sms'ten de belangrijkste punten naar hun redactielokalen en studio's. Ze keek Fox aan met een blik die hem duidelijk maakte dat ze het grootste deel van het journaille kende maar hem nooit eerder gezien had. Hij glimlachte haar slechts toe en hielp haar van een persbericht af.

Drie arrestanten, nog geen tenlastelegging.

Zo nodig wordt er een beroep gedaan op de antiterrorismewet om het voorarrest te verlengen.

Het op de plaats delict vergaarde bewijsmateriaal wordt momenteel onderzocht.

Fox stond nog te lezen toen de korpschef rakelings langs hem beende en door het gangpad op de met microfoons uitgedoste tafel afstevende. Camera's kregen het druk en de aanwezigen zetten hun mobieltjes op 'opnemen'. Alison Pears werd geflankeerd door haar plaatsvervangend korpschef en een hoofdinspecteur die in naam de leiding over de zaak had. Ze schraapte haar keel en begon een opgestelde verklaring voor te lezen. Fox kon haar parfum ruiken. Die hing nog waar ze zich langs hem gewrongen had. Tony Kaye had de geur vast thuisgebracht, maar dat was Fox niet gegeven. Hij voelde een hand op zijn onderarm. Fox draaide zich om en zag Jackson in de deuropening staan. Jacksons ogen vertrokken zich tot spleetjes en er stonden diepe groeven op zijn voorhoofd. De onuitgesproken vraag was kristalhelder.

Wat heb jij hier verdomme te zoeken?

Fox gaf hem een knipoog en draaide zich om teneinde zich op Pears' slotopmerkingen te concentreren. Uit de zaal volgden vragen. Opnieuw werd Fox een hiërarchie gewaar: stak iemand op de eerste rijen een hand op dan bediende Pears die eerst. Ze had zich uitstekend voorbereid: ze wist wat er gevraagd zou worden en had haar antwoorden klaar.

Zijn de verdachten uit de omgeving afkomstig?

Welke nationaliteit hebben ze?

Kunnen ze in verband gebracht worden met de explosies bij Lockerbie en Peebles?

Pears gaf nauwelijks iets weg, maar ze deed dit zo geraffineerd dat ze open en vriendelijk overkwam. Heel af en toe speelde ze een vraag naar de hoofdinspecteur door, die bruusker en minder begaafd was maar al even goed wist wat hij wel en niet kon zeggen. Jackson stond weer aan Fox' arm te plukken en gebaarde naar de gang, maar Fox schudde zijn hoofd. Toen de persconferentie afgelopen was, liep Pears met haar kleine delegatie naar de deur en wimpelde onderweg de ene vraag na de andere met een vriendelijke glimlach of een handgebaar af.

Ze keek Fox niet aan toen ze op het punt stond hem te passeren, maar hij stapte naar voren en versperde haar de weg.

'Bent u bereid een verklaring over Francis Vernal af te leggen?'

Haar ogen boorden zich in de zijne, haar gezicht verstijfde.

'Wie?'

'Aardig geprobeerd, Alice,' antwoordde hij. De hoofdinspecteur legde een hand op Fox' borst en maakte de weg vrij. Fox deed een stap achteruit en verontschuldigde zich tegenover een jong verslaggevertje wiens tenen hij zojuist geplet had. Pears was de zaal al uit, statig schrijdend door de gang. Jackson haalde haar bij toen ze juist iets tegen haar eigen hoofdinspecteur zei. Die liep bij haar weg, kwam op Fox af en gaf hem een kaartje.

'Schrijf hier je mobiele nummer op,' gromde hij.

'Ik sta al een hele tijd te wachten.'

'Ze neemt wel contact met jou op.'

Fox krabbelde zijn nummer op het velletje en de hoofdinspecteur graaide het uit zijn hand. Toen de man uit het zicht verdween, was het Jacksons beurt.

'Waar ben jij mee bezig?' sputterde hij, zijn mond zo dicht bij Fox' oor dat niemand anders het kon horen.

'U heeft uw zaak, ik de mijne.'

'Je bent van Interne Zaken, man. Geen godverdommese Simon Schama.'

'Grappig, want de geschiedenis lijkt zich anders wel te herhalen.'

Jackson keek hem woest aan. De journalisten wisselden hun indrukken uit, hingen aan de telefoon of bereidden zich voor op een cameraoptreden. Maar ook wierpen ze voortdurend korte blikken op de twee mannen, van wie ze er in elk geval eentje herkenden van de plek waar de explosie in Kippen had plaatsgevonden.

'Laat het rusten,' drong Jackson op zachte maar dwingende toon aan.

'Ik moet haar even spreken.'

'Waarom?'

Fox schudde langzaam zijn hoofd. 'Misschien later.'

'Je bent een klootzak, Fox. Van het zuiverste water.'

'Uit uw mond zal ik dat maar als een compliment opvatten.'

'Geloof me, zo is het niet bedoeld, in de verste verte niet.'

Jackson draaide zich op zijn hielen om en beende terug door de gang. De jonge vrouw die de persberichten had rondgedeeld, leidde iedereen de zaal uit. Ze kreeg versterking van een assistente, die ervoor moest zorgen dat niemand op eigen houtje door het gebouw ging dwalen.

'Linda zegt dat ze u hier nooit eerder heeft gezien,' zei de assistente tegen Fox.

'Een tijdelijke opdracht,' verklaarde hij.

'Hé, ik ook. Normaal zit ik bij de afdeling Bevordering Gemeenschapsrelaties.' Ze keek om zich heen. 'Ach, het is weer eens wat anders.'

Fox knikte instemmend en volgde de rest naar de receptie.

Alison Pears had zijn nummer; nu kon hij alleen maar wachten. Hij reed Stirling in en kwam al snel wegwijzers tegen die hem in de richting van het Wallace-monument wezen. Hij kon het al van ver zien: een vrijstaande, gotisch ogende toren boven op een heuvel. Hij groef in zijn geheugen naar wat hij over Wallace wist. Net als iedere andere Schot had hij *Braveheart* gezien en zich erdoor mee laten slepen. Stirlingbrug was de plek geweest waar Wallace de Engelsen had verslagen.

Omdat hij verder toch geen plannen had bleef Fox de wegwijzers volgen, totdat hij uiteindelijk ergens een parkeerterrein op draaide. Een paar touringcars stonden met draaiende motor te wachten op de terugkomst van hun vrachtjes die rondgeleid werden. Fox stapte uit zijn Volvo en slenterde naar het Legends Coffee House. Er kwamen nog meer weetjes over Wallace bovendrijven, voornamelijk over diens gruwelijke levenseinde. Er was een informatiedesk, en de vrouw achter de balie vertelde hem dat een bezoek aan het monument 7,75 pond kostte.

'7,75?' vroeg hij om er zeker van te zijn dat hij het goed verstaan had.

'Er is een audiovisuele presentatie... En het zwaard van Wallace.'

'En verder?'

'Tja, u kunt de toren beklimmen.'

'Die heuvel ziet er knap steil uit.'

'Een gratis shuttlebus brengt u naar de top.'

'Gratis als ik die 7,75 betaal?' Voor de vorm deed Fox of hij het in beraad nam. 'Staat dat standbeeld er nog? Dat beeld dat een beetje op Mel Gibson lijkt?'

'Dat is naar Brechin verhuisd,' antwoordde ze op een toon die een zekere kilte verried.

Fox glimlachte om te kennen te geven dat hij klant af was. In plaats daarvan bespaarde hij vijf pond door genoegen te nemen met een pepermuntthee in het Legends, waar hij een prachtig uitzicht had op de heuvel en het gedenkteken. Wallace werd als een goede vaderlander beschouwd; kon datzelfde ook met recht van Francis Vernal gezegd worden? Waren zijn daden, zijn gezindheid in de woorden van MacIver, te rechtvaardigen geweest? En wat zouden beiden van het Schotland gevonden hebben waarin Fox zich nu bevond: was dit nog hetzelfde land als dat waarvoor zij gevochten en hun leven gegeven hadden? Er waren bezoekers in de winkel naast de informatiedesk. Hij hoorde ze overleggen of ze badhanddoeken zouden kopen die ook als kilt dienstdeden. Hun Schotland was waarschijnlijk van het romantische soort; het land van valleien en kastelen, van Speyside-malt whisky en de Schotse dans. Er waren ook andere Schotlanden voorhanden als je de moeite nam ernaar te zoeken, en minstens zoveel mensen gaven er tegenwoordig de voorkeur aan vooruit te kijken door verlangend terug te blikken naar het land dat niet meer was. Het café stroomde vol. Het tweede kopje uit de theepot liet hij voor wat het was. Toen hij terugliep naar zijn auto ging zijn mobiel. Maar het was niet Alison Pears.

'Mr. Fox? U spreekt met de verpleegster van Lauder Lodge. Ik ben bang dat het niet zo goed gaat met uw vader.'

Verdoofd reed hij terug naar Edinburgh. Pas toen hij voor de Royal Infirmary stilhield realiseerde hij zich dat de radio al die tijd had aangestaan. Daar kon hij zich niets van herinneren. Hij had te verstaan gekregen eerst de Spoedeisende Hulp te proberen. Mitch was op de vloer van zijn kamer aangetroffen.

'Misschien is hij gewoon gevallen,' had de verpleegster op een toon gezegd die verried dat ze haar eigen woorden niet geloofde.

'Was hij bij bewustzijn?'

'Niet echt...'

Fox parkeerde naast een dubbele gele lijn op een plek die uitsluitend voor ambulances bestemd was en ging naar binnen. De receptioniste was met iemand bezig, dus wachtte hij zijn beurt af. In de wachtruimte zaten maar twee, drie mensen. Ze keken naar een tv in de hoek van de ruimte. De receptioniste leek weinig haast te maken, dus liep Fox langs haar balie in de richting van de ontvangstruimte. Niemand hield hem staande of vroeg wat hij hier deed. Sommige patiënten lagen op brancards, andere in met gordijnen afgeschotte hokjes. Fox maakte een rondje door de kamer. Iemand van het personeel was met een computer in de weer. Hij vroeg haar waar hij Mitch Fox kon vinden.

'Hij is hier een uur geleden binnengebracht,' verklaarde hij, 'uit verpleeghuis Lauder Lodge.'

'Dan zit hij misschien nog niet in het systeem.' Ze liep naar een whiteboard aan de wand en bekeek het aandachtig. Toen schoot ze een collega aan, die knikte en op Fox afstapte.

'Bent u familie?'

'Zijn zoon.'

'Mr. Fox is momenteel op de röntgenafdeling. Daarna gaat hij rechtstreeks naar de dagafdeling.'

'Gaat het goed met hem?'

'Straks weten we meer. Om de hoek is een wacht...'

'Kan ik hem zien?'

'De receptie laat het u weten zodra u bij hem kunt.'

Fox werd terugverwezen naar de wachtkamer. Toen hij er aankwam was de rij opgelost, dus gaf hij zijn naam op en werd verzocht plaats te nemen. Hij liet zich op de hardplastic stoel neerploffen en staarde naar het pafond. Niemand keek nog naar de tv; ze hadden het te druk met het turen naar de schermpjes van hun mobieltjes. Een vrouw met een arm in het verband bleef maar rondjes lopen. Elke keer als ze in de buurt van de deuren kwam, klapten die automatisch open en stroomde er een vlaag koude lucht uit de buitenwereld naar binnen. Een proces waaraan ze kennelijk genoegen ontleende want ze bleef het maar herhalen. Vlakbij stond een kast die door het verplegend personeel voortdurend ontgrendeld werd en vervolgens weer op slot werd gedraaid. Fox kon niet precies ontwaren wat ze daar deden. De twee toilethokjes waren volop in gebruik, net als de snoepmachines. Een jongeman trachtte de muntsleuf te dwingen een bepaald muntje van tien pence te accepteren. Elke keer wanneer het geweigerd werd probeerde hij het opnieuw, na de munt op zichtbare afwijkingen te hebben gecontroleerd. Uiteindelijk begaf Fox zich naar het apparaat en verving het muntje door eentje uit zijn eigen portemonnee. Dit deed het wel, maar de jongeman keek er niet blijer op.

'Graag gedaan,' zei Fox terwijl hij naar zijn stoel terugkeerde.

Een personeelslid leek tot taak te hebben de afvalbak te legen en rondslingerende kranten te verwijderen. De vuilniszak was nog niet halfvol toen hij hem door een lege verving. Tien minuten later was hij terug om te controleren hoe vol de nieuwe zak inmiddels was en verplaatste de bak vervolgens naar de andere kant van de wachtruimte. Fox slaagde erin zich te weerhouden naar het waarom te vragen. Op tv vertelde een man een andere man hoeveel een snuisterijtje waard was. Toen het geveild werd haalde het de richtprijs niet. Was het een erfstuk geweest? vroeg Fox zich af. Zou degene die het ooit aangeschaft had ook maar het flauwste benul hebben gehad dat het op een dag in een tv-programma zou figureren – en op een gênante teleurstelling voor zijn huidige eigenaar zou uitdraaien?

De onvermijdelijke roker van de wachtkamer keerde terug van een zoveelste pafpauze en kondigde haar komst al van ver met een droge blafhoest aan. Opnieuw klapten de deuren trillend open omdat de vrouw met de arm in verband er weer eens langsgestiefeld was. Fox draaide zich naar haar toe.

'Wilt u daar verdomme mee ophouden!' riep hij. De vrouw keek verbaasd. Net als de receptioniste, die er met afkeurende blik een waarschuwing op liet volgen. Fox hief een hand ter capitulatie ten hemel en ging weer naar het plafond zitten staren. Het was niet alleen zijn pa, besefte hij – het was ook al het andere. De vragen die plots om hem heen leken te wervelen; al die personages wier levens opeens met het zijne verstrikt waren geraakt, de uren slaap die hij gemist had, het gevoel van totale, hopeloze nutteloosheid...

En toen onderbrak zijn mobiel hem met een sms. Het bericht was afkomstig van een nummer dat hij niet herkende, en toen hij de boodschap opende bestond die uit een adres, een postcode en een tijdstip. De postcode was FK9, het tijdstip 7.15 's avonds. Fox kopieerde de postcode in de routeplanner van zijn mobiel. Het gemarkeerde gebied omvatte de universiteit van Stirling. Fox nam aan dat hij bij Alison Pears thuis was uitgenodigd en dat zij en haar man praktisch naast de universiteit woonden. Hij besloot zich de moeite van een antwoord te besparen, maar het telefoonnummer voegde hij toe aan zijn adresboek. Voor eventueel toekomstig gebruik.

En om iets omhanden te hebben.

Na een klein uur vroeg hij de receptioniste naar de stand van zaken en kreeg te horen dat zijn vader naar de gecombineerde medische en operatieafdeling was gebracht.

'Die kant uit,' zei ze terwijl ze naar weer een andere deur wees. Fox knikte haar dankbaar toe en volgde de bordjes op de wand. Uiteindelijk kwam hij bij een verpleegstersbalie uit. Zijn vader was er kennelijk net aangekomen. Het personeel was nog druk in de weer rond zijn bed. Een machine controleerde zijn hartslag. Het apparaat produceerde regelmatige piepjes die tezamen met de andere machines in de omgeving een heel eigen ritme voortbrachten.

'Hoe gaat het met hem?'

'De dokter kan elk moment langskomen.'

'Maar het gaat goed met hem?'

'De dokter staat u straks te woord...'

Fox werd van een stoel voorzien. Zijn vaders ogen waren gesloten, de onderste helft van zijn gezicht ging schuil onder een doorzichtig zuurstofmasker. Fox wilde hem een kneepje in zijn hand geven, maar zag toen dat aan een van zijn vingers een veerklem zat die met de machine verbonden was. In plaats daarvan pakte hij zijn pols, die warm aanvoelde. Hij zocht naar aanwijzingen dat zijn vader elk moment zijn ogen kon openen. Op zijn voorhoofd zag hij een blauwe plek en iets van een zwelling, waarschijnlijk van de val.

'Pa,' zei Fox, net hard genoeg dat zijn vader het kon horen. 'Ik ben het. Malcolm.'

Geen reactie. Zijn vingers tastten naar Mitch' polsslag. Die klopte een trage, gestage taptoe in de maat van de machine.

'Pa,' zei hij nog eens.

Het verplegend personeel stond iets aan de balie te bespreken. Fox vroeg zich af waar zijn vaders kleren gebleven waren. Hij droeg een ziekenhuishemd met korte mouwen. Een van de verplegers had zich uit het gesprek losgemaakt om een telefoontje te plegen.

'We kunnen niemand meer opnemen,' legde hij uit. 'Alle bedden zijn bezet.'

Het had dus altijd erger gekund: Mitch had ook op een brancard in de gang kunnen liggen wachten. Fox vroeg zich af of er iets van een rangorde gehanteerd werd, en of dat inhield dat hij er dus slecht aan toe was.

Misschien is hij gewoon gevallen...

'Dit is toch niet te geloven.' De stem kwam van ergens achter hem vandaan. Hij draaide zijn hoofd om en zag Jude staan, haar armen bungelend langs haar zij. Fox kwam overeind.

'Ze zeggen dat hij gevallen is,' begon hij.

'Ik bedoel pa niet,' zei ze met trillende stem. 'Ik bedoel jou.'

Het duurde even voordat het tot Fox was doorgedrongen welk misdrijf hij begaan had. 'Jude, het spijt me...'

'Kom ik daar op mijn dooie akkertje in Lauder Lodge aan. Zeggen ze: "O, heeft uw broer dat niet gezegd? Uw vader is met spoed naar het ziekenhuis overgebracht..." Je wordt bedankt, Malcolm. Reuze bedankt.'

Een lid van het personeel liep op hen af en gebaarde dat ze wat rustiger moesten zijn.

'Ik ben het glad vergeten, Jude. Ik zat tot over mijn oren in...'

'En hoe denk je dat ik me voelde? De hele weg in de taxi hiernaartoe...' Haar aandacht was inmiddels van Malcolm naar Mitch verschoven. 'Zonder enig idee wat ik hier zou aantreffen.'

'Ga even zitten,' zei Fox, en hij bood haar zijn stoel aan. 'Dan zal ik wat water voor je halen.'

'Ik wil jouw water niet!'

'Hoor eens,' maande de verpleegster. 'Ik begrijp dat het niet makkelijk voor u is, maar in het belang van de andere patiënten moet ik u toch echt vragen wat zachter te praten.'

'Wat heeft hij eigenlijk?' Jude nam haar vader nog steeds aandachtig op.

'Het zou een beroerte kunnen zijn,' zei de verpleegster. 'Maar dat kunnen we nog niet met zekerheid zeggen.'

'Een beroerte?' Jude liet zich op de stoel zakken en greep met beide handen naar de zitting.

'Ze hebben al een röntgenfoto van hem gemaakt,' vertelde Fox zijn zus.

'De dokter kan elk moment langskomen,' vulde de verpleegster aan.

Fox knikte naar de verpleegster om haar te laten weten dat alles onder controle was. Maar toen hij Jude een kneepje in haar schouder wilde geven, schudde ze hem van zich af.

'Raak me niet aan,' zei ze. Dus bleef Fox staan en keek hij toe hoe ze haar hoofd op de rand van het bed legde. Haar lichaam schokte op het ritme van haar snikken. Fox blikte naar het personeel, maar die hadden het allemaal al zo vaak gezien. Uiteindelijk kwam de verpleegster terug voor een bemoedigend woord.

'Bij de hoofdingang is een café. Misschien kunnen jullie beter daar wachten. Geef ons jullie nummers, bellen wij zodra de dokter er is.'

Maar Jude schudde haar hoofd. Ze besloot te blijven, dus bleef Fox ook. Er werd nog een stoel voor hem opgesnord en hij zette die naast zijn zus. Ze kneep nog steeds in de hand van hun vader, en zonder dat de klem aan zijn vinger loskwam.

'Ze hebben hem op de vloer van zijn kamer aangetroffen,' zei Fox zachtjes. 'Toen hij viel heeft hij zijn hoofd gestoten.' Hij zweeg in het besef dat er, afgezien van nog een 'sorry', niets aan toe te voegen viel. Jude weigerde hem aan te kijken. Toen ze haar hoofd eindelijk oprichtte, had ze uitsluitend aandacht voor de machine.

Toen de dokter arriveerde, maakte die in Fox' ogen een onmogelijk jeugdige indruk; hij kon zijn tienerjaren nauwelijks ontgroeid zijn. Geen witte jas of stethoscoop, alleen een overhemd met das en opgerolde hemdsmouwen.

'Geen botbreuken of -scheuren,' las hij op terwijl hij door de aantekeningen bladerde die hij gekregen had. 'Misschien nog een scan. Dan houden we hem een dag of wat hier...'

'Iemand had het over een beroerte,' zei Fox.

'Mmm, dat is een mogelijkheid.' Fox had verwacht dat de arts met een lamp in Mitch' ogen zou schijnen of zijn bloeddruk of pols zou controleren... nou ja, wat artsen zoal doen. Maar de jongeman wierp slechts een korte blik op de patiënt. In de aantekeningen stond alles wat hij weten moest. 'Zodra hij bijkomt, krijgen we vanzelf een beter idee van wat hem scheelt.'

'Moeten we niet proberen hem wakker te maken?' vroeg Fox.

'Laat hem maar rustig liggen.' De dokter was door zijn aantekeningen heen. 'Dan doen we die scan later vandaag of morgen misschien. Daarna hebben we hopelijk meer zicht op wat hem precies mankeert.'

En daarmee was hij verdwenen, op weg naar een patiënt aan de andere kant van de zaal.

Jude zei niets, Fox evenmin. Hij had zich zelden zo nutteloos gevoeld. Toen iemand van de balie vroeg of ze een kop thee wilden, knikte hij en voelde een pathetische dankbaarheid opwellen. Jude wilde water en de drankjes werden snel gebracht. Fox zei opnieuw dat het hem speet, en deze keer keek Jude hem aan.

'Je denkt nooit eens aan mij, geen van jullie twee,' zei ze.

'Niet nu, Jude. Bewaar dat alsjeblieft voor een andere keer.' Fox knikte naar Mitch. 'Misschien kan hij ons wel horen.'

'Misschien wil ik wel dat hij het hoort.'

'Maar dan nog...'

Ze nam een slok water uit het plastic glas dat ze met beide handen omklemd hield. De thee was te sterk. Fox kon die alleen een beetje drinkbaar maken door de beide suikerzakjes erin leeg te schudden.

'Luister nou,' zei hij tegen zijn zus. 'Ik was net druk met iets bezig toen ze belden. Ik was er gewoon niet helemaal bij – zelfs niet toen ik hier aankwam.'

'In die kop van jou is geen ruimte voor mij, hè?'

'Kun je voor de verandering eens één keer niet de martelares uithangen?'

Hij wist haar blik vast te houden, maar slechts een paar tellen.

'Je bent me er een, Malcolm,' zei ze traag en eentonig. 'Een irritant stuk vreten.'

'Beter iets dan niets, hè?' Hij beging de blunder een snelle blik op zijn horloge te werpen.

'Moet je soms ergens heen?' vroeg ze.

'Altijd.'

'Laat je door je familie alsjeblieft niet tegenhouden.'

Hij probeerde te berekenen hoe lang het duurde om naar Stirling te rijden. Zou de avondspits veel extra tijd in beslag nemen?

'Jezus, je bent echt van plan om er gewoon vandoor te gaan.' Judes mond bleef openhangen. 'Waar je ook heen moet, het kan onmogelijk belangrijker zijn dan dit.'

'Dat jij dat nou toevallig niet begrijpt, wil niet zeggen dat pa het ook niet zou begrijpen.'

'En ik kan hier een beetje blijven zitten wachten?'

'Je doet maar waar je zin in hebt, Jude. Net als altijd.'

'Verwijt de pot de ketel...'

Daar viel weinig tegen in te brengen, dus probeerde hij het niet eens. Hij vroeg of ze geld nodig had voor het café. Ze liet hem een tijd wachten alvorens toe te geven dat ze haar laatste centen aan de taxi gespendeerd had. Hij legde een briefje van twintig op het bed naast de plek waar ze Mitch' hand vasthield.

'Ik kom later vanavond terug,' beloofde hij. 'Red je het wel?'

'Stel nou dat ik nee zeg?'

'Dan voel ik me nog beroerder dan ik nu al doe.'

'Lazer maar op, Malcolm.'

En dat was precies wat hij deed, nadat hij een van de verpleegsters zijn kaartje had gegeven met zijn mobiele nummer erop.

De verpleegster knikte en keek toen in de richting van Jude. 'Ze gaat toch niet weer moeilijk doen, hè?'

Met enige fiducie schudde Fox zijn hoofd. 'Niet zolang ik er niet bij ben,' verklaarde hij.

35

Het was een groot, modern huis in een zijstraat tegenover de universiteit, niet ver bij het Wallace-monument vandaan. Een lage bakstenen muur scheidde het perceel van de buren. Aan weerszijden van de ramen hingen nepluiken en de voordeur werd geflankeerd door twee pilaren in palladiaanse stijl. Het hek naar de verharde oprijlaan was voor hem opengelaten. Op hetzelfde moment dat Fox zijn Volvo naast een strak gelijnde Maserati en een kleine, sportieve Lexus parkeerde, zwaaide de deur open. Fox herkende Stephen Pears van de foto's. De man ontving hem alsof hij een gast op een feest verwelkomde.

'Alison is aan de telefoon,' zei hij. 'Ze is zo klaar.' Toen stak hij zijn hand uit en de mannen begroetten elkaar. Hij had prachtige tanden en dat kleurtje, maar was een goede tien kilo zwaarder dan nodig. Zijn permanente stoppelbaardje kon de hangwangen en de dubbele kin niet verhullen. Fox kreeg het idee dat het leven voor Stephen Pears in iets te veel van het goede dreigde te ontaarden.

'Kon u het makkelijk vinden?' vroeg hij Fox terwijl hij hem naar de dubbelhoge hal voorging.

'Ja, hoor.'

Naast Pears dook een hond op, een labrador met een zwarte, glimmende vacht. Fox bukte zich en aaide over zijn kop. 'Hoe heet ze?' vroeg hij.

'Híj heet Max.'

'Hoi Max.'

Maar de hond had zijn belangstelling voor de bezoeker alweer verloren en maakte rechtsomkeert. Fox richtte zich op. De wand naast hem hing vol foto's. Fox herkende verscheidene beroemdheden. Ze waren stuk voor stuk samen met Pears gekiekt, vaak lachend, soms handen schuddend.

'Sean Connery,' merkte Fox op terwijl hij naar een bepaalde foto knikte.

'Die liep ik toevallig tegen het lijf. Daar moest ik wel een aandenken van hebben.'

'Dat lijkt de New Club wel,' zei Fox.

Pears keek verbaasd. 'Bent u lid?'

Fox schudde zijn hoofd. 'U wel?' vroeg hij.

'Het is een prettige plek en makkelijk bereikbaar wanneer ik indruk wil maken op mensen,' lichtte Pears toe. 'Maar kom verder. Ik wilde Andy juist een borrel inschenken.'

Andy was de minister van Justitie Andrew Watson. Terwijl Fox op hem af liep kwam hij van de bank overeind, en ze schudden elkaar de hand.

'Malcolm Fox,' zei Fox bij wijze van introductie. Er was geen reden om Watson meer aan de neus te hangen.

'Bureau Lothian and Borders?' merkte Watson op.

Oké, dus de minister wist ervan. Fox knikte en sloeg Pears' aanbod van een malt whisky af.

'Een glas water graag.'

Het water kwam in een zwaar kristallen glas, met wat ijsblokjes en een schijfje citroen. Pears klonk met zijn zwager en snoof aan de whisky alvorens hem op zijn tong te proeven.

'Niet slecht, Stephen,' zei Watson goedkeurend.

'Neemt u plaats, inspecteur,' verzocht Pears, weer druk gesticulerend.

Het grootste deel van de benedenverdieping leek in beslag genomen te worden door deze enorme open woonruimte. Vier, vijf zitbanken, een gigantische glazen eettafel met twaalf stoelen eromheen, een vijftig inch-tv aan de wand. Spots belichtten ondermaatse schilderijen in overdadige lijsten. Er klonk pianomuziek waarvan de herkomst onduidelijk was – Fox zag nergens luidsprekers. De openslaande deuren aan de achterzijde van de kamer gaven toegang tot een terras met daarachter gazons en een tennisbaan. De tennisbaan baadde in het licht van een schijnwerper, ofwel in een poging bezoekers te imponeren of omdat Pears het zich moeiteloos kon veroorloven de elektriciteit te verspillen.

'Redt ze zich nog een beetje?' vroeg Watson aan de gastheer.

'Je zus doet niet aan "zich een beetje redden",' wees Pears hem terecht. 'Die dwingt af, die overwint, die triomfeert.'

'"Triomfeert" ze nog een beetje vanavond?'

Pears glimlachte in zijn glas. 'Dit is precies wat ze nodig heeft. Meestal is het niets dan vergaderingen en begrotingsgesteggel wat de klok slaat.'

Watson knikte. 'Ik ken het gevoel.'

Fox staarde naar de ijsblokjes in zijn glas.

'Gaat het een beetje?' vroeg Pears.

'Ja hoor, prima.'

'Zeker weten?'

'Zeker weten.' Maar iets dwong Fox van mening te veranderen. 'Mijn vader ligt in het ziekenhuis. Hij is net vanmiddag opgenomen.'

'Wat vervelend voor u,' zei Pears terwijl Watson een grom produceerde die voor medeleven had kunnen doorgaan. 'Bent u niet liever in het ziekenhuis. Alison kan morgen vast wel een gaatje voor u vinden.'

Fox haalde zijn schouders op. 'Ik ben er nu toch.'

Pears knikte en hield zijn ogen op Fox gericht. 'Is het iets ernstigs?' wilde hij weten.

'Dat zijn ze nu aan het onderzoeken...'

Pears glimlachte. 'Ik bedoelde wat u met Alison wilt bespreken. Ze is een beetje uit haar hum de laatste tijd, nietwaar, Andy?'

'Een beetje.'

'Een kerel van Scotland Yard vertelde ons zojuist dat u van bureau Lothian and Borders bent...'

'Hoofdinspecteur Jackson?' raadde Fox.

'Die is net een halfuurtje geleden weggegaan,' verklaarde Pears. 'Volgens mij had hij wat graag willen blijven.'

De minister van Justitie knoopte zijn das los en maakte het bovenste knoopje van zijn overhemd open. 'Hij zei dat u aan een zaak in Fife werkt.'

Fox knikte langzaam. 'Aanvankelijk leek die heel overzichtelijk,' gaf hij toe. 'Maar toen begonnen de complicaties.'

'Het tegenovergestelde van mijn werk,' merkte Pears op terwijl hij opstond om zichzelf nog eens bij te schenken. Hij hield de fles vragend naar Watson op, maar die schudde zijn hoofd. 'Ik mag graag mijn tanden in ingewikkelde zaken zetten en ze veranderen in iets wat makkelijk te behappen en uit te leggen valt. Op die manier kan je het aan mensen verkopen. Het probleem met de financiële wereld van de afgelopen tien jaar was dat niemand er meer iets van begreep, en dus plaatste niemand er vraagtekens bij. Terug naar de basis, dat is mijn motto.'

Van Watsons gezicht was af te lezen dat hij deze verhandeling al talloze keren gehoord had. Hij sloeg nog net niet zijn ogen ten hemel. Toen de financier weer was gaan zitten, boog hij zich naar Fox.

'Kunt u er iets over vertellen?' vroeg Pears. 'Ik zweer dat ik er met geen woord over zal praten, al kan ik niet voor de minister van Justitie instaan...'

'Een rechercheur had misbruik gemaakt van zijn positie,' begon Fox. Plotseling werd hij door een hevige vermoeidheid overvallen en moest hij zijn glas stevig beethouden uit angst het te laten vallen. 'Toen kwam zijn oom om het leven – het leek zelfmoord, maar was het niet. De recherche lijkt de pijlen op de neef te richten...'

'Maar?' Pears was een en al aandacht.

'De neef is inmiddels ook omgekomen. Iemand heeft hem de zee in gejaagd en hij is verdronken.'

Pears leunde achterover in zijn stoel alsof hij de zaak overdacht. Watson leek het echter onverschillig te laten en was druk bezig zijn mobieltje op sms'jes te controleren.

'Die oom deed research naar de dood van een SNP-activist, ene Francis Vernal,' vervolgde Fox.

Watson hield op met waar hij mee bezig was. Nu was ook zijn belangstelling gewekt. 'Die naam ken ik,' zei hij. 'Hij was in het nieuws rond de tijd dat ik tot de partij toetrad.'

'Ik dacht altijd dat je nog in een rompertje rondkroop toen je je aan die club verbond,' plaagde Pears zijn zwager.

'Niet helemaal – ik zat op de middelbare school. Een van mijn leraren was raadslid voor de SNP.'

'Dus je hebt het gebruikelijke indoctrinatieproces ondergaan?' Pears sloeg nog wat whisky achterover.

Watson werd stekelig. 'Jouw politieke overtuiging kennen we allemaal, Stephen.'

'Ik niet,' kwam Fox tussenbeide.

Watson keek hem aan. 'Drie keer raden. Ik heb zelfs geruchten gehoord over een aanstaande adellijke titel nu de conservatieven het daar in het zuiden voor het zeggen hebben. Cameron verheft maar in de adelstand alsof het niet op kan.'

Pears lachte hoofdschuddend, zij het zichtbaar gestreeld. 'Ik durf er vijftig pond om te verwedden dat die baas van jou uiteindelijk ook in het Hogerhuis eindigt, misschien al na de afslachting die hem bij de volgende verkiezingen te wachten staat.'

'Dat gaat niet gebeuren.'

'Met de voorsprong die Labour in de peilingen heeft?'

'We zullen heel wat stemmen van de Liberaal-Democraten krijgen. Die vinden het verschrikkelijk wat jullie in Westminster met hun partij uitgehaald hebben.'

Pears leek hier even over na te denken en wendde zich toen tot Fox. 'Wat vindt u, inspecteur? Bent u ook zo'n politiek dier?'

'Daar hou ik me zo veel mogelijk buiten.'

'Ook een manier om rondvliegende scherven te vermijden,' gaf Pears toe. 'Maar u heeft me wel nieuwsgierig gemaakt. Wat heeft al dat gedoe met verdrinkingen en activisten met mijn vrouw te maken?'

'Rond de tijd dat Mr. Vernal overleed studeerde zij aan St. Andrews. De mogelijkheid bestaat dat ze elkaar gekend hebben.'

'St. Andrews?' Watson schudde zijn hoofd. 'Twee jaar aan de universiteit van Aberdeen, toen vond ze het wel welletjes en is ze bij jullie aan de slag gegaan.'

Pears knikte. 'Iemand heeft u maar wat op de mouw gespeld, inspecteur.'

Watson hield zijn telefoon tegen zijn oor gedrukt nadat hij een nummer had ingetoetst. 'Rory?' vroeg hij. 'Hoe laat komt de wagen me ophalen?' Hij luisterde en keek op zijn horloge. 'Prima,' zei hij, en hij hing op.

'Wat leidt je toch een hectisch leven,' zei Pears met gespeeld medeleven. 'En dat allemaal op mijn kosten en die van de inspecteur hier.'

'Het is elke cent meer dan waard,' sputterde Watson. Hij wierp een korte blik op de rond lopende trap. 'Komt ze nog eens of hoe zit het? Misschien moest ik maar even naar boven gaan..'

'Man, drink nu eerst eens je whisky op.' Tot zijn verbazing zag Pears dat zijn eigen glas alweer leeg was. Hij stond op, en deze keer was ook Fox' glas aan een tweede ronde toe. 'Nog een laatste whisky,' zei Pears, 'dan is het mooi geweest.'

Watson tuitte zijn lippen om Fox te kennen te geven dat dit niet noodzakelijkerwijs het geval was. Boven klonk het geluid van een deur die dichtgetrokken werd. Terwijl Alison Pears met de telefoon in haar hand de trap af kwam produceerde ze een geërgerd geluid.

'Het lijkt wel of ze nog geen seconde zonder me kunnen,' zei ze klaaglijk. Toen, tegen Fox: 'Hallo maar weer.'

'De inspecteur heeft ons over de zaak verteld waaraan hij werkt,' zei Pears terwijl hij haar een gin-tonic aanreikte. 'Reuze mysterieus allemaal, maar ook een vergeefse trip – hij verwart je met iemand die aan St. Andrews gestudeerd heeft.'

De korpschef hief haar glas naar de aanwezigen en nam een grote slok, waarna ze vergenoegd zuchtte.

'Zo beter?' vroeg haar man.

'Zo beter,' bevestigde ze. Toen, tegen Fox: 'Laten we naar mijn studeerkamer gaan en dit hele misverstand uit de weg ruimen.'

Haar broer kwam overeind. 'Ik heb eerst nog een vraagje voor je, Ali. Wanneer mijn baas ernaar vraagt, wat kan ik hem dan over die verdomde bommengooiers zeggen?'

'Niets wijst erop dat ze niet aangeklaagd gaan worden,' zei ze, na er een moment over nagedacht te hebben. 'Dat huis dat ze huurden is een regelrechte goudmijn: chemische stoffen, blauwdrukken en handleidingen. Er lag zelfs een lijst met doelwitten.'

'Het vliegveld van Glasgow zeker weer,' gokte haar man.

'De RAF-basis in Leuchars,' verbeterde ze hem. 'En de marinewerf. En onze voormalige premier.'

'Degenen die ze opgepakt hebben verdienen een medaille,' zei Pears, zijn blik doelbewust op de minister van Justitie gericht.

'Dat zou zomaar kunnen,' zwichtte Watson.

'Vooruit dan maar,' zei Alison Pears tegen Fox. 'Laat dat verhaal van u maar eens horen, dan kan ik mijn gedachten misschien wat verzetten.'

'Wees een beetje aardig voor de inspecteur,' zei haar man. 'Hij heeft net slecht nieuws gehad...'

Ze ging hem voor naar een deur in de hoek van de kamer. Die bood toegang tot een studeerkamer met gelambriseerde wanden en een nepboekenkast. Bij het raam stond een kleine koperen telescoop op een statief. Verder alleen een bruinleren tweezitsbank, en voor het bureau een draaistoel. Pears ging in de stoel zitten en gebaarde naar Fox op de bank plaats te nemen. Het leer kraakte onder zijn gewicht.

Ze had iets gemakkelijks aangetrokken: een ruimvallend roze T-shirt boven een zwarte joggingbroek en Nike-sportschoenen. Fox vroeg zich af of zich ergens in het huis een fitnessruimte bevond.

'Slecht nieuws?' herhaalde ze de woorden van haar man. Fox deed de vraag met een schouderophalen af, klaar om er zelf een af te vuren.

'Hij weet het niet?'

Ze overwoog het arsenaal aan antwoorden en uitvluchten dat tot haar beschikking stond.

'Wat weet hij niet?'

Fox wierp haar een blik toe die zoveel betekende als: laten we het alsjeblieft niet zo spelen. 'Ze weten het geen van beiden?' hield hij aan terwijl hij de twee inschrijvingsfoto's tevoorschijn haalde. 'Ik ben benieuwd wat ze te zeggen hebben als ik ze deze laat zien. U bent veranderd, maar ook weer niet zoveel dat ze onherkenbaar zijn.'

Even zei ze niets en ze bekeek de foto's aandachtig. 'Andy weet dat ik in mijn eerste jaren bij de politie undercoverwerk gedaan heb,' gaf ze zich uiteindelijk gewonnen.

'Maar niet dat u zich twee jaar lang voor een studente aan St. Andrews heeft uitgegeven?'

'Nee,' bekende ze. 'Al zal hij zich dat nu misschien wel afvragen.' Ze zette zich met haar voeten tegen de vloer af en draaide langzaam met haar stoel rond. In haar glas dreef een schijfje citroen. Ze viste het eruit en legde het op de hoek van haar bureau.

'Heeft Jackson u niet bijgepraat?' vroeg Fox.

'Gedeeltelijk, misschien niet over alles.' Ze kneep in de brug van haar neus alsof ze een opkomende hoofdpijn trachtte te bezweren. 'Wat is dat slechte nieuws dat u net gehad heeft?'

'Dat doet nu niet ter zake,' zei Fox. 'Laten we ons op uw affaire met Francis Vernal concentreren.' Hij negeerde de vuile blik die ze hem toewierp. 'Was dat een manier om in het Dark Harvest Commando te infiltreren?'

Ze keek hem nog steeds woest aan.

'Ik weet wat u denkt,' ging Fox verder. 'Dat het allemaal lang geleden is, dat u toen een ander mens was. En dat dit niet bepaald een geschikt moment is om het allemaal weer op te rakelen.' Hij zweeg en stak de foto's weer in zijn binnenzak.

'Ik zal u vertellen waar het op neerkwam,' zei ze uiteindelijk, haar toon gedempt voor het geval er iemand aan de andere kant van de deur meeluisterde. 'Op twee weggegooide jaren.'

'Vanwege het auto-ongeluk?'

Ze knikte langzaam. 'Daarna viel de hele operatie in duigen. Sommigen waren te bang om door te gaan, die dachten dat MI5 van plan was de hele bups uit de weg te ruimen.'

'En was dat zo?'

'MI5 had er niets mee te maken.'

'U was door Special Branch gerekruteerd?'

'Ze hadden iemand nodig die tot in het hart van de beweging

kon doordringen – en een knap smoeltje doet meestal wonderen. Maar het mocht geen knap smoeltje van de andere kant van de grens zijn. De Engelsen werden tenslotte geacht de vijand te zijn.'

'Terwijl u net van de politieacademie kwam en er jong uitzag voor uw leeftijd. Dus slaagde Special Branch erin u op St. Andrews geplaatst te krijgen, waar u politiek actief kon worden en u zich steeds dieper in kon graven om informatie terug te spelen?'

'Als u toch al zoveel weet, waar heeft u mij dan voor nodig?'

'Ik heb u nodig omdat er een man vermoord is en niemand er indertijd of sindsdien iets aan gedaan heeft.' Hij keek haar even strak aan; het was onmogelijk iets van haar gezicht af te lezen. 'Het huisadres in Glasgow...?'

'Een gehuurde kantoorruimte,' verklaarde ze. 'Bedoeld als post-adres.'

'En al die tijd drong u zich steeds meer aan Francis Vernal op?'

'Francis was een tussenpersoon, een doorgeefluik. Hij moest ons naar de mensen leiden voor wie we écht belangstelling hadden.'

Fox dacht even na. 'Was hij die avond bij u geweest, de avond dat hij overleed?'

'Ja.'

'En u wist dat hij geschaduwd werd?'

Ze knikte hem langzaam toe.

'Wist u van het geld dat hij in zijn auto bewaarde?'

'Hij had altijd geld bij zich. Bij elke bijeenkomst van het DHC waren er altijd wel een paar die wat cash nodig hadden.'

'Om wapens te kopen?'

'Om van alles en nog wat te doen.'

'Volgens Donald MacIver kon er wel veertig mille in de kofferbak verborgen hebben gelegen – dat was toen een bom geld.'

'Donald MacIver?' Ze glimlachte weemoedig. 'Die leeft in een fantasiewereld, inspecteur, dat heeft hij altijd gedaan.'

'Hij koestert warme herinneringen aan u.'

'Het is Alice die hij zich herinnert,' corrigeerde ze hem.

'En John Elliot, hoe zit het met hem?'

'Die zie ik af en toe op tv.'

'Hij heeft nooit uitgedokterd dat u Alice Watts bent?'

'We kenden elkaar niet in die tijd. Johns belangstelling ging uitsluitend naar krolse dames uit.' Ze keek hem strak aan. 'Bij mijn weten bent u de eerste die het verband heeft gelegd. Knap werk, hoor.' Haar stem droop van het sarcasme.

Alan Carter heeft nooit contact met u gezocht?'

'Die ex-rechercheur?' Ze zag Fox knikken. 'Ik wist van zijn hele bestaan niet af totdat Jackson over hem begon.'

'Zegt de naam Charles Mangold u iets?'

Ze slaakte een diepe zucht. 'Kan dit echt niet een week of twee wachten?'

'Helaas niet,' verklaarde Fox. 'Charles Mangold?' herhaalde hij. 'De partner van Francis op het advocatenkantoor. Die koesterde nogal heftige gevoelens voor Mrs. Vernal, meen ik me te kunnen herinneren. Althans, dat was wat Francis dacht.'

'Mangold betaalde Alan Carter om Vernals dood uit te pluizen. Hij wilde iets aan de weduwe bewijzen.'

'Wat?'

Fox haalde zijn schouders op. 'Ofwel dat de dood van haar man een politieke moord is geweest...'

'Of?'

'Of dat die een terrorist en een griezel geweest is en ze een dwaas was om hem al die jaren op een voetstuk te plaatsen.'

'U klinkt alsof uw voorkeur naar de tweede zienswijze uitgaat.'

'Dat geloof ik ook, ja. Heeft u zijn vrouw wel eens ontmoet?'

Ze schudde haar hoofd. 'Voor haar had ik geen belangstelling. Ik was er alleen maar op uit de informatie los te peuteren waar Francis over beschikte.'

'Heeft u iets uit hem losgekregen?'

'Niet veel.'

'Terwijl u zich toch heel wat moeite getroost heeft om er de hand op te leggen.'

De vuile blik was terug. 'Hoe bedoelt u?'

'Door met hem naar bed te gaan.'

'Wie zegt dat?'

'Of wilt u soms beweren dat u dat niet gedaan heeft?'

'Ik beweer alleen maar dat u dat niets aangaat.'

Hij liet de stilte even tussen hen beiden in hangen en meldde toen dat hij de brieven had.

'Welke brieven?' Ze kon niet voorkomen dat op beide wangen rode vlekken opvlamden.

'De brieven die u hem gestuurd heeft. Imogen Vernal heeft ze gevonden en bewaard.' Hij wachtte even zodat het goed tot haar doordrong. 'Ga me nu niet vertellen dat u nooit van hem gehouden heeft.'

Ze kneep haar ogen stijf dicht, om ze knipperend weer te openen. 'Wat ik u vertel is dat het allemaal vreselijk lang geleden is, oude koeien die u bovendien niets aangaan. U bent van Interne Zaken. Dit is geen IZ-aangelegenheid.'

'U heeft gelijk. Misschien dat ik alles maar aan de recherche moest overdoen...'

'Nu niet gelijk met grof geschut komen.'

Fox wachtte een paar tellen voordat hij verderging. 'Er was een agent, ene Gavin Willis. Die leidde het onderzoek – of wat daarvoor door moest gaan – toen Vernal was komen te overlijden. Maar u was toen al van de aardbodem verdwenen.'

'Special Branch wilde niet dat ik rond bleef hangen. Dat had tot ongemakkelijke vragen kunnen leiden. En trouwens, het DHC had zich toch al ontbonden...'

'Zoals u al zei. Om een of andere reden heeft Willis de auto van Francis gehouden.'

Ze zette grote ogen op. 'Waarom zou hij dat gedaan hebben?'

'Dat weet ik niet zeker. Wat ik wel weet is dat hij wapens verkocht aan groeperingen als het DHC. In het bijzonder aan een man die "Hawkeye" werd genoemd.' Fox reikte haar de foto aan. Ze bekeek hem op haar gemak.

'Hem heb ik al jaren niet meer gezien.'

'De man met wie u arm in arm staat?' drong Fox aan.

'Hawkeye, ja. Hij staat er wat onbeholpen bij, vindt u niet? Dat met die gehaakte armen is vast mijn idee geweest. Hij had weinig op met gezelligheid, of met de dames. Ging na een vergadering nooit eens mee naar de kroeg, en daar was het de meesten voornamelijk om te doen: niet het politieke getheoretiseer maar de zuippartijen naderhand.'

'Heeft u na Vernals dood nog wel eens iemand van hen gesproken?'

Ze schudde haar hoofd en vouwde haar armen over haar borst alsof ze het plotseling koud had gekregen. 'Ik was een ander mens toen,' verklaarde ze op rustige toon.

'Hoe denkt u dat Francis Vernal omgekomen is?'

'Volgens mij heeft die zich van kant gemaakt.'

'Waarom?'

'De drank, zijn huwelijk, de angst tegen de lamp te lopen. Hij wist dat wij hem in de gaten hielden.'

'Jullie hadden geen ruzie die avond?'

'Niet echt. Ik denk dat het hem stoorde dat ik altijd alleen maar over de groepering wilde praten. Hij zei dat er een soort gekte in me gevaren was.' Ze haalde haar armen weer van elkaar en keek opnieuw aandachtig naar de foto.

'Hij heeft nooit doorgekregen dat u undercover was?'

'Ik geloof van niet.'

'En had hij het wel doorgehad?'

'Dan had hij vast stappen ondernomen, neem ik aan.'

'Heeft u nooit een vuurwapen in zijn auto zien liggen?'

'Wat nog niet wil zeggen dat er geen wapen was.'

'Niet dus, begrijp ik.' Fox zweeg even. 'Jackson wist er niet van?'

'Van Francis en mij?' Ze dacht erover na. 'Het lijkt me niet. Waarom zou hij?'

'Hij heeft in de archieven lopen spitten.'

'Waarom?'

'Hij vroeg zich af wat mijn interesse gewekt had. Hij heeft me iets over die avond verteld...'

'Wat?'

'Dat de agenten die Francis Vernal schaduwden na het ongeluk bij hem zijn gaan kijken.' Fox bestudeerde haar reactie. 'Toen leefde hij nog. Hij was nog niet door zijn hoofd geschoten.'

'Wat hebben ze gedaan?' Ze trok wit weg. Haar stem was nauwelijks luider dan een fluistering.

'Als we Jackson mogen geloven, hebben zij hem niet vermoord. Ze zijn gewoon weggegaan en hebben hem daar achtergelaten. Geen oproep voor een ambulance. Niets.'

Ze hield haar armen nog wat strakker om zich heen geslagen. 'Wat verschrikkelijk,' zei ze.

'Ik ben blij dat we het daarover eens zijn.'   ,

De kamer was een kleine minuut in stilzwijgen gehuld.

'Het is mogelijk dat ze hem gedood hebben,' gaf Alison Pears uiteindelijk te kennen. 'En toen het geld achterover hebben gedrukt.'

'Dat is een mogelijkheid,' beaamde Fox. 'Zegt u eens eerlijk, was Vernal echt niet meer dan een klus voor u?'

Haar gelaatstrekken verhardden weer. 'Hoe vaak moet ik het nog zeggen? Dit weiger ik met u te bespreken.'

'Het kan wel eens het enige zijn wat ik Charles Mangold kan geven om aan Mrs. Vernal te rapporteren.'

'Volgens mij is het zo wel mooi geweest.'

'Heeft Alan Carter echt nooit contact met u opgenomen? Heeft hij nooit het verband tussen u en Alice Watts gelegd?'

'Dat zei ik al – u bent de eerste.' Ze stond op en gaf daarmee te kennen dat het gesprek voorbij was. Met de nodige tegenzin kwam ook Fox overeind. 'Ik moet weten hoe ver u deze zaak wilt vervolgen,' zei ze.

'Dat kan ik u niet zeggen.'

'Het zou mijn gemoedsrust ten goede komen,' hield ze aan. 'Ik zit met een klus die al mijn concentratie vergt.'

Hij knikte begrijpend. 'Bedankt dat u me wilde ontvangen.' Hij hield zijn hand op voor de foto.

'Die zou ik graag bewaren,' zei ze.

Fox bleef zijn hand ophouden. Haar telefoon ging over en terwijl ze opnam liet ze de foto los. 'Wat heb je op je lever?' vroeg ze. Terwijl ze luisterde zag Fox haar weer in de korpschef veranderen. Het was alsof ze haar gesprek met hem al ergens in een dossierkast had weggeborgen. 'Nee,' brieste ze. 'Govan kan ze verdomme helemaal niet krijgen. Het zijn mijn verdachten.'

Govan: het extra beveiligde politiebureau in Glasgow, de plek waar terrorismeverdachten gewoonlijk terechtkwamen. Maar Pears was niet van plan ze zonder slag of stoot af te staan. Terwijl de ruzie voortwoedde realiseerde Fox zich dat ze naar al die media-aandacht smachtte omdat die haar de kans gaf te schitteren. Wat had haar man ook weer gezegd? Iets over dat ze deze zaak 'nodig' had. Tegen de tijd dat ze het gesprek beëindigde, had ze haar gesprekspartner duidelijk gemaakt dat ze onvermurwbaar was. Ze keek Fox aan en hij wist wat ze hem met haar blik wilde zeggen: ik ben een knokker, ik ben gewend te winnen. Als je dat maar niet vergeet... Hij knikte en hield de deur voor haar open. Met grote passen beende ze voor hem uit richting de trap. Stephen Pears zat tv te kijken en kwam overeind om Fox te begroeten.

'Alle misverstanden uit de weg geruimd?' vroeg hij terwijl hij toekeek hoe zijn vrouw uit het zicht verdween.

'Ik ben niet ontevreden,' besloot Fox te antwoorden. Hij zag dat Andrew Watson vertrokken was. De verlichting van de tennisbaan was uitgeschakeld.

'Gewoon een geval van persoonsverwisseling dus,' verklaarde de financier.

'Die dingen gebeuren,' beaamde Fox.

Pears klopte hem op de rug en zei dat hij hem uit zou laten. 'Het is zo'n heerlijke avond. Misschien dat ik nog even een ommetje met Max maak.'

'Nogmaals bedankt, Mr. Pears,' zei Fox terwijl hij hem de hand drukte. Pears greep hem bij de pols.

'Nogmaals sterkte met uw vader. Ik hoop dat het meevalt.' Even liet hij een stilte vallen terwijl hij Fox' pols nog steeds vasthield. 'En als ik u ergens mee kan helpen, inspecteur...'

Fox kon aan hem zien dat het loze woorden waren – gewoon iets wat de op eigen kracht miljonair geworden geldmagnaat gewend was te zeggen. Evenzogoed bedankte hij hem opnieuw.

Jude was op haar stoel in slaap gevallen. De verpleegster zei dat ze al die tijd niet van haar plek gekomen was.

'We zeiden nog, ga toch even de benen strekken, maar ze wilde er niet van horen. Ik heb thee en biscuitjes bij haar neergezet, maar die heeft ze niet aangeraakt.'

Ze stonden bij de verpleegstersbalie te praten, hun stemmen gedempt. Vrijwel alle patiënten sliepen. 'Mijn vader is nog niet bij kennis?' vroeg Fox.

'Nog niet.'

'En de scan?'

'De CT-scanner zit nogal volgeboekt. De scan is naar morgen verplaatst.'

'Waar is het infuus voor?' Fox wees naar het slangetje dat in zijn vaders arm stak.

'We moeten de vochthuishouding op peil houden,' legde de verpleegster uit. 'Wilt u uw zuster wakker maken of zal ik het doen?'

Bij binnenkomst had Fox te horen gekregen dat er voor zijn vader een plaatsje op een gewone zaal was vrijgekomen. Ziekenbroeders zouden langskomen om het bed naar zijn nieuwe plek te rollen.

'Ik doe het wel,' zei hij. Hij ging achter Jude staan en legde zijn hand in haar nek. De huid voelde koel aan. Ze hapte naar adem, schokte met haar schouders en schrok met een klaaglijke kreun wakker.

'Pa gaat op zaal,' lichtte Fox toe. 'Tot morgen valt er voor ons niets te doen. Kom, dan zet ik je thuis af.'

'Ik red me wel.' Slaperig streek ze de haren uit haar ogen. 'Er rijden bussen en voor de deur is een taxistandplaats.'

'Het gaat heel wat sneller als ik je breng.' Hij aarzelde even. 'Alsjeblieft, Jude.'

Ze keek hem strak aan en zag iets in zijn ogen. Wat de reden ook was, dit moest hij voor haar doen. Toen de broeders hun patiënt kwamen halen gaf ze een berustend knikje.

De verpleegster zag erop toe dat broer en zus de gegevens van de ziekenzaal en een doorkiesnummer kregen. Fox bedankte haar, en samen met Jude liep hij weer door de gang langs de balie van de Spoedeisende Hulp. Hij herkende geen van de wachtenden. De deuren zwaaiden open en Jude zoog haar longen vol koude nacht-lucht.

'Zo beter?' vroeg hij. Ze liet een onpeilbaar geluid ontsnappen en volgde hem naar zijn auto.

Tijdens de rit zeiden ze weinig. Fox dacht terug aan het huis in Stirling, aan de korpschef en haar broer, de politicus. En aan de fi-nancier die ervoor zorgde dat iedereen aan zijn financiële trekken kwam.

Fox vroeg zich af of ook hij aan zijn trekken kwam. Het duurde even voordat hij zich realiseerde dat Jude huilde. Hij verzekerde haar dat alles goed zou komen.

'Maar als het nou niet goed komt?'

Dan komt het niet goed...

Maar in plaats daarvan hoorde hij zichzelf 'natuurlijk komt het goed' zeggen.

Hij zette haar af bij haar rijtjeshuis. Fox stelde haar voor even bij haar buurvrouw, Mrs. Pettifer, aan te wippen.

'Als je wilt, doe ik het wel voor je,' bood hij aan.

Maar Jude schudde haar hoofd. 'Ik wil gewoon naar bed,' wierp ze tegen. 'Even wat slapen.'

Fox kon alleen maar knikken. 'Dan haal ik je morgenochtend op en gaan we samen naar hem toe.'

'Voor mij hoef je heus geen moeite te doen, hoor.'

'Alsjeblieft, Jude, niet nu.'

Ze wreef in haar ogen. 'Hoe laat kom je?'

'Ik bel je wel.'

'Er komt misschien weer iets tussen,' waarschuwde ze hem.

'Dat zal ik niet laten gebeuren.'

'Dat hield je vanavond anders ook niet tegen.' Ze nam zijn ge-zicht aandachtig op en slaakte toen een zucht. 'Vooruit dan maar,' zwichtte ze. 'Dan zie ik je morgenochtend.' Ze sloot het portier aan de passagierszijde en verdween over het pad naar haar huis met de gordijnloze ramen en de verwilderde tuin. Fox schoot een belofte te binnen die hij haar drie, vier maanden terug gedaan had – ik help je wel de tuin aan kant te krijgen, dat is met een paar uur gepiept. Een paar uur die er nooit van gekomen waren. Jude blikte niet over haar schouder naar de auto, draaide zich niet om om hem gedag te zwaaien. Eenmaal binnen knipten de lichten aan, maar ze kwam niet naar het raam. Fox schakelde in zijn één en reed weg.

Twintig minuten later stond zijn Volvo voor een ander huis – mooier, moderner. Voor Tony Kaye geen voortuin, enkel massa's heerlijke tuintegels zodat hij zijn Mondeo niet op straat hoefde te parkeren. Fox had zojuist opgehangen. Hij zag schaduwen bewegen achter de gordijnen van de woonkamer. Toen schoven de gordijnen open en gebaarde Kaye naar Fox. Maar die schudde zijn hoofd. De deur ging open en Kaye stapte naar buiten op iets wat op een paar leren pantoffels leek. Zijn overhemd hing uit zijn broek, de bovenste knoopjes stonden open.

'Is mijn huis soms niet goed genoeg voor je?' vroeg hij terwijl hij het portier aan de passagierszijde openrukte en instapte.

'Ik wilde jullie niet thuis lastigvallen. Hoe gaat het met Hannah?'

'Prima, tot vijf minuten terug. Nu zit ze zich af te vragen wat ze in godsnaam misdaan heeft om jou voor het hoofd te stoten.' Kaye tuurde naar het huis alsof hij half en half verwachtte zijn vrouw nijdig voor het raam te zien staan.

'Ik heb een godsgruwelijke rotdag achter de rug en ik moet even mijn hart luchten,' vertrouwde Fox hem toe.

'Een rotdag? Jij? Ik heb vandaag drie uur met Cash aan de telefoon gehangen om te proberen hem zover te krijgen Tosh Garioch voor verhoor op te laten halen.'

'En?'

'Morgenochtend klokslag negen uur.' Kaye klonk ingenomen met zijn wapenfeit.

'En het rapport?'

'Op je bureau. McEwan was niet ontevreden.'

'Is het al naar hoofdbureau Fife verstuurd?'

'Niet zonder jouw zegen, Foxy.'

'Dan kijk ik er morgen even naar.'

Kaye knikte en keek Fox indringend aan. 'Is het Evelyn Mills?' vroeg hij.

'Wat?'

'Ze gaat helemaal plat voor je en nu kom je mij om raad vragen?'

'Ik heb geen boe of bah van haar gehoord.'

'Is dat een goed teken of een slecht teken?'

'Tony, alsjeblieft, hou op zeg.'

Kaye grinnikte zachtjes, gaf een klopje op Fox' dij en ging wat verzitten om zijn vriend beter aan te kunnen kijken. 'Oké,' zei hij. 'De koetjes en kalfjes staan op stal, dus voor de draad ermee. Ik wil het hele verhaal, compleet met alle bloederige details.'

Dus stortte Fox het hele verhaal over hem uit.

TWAALF

36

Fox' wekker maakte hem om zeven uur wakker. Zijn plan: naar het hoofdbureau gaan, daar het rapport oppikken en het meenemen naar het ziekenhuis. Hij strooide wat All-Bran-crackers in een kom, om vervolgens tot de ontdekking te komen dat het bodempje melk in het pak in yoghurt veranderd was. Dus gebruikte hij koud water uit de keukenkraan en stelde onder het eten een boodschappenlijst op. Onderweg naar Fettes Avenue voelde hij dat het ontbijt tot een compacte massa in zijn maag gestold was. De kantine ging juist open, dus nam hij zijn koffie mee naar het IZ-kantoor en draaide de deur van het slot. Fox' exemplaar van het rapport lag op zijn bureau te wachten, precies zoals Kaye beloofd had. Kaye had er een geel notitieblaadje op geplakt: 'Hier graag je tien met een griffel.' Fox trok het blaadje eraf en mikte het in de prullenbak. Hij kon niet nalaten naar de laatste bladzij te bladeren. De samenvatting was vier regels lang en concludeerde dat het uitermate lastig zou worden 'harde bewijzen' tegen de drie agenten te vinden, zodat er slechts 'gegronde reden tot zorg' restte 'over het competentieniveau en de mate van naleving van de regels'.

Hij glimlachte in zichzelf in het besef dat als hij Tony de vrije hand had gegeven het taalgebruik al met al heel wat bloemrijker was geweest. Wat de onderzoekers in feite tegen de hoge omes van Glenrothes zeiden was: er is een probleem, maar jullie moeten zelf maar uitmaken in hoeverre je er iets mee doet.

En verder veel succes ermee.

Er waren nog drieëntwintig pagina's tekst, maar die konden wachten. Fox rolde het rapport tot een koker op zodat hij het in zijn jaszak kon steken. Hij keek om zich heen in het kantoor. Naysmith had een briefje op het bureau van Tony Kaye achtergelaten om hem eraan te herinneren dat hij hem inmiddels bijna een tientje schuldig was aan achterstallige bijdragen voor de koffie- en theekas. Naysmith had het bedrag als een volleerd boekhouder uitgesplitst, al betwijfelde Fox of hij er veel mee opschoot. Hij controleerde zijn kantoortelefoon op binnengekomen berichten, maar er stond niets op. Post lag er evenmin. Bob McEwans bureau was bezaaid met rapporten en nota's. Fox wist dat zodra de berg te hoog werd de hele papierwinkel in een van de laden verdween.

Toen hij het kantoor verliet, draaide hij de deur weer achter zich op slot. Op Interne Zaken na had niemand toegang tot de kamer, zelfs de schoonmaker niet. Eens per week haalde Naysmith de inhoud van de prullenbakken door de papierversnipperaar en stuurde die naar het oud papier. Fox staarde naar het bordje op de deur: AFDELING NORMEN BEROEPSUITOEFENING. Maar hoe zat het met zíjn normen beroepsuitoefening? Eigenlijk moest hij nu een eigen rapport opstellen, alle feiten en vermoedens over de dood van Alan Carter en Francis Vernal vastleggen. Dan kon het rapport vervolgens naar de recherche: er is een probleem... jullie moeten zelf maar uitmaken in hoeverre je er iets mee doet.

'Jou moet ik net hebben,' blafte een stem achter Fox. Hij draaide zich om en zag korpschef Jim Byars met grote passen in bijna militaire stijl, de armen hoog opzwaaiend, zijn kant uit benen. De grote baas hield een paar centimeter voor Fox' gezicht halt. 'Waar denk je dat je mee bezig bent?' wilde hij weten.

'Chef?'

'Hoe heb je het in godsnaam voor elkaar gekregen Andrew Watson tegen de haren in te strijken?'

'Ik had iets met zijn zuster te bespreken.'

Byars schonk hem een nijdige blik. 'Ik neem aan dat je Alison Pears bedoelt, de regiokorpschef van Midden-Schotland?'

'Dat is 'r.'

'Die toevallig een persoonlijke vriend van me is en momenteel midden in het mediagevoeligste onderzoek uit haar carrière zit.'

'Dus zat ze er waarschijnlijk niet op te wachten dat ik me er ook nog eens tegenaan kwam bemoeien?' Fox knikte langzaam. 'Tja, ze heeft mijn vragen beantwoord, dus dat is afgehandeld.'

'Wat moest je zo nodig van haar weten?'

'Het ging om een zijdelingse relatie met de dood van Alan Carter.'

Byars sloeg zijn ogen ten hemel. 'Even zijdelings als jouw relatie met die hele verdomde zaak.'

'Dat kan ik moeilijk ontkennen, chef.'

'Tja...'

Fox trok het rapport uit zijn zak. 'Hier heb ik onze bevindingen. Ik moet alleen nog een paar kleinigheden checken en dan gaat het regelrecht naar hoofdbureau Fife.'

'En daarmee is de zaak afgedaan?'

'Daarmee is de zaak afgedaan,' bevestigde Fox.

'Dus ik kan Andrew Watson laten weten dat hij zich geen zorgen hoeft te maken?'

'Zeker.' Fox aarzelde even. 'Dan kunt u hem er meteen aan herinneren dat het woord justitie in zijn functieomschrijving een ander woord voor recht is.'

'Wat wil je daarmee zeggen?' vroeg de korpschef, maar Fox was al weggelopen.

Hij reed naar Judes huis. Ze nam de telefoon niet op. Hij vroeg zich af of ze misschien wat al te diep met pillen of wodka onder zeil was gegaan. Toen hij aanbelde volgde er geen reactie. Hij perste zijn gezicht tegen het raam van de woonkamer, maar er viel geen teken van leven te bespeuren. Hij bukte zich naar de brievenbus en riep haar naam. Niets. Ook de buurvrouw gaf niet thuis, dus ging hij terug naar zijn auto en zette koers naar het ziekenhuis. Hij kwam in de spits terecht en het verkeer kroop met een slakkengang voort. Vervolgens kostte het nog een paar minuten om een plekje op de parkeerplaats te vinden. Hij ging het hoofdgebouw binnen. Het café en de winkel deden goede zaken – niet alleen met personeel en bezoek, maar ook met patiënten, herkenbaar aan de naamkaartjes aan hun polsen. Fox snakte naar koffie maar wierp één blik op de rij en besloot door te lopen.

Zoals hij al vermoed had, zat Jude naast Mitch' bed.

'Ik dacht dat ik je op zou halen,' deed hij zijn beklag.

'Ik was vroeg wakker.' Ze hield haar vaders hand weer vast.

'Hij is nog steeds niet bij?'

Ze schudde haar hoofd. Op de zaal stonden nog drie andere bedden, eentje leeg en in de andere twee oudere patiënten. 'Moet je niet op je werk zijn?' vroeg ze.

'Ben ik al geweest.' Hij haalde het rapport uit zijn zak. 'Ik was van plan dit hier te lezen.'

'Je gaat je gang maar.'

De stoelen stonden tegen een wand opgestapeld. Hij tilde er een vanaf en droeg die naar zijn vaders bed. Hij wist niet of het een bewuste keus van haar was geweest, maar ze zat zo gedraaid dat als hij naast haar wilde zitten, zijn stoel de zaal in gekeerd stond en een mogelijk obstakel voor de verpleegkundigen vormde. In plaats van haar te vragen een stukje door te schuiven, nam hij aan de andere kant van het bed plaats.

'Hebben ze al gezegd hoe laat ze die scan gaan doen?'

Opnieuw schudde ze haar hoofd. Ze streelde het haar van hun vader. Op zijn wangen en kin zaten grijze stoppels en uit zijn mondhoek liep een spoor opgedroogd speeksel. Een verpleegster kwam langs om de gegevens van de machine over te nemen en op de medische status te noteren die aan het voeteneind van zijn bed bevestigd zat. Fox vroeg haar naar de scan.

'Hopelijk voor de lunch,' antwoordde ze. 'Hij heeft een rustige nacht gehad.' Ze glimlachte, alsof ze hem gerust wilde stellen.

Wat nou rustig, had Fox haar willen corrigeren. *Hij ligt in coma.* Maar hij glimlachte enkel terug en bedankte haar. Toen de verpleegster verder liep zag Fox dat zijn zus hem fronsend aankeek.

'Wat?' vroeg hij.

'Kun je niet eens op je strepen gaan staan,' siste ze.

'Welke strepen?'

'Je bent toch van de politie, of niet soms? Ga even met ze babbelen, kijken of we niet een paar plekken in de rij kunnen overslaan.'

'Ze zijn de vijand niet, Jude.'

'Nee, maar uitsloven doen ze zich ook niet bepaald.'

Ze was nog maar net uitgesproken toen er twee ziekenbroeders aankwamen. De verpleegster leidde ze naar het bed.

'Voor de CT-scan,' kondigde ze aan.

'Bedankt,' zei Fox.

'Mogen we met hem mee?' vroeg Jude terwijl ze overeind kwam.

'Blijf maar liever hier,' zei een van de broeders. 'Jullie hebben hem zo weer terug.' De man had tatoeages op zijn armen. Hij was breedgeschouderd, zijn gezicht werd ontsierd door een paar littekens. Hij leek Fox als politieagent te hebben ingeschat, net zoals Fox geld had durven verwedden dat de man een ex-bajesklant was. Met tegenzin liet Jude de hand van haar vader los. Ze boog over hem heen, drukte een kus op zijn voorhoofd en barstte in snikken uit.

'Er is niets om u zorgen over te maken,' benadrukte de verpleegster. Toen, tegen Fox: 'Misschien kunt u beter een kopje thee met haar gaan drinken...'

Jude wilde geen kopje thee, maar Fox slaagde er toch in haar door de gang richting het café te loodsen. Ze schudde zich los en zei dat ze naar buiten ging voor een sigaret.

'Ik dacht dat je gestopt was,' zei hij.

'Ik kan er vast wel eentje van iemand bietsen,' antwoordde ze terwijl ze naar de automatische deuren liep. In de winkel kocht Fox een krant en sloot toen in de rij aan voor koffie en een broodje bacon. Voor Jude bestelde hij hetzelfde, en hij ging aan een tafeltje zitten. Zijn telefoon zoemde. De nummerherkenning meldde Tony Kaye.

'Goeiemorgen, Tony.

'Hoe staat het met je pa?'

'Ze zijn net een scan aan het maken.'

'Je bent in het ziekenhuis?'

'Ja.'

'Wij kachelen nu over de brug. Terug naar het zonnige Fife.'

'Ik heb nog geen kans gezien het rapport in te kijken.'

'Er is geen haast bij.'

'Maar de conclusie ziet er overtuigend uit.' Fox beging de vergissing het broodje bacon open te vouwen. Het vlees oogde even grijs als de gezichten om hem heen. Hij schoof het weg.

'Vanochtend vroeg kreeg ik een sms van Cash,' vertelde Kaye. 'Joe en ik mogen bij het verhoor aanwezig zijn. Wel worden we geacht onze kop te houden, maar als we denken dat hij iets gemist heeft, kunnen we hem een teken geven en het op de gang bespreken.'

'En daar ga jij mee akkoord?'

'Je kent me, Malcolm.'

Fox glimlachte in zichzelf. 'Daarom vraag ik het ook.'

'Ik doe niets liever dan bevelen gehoorzamen, vooral als ze van een eikel als Cash afkomstig zijn.'

Vanaf de passagiersstoel murmelde Naysmith een onverstaanbaar commentaar.

'Wat heeft Joe op zijn lever?' vroeg Fox.

'Die klaagt dat ik te dicht op de BMW voor me zit.'

'In de buitenste baan?' raadde Fox. 'Honderdtwintig, honderddertig per uur...?'

'Nou en?'

'En aan het telefoneren...'

'Alleen maar om Joe's hartslag een beetje op te voeren, zodat-ie straks in Kirkcaldy lekker scherp is.'

'Laat me weten hoe het gegaan is.'

'Concentreer jij je nou maar op je pa.' Kaye zweeg even. 'Hoe houdt Jude zich?'

'Niet best.'

'En jij?'

'Ik red me wel.'

'Er gaat niets boven je familie, Malcolm.'

'Dat zei je gisteravond ook al.'

'Omdat het waar is. Paul Carter en zijn oom... Francis Vernal... die komen allemaal niet meer terug. Je eigen vlees en bloed moet soms op de eerste plaats komen.'

Fox zag Jude het gebouw weer binnenkomen. Ze kreeg hem in het oog en hij gebaarde naar het broodje en de koffie die op haar stonden te wachten. Ze schudde haar hoofd en wees in de richting van de zaal, liep die kant uit en was al snel uit het zicht verdwenen.

'Laat me weten hoe het gegaan is,' herhaalde Fox in de telefoon. Toen: 'Heb je nu alweer Alex Harvey opstaan?'

'Het is mijn taak Joe eraan te herinneren dat het leven meer te bieden heeft dan Lady Gaga,' legde Kaye uit, waarna hij de verbinding verbrak.

De advocaat van Tosh Garioch had zijn bedenkingen bij de aanwezigheid van Kaye en Naysmith.

'Die zijn hier uitsluitend als toehoorder aanwezig,' verzekerde hoofdinspecteur Cash hem.

Het verhoor werd opgenomen. Met een scheve blik volgde Naysmith de pogingen van rechercheur Young om de apparatuur aan de praat te krijgen. Tot Youngs overduidelijke ergernis slaakte hij zelfs een paar keer een zucht.

Tosh Garioch had zijn stoel naar achteren geschoven om zijn benen te kunnen spreiden. Hij was groot en gespierd, zijn kale kop glom en aan één kant van zijn nek kronkelde de disteltatoeage omhoog.

'U weet waarom u hier bent, Mr. Garioch?' vroeg Cash, die een pen boven zijn opschrijfboekje liet zweven. Aan de andere kant van de tafel hield ook de advocaat een pen in de aanslag. Hij klikte aan een stuk door op het knopje, totdat Cash hem verzocht te stoppen: 'Wie dit hoort zou denken dat ik nietjes op u afvuur.' Vervolgens herhaalde hij zijn vraag.

'Ja,' beaamde Garioch terwijl hij een hand op zijn kruis legde en zijn zaakje op zijn plek manoeuvreerde. 'Denk van wel.'

'Wat deed u afgelopen woensdagnacht?'

'Toen was ik thuis. Normaal zou ik gewerkt hebben.'

'Als portier? Voor het bedrijf van Alan Carter?'

'Dat gaat wat lastig nu hij dood is.'

'U kunt altijd de Shafiqs nog om een baan vragen.' Cash wachtte even, zijn ogen strak op Garioch gericht. 'Of toch maar beter niet, gelet op het feit dat u namens uw werkgever een aanvaring met ze gehad heeft.'

Aan de andere kant van de kamer stond Kaye met de handen op zijn rug tegen de muur geleund. Garioch keek hem even aan. Hij vroeg zich af waar Cash die informatie vandaan had.

'Dat met de Shafiqs was een zakelijk geschil,' verklaarde de portier. 'Dat is allemaal uit de wereld.'

'Dient dit nog ergens toe?' onderbrak de advocaat, die poppetjes in zijn opschrijfboekje zat te tekenen.

'Even warmdraaien,' liet Cash hem met een ijzige glimlach weten. Toen, tegen Garioch: 'Mag ik u vragen of er woensdagnacht iemand bij u was?'

'Nee.'

Een klassieke fout, hetgeen Cash zelf ook te kennen gaf door zijn mond te vertrekken: stel nooit een vraag waarop het antwoord je niets verder brengt.

'Was u alleen?'

'Ik was met mijn vriendin.'

'Ah.' Cash diepte een stuk papier uit zijn zak op en bekeek het aandachtig. 'Billie Donnelly, niet?'

Garioch kon het niet nalaten opnieuw in Kayes richting te kijken. Kaye gaf hem een knipoog.

'Gaat dit nog ergens naartoe, hoofdinspecteur Cash?' vroeg de advocaat met gespeelde desinteresse.

'We hebben een signalement van een getuige waaraan uw cliënt tot in de puntjes voldoet,' legde Cash uit. 'Een man die in natte kledij door de hoofdstraat loopt, niet lang nadat iemand Paul Carter in elkaar had geslagen en de zee in gejaagd had. Dan wordt een osloconfrontatie het volgende punt op de agenda.'

'Geen denken aan,' zei Garioch, die zich voor steun naar zijn advocaat wendde. De advocaat duwde zijn breedgerande bril hoger op zijn neus. Cash boog zich over het bureau naar het tweetal toe.

'Twee getuigen, Tosh. Om van het motief nog maar te zwijgen! Jij zit in de ww omdat je baas een kopje kleiner is gemaakt, en de hele stad weet wie daarvoor verantwoordelijk was. Je zag hem toevallig uit de Wheatsheaf waggelen, en deze keer geen maten om hem te hulp te schieten. Wat scheldpartijen over en weer, en dan wordt het menens. We kennen allemaal Pauls reputatie – een echte driftkikker. Je hoort mij niet zeggen dat hij niet als eerste heeft uitgehaald.' Met enig vertoon speurde Cash Gariochs gezicht op verwondingen af. 'Maar uiteindelijk dolf hij het onderspit. Hij wist dat er geen redden meer aan was, dus zette hij het op een lopen. En jij joeg achter hem aan. Over de promenade, toen omlaag naar de kustlijn. Je mag dan een grote kerel zijn, maar je conditie is niet best. Misschien had je hem nooit te pakken gekregen, maar hij was zo bang dat hij toch de branding in rende. Of je hebt hem wél te pakken gekregen...' Cash' stem stierf weg. 'Ja, dat zou zomaar kunnen.'

'Moet ik echt naar die onzin luisteren?' vroeg Garioch aan zijn advocaat.

'Ik denk dat hoofdinspecteur Cash een grote vergissing begaat als hij meent jou op basis van dit rammelende bewijs aan te kunnen klagen,' verklaarde de advocaat.

'Er zijn vast nog meer getuigen geweest,' waarschuwde Cash ze. 'We hebben het signalement nog niet eens vrijgegeven. Een beest van een kerel, kaal, met een tatoeage in zijn nek, dwalend door de straten in een doorweekte broek? Denk eens terug aan die nacht, Tosh – dan weet je dat je gezien bent. We zullen een mooie confrontatie voor je regelen... maar niet voordat we Billie voor verhoor hier naartoe gehaald hebben. Dan zullen we haar eens stevig aan de tand voelen.' Kaye merkte dat hij een halve stap naar voren deed, klaar om in te grijpen; het had er alle schijn van dat Garioch zich gereedmaakte om zijn kwelduivel naar de keel te vliegen. Cash leek het ook te beseffen, wat er slechts toe leidde dat hij zich nog wat dieper over de tafel naar de man toe boog. 'Misschien pleegt ze wel meineed voor je, maar dat zal haar door de rechter stevig aangerekend worden. Dan draait ze de bak in, net als jij. Weet je nog wat ze altijd in misdaadfilms zeggen: motief, middelen, gelegenheid?' Cash stak drie vingers op. 'Mijn kraslot telt drie goudstaven, Tosh.'

Hij leunde achterover in zijn stoel en vouwde zijn handen ineen. Garioch duwde zijn knokkels tegen de rand van de tafel en kwam langzaam overeind.

'Had ik soms gezegd dat je kunt gaan?' vroeg Cash, niet onvriendelijk.

'Ik kan toch vertrekken wanneer ik wil?' vroeg Garioch bij zijn advocaat na. De advocaat knikte.

'Dan ben ik nu weg.'

'Hoe moeilijker jullie het me maken, hoe meer lol ik ga beleven,' waarschuwde Cash de beide mannen.

Garioch staarde hem woest aan maar zei niets. Toen zag hij dat Tony Kaye zich tussen hem en de deur had geposteerd.

'We kunnen een dealtje maken,' verklaarde Kaye. 'Als Paul Carter er door zijn oom in geluisd is en jij er iets mee te maken had... Ze zijn allebei dood, dus dat maakt nu toch niets meer uit.'

'Heb ik je toestemming gegeven je mond open te doen?' vroeg Cash, zijn stem bijna te kalm. Kaye negeerde hem en hield Garioch in zijn blik gevangen.

'We kunnen een dealtje maken,' herhaalde Kaye op rustige toon terwijl hij een visitekaartje uitgestoken hield.

Gariochs ogen gleden van Kaye naar Cash en van Cash naar alle andere aanwezigen in de kamer.

'Jullie kunnen allemaal de kanker krijgen,' gromde hij terwijl hij zich langs Kaye wrong en de deur openrukte.

Maar niet voordat hij het visitekaartje uit Kayes hand had gegrist.

37

Rond lunchtijd reed Fox naar huis. De onderzoeken van zijn vader hadden tot dusver geen uitsluitsel gegeven. Het zag er nog steeds als een beroerte uit, maar pas wanneer Mitch weer bij kennis kwam viel er meer over te zeggen.

'Kunnen jullie niet zorgen dat hij bijkomt?' had Jude gevraagd. 'Met een adrenaline-injectie of zo?'

Er waren nog meer tranen gevloeid, en de specialist had geopperd dat het misschien een goed idee was om even naar huis te gaan. Fox had haar een lift aangeboden, maar ze had erop gestaan de bus te nemen.

'Dit slaat nergens op,' had hij dom genoeg tegen haar gezegd. 'Ben je nu echt van plan je de rest van je leven zo onmogelijk te gedragen?' Ze had naar zijn gezicht uitgehaald en was de zaal uit gestormd. In zijn auto was hij haar voorbijgereden. Daar stond ze, wachtend in het bushokje, haar armen over elkaar gevouwen, kwaad op de hele wereld.

Hij schoot lekker op en nog voor enen parkeerde hij de auto voor zijn deur. Terwijl hij uitstapte ging zijn mobiel: Tony Kaye.

'Hoe ging het?' vroeg Fox hem.

'Ik ben bang dat ik Cash op zijn teentjes getrapt heb.'

'Goed werk.' Fox drukte met zijn duim op de centrale portiervergrendeling en sloot de Volvo af. 'Je kon zeker je muil weer niet houden?'

'Ik geloof dat ik Tosh Garioch per ongeluk een deal heb aangeboden.'

'Wat voor deal?'

'Dat wij hem niet al te hard aanpakken voor die verdrinking als hij bereid is over zijn baas te praten.'

'En daar wilde Cash niet van horen?'

'Niet echt, nee. Volgens mij kan die ons elk moment de stad uit jagen.'

'De club heeft nog wel ruimte voor twee extra zielen,' zwichtte Fox. Hij stond voor zijn voordeur en staarde ernaar.

'Al wat nieuws over je pa?'

'Sorry, ik bel je later terug.' Fox beëindigde het gesprek, liep naar het raam van de huiskamer en tuurde naar binnen. Er viel geen teken van leven te bespeuren. Terug bij de voordeur viel hem de beschadiging aan de deurstijl op. Veel was er niet voor nodig geweest. Een koevoet of beitel had de klus geklaard. Onwillekeurig dacht hij terug aan hoe de deur van Gallowhill Cottage opengebroken was. Hij nam de naastgelegen woningen op. Het was een rustige straat, de mensen hier waren erg op zichzelf. Het had de dief waarschijnlijk niet meer dan een halve minuut gekost om zich toegang te verschaffen. Die had net kunnen doen alsof hij aanbelde of iets door de brievenbus stouwde. Met zijn voet duwde hij de deur open en stapte de hal in.

Zo te zien lagen alle papieren nog op zijn eettafel. Misschien dat iemand ze doorgenomen had; dat viel lastig uit te maken. Zijn laptop was weg, samen met de kabel en de oplader, maar de tv en dvd-speler waren ongemoeid gelaten. In de keuken was de radio van zijn plek naast de waterkoker verdwenen. Boven lag de inhoud van de laden verspreid over de vloer. Zijn goede horloge was foetsie, maar zijn paspoort onaangeroerd. De inhoud van de klerenkast was op het tapijt gesmeten. Hij zat op zijn bed en steunde met zijn kin op zijn handen.

De moeite van het aangeven waard? Ja, maar alleen om het verwijsnummer van het proces-verbaal aan de verzekering door te kunnen geven. Hij betwijfelde of er vingerafdrukken te vinden waren. Een timmerman kon de deur in orde brengen. Wie het ook geweest was, hij of zij was vertrokken zonder de reservesleutels mee te nemen. Die kwam heus niet terug. Het had alle trekken van een gewone inbraak, maar Fox was niet overtuigd. Hij ging weer naar beneden en keek naar de papierberg op tafel. Charles Mangolds naam staarde hem in hoofdletters geschreven vanaf het bovenste vel aan. Hij had ook andere namen neergekrabbeld, samen met data, vragen, bedenkingen...

Als ik thuis was geweest, zo vroeg hij zich af, had ik er dan ook als een zelfmoordgeval uitgezien...?

'Verman je, Malcolm,' mompelde Fox in zichzelf.

Hij probeerde te bedenken hoeveel informatie er op de laptop te vinden was. Meer gedachten, meer in detail uitgewerkt dan de geschreven aantekeningen. Hij had nog geen kans gezien Alison en Stephen Pears en Andrew Watson aan het geheel toe te voegen. Had hij het onderhoudsboekje van Francis Vernal genoemd? Melding gemaakt van de relatie tussen Gavin Willis en het Dark Harvest Commando, en in het bijzonder van de man die Hawkeye genoemd werd? Hij dacht van wel. Er was niets uitgeprint, hij had het bewuste bestand naar een geheugenstick gekopieerd.

Een geheugenstick die nu onvindbaar was.

Evenals het boek van professor Martin.

Een geheugenstick van vier pond en een oud, versleten boek; iedere zichzelf respecterende inbreker zou er de neus voor hebben opgehaald. Geheim agenten? Special Branch? Was dit dezelfde waarschuwing die ook Alan Carter ten deel was gevallen, behalve dat de zaken die keer uit de hand waren gelopen? Fox pakte zijn mobiel en gaf de inbraak aan, ging vervolgens weer naar buiten en controleerde of Vernals onderhoudsboekje nog in het handschoenenvak van zijn wagen lag. Het lag er. Hij belde bij de woningen aan weerszijden van de zijne aan, maar er was niemand thuis. Zijn overbuurman, Mr. Anderson, gepensioneerd en slechthorend, had niets bijzonders gezien.

'Een auto of een busje?' hield Fox aan, maar Anderson schudde enkel zijn hoofd en bood aan voor hen beiden een pot thee te zetten.

'Een ander keertje,' zei Fox tegen hem.

Hij probeerde nog twee andere buren, maar niemand had een voertuig gezien of gehoord. Of een vreemdeling opgemerkt.

Rustig, zoals altijd.

Toen de patrouillewagen arriveerde, liet Fox ze zijn politiepas zien en wees hen vervolgens op de schade. Een van de agenten hield een elektronisch apparaat vast waarin hij de gegevens intoetste.

'Het serienummer van de laptop?' vroeg hij.

Fox verdween om het garantiebewijs te halen. Hij had ze kunnen zeggen dat die toch niet meer op zou duiken, maar dan hadden zij willen weten hoe hij daar zo zeker van kon zijn.

'Hij is toch niet door Lothian and Borders verstrekt, of wel?' informeerde de agent. Fox schudde zijn hoofd. 'Dus er staat geen werkgerelateerde informatie op?'

'Nee,' loog hij.

'Dan hangt u tenminste geen berisping boven het hoofd,' merkte de agent op.

'Een geluk bij een ongeluk,' vulde zijn collega aan.

'Doen jullie dat sarcasme er gratis bij?' vroeg Fox. 'En een berisping geldt alleen wanneer je nalatig bent geweest – inbraken tellen niet volgens mij.'

Ze hadden Interne Zaken even op de hak kunnen nemen, maar nu ze hun lolletje gehad hadden was het uit met het gegniffel en opperden ze een team aan te laten rukken om het huis op vingerafdrukken te controleren, wat volgens Fox verspilde moeite was.

'Dat weet ik nog zo net niet, inspecteur,' wierp de oudste van de twee tegen. 'Het afgelopen halfjaar zijn hier aardig wat inbraken geweest. Dan kunnen we deze misschien met die andere in verband brengen.'

'En als we die klojo's dan te pakken krijgen...' vulde de jongere aan.

'Vooruit dan maar,' zei Fox.

Het duurde een uur voordat een auto van de technische recherche voorreed. Een jonge vrouw nam haar trukendoos mee het huis in en ging aan de slag. Fox had de slaapkamer weer in zijn normale staat teruggebracht. Hij keek toe hoe ze poeder op de voordeur aanbracht.

'Daar was niet veel voor nodig,' merkte ze op.

'Nee.'

'Ze hebben niet eens uw tv meegenomen. Dus waren ze waarschijnlijk te voet.'

'Ja.'

Ze onderbrak haar werkzaamheden. 'Hier vind ik niet veel,' stelde ze vast. Een paar minuten later was ze in de huiskamer. Hij vroeg haar het oppervlak van de eettafel met vingerafdrukpoeder te bewerken. Ze vond een paar afdrukken.

'Waarschijnlijk de mijne,' erkende Fox.

Met wat doorzichtig plakband legde ze voor de zekerheid toch een paar afdrukken vast en nam toen die van Fox af om ze te vergelijken. Fox dacht terug aan het tafereel voor de cottage van Alan Carter. Hij worstelde nog steeds met de vraag of het slechts een kwestie van mazzel was dat hij niet thuis was geweest.

Had iemand hem echt thuis willen treffen, dan had die zijn moment wel gekozen. Zo moeilijk was het niet zijn huisadres te vinden – iemand die onbedoeld wat prijsgaf, misschien zelfs een computerinbraak. Hij stond niet in het telefoonboek, maar Jude wel. Verdomme, diegene had hem zo uit het hoofdbureau kunnen volgen. Ofwel had die hem zijn huis zien verlaten of hij moest geweten hebben dat Fox na zijn korte bezoekje aan het bureau naar het ziekenhuis gereden was.

Werd zijn telefoon misschien afgetapt?

Had iemand afluisterapparatuur in zijn huis, zijn kantoor, zijn auto verstopt?

Hij probeerde de gedachte met een schamper gesnuif af te doen, maar wist dat de vraag hem de rest van de dag dwars zou zitten.

'Hebben de "wollen pakken" u een verwijsnummer gegeven?' vroeg de technisch rechercheur, nadat ze haar werk in de slaapkamer boven beëindigd had.

'Wollen pakken?'

'Agenten in uniform,' lichtte ze met een glimlach toe. 'We hadden ooit een hoofdinspecteur die ze zo noemde.'

'Ze hebben me inderdaad een verwijsnummer gegeven.'

'Dan hoeft u verder alleen nog een claim in te dienen – en een stevigere voordeur te nemen voor de volgende keer.'

Fox knikte.

'Het had al met al heel wat slechter uit kunnen pakken, toch?' zei ze lachend.

Hij leek te beamen dat dat inderdaad het geval was.

Dezelfde vergaderruimte bij Mangold Bain als de vorige keer. En zoals verwacht had Charles Mangold maar een paar minuten tijd.

Er werd hem niets te drinken aangeboden – dat stond het krappe schema, zoals Mangold het uitdrukte, niet toe. Mangold duwde zijn vingertoppen tegen elkaar, streek er met zijn lippen langs en luisterde naar wat Fox te vertellen had.

'Er is bij mij thuis ingebroken. Het materiaal dat ik van u gekregen had is er nog, maar mijn laptop is gestolen. Daar stond een deel van mijn werk aan de zaak-Vernal op. Dus hebben ze nu ook uw naam...'

Mangold wuifde dat laatste weg. 'Wie denkt u dat erachter zit?'

'Dat kan ik niet met zekerheid zeggen. Ik heb een paar aanvaringen gehad met iemand van Special Branch...'

'Ah.'

'En gisteravond was ik bij Alice Watts op bezoek.'

Mangold deed geen moeite zijn verbazing te verbergen. 'Dat meisje met wie Francis een relatie had? U heeft haar gevonden?'

'Ja.'

'Waar woont ze? Wat doet ze tegenwoordig?' Hij zag Fox langzaam zijn hoofd schudden. 'Waarom niet?'

'Daarvoor heb ik mijn redenen.'

Mangold leek zich te beraden of het zin had aan te dringen, maar Fox' blik gaf hem te kennen dat het zinloos was. 'Heeft ze met u over Francis gesproken?' vroeg hij in plaats daarvan.

Fox knikte.

'En?' drong de advocaat aan.

'Ze hield niet van hem.'

Mangold staarde hem aan. 'Weet u dat zeker?' Hij zag Fox opnieuw knikken. 'Waarom besloot ze van de aardbodem te verdwijnen? Had ze iets met zijn dood te maken?'

'Ik denk van niet.' *Niet rechtstreeks.* 'Dus u kunt Imogen geruststellen.' Fox liet een stilte vallen. 'Al betwijfel ik of dat ooit uw bedoeling is geweest.' De beide mannen hielden elkaars blik gevangen. 'Waar u volgens mij echt op uit bent, is dat de schellen haar van de ogen vallen.'

'Is dat zo?'

'Het stoort u mateloos dat ze zich al die jaren vastgeklampt heeft aan het beeld van haar man als de gedreven activist, de goede vaderlander. Wat u ook voor haar gedaan heeft – haar naam aan het advocatenkantoor toevoegen, om eens wat te noemen – ze heeft u nooit de waardering gegeven die u toekomt, of wel soms?'

'Het is mij niet duidelijk waar deze uitbarsting goed voor is, inspecteur.'

Fox deed de klacht met een schouderophalen af. 'Waarom koos u Alan Carter als uw bloedhond? U heeft jaren de tijd gehad om Vernals dood te onderzoeken, en ik heb zo'n vermoeden dat u dat ook inderdaad gedaan heeft. Erg ver bent u niet gekomen, maar ver genoeg om te weten dat Gavin Willis het oorspronkelijke onderzoek geleid heeft. Ook heeft u toen waarschijnlijk achterhaald dat hij de mentor van Alan Carter geweest is.' Fox vertrok zijn ogen tot spleetjes. 'Het ging u niet om wat hij vond. U wilde alleen maar weten hoeveel hij zou proberen te verbergen. Op die manier zou u een beter beeld krijgen van de rol die Gavin Willis gespeeld heeft. En daarmee had u een punt; Carter heeft u bijvoorbeeld niets over Vernals auto verteld die hij al die jaren verborgen heeft gehouden in een garage achter Gallowhill Cottage. Ziet u, het werkte twee kanten op: er waren zaken waarvan hij niet wilde dat u ze wist. Daarom heeft hij de klus waarschijnlijk aangenomen, zodat hij controle kon houden over het onderzoek en ervoor kon zorgen dat de naam van Gavin Willis niet bezoedeld werd.'

'Het is mij niet duidelijk,' herhaalde Mangold op kalme toon, maar met een stem die trilde van woede, 'hoe dit ons verder brengt.'

Fox tuurde een paar tellen zwijgend voor zich uit en haalde toen zijn schouders op. 'In mijn onderzoek zijn nog twee namen opgedoken,' verklaarde hij. 'Die van Andrew Watson, bijvoorbeeld.'

'Onze huidige minister van Justitie?'

'In eigen persoon. Kent u hem?'

'Nee.'

'Was hij niet een advocaat voordat hij tot het Schotse Parlement toetrad?'

'Hij is van een andere generatie dan ik. Plus dat hij in Aberdeen werkte.'

'Als strafrechtadvocaat?'

Het was Mangolds beurt te knikken. 'Wat heeft hij met de dood van Francis te maken?' Een wenkbrauw schoot omhoog. 'U probeert hem over te halen het onderzoek te heropenen?'

'Zou u dat niet op prijs stellen?'

'Het zou een ramp betekenen voor Imogen.'

'Misschien heeft ze dan wel iemand nodig om haar hand vast te houden...'

De blik die Mangold hem toewierp maakte Fox duidelijk dat de advocaat dit een bijzonder smakeloze opmerking vond. 'Wat is die andere naam?' vroeg Mangold.

Fox schudde langzaam zijn hoofd, alsof hij daarmee te kennen wilde geven dat die van generlei belang was. 'Ik zag toevallig ergens een foto van zijn zwager.'

'Stephen Pears?'

'Die was genomen in de New Club.'

'Hij is een lid.'

'Ik dacht dat het voornamelijk advocaten en rechters waren.'

'Het ledenbestand is behoorlijk divers,' corrigeerde Mangold hem.

'Is de minister van Justitie ook lid?'

Mangold dacht even na. 'Daar zegt u wat. Ik geloof van niet.'

'Zou Andrew Watson Vernal gekend kunnen hebben?' vroeg Fox. 'Beiden advocaat... beiden hartstochtelijke nationalisten...'

'Zat Watson niet nog op school toen Frank overleed?' Mangold maakte het rekensommetje in zijn hoofd. 'Die kan toen niet veel ouder zijn geweest dan een jaar of zestien, zeventien.'

'Een idealistische leeftijd,' merkte Fox op. 'Ook een leeftijd waarop je openstaat voor ideeën.'

Zij het wellicht niet voor het idee dat je zus het met een man deed die twee keer zo oud was, een getrouwde man, een man die Francis Vernal heette...

Zonder een computer thuis keerde Fox terug naar Fettes en hoopte maar dat hij de korpschef niet tegen het lijf zou lopen. Het nieuws op de autoradio meldde dat de drie verdachten van de explosie in Kippen waarschijnlijk aan het eind van de dag voorgeleid zouden worden, maar hoe dan ook in voorarrest bleven nu de politie extra tijd bedongen had voor de verhoren. Fox wist dat de Schotse overheid na het Megrahi-debacle het gevoel had dat alle ogen op hen en op het justitiële apparaat gericht waren.

Naast de ontvangstbalie gaf de alarmstatus nog altijd ERNSTIG aan.

'Zelfs nu de boosdoeners gepakt zijn?' vroeg Fox aan de dienstdoende brigadier.

'We weten niet hoeveel er nog vrij rondlopen,' antwoordde de man, 'en die zijn misschien wel op wraak uit...'

Angst: die had Fox ook bespeurd toen hij de kranten uit 1985 doorgebladerd had. Angst was immer aanwezig. Hoefde je eindelijk niet langer te vrezen voor een aanvaring tussen de Amerikanen en de Sovjets, of voor een ophanden zijnde ijstijd, kwam er wel iets anders voor in de plaats. De angst voor misdaad leek altijd groter dan de statistieken rechtvaardigden. En nu op dit moment vreesden mensen voor hun banen en pensioenen, vreesden ze de klimaatverandering en de uitputting van grondstoffen. En als deze problemen ooit opgelost werden, zouden nieuwe angsten het vacuüm vullen. Hij staarde even naar het woord ERNSTIG en liep toen naar de trap.

Joe Naysmith was nog in het kantoor van IZ. Hij zwaaide naar Fox.

'Alles afgehandeld in Fife?' vroeg Fox. Naysmith knikte. 'Dus waar is Tony?'

Naysmith haalde zijn schouders op en vroeg Fox of hij zin in koffie had.

'Nou,' zei Fox terwijl hij achter zijn computer plaatsnam. Hij trok een briefje van twintig pond uit zijn portemonnee, vouwde het tot een papieren vliegtuigje en mikte het Naysmith' kant op. De jongeman keek hem aan.

'Dat is om de koffieschuld te betalen,' legde Fox uit. 'Is het genoeg?'

'Daar schiet ik niks bij in, integendeel.'

'Mooi,' zei Fox. Toen ging hij aan de slag en typte een zoekopdracht voor Andrew Watson in. Zoals Mangold al geopperd had, was de huidige minister van Justitie juist met zijn studie aan de universiteit van Aberdeen begonnen toen Francis Vernal overleed. Hoe grondig Fox ook zocht, hij vond geen aanwijzingen dat Watson ooit een fanaticus of bijzonder radicaal was geweest. Hij was cum laude afgestudeerd in de rechten en daarna voor een advocatenkantoor gaan werken. Op zijn zevenentwintigste raadslid voor de SNP, op zijn eenendertigste lid van het Schotse parlement. Zo te zien was de partijleider op hem gesteld en genoot hij diens respect. Als campagnestrateeg had Watson lof toegezwaaid gekregen voor zijn pogingen de SNP van deur tot deur stemmenwervend aan de macht te helpen.

Het briefje van twintig leek Joe Naysmith te hebben opgemonterd. Hij kwam bij Fox zitten en liet zich als klankbord voor Fox' ideeën gebruiken, stond vervolgens op en zette weer eens koffie terwijl Fox Kaye sms'te om te vragen waar hij bleef. Toen zijn telefoon overging verwachtte hij Kaye aan de lijn, maar het was Jude die hem vanuit het ziekenhuis belde.

'Hij is bij,' zei ze, 'maar niet helemaal in orde...'

Fox reed naar het ziekenhuis. Hij draaide het parkeerterrein op achter een traag voortkruipende Rover. Hij toeterde geïrriteerd en trachtte de automobilist met handgebaren tot spoed te manen. Na een paar rondjes over het terrein vond hij een leeg plekje in de verste uithoek. Om bij de ingang van het ziekenhuis te komen, moest hij langs de Rover lopen. De bestuurder was van Mitch' leeftijd en maakte een angstige indruk toen Fox diens kant uit beende. De alarmstatus ERNSTIG flitste door Fox' hoofd en hij hield even halt om 'sorry' te mompelen alvorens zijn weg te vervolgen.

Toen hij bij het bed van zijn vader aankwam, waren Mitch' ogen gesloten en lagen zijn handen ineengevouwen op zijn borst. Jude zat met een vrouw te praten die zich als Mae Ross voorstelde.

'Mrs. Ross werkt in Lauder Lodge,' lichtte Jude toe.

'We vroegen ons af hoe het met hem gaat,' zei Mrs. Ross.

'En ik was me juist aan het verontschuldigen dat we niet eerder contact hadden opgenomen.'

Fox knikte slechts. 'Je zei dat hij bij kennis was,' merkte hij op.

'Dat is hij ook... min of meer.'

Hij boog zich over zijn vader, zag hoe diens oogleden begonnen te trillen en zijn ogen zich vervolgens openden. Het duurde even voordat ze zich gefocust hadden.

'Chris?' murmelde zijn vader.

'Ik ben het, Malcolm.' Fox legde zijn hand op Mitch' handen.

'Malcolm?' Het woord klonk nauwelijks herkenbaar.

'Dat is wat een beroerte met je doet,' verklaarde Mrs. Ross. Toen, tegen de patiënt, op een monotone toon die gewoonlijk voor kinderen is bestemd: 'We hopen allemaal dat onze lievelingscliënt weer snel terug is in Lauder Lodge!'

Haar brede glimlach verdween toen Fox zich omdraaide en haar aankeek. 'Hij is geen "cliënt",' snauwde hij. 'Hij is mijn vader!'

Ze keek geschokt. 'Ik bedoelde er niets mee, Mr. Fox...'

Jude leek verbluft door de uitbarsting. Ze pakte hem bij zijn onderarm.

'Chris,' zei Mitch Fox opnieuw.

'Niet Chris – Malcolm,' zei Fox tegen zijn vader.

'Chris? Onze neef?' vroeg Jude. 'Chris uit Burntisland?'

'Chris is dood,' zei Fox tegen zijn vader. 'Die is met zijn motor gevallen, weet je nog?'

Fox haalde de foto uit zijn zak, die waarop Chris Fox voor Francis Vernal stond te applaudisseren. Hij vouwde hem open en duwde die in het gezicht van zijn vader.

'Zie je wel?' zei hij. 'Dit is Chris.' Hij wees naar het gezicht. 'Dit is Chris en ik ben Malcolm.'

'Het is al goed, Malcolm,' zei Jude tegen hem terwijl Mrs. Ross hem aankeek alsof hij krankzinnig was. Ook de belangstelling van het ziekenhuispersoneel was gewekt. Fox liet de foto zakken en zag het gezicht van zijn vader opklaren.

'Chris was altijd zo voorzichtig met zijn motor,' zei Mitch Fox.

'Maar niet voorzichtig genoeg.' In zijn hoofd vormde zich een vraag, een vraag die maar één iemand kon beantwoorden. Hij wendde zich tot Jude, die nog steeds zijn arm vasthield.

'Ik moet ergens heen,' zei hij tegen haar. 'Red jij je hier?'

Ze knikte langzaam en oogde lichtelijk bevreesd. Fox maakte zich los uit haar greep en streek met zijn hand langs de zijkant van haar hoofd. 'Maar als er iets in zijn toestand verandert...'

'Dan bel ik je,' zei ze.

'Het zal niet al te lang duren.'

'Kom maar gewoon terug wanneer je klaar bent,' zei Jude tegen hem. Ze wist er zelfs een glimlach uit te persen, alsof ze hem een steuntje in de rug wilde geven. Fox deed iets wat hij al lang niet meer gedaan had: hij boog zich naar haar toe en drukte een kus op haar wang. Ze strekte zich uit om het hem makkelijker te maken.

En toen was hij weg.

38

Toen Fox bij het hoofdbureau van politie in Stirling aankwam, was de media-aandacht niet geluwd en onderwierpen gewapende agenten zijn politiepas nog steeds aan een grondige inspectie. Hij sms'te een boodschap naar de mobiel van de regiokorpschef: *Zeg Jackson dat ik beneden sta.*

Tien minuten later stond de Special Branch-agent voor hem. Op zijn gemak kwam Fox van dezelfde stoel overeind waarop hij ook bij zijn vorige bezoek gezeten had.

'Wat moet je verdomme nu weer?' snauwde Jackson.

'Hebben jullie ze al aangeklaagd?' vroeg Fox langs zijn neus weg.

Jackson vouwde zijn armen over elkaar en zei niets.

'Gisteravond heb ik een aangenaam babbeltje met de korpschef gemaakt,' ging Fox verder. 'Wat vervelend voor je dat ze je er kennelijk niet bij wilde hebben.'

Jackson snoof luidruchtig. Zijn telefoon ging over en hij las de boodschap op het schermpje. Fox wachtte totdat hij zijn aandacht weer had en vroeg toen: 'Chris Fox, zegt die naam je iets?'

Jackson staarde hem aan, gevolgd door een minuscuul knikje. 'Ik vroeg me al af wanneer je over hem zou beginnen,' mompelde hij. 'Kom mee...'

Dezelfde receptioniste als de vorige dag reikte Fox een bezoekerspasje uit. Hij volgde Jackson door een gang en via de trap naar beneden. Weer een gang, maar deze keer met een gewapende agent die hun legitimatie controleerde. Twee verhoorkamers, aan weerszijden van de gang een. Met agenten in kogelvrije vesten die voor de ruimtes de wacht hielden. Jackson trok een van de deuren open.

'Kijk maar even.'

Vanuit de deuropening zag Fox een man aan een tafel zitten. Hij was geboeid en weigerde op te kijken. Een lichtbruine huid, dik golvend haar, donkere wallen onder zijn ogen, het linker blauw en gezwollen. Jackson sloot de deur en keek Fox strak aan.

'Eerst richtte hij zich nog op militaire en politieke doelwitten, toen tegen burgers – supermarkten, voetbalwedstrijden, zelfs ziekenhuizen. Het maakte hem niet uit wie er omkwam, zolang hij maar onze aandacht trok.'

'Wat is hier de bedoeling van?' vroeg Fox.

'De bedoeling hiervan is jou duidelijk te maken dat er een reële en acute dreiging is en we een ernstige vergissing begaan als we ons uitsluitend blindstaren op het verleden.' Jackson merkte dat de bewakers meeluisterden. Hij beende door de gang, langs rechercheurs in hemdsmouwen die hem toeknikten. Naast een tweetal andere deuren bevond zich een klein kantoor. Jackson ging naar binnen en wachtte tot Fox hem volgde.

'Doe de deur dicht,' gelastte hij. Fox deed wat hem gevraagd werd, en de beide mannen keken elkaar aan. 'Een reële en acute dreiging,' herhaalde de hoofdinspecteur van Special Branch kalm. 'We doen alles wat nodig is om te voorkomen dat die dreiging werkelijkheid wordt.'

'Ik had je naar Chris Fox gevraagd.'

'Ik dacht al dat het om hem draaide. Toen ik die achternaam in de archiefkluis zag, wist ik dat er een verband moest zijn.'

'Toen we elkaar in de kantine spraken?'

'Toen wist ik het al,' bevestigde Jackson. 'Het verbaasde me dat je er niet over begon. Ik vroeg me al af of je soms iets te verbergen had.'

'Zoals?'

Jackson haalde zijn schouders op. 'Dat hij misschien familie van je is?'

'Een neef. Wat doet die in de archieven van Special Branch?'

'Weet je dat dan niet?' Jackson klonk oprecht verbaasd. Fox zag hem afwegen hoeveel hij prijs kon geven.

'Het blijft onder ons,' bood Fox aan.

Jackson nam nog wat tijd om tot een besluit te komen. 'Hij was een vakbondsvertegenwoordiger – van het radicale soort. Hij deed niets liever dan gewelddadige stakingsacties organiseren of de boel ophitsen. Een fanatiek lid van de communistische partij, daar had je er nogal wat van in Fife. Maar hij maakte de switch naar het separatisme. Hij was goed bevriend met Francis Vernal in zijn jonge jaren. Die twee hebben samen heel wat plannetjes bekokstoofd voor marsen en demonstraties tegen bezoekende leden van het koninklijk huis. Er was maar één heethoofd met een vuurwapen voor nodig geweest...' Jackson liet een stilte vallen. 'Het was toen net als nu: een reële en acute dreiging...'

'Met Special Branch die alles doet wat nodig is om te voorkomen dat de dreiging werkelijkheid wordt?'

Jackson keek Fox indringend aan. 'Wij hebben Chris Fox niet gedood.'

'Hoe weet je dat?'

'Het was een motorongeluk. Niets meer, niets minder. Dus als het je daar allemaal om te doen geweest is...'

'Daar was het me niet om te doen.'

'Waarom dan wel?'

'Het idee staat me niet aan dat er iemand met een moord wegkomt.'

'Daar zijn we het in elk geval over eens.' Jackson zweeg even. 'Wat heeft de korpschef gisteravond tegen je gezegd?'

'Als ze wilde dat je dat wist, had ze het zelf wel tegen je gezegd.'

'Haar broer is woest op je.'

'Daar kan ik mee leven.'

Jackson keek naar zijn voeten, alsof hij zijn schoenen bestudeerde. 'Hij ziet er heel normaal uit, toch?'

'Wie?'

Jackson gebaarde naar de gang. 'Ze lijken altijd zo gewoon. Maar dan net dat beetje... gedrevener.'

'En waar wordt hij door gedreven?'

Jackson kon slechts zijn schouders ophalen.

'Wat is er met hem gebeurd?' vroeg Fox. 'Dat blauwe oog, bedoel ik.'

'Met zijn eigen vuisten zijn gezicht bewerkt. Als de media dan uiteindelijk hun fotosessie krijgen, lijkt het net alsof hij door ons is afgetuigd.' Jackson keek Fox opnieuw aan. 'Niks aan het handje; de plaatselijke iz-afdeling is ingeseind en heeft verklaringen afgenomen.'

'Dus dan zit het wel snor.'

'Die neef van je, Chris... we hielden hem wel in de gaten, maar het was verder niet serieus. We beschouwden hem niet als een echte bedreiging.'

'Wie vormde dan wel de échte bedreiging? Vernal? Donald MacIver? Of voetvolk als Hawkeye?'

'Wat is die Hawkeye eigenlijk voor kerel?'

'Ben je zijn naam niet tegengekomen dan?' Fox zag Jackson zijn hoofd schudden. 'Misschien moest je maar weer in dat archief van je gaan spitten.'

'Jou vragen gaat sneller.'

'Ik heb geen idee wie hij is.'

'Maakt ook eigenlijk niet uit,' besloot Jackson. 'Welke dreiging ze ooit ook gevormd hebben, wij hebben er indertijd mee afgerekend.'

Fox keek hem indringend aan. 'Ik wil de mannen spreken die Vernal die nacht geschaduwd hebben.'

'Dat kun je op je buik schrijven.'

'Ik moet ze spreken, als je wilt dat ik je ooit nog met rust laat.'

'Ze zullen je alleen maar vertellen wat ik je ook al gezegd heb, dat ze niets met zijn dood te maken hadden.'

'Ik moet het uit hun monden horen.'

'Waarom?'

'Dat is nu eenmaal zo.'

Jackson leek het te overwegen, waarna hij langzaam zijn hoofd begon te schudden. 'Niet goed genoeg, inspecteur,' zei hij terwijl hij de deur opentrok ten teken dat het tijd werd om op te stappen.

'Er is bij mij thuis ingebroken,' liet Fox hem weten. 'Als iemand over een paar decennia in die kostbare archieven van u duikt, denkt u dan dat er iets over vermeld staat?'

'Ach, het wemelt van de criminelen.'

'Eindelijk iets waarover we het eens zijn,' antwoordde Fox.

Ze liepen weer door de gang, langs de verhoorruimtes en de bewakers.

'Ik hoop dat je vader snel opknapt,' zei Jackson toen Fox zijn pasje bij de receptie inleverde.

'Bedankt.'

Jackson stak zijn hand uit zodat Fox die kon schudden. 'We staan echt aan dezelfde kant,' benadrukte hij. 'Vergeet dat niet.'

'Wanneer zak je weer naar het zuiden af?'

'Met een dag of twee. Maar je kunt me altijd vinden als je me nodig hebt.'

'Eerlijk gezegd,' zei Fox, 'hoop ik je nooit meer tegen te komen.'

Om acht uur die avond zat Fox aan zijn vaders bed in het ziekenhuis. Jude was overgehaald naar huis te gaan om een paar uur te slapen. Mitch sliep ook. Onderweg was Fox bij Lauder Lodge gestopt om wat spulletjes op te halen, en hij had op de valreep de schoenendoos met foto's meegenomen. Hij had ze stuk voor stuk bekeken en zich afgevraagd welk verhaal ze hem probeerden te vertellen. Een twintigste-eeuws gezin, nauwelijks anders dan elk ander. Met een dak boven het hoofd en doorvoede magen. Uitstapjes naar de kust en kerstochtenden. Daar had je Malcolm, gekleed in zijn favoriete T-shirt, zijn haar langer dan Mitch graag zag, bezig het papier van een cadeau te scheuren. Jude, poserend in een theaterzaal. Ongetwijfeld bij een musical; daar was hun moeder gek op geweest. Vader en zoon waren altijd thuisgebleven om naar Amerikaanse politieseries op tv te kijken.

Opnieuw Burntisland: Chris Fox, met Jude op zijn schouders. En eentje waarop hij met zijn motor stond te pronken, een poetsdoek in zijn hand. *Radicaal... gewelddadige stakingsacties... ophitser...* Fox zou de man graag gekend hebben. Had zijn pa niet geslapen, dan had hij misschien geprobeerd hem een paar vragen te stellen. Mitch' ademhaling was onregelmatig. Zo nu en dan leek hij te stikken en proestte hij een paar keer zonder wakker te worden. Zijn wangen waren ingevallen, zo scheen het Fox toe. Het infuus voorzag hem nog altijd van zijn voeding. Eenmaal bijgekomen had hij geen voedsel door kunnen slikken. Fox probeerde niet te kijken naar hoe de slang van de katheter van onder de lakens naar de zak kronkelde die aan het metalen frame van het bed hing.

Wat ik doe is echt recherchewerk, had hij tegen zijn vader willen zeggen. *Hoe het ook uitpakt, dat is wat ik doe...*

Toen zijn mobiel begon te trillen, controleerde hij het schermpje. De nummerherkenning was geblokkeerd. Hij kwam overeind, nam op en liep langs de verpleegstersbalie de gang op.

'Hallo?'

'Spreek ik met Malcolm Fox?' De stem klonk onmiskenbaar geërgerd.

'Ja.'

'Ze zeiden dat ik je moest bellen...'

'O?'

Het geluid van een keel die geschraapt werd. Fox dacht dat de beller een man van in de zestig moest zijn.

'Ik was erbij die avond. Ze zeiden dat je dat moest weten.'

'Francis Vernal?' Fox stond stil. 'U schaduwde hem?'

'Een observatie, ja.'

'Sorry, ik moet u terugbellen. Kan ik uw nummer noteren?'

'Ik mag dan met pensioen zijn, seniel ben ik nog niet.'

'Een naam dan.'

'Wat dacht je van Colin? Of James? Of Fred?'

'Geen namen dus?' raadde Fox.

'Geen namen,' bevestigde de stem. 'Ik ben al lang geleden uit dienst getreden en ik ben ze beslist niets schuldig, dus luister goed want ik vertel je dit één keer en daar blijft het bij.' Hij zweeg alsof hij iets van een reactie van Fox verwachtte.

'Oké,' was Fox hem ter wille.

'Vernal scheurde als een gek. Hij had er een paar te veel op toen hij uit Anstruther vertrok.'

'Was hij daar het hele weekend geweest?'

'Bij zijn minnares,' bevestigde de stem. 'Was er die avond verkeer op de weg geweest, dan had het heel wat erger uit kunnen pakken. We hoorden het ongeluk voordat we het zagen. Hij was recht op een boom geknald. De hele motorkap lag in de kreukels en hij hing minus een handvol tanden uitgeteld op de bestuurdersstoel.'

'Buiten bewustzijn?'

'Ja, maar hij ademde nog... zijn pols was regelmatig. Als een andere auto gestopt was en ons gezien had... nou ja, dat konden we dus niet hebben.'

'Maar jullie bleven lang genoeg rondhangen om de auto te doorzoeken.'

'Zo'n kans laat je niet lopen.'

'En jullie hebben zijn geld en sigaretten niet meegenomen?'

'Die vraag is ons indertijd ook gesteld.'

'Uw partner dan misschien...?'

'Nee.'

'Is er een kans dat hij dat persoonlijk bevestigt?'

'Die is verleden jaar overleden. Een natuurlijke doodsoorzaak, voor het geval je je dat afvraagt.'

'Dat spijt me voor u. Wat denkt u dat er met Vernals sigaretten en geluksbriefje van vijftig gebeurd is?'

'Geen idee.'

'En er was geen vuurwapen toen u de wagen doorzocht?'

'Dat had-ie op ik weet niet hoeveel plekken kunnen verbergen.'

'Ook had hij zo'n dertig-, veertigduizend pond aan contanten verborgen.'

'Ik had al te horen gekregen dat je dat gezegd had.'

'Klaarblijkelijk weggestopt in de kofferbak.'

'We hebben die hele kofferbak niet opengemaakt.'

'Weet u dat zeker?'

'We wisten niets van dat geld.'

'Jullie hebben Vernal geschaduwd. Jullie moeten hem bij bijeenkomsten van het DHC gezien hebben – hoe hij naar buiten kwam, naar zijn auto ging om dan weer naar binnen te verdwijnen?'

'We hebben nooit iets van geld gezien.'

'Jullie mol heeft daar niets over gezegd?'

Opnieuw liet de man een stilte vallen alvorens te antwoorden. 'Ik heb je verteld wat ik weet,' zei hij.

'Kunt u bewijzen dat u erbij geweest bent?'

'Wat?'

'Hoe kan ik er anders zeker van zijn?'

Er volgde weer een lange stilte. 'De reden dat we 'm smeerden,' zei de stem uiteindelijk, 'was dat hij begon bij te komen. Het eerste wat hij zei was "Imogen". Dat hadden we niet verwacht.'

'Jullie wisten wie Imogen was?'

'Zijn vrouw. Het was duidelijk dat hij verrekte van de pijn, en zij was degene die hij wilde zien. Niet Alice... Imogen.'

'Maar jullie hebben hem daar gewoon achtergelaten – zonder zelfs maar te overwegen om hulp te bellen...'

'We werden niet voor niets het schaduwteam genoemd, Fox. We observeerden, meer niet. En een belletje naar een arts had hem ook niet meer kunnen redden.' Fox gaf geen antwoord. 'Zijn we klaar?'

'Hebben jullie ooit ene Hawkeye in het vizier gehad?'

'Dat was een lid van het DHC. Die klojo was een gladde.'

'Glad? In welk opzicht?'

'De paar keer dat het schaduwteam hem wilde volgen, haalde hij een verdwijntruc uit of had hij ons gelijk in de peiling.' De beller zweeg even en herhaalde toen zijn vorige vraag: 'Zijn we klaar?'

'Ik begrijp niet hoe u hiermee kunt leven,' merkte Fox op.

'We zijn uitgepraat,' verklaarde de stem. De verbinding werd verbroken. Fox werd zich bewust dat hij met zijn rug tegen de muur van de gang geleund stond. Hij steunde met zijn achterhoofd tegen het koele oppervlak en staarde naar de ingelijste prent op de wand tegenover zich. Toen zocht hij het nummer van Alison Pears op en toetste het in.

'Wat?' blafte ze.

'Ik wilde u alleen even bedanken dat u Jackson zover gekregen heeft met me te praten.'

'Het weerhoudt u er kennelijk niet van om me lastig te blijven vallen.'

'Ik heb net een telefoontje gehad van een van de twee agenten die Vernal die avond geschaduwd hebben.'

'Nou en?'

'Ik vroeg me af... Ik neem aan dat u ze ontmoet heeft?'

'Nee.'

'U heeft ze niet gekend?'

'We hebben nooit rechtstreeks contact gehad. Zij zaten bij de geheime dienst, ik was een groentje bij de politie. Is dat alles wat u wilde weten?'

'Nou ja, nu ik u toch aan de lijn heb...'

'Ja?'

'Gewoon een toevalligheidje – ik kom bij u thuis, en niet lang daarna breekt iemand bij mij thuis in.'

'Wat vervelend voor u. Is er iets ontvreemd?'

'Mijn laptop, een geheugenstick, het boek van professor Martin...'

'Juist ja.'

'Misschien dat ik aan achtervolgingswaan lijd...'

'Hoezo? Wie zit er volgens u dan achter?'

'Geen idee. Heeft u misschien iets over mij tegen uw contactpersoon, uw *handler*, bij Special Branch laten vallen?'

'Mijn handler? Dit is geen John le Carré, Fox.'

'U heeft er met niemand over gesproken?'

'U zult het misschien niet geloven, maar ik heb op dit moment wel wat belangrijkers aan mijn hoofd.'

Er volgde een korte stilte op de lijn, toen vroeg ze hem hoe het met zijn vader ging.

'Bedankt, maar dat gaat u niets aan.'

Fox hoorde een deurbel en vermoedde dat Alison Pears thuis was. 'Daar zul je mijn broer hebben,' zei ze ter bevestiging. 'Die is hier voor de laatste stand van zaken. Beëindigen we dit gesprek voordat ik voor hem opendoe?'

'Dat is aan u.'

'Ik geloof niet dat er verder nog iets te zeggen valt. O, wacht, momentje...' Hij hoorde haar de deur opendoen en tegen de minister van Justitie zeggen: 'Hij weer, dat is al de tweede keer vandaag...'

De telefoon veranderde van eigenaar. Fox luisterde naar de tirade die Andrew Watson begon af te steken. Hij hoorde het acht, negen woorden aan, verbrak de verbinding en ging terug naar zijn vaders ziekbed.

39

Tony Kaye trof Tosh Garioch voor de deur van het Dakota Hotel in South Queensferry. Op neutraal terrein, net aan de Edinburghse kant van de Forth Roadbrug. Het hotel zelf was een moderne zwarte doos, de naam in neon uitgelicht, in een winkelcentrum dat op een vierentwintiguurssupermarkt kon bogen maar de naam verder nauwelijks verdiende.

'Bedankt voor je komst,' zei Kaye met uitgestoken hand. Garioch aarzelde even voordat hij zijn hand tegen die van Kaye drukte. Het ontaardde nog net niet in een krachtmeting, maar veel scheelde het niet. 'Even samen iets drinken leek me wel een goed idee,' vervolgde Kaye met een mager lachje. Garioch knikte en ze gingen naar binnen. De restaurantruimte achter de bar deed goede zaken: zakenmannen etend in hun uppie, stelletjes fluisterend boven hun visschotel. Er waren barkrukken, maar Kaye verkoos de bank. Garioch zonk weg in de zachte zitting van de stoel aan de andere kant van het lage houten tafeltje dat tussen hen in stond.

'Verstandig van je dat je mijn nummer hebt bewaard,' zei Kaye.

'Ik moest het uit de vuilnisbak vissen.' Garioch hield Kayes visitekaartje op. Het was in tweeën gescheurd. De kelner kwam langs en beiden bestelden een pils. De jongeman kon zijn ogen niet van Gariochs getatoeëerde distel afhouden. Hij zette een bakje nootjes op tafel en Garioch graaide er met zijn klauw in en propte zijn mond vol.

'Wat moet die deal voorstellen?' vroeg hij.

Kaye boog zich naar voren. 'Zoals ik het zie kunnen we het je makkelijk maken. Je had het volste recht kwaad te zijn op Paul Carter. Het draaide op een knokpartij uit en hij ging aan de haal. Jij zat hem nog even na, maar gaf het op toen hij het water in rende.' Kaye haalde zijn schouders op. 'Wij vragen jou niet hoe ver je hem gevolgd bent, we zeggen niets over de natte broek. Hij verdronk – het is niet jouw schuld dat hij zo stom was om te gaan zwemmen.'

Kaye gaf de man de tijd het te overdenken. De drankjes werden gebracht en hij betaalde ze, nam een fikse slok en vervolgde.

'Willen we het harder spelen, dan komt het allemaal in een ander licht te staan – een agent in elkaar slaan en hem de dood in jagen... tot je middel door het water waden tot je er zeker van was dat hij er niet meer uit zou komen.' Hij stopte even en draaide het bier in zijn glas rond. 'Maar we kunnen pas een deal sluiten als we precies weten wat er tussen Alan Carter en Paul gebeurd is.'

'Jij bent niet eens van de recherche,' pareerde Garioch. 'Cash zal straks voor de rechtbank moeten getuigen, niet jij.'

'Cash zal naar me luisteren. Hij moet wel.' Kaye liet een stilte vallen. 'Tja, ik ben bang dat ik het mezelf aan moet rekenen. Jij was er tenslotte bij toen ik dat belletje van mijn collega kreeg en het met hem over Paul Carter had. Ik heb het nog in mijn opschrijfboekje neergepend, weet je nog? "Paul Carter... de Wheatsheaf..."' Kaye haalde het opschrijfboekje tevoorschijn en liet Garioch de bewuste pagina zien. 'En daar wringt de schoen. Als ik dit tegen Cash zeg is er opeens voorbedachte raad in het spel. Snap je wat ik bedoel, Tosh? Je liep Paul Carter niet zomaar toevallig tegen het lijf, je lag voor hem op de loer.'

Daar liet Kaye het bij en hij was weer volledig op zijn pilsje gefocust. Garioch had gelijk: hij had geen enkele macht. En wat betreft de kans dat Cash ooit zou doen wat hij hem vertelde... Maar wat dan nog, hij hoefde het alleen maar klaar te spelen nu op dit moment overtuigend over te komen.

Garioch zakte wat onderuit in zijn stoel, en Kaye wist dat hij beethad.

'Alan is altijd goed voor me geweest,' zei Garioch zachtjes. 'Hij gaf me een baan en zo. Dat doen ze niet zo snel als je in de bak gezeten hebt.'

'Dus toen hij je om een kleine gunst vroeg kon je moeilijk weigeren?'

Garioch knikte instemmend. 'Praktisch elke vrijdagavond was Paul in die club te vinden. Een paar keer moesten we hem van een vrouw af sleuren van wie hij zijn ogen niet af kon houden. Het plan was dat Billie en Bekkah hem naar buiten volgden, een praatje met hem aanknoopten en dan een klacht indienen.'

'Of hij nu wel of niet iets gedaan had?'

Garioch knikte opnieuw, zijn hoofd diep weggezakt tussen zijn enorme schouderbladen. 'Een vrouw had al een klacht ingediend, maar die hadden ze bang gemaakt. Alan vroeg mij en Mel een babbeltje met haar te maken.'

'Mel Stuart?' verifieerde Kaye. 'Mel heeft ook tijdje in de bajes gezeten, niet? Was dat niet een beetje raar, jullie tweeën op de loonlijst van een ex-diender?'

'Alan was oké. Bij hem wist je waar je aan toe was.'

'Dus hij kreeg jullie zover Teresa Collins onder druk te zetten...' drong Kaye aan.

'Billie en Bekkah waren bedoeld om wat munitie achter de hand te hebben,' erkende Garioch. 'Maar toen ze de club uit liepen konden ze hem nergens vinden. Na een tijdje moest Bekkah pissen, en toen kwam hij in zijn auto aanrijden. We hadden geen idee dat hij van plan was ze op te pakken, maar dat pakte juist in ons voordeel uit.'

'Je baas was tevreden?'

'Hij haatte zijn neef. Ik heb nooit precies begrepen waarom, maar ja, zo gaat dat met families – de wrok wordt gekoesterd.'

'Je hebt hem nooit gevraagd waarom hij het gedaan heeft?'

Garioch schudde zijn hoofd.

'En de meiden erbij halen, was dat Alan Carters idee?'

'Ja.'

'Heeft Paul iets geprobeerd met Billie en Bekkah?'

'Precies zoals ze het verteld hebben.'

'Nog een reden om woest op hem te zijn.'

Garioch keek Tony Kaye strak aan. 'Het was om wat hij met Alan gedaan heeft,' verklaarde hij.

'Waar het om draait, Tosh, is dat we er eigenlijk helemaal niet zo zeker van zijn dat hij je baas vermoord heeft,' merkte Kaye op. 'Wat betekent dat hij waarschijnlijk voor niets gestorven is. Had je een geweten gehad, dan zou ik zeggen dat dit je gemoedsrust wel eens parten zou kunnen spelen.'

Kaye kwam langzaam overeind. 'We zullen je verklaring opnemen,' zei hij. 'Je kunt het beste rechtstreeks contact opnemen met hoofdinspecteur Cash, hem alles vertellen wat je tegen mij hebt gezegd.'

'Ik dacht dat jij met hem zou praten?'

'Dat doe ik ook. Maar het is het beste als het eruitziet alsof jij zelf tot dit besluit gekomen bent. Neem je advocaat mee.' Kaye knoopte zijn jas dicht. Hij knikte naar Gariochs glas. 'Je kunt het maar beter bij dat ene pilsje laten – we willen niet ook nog rijden onder invloed aan de lijst toevoegen, nietwaar?'

Fox lag geheel gekleed op de bank te slapen toen de bel ging. Zijn nek deed pijn en hij wreef in zijn ogen alvorens te kijken hoe laat het was: vijf minuten voor middernacht. Het tv-nieuws stond op, zij het nauwelijks hoorbaar. Hij kwam overeind en strekte zijn rug. De bel ging opnieuw. Hij opende de gordijnen van de huiskamer en tuurde naar buiten, liep toen naar de hal en deed open.

'Een beetje laat om nog aan de deur stemmen te komen werven,' zei hij tegen Andrew Watson.

'Ik moet u spreken,' antwoordde de politicus. Een wagen met een draaiende motor en een chauffeur achter het stuur stond voor Fox' hek geparkeerd.

'Dan kunt u maar beter binnenkomen,' zei hij.

'Is er iets gebeurd?' Watson liet zijn oog op de beschadigde deurstijl vallen.

'Een inbraak.'

Watson toonde verder geen interesse en volgde Fox naar binnen. 'Ik ben het niet gewend dat mensen zomaar midden in een gesprek de telefoon ophangen,' zei hij, alsof hij uit een script voorlas. Maar Fox was niet van plan zijn excuses aan te bieden. In plaats daarvan goot hij de drab uit een fles fruitsap in een glas en sloeg die achterover. Er volgde geen vraag of de minister iets bliefde. Fox ging op de bank zitten en zette het geluid van de tv uit. Watson bleef staan.

'Ik moet weten wat er speelt,' zei hij.

'Dat moet u aan uw zus vragen.'

'Die weigert iets te zeggen.'

'Dan kan ik u niet helpen.'

'Vanwaar al die belangstelling van Interne Zaken?'

'Dat is iets tussen mij en haar.'

'Ik kan ervoor zorgen dat het mijn zaak wordt.'

'Dat geloof ik graag.'

Watson wierp hem een vuile blik toe. 'Ze leidt de meest media-gevoelige zaak die dit land in jaren gekend heeft.'

'Misschien zelfs sinds het Megrahi-debacle,' beaamde Fox.

In de ogen van de SNP-voorman verscheen nog net geen duivelse rode gloed. 'Ik zal er persoonlijk op toezien dat u voortaan kilometers bij haar uit de buurt blijft.'

Fox wreef weer in zijn ogen. Knipperend stelde hij ze scherp, slaakte een zucht en gebaarde Watson te gaan zitten.

'Ik blijf liever staan.'

'Ga zitten en luister naar wat ik te vertellen heb.'

Watson nam plaats en duwde zijn vingertoppen tegen elkaar, als om zijn concentratie te bevorderen.

'Weet u nog bij uw zus thuis?' begon Fox. 'Dat ik het over Francis Vernal had...'

'Ja.'

'Uw zus kwam net van de politieacademie – voor haar eerste klus ging ze diep undercover en deed zich voor als studente aan St. Andrews. Het toelatingsexamen, werkcolleges, de hele mikmak. De studentenpolitiek bracht haar steeds dichter in de buurt van enkele marginale groeperingen. Alle informatie waar ze de hand op kon leggen sluisde ze door.'

'Weet u dat allemaal heel zeker?'

Fox liet hem de twee inschrijvingsfoto's zien. 'Komen die u bekend voor?'

Watson bekeek ze zonder een spoor van emotie.

'En wat dan nog?' merkte hij ten slotte op.

'Ze begon met Vernal om te gaan en bracht een heleboel tijd met hem door. Hij was bij haar geweest dat weekend en kwam net bij haar vandaan toen zijn wagen van de weg vloog. Dát was wat ik met haar te bespreken had.' Fox keek de politicus strak aan, peilde zijn reactie.

'Daar had ik geen idee van,' zei Watson zachtjes.

'Die groeperingen ijverden vooral voor een onafhankelijk Schotland, niet zo heel ver verwijderd dus van uw eigen politieke opvattingen.'

'Dat weet ik nog. Het waren moeilijke jaren voor de SNP. Sommigen van ons waren behoorlijk wanhopig, behoorlijk gefrustreerd. We werden gemarginaliseerd – maar geloof me, dat zullen we nooit meer laten gebeuren.'

'Maar indertijd...?'

'Het waren zware tijden,' herhaalde Watson.

'Kende u sommige van die groeperingen? De Seed of the Gael? Het Dark Harvest Commando?'

'Alleen van naam.'

'Heeft u Donald MacIver wel eens ontmoet?'

'Nee.'

'Of Francis Vernal?'

'Nee.'

'En u had geen idee waar u zus mee bezig was?'

'Geen idee,' galmde Watson.

'En nu u het weet, wat vindt u ervan?'

Een kleine minuut lang woog Watson de verschillende kanten af, haalde toen zijn schouders op en schudde zijn hoofd. 'Ik weet eigenlijk niet wat ik ervan moet vinden,' zei hij.

'Al die activisten moeten toch ergens gebleven zijn,' merkte Fox op. 'Misschien zijn sommigen zelfs wel in het kabinet terechtgekomen.'

'In de moderne SNP is geen plaats voor heethoofden en racisten, inspecteur.' Watson leek Fox aandachtig op te nemen. 'Mag ik hieruit afleiden dat u voorstander van een verenigd koninkrijk bent?'

'Mijn mening doet er niet toe.'

'Weet u dat heel zeker? Oude vijandschappen en samenzweringstheorieën oprakelen in de hoop dat die onze naam bezoedelen...'

'Zegt de naam Hawkeye u iets?'

De vraag leek Watson in verwarring te brengen. Hij dacht een ogenblik na. 'Ik ken alleen dat personage uit *M*A*S*H*,' besloot hij.

'En dat uit *Last of the Mohicans*,' vulde Fox aan.

'Dat ook,' stemde Watson in. Hij maakte een vermoeide indruk, al zijn energie en woede leken opgebruikt. 'Het werkt wel degelijk, weet u,' zei hij uiteindelijk terwijl hij Fox recht in de ogen keek.

'De regering, bedoel ik. Een kwarteeuw terug had vrijwel niemand durven denken dat de SNP nog tijdens hun leven aan de macht zou komen, en dat geldt ook voor heel wat mensen binnen de partij. Dat hebben we maar mooi bereikt.' Hij knikte in zichzelf. 'Dat hebben we maar mooi bereikt,' herhaalde hij. Toen verstarde hij. 'Maar we kunnen ons niet nog een Megrahi veroorloven. Die bomexplosies... Alison moet zich volledig kunnen focussen, die kan zich geen bijzaken permitteren.'

'Ik zou moord geen bijzaak willen noemen.'

'Moord?'

'Alan Carter, de man die Vernals dood onderzocht. Als zelfmoord in scène gezet, maar feitelijk was het een executie.'

'U kunt toch niet serieus geloven dat Alison daar iets mee te maken heeft?'

'Waarom niet? Als Carter van haar wist en van plan was het aan de grote klok te hangen...'

'Uitgesloten.' Watson schudde zijn hoofd. 'Dat soort zaken kunt u echt niet zomaar rondbazuinen...'

'Het lijkt anders de enige manier om aandacht te krijgen,' wierp Fox tegen. 'Anders zat u hier nu niet.'

'Dit kan ze niet boven haar hoofd hebben hangen,' beklemtoonde Watson. 'Alison heeft veel te hard gewerkt om te bereiken wat ze bereikt heeft.'

'Ik neem aan dat u ook vindt dat u hard gewerkt heeft.'

'Uiteraard.'

Fox kneep zijn ogen tot spleetjes. 'Maakt u zich zorgen over haar of over uzelf? Er lijkt wel een vloek te rusten op de baan van minister van Justitie. Dan is het mooi meegenomen als je een regiokorpschef hebt op wie je kunt bouwen, helemaal als ze ook nog dat beetje extra media-aandacht kan genereren...'

'Hoe bedoelt u?'

'Stel nu dat ik me een tijdje gedeisd hou, dat ik niks onderneem totdat uw terroristen veroordeeld zijn. U kunt uw succesje uitgebreid in de media vieren... waarna ik mijn vragen weer ga stellen?'

Watson staarde hem aan. 'Wat wilt u dat ik daar tegenoverstel?' vroeg hij op mildere toon.

'Niets.' Fox liet een stilte vallen. 'Omdat het niet gaat gebeuren. Ik wilde alleen maar zien of u hapte.'

Watson stoof overeind. 'Jezus nog aan toe,' sputterde hij.

Fox negeerde de uitbarsting. 'O, trouwens, wat ik u nog wilde vragen... Hoe bent u aan mijn adres gekomen?'

'Wat?'

'Mijn adres.'

'Via Jackson,' snauwde Watson.

Fox knikte in zichzelf: dus die pief van Special Branch wist waar hij woonde...

Watson was naar het raam gelopen en weer teruggekomen. 'Bent u überhaupt voor rede vatbaar?'

Fox haalde zijn schouders op.

'Dan zal ik het bij uw korpschef moeten aankaarten.'

'Wat wilt u bereiken? Dat ik geschorst wordt? Vergeet dan niet om hem over het verleden van uw zus in te lichten.'

'Wat denkt u eigenlijk dat ze precies misdaan heeft?'

'Daar probeer ik nog steeds achter te komen.' Fox beantwoordde Watsons borende blik. 'Heeft u geen zin om me daarbij te helpen?'

'U helpen?'

'Door de zaak-Vernal te heropenen en het deze keer goed aan te pakken. Stel een openbaar onderzoek in. Hij werd door MI5 en een undercoveragent in de gaten gehouden. Heeft dat een rol gespeeld bij zijn dood? Zijn er bij het oorspronkelijke onderzoek zaken onder de pet gehouden? En houdt zijn dood verband met de moord op Alan Carter?' Fox kwam langzaam overeind terwijl hij zijn ogen strak op Watson gericht hield. 'Het zou uw prestige geen kwaad doen als we antwoorden op die vragen konden vinden.'

Maar de minister van Justitie schudde zijn hoofd. 'Het Dark Harvest Commando... de SNLA, niemand heeft er belang bij dat die lijken uit de kast komen.'

'Niemand binnen uw partij,' corrigeerde Fox hem.

'Niemand, schluss.'

'Daar zou u nog van opkijken.'

Watson bleef zijn hoofd schudden.

'Alleen ik, dus?' De vraag was retorisch bedoeld, maar Watson beantwoordde hem toch.

'Alleen u.'

Drie minuten later stond Fox voor het raam te kijken hoe de auto optrok. De binnenverlichting brandde, de minister was verdiept in een of ander document. Fox' mobiel liet hem weten dat er een sms was binnengekomen. Van Jude.

Ben je wakker?

Hij belde haar. 'Wat is er mis?'

'Niets. Ik wilde je niet lastigvallen voor het geval je lag te slapen.'

'Nu je daar toch over begint...'

'Ik lig de hele tijd te woelen,' bekende ze zuchtend. 'Ik moet steeds aan pa denken. Wat moeten we met hem aan, Malcolm?'

'Dat weet ik ook niet.'

'Hij kan niet eeuwig in het ziekenhuis blijven.'

'Nee.'

'En als hij niet flink vooruitgaat...'

'Dan schiet hij met Lauder Lodge ook niet veel op...' maakte hij de gedachte voor haar af. 'Ik zal mijn hersens eens laten kraken, Jude.'

'Ik ook.' Hij hoorde haar van houding veranderen en nam aan dat ze in bed lag.

'Weet je nog toen we kinderen waren?' zei hij. 'Dat ik je kamer binnenglipte en we samen liedjes zongen onder de lakens?'

'Onze eigen *Top of the Pops*, totdat ma of pa ons hoorde. Daar heb ik al in geen jaren meer aan gedacht...'

'Een paar dagen terug was ik ergens in een bos,' begon Fox terwijl hij zich weer op de bank installeerde. 'Het deed me denken aan de Hermitage en de tochten die we daar maakten. Dat was nog in de tijd dat je meer oog had voor mij dan voor andere jongens.'

'Ik heb nóóit meer oog gehad voor jou dan voor andere jongens,' plaagde Jude.

Fox glimlachte en ze babbelden verder. Hij hield de afstandsbediening in zijn hand en zapte langs de beschikbare kanalen. Nachtelijke shoppingprogramma's, astrologische consulten, belquizzen. Een nieuwszender flitste langs, maar hij bleef er niet hangen. In plaats daarvan koos hij voor een comedykanaal. Er was net een oude aflevering van *M*A*S*H** begonnen. Hawkeye en Trapper John en Hot Lips en Radar. De acteur Alan Alda speelde Hawkeye; een en al soepele tred, slaphangende pony en stoere grappen. Jude had het over een schuilplek die ze ooit op een geheime plek in de Hermitage gebouwd hadden. Maar opeens zat Fox niet meer zo gerieflijk. Zijn vingers klemden zich rond de afstandsbediening. Hij deed alsof hij gaapte en verontschuldigde zich tegenover zijn zus.

'Ik moest je maar eens laten slapen,' zei ze tegen hem.

'Ik vind het echt hartstikke leuk om zo met je te zitten praten, maar ik kan mijn ogen bijna niet openhouden.'

'Morgen in het ziekenhuis?'

'Hoe laat denk je dat jij er bent?' vroeg hij.

'Na het ontbijt. En jij?'

'Wat later waarschijnlijk.'

'Dringende zaken?' viste ze.

'Slaap lekker, zusje.'

'Slaap lekker, grote broer.'

Fox hing op, ging naar de keuken, zette de waterkoker aan en maakte een mok sterke thee. Tijdens een andere nacht had hij wellicht een tijdje over de dooi in de relatie met zijn zus nagedacht, maar dat moest maar wachten. Hij nam de mok mee naar de huiskamer en probeerde met zijn mobieltje internet op te gaan. Het was hopeloos: de verbinding traag, het scherm te klein. Na er nog een tijdje naar getuurd te hebben, besloot hij naar hoofdbureau Fettes te gaan en een van de computers op het IZ-kantoor te gebruiken. Toen hij aanstalten maakte te vertrekken, begon zijn telefoon te trillen. Volgens het schermpje was het Evelyn Mills. Hij liet het apparaat overgaan. Twee minuten later volgde een sms: *ik moet met iemand praten*. Besluiteloos staarde hij naar de boodschap. Hij had zijn jas aan, de autosleutels in zijn vrije hand. Opnieuw ging zijn telefoon over en hij nam op.

'Evelyn?'

Maar het was een mannenstem. 'Wie je ook bent, zorg dat je oplazert. Ze heeft je niet nodig.'

De verbinding werd verbroken. Fox staarde naar zijn mobiel. Waarschijnlijk haar partner Freddie.

'Ook goed,' zei Fox tegen zichzelf, terwijl hij op de voordeur afstevende.

40

'Het is Stephen Pears,' herhaalde Fox.

Het was even voor vijven in de ochtend en hij zat aan de ontbijtbar in de keuken van Tony Kaye. Hij was al een klein uur bezig zijn vriend van de waarheid te overtuigen, op gedempte toon discussiërend om Kayes vrouw niet wakker te maken. Uiteindelijk had Kaye een zucht geslaakt, aan zijn neus gekrabd en wat te eten voorgesteld.

Toen Fox een geroosterde boterham voorgeschoteld kreeg, wist hij dat hij er geen hap van zou nemen.

'En dat allemaal vanwege een nachtelijke herhaling op een comedykanaal?' zei Kaye, terwijl hij nog eens koffie bijschonk.

'Ja.'

'Zeg, die trip van jou naar Carstairs... Krankzinnigheid is toch niet besmettelijk, hè?'

'Voor de zoveelste keer: Hawkeye Pierce... Hawkeye Pears. Op de middelbare school zat hij in het handboogteam. Dan is dat toch een voor de hand liggende bijnaam. Naar verluidt heeft hij na zijn studie een paar jaar "rondgezworven" – daar deed hij altijd nogal schimmig over. Hij beweert dat hij over de hele wereld baantjes heeft gehad en met een bom duiten naar Schotland is teruggekeerd. In de zomer van 1986 maakte hij voor het eerst naam in de financiële wereld. Hij had een kleine dertig mille om te investeren. Die verdeelde hij over twee startende bedrijfjes, en een jaar later was zijn inleg het viervoudige waard.'

'En dat heb je allemaal van een journalist?'

Fox knikte. 'Ik ben naar de redactie van *The Scotsman* gereden. De nachtploeg bestond welgeteld uit één redactielid. Die heeft de redacteur economie voor me gebeld.'

'En geen van beiden vroeg zich af waar die belangstelling vandaan kwam?'

'Ik heb ze verteld dat ik van de afdeling Mediarelaties ben.'

'Mediarelaties?'

Fox haalde zijn schouder op. 'Bezig met het samenstellen van een perspakket over korpschef Alison Pears...'

'En daarvoor moest je de pers te hulp roepen?' Kaye schudde langzaam met zijn hoofd en veegde kruimels geroosterd brood van zijn mondhoeken. 'In het holst van de nacht?'

'Iets anders kon ik zo gauw niet bedenken,' verdedigde Fox zich. 'En ik heb toch maar mooi gekregen wat ik zocht.'

'Maar dat is niet genoeg. Die kerel op die foto lijkt niet eens op Stephen Pears.'

'Ik kan het hem vragen.' Fox had de foto uit zijn binnenzak gehaald, het kiekje met Vernal, Alice en Hawkeye. Het was beduimeld geraakt van de vele aanrakingen.

'Stel nou dat hij het ontkent? Meer hoeft hij niet te doen, Malcolm.'

Fox pakte de mok beet die zojuist was bijgeschonken, maar zette hem weer neer zonder ervan te drinken. Hij wist dat zijn vriend gelijk had. De foto was niet genoeg. De vermoedens waren niet genoeg.

Kaye nam een slok koffie en onderdrukte een boer. 'Als hij het echt is,' speculeerde Kaye, 'dan moet zijn vrouw ervan weten.'

'Niet per se,' wierp Fox tegen. 'Ze hebben elkaar twaalf jaar geleden ontmoet en zijn tien jaar terug getrouwd. Dus er zit dertien jaar tussen dat ze Hawkeye voor het laatst gezien had. Deze keer zonder baard, de haren kortgeknipt en in een lichtere kleur geverfd, een paar extra pondjes rond zijn middel en in zijn gezicht...'

'Ze moet het geweten hebben,' hield Kaye voet bij stuk terwijl hij zijn mond nogmaals schoonveegde.

Fox zei niets. Hij staarde naar het geroosterde brood op zijn bord, met de dikke laag bleekgele boter. De gedachte alleen al maakte hem onpasselijk. Hij liet de foto weer in zijn binnenzak glijden terwijl Kaye het woord nam.

'Zelfs in het hypothetische geval dat je gelijk hebt, betekent dit nog niet dat je Pears met wat dan ook in verband kunt brengen. Of wou je soms beweren dat hij Francis Vernal en Alan Carter vermoord heeft?'

'Motieven in overvloed.'

'Omdat zijn vrouw zich heeft opgewerkt tot waar ze nu is en niet wil dat iemand haar feestje komt versjteren?'

'Dat ook,' beaamde Fox. 'Plus dat hij elk moment tot de adelstand verheven kan worden – een verleden als terrorist gaat vast niet zo lekker samen met een plekje in het Hogerhuis voor de Tories. Hij is ook nog donateur van de partij.'

Kaye keek hem doordringend aan. 'Dit soort dingen kun je niet gaan rondbazuinen, Malcolm. Niet zonder op zijn minst over een paar greintjes bewijs te beschikken.'

'Ik heb op internet gezocht. Een paar jaar terug sprak Pears een conferentie toe op Barbados, in dezelfde periode dat wapenhandelaar William Benchley daar dood in zijn zwembad werd aangetroffen. Benchley had wapens verkocht. Die waren mee teruggesmokkeld door soldaten die op de Falklandeilanden gevochten hadden.'

Kayes blik boorde nog dieper. 'Malcolm...'

Fox hief zijn hand. 'Ja, ja, ik weet het... Misschien moest ik me maar echt in Carstairs op laten nemen.' Hij zweeg even. 'Maar stel dat er ook maar een deel van waar is?'

Kaye schoof zijn lege bord opzij en bracht zijn koffiebeker naar zijn mond. 'Dan nog denk ik niet dat je in de positie bent om er iets mee te doen,' zei hij.

'Misschien niet,' gaf Fox zich gewonnen.

'Maar aangezien het toch een nacht voor verhaaltjes is, heb ik er zelf ook een.'

Fox moest zich inspannen om zich op Tony Kayes verslag van zijn ontmoeting met Tosh Garioch te concentreren.

'Dus Alan Carter heeft zijn neef er echt in geluisd,' verklaarde hij na afloop.

'Niet helemaal,' stelde Kaye. 'Garioch zei dat Paul wel degelijk wat met Billie en Bekkah geprobeerd heeft. En Alan Carter heeft Teresa Collins dan misschien wat onder druk gezet, maar pas nadat ze haar oorspronkelijke klacht had ingediend.'

Fox was in gedachten verzonken. 'Oom Alan gooide niet alleen met modder, hij wilde ook zeker weten dat die bleef plakken.'

'Hij moet zijn neef echt gehaat hebben.'

'Maar waarom heeft hij hem die avond dan gebeld? Gebeld om vervolgens niet met hem te praten?' Fox keek Kaye strak aan. 'Dat adresboek met Pauls nummer erin... Het lag gewoon voor het grijpen, geopend bij de "C".'

'Nou en?'

'Eén blik in Alans belgeschiedenis en Pauls naam zou opduiken. Maar stel nu eens dat niet Alan gebeld heeft...'

'Maar de moordenaar?'

Fox knikte langzaam. 'Paul was veroordeeld en opeens wordt zijn voorlopige hechtenis opgeheven. De rechter van dienst is geen vriend van de politie en toch laat hij hem vrij in afwachting van het definitieve vonnis.' Fox glimlachte even.

'Wat is er?' vroeg Kaye.

'Rechter Cardonald is lid van de New Club. Ik heb hem daar gezien, die keer dat ik Charles Mangold ontmoette.'

'Nou en?'

'Stephen Pears is ook lid.'

'Dus Pears haalt zijn vriend de rechter over om Paul Carter in vrijheid te stellen?'

'Paul was de volmaakte zondebok,' betoogde Fox. 'De rechtszaak had duidelijk gemaakt dat oom en neef elkaars bloed wel konden drinken.'

'Maar het kon alleen lukken als Paul op vrije voeten was.' Kaye klonk zowaar half overtuigd.

359

'Het is allemaal maar giswerk,' gaf Fox toe. 'Je zei het zelf al: waar is het bewijs?'

'Je hebt niet altijd bewijzen nodig om iemand uit zijn schuilplaats te lokken,' verklaarde Kaye. 'Dat weten we uit eigen ervaring.'

'Denk je nog steeds dat ik gek ben?'

'Minder dan daarnet.' Tony Kaye dronk het laatste restje koffie op. 'Maar waar het om draait is: wat ben je van plan eraan te doen?'

'Daar moet ik over nadenken.'

Na een douche, een scheerbeurt en in schone kleren stond Fox om halftien bij Mangold Bain voor de deur geparkeerd. Toen hij de receptioniste aan zag komen, lukte het hem niet haar naam uit zijn geheugen op te diepen. Hij wist dat hij slaap nodig had.

Zodra ik hier klaar ben, beloofde hij zichzelf.

Mangold arriveerde te voet. Op het geluid van het openzwaaiende portier draaide hij zich om.

'Goedemorgen, inspecteur,' zei hij. 'Hebben we een afspraak?'

'Ik was alleen maar nieuwsgierig,' verklaarde Fox. 'Kennen Colin Cardonald en Stephen Pears elkaar?'

'Rechter Cardonald? Wat heeft die ermee te maken?'

'Zo'n moeilijke vraag is het toch niet,' drong Fox aan.

'Ik heb ze wel eens samen gezien,' gaf Mangold zich gewonnen.

'Op de New Club?'

'Ja.'

'Zijn het vrienden?'

'Colin Cardonald mag graag met hem smoezen.'

'Smoezen?'

'Over aandelen en beleggingen.'

'Altijd handig om iemand als Pears voor adviezen bij de hand te hebben,' nam Fox zonder meer aan.

'Dat zou ik denken.' Mangold zweeg even. 'Heeft dit iets met Francis te maken?'

'Niets,' loog Fox. 'Zoals ik al zei, ik was gewoon nieuwsgierig.'

'Zo nieuwsgierig dat u voor mijn kantoor op de loer ligt.'

Dat kon Fox niet ontkennen.

'U bent er bijna uit, hè?' Mangold dempte zijn stem, ook al was er niemand in de buurt om mee te luisteren. Hij zette een stap in Fox' richting. 'Uw ogen staan wat koortsig.'

'Ze zal het niet prettig vinden,' antwoordde Fox.

'Wie?'

'De weduwe. Als ik het bij het rechte eind heb en het komt in de publiciteit, dan zal ze u erop aankijken. Dan is er een dikke kans dat ze een pesthekel aan u krijgt.'

De advocaat strekte zijn hand uit en greep Fox bij zijn onderarm. 'Zeg op,' siste hij. 'Zeg me wat u gevonden heeft!'

Fox schudde langzaam zijn hoofd en stapte in zijn auto. Mangold stond naast het portier aan de bestuurderskant naar binnen te turen. Toen Fox het contactsleuteltje omdraaide, sloeg de advocaat met beide handen op het dak van de Volvo. Hij stond nog steeds op straat toen Fox wegreed en diens omvang en gewichtigheid geleidelijk in het achteruitkijkspiegeltje zag verschrompelen.

DERTIEN

4 1

Het kostte een paar dagen om het te regelen, maar dat kwam eigenlijk wel goed uit. Intussen waren de terreurverdachten in staat van beschuldiging gesteld, was hun voorarrest verlengd en waren ze overgebracht naar de Saughton-gevangenis in Edinburgh. De minister van Justitie had zich met graagte laten interviewen en daarbij 'mijn grote zus' tot groot vermaak van de sensatiepers omstandig geprezen. De alarmstatus op hoofdbureau Fettes gaf nog altijd ERNSTIG aan, maar zou snel teruggeschroefd worden. De korpsleiding van Fife had een brief naar Lothian and Borders gestuurd om IZ met hun 'voorbeeldige' rapport te feliciteren. Of de media op de hoogte waren gebracht was Fox en zijn team niet duidelijk – in elk geval verscheen er geen woord van in de pers. Scholes, Haldane en Michaelson zouden berispt worden en daarmee was de kous af.

Mitchell Fox was uit het ziekenhuis vertrokken, zij het niet naar Lauder Lodge maar naar de huiskamer van zijn zoon. Bij IKEA had Fox een eenpersoonsbed gekocht en Tony Kaye had hem geholpen het in elkaar te zetten. De enige wc in het huis bevond zich boven, dus had Fox een stilletje op de kop weten te tikken. Jude had beloofd tijdelijk voor verpleegster te spelen – 'niet voor eeuwig, hoor'. Mitch was traag en nu en dan verward en sprak nauwelijks verstaanbaar, maar met een beetje hulp slaagde hij erin te eten en te drinken. Lauder Lodge had Fox gewaarschuwd dat ze de kamer van hun vader niet lang onbezet konden laten, maar hij had ze tot het eind van de maand betaald, wat hun een beetje respijt had gegeven. 's Avonds keken ze tv, Malcolm op de bank, zijn pa rechtop in de kussens in bed. De ouwe mocht overdag uit bed, maar het bleek een hele beproeving hem aangekleed te krijgen. Meestal lieten ze hem in zijn pyjama en badjas rondscharrelen.

Sandy Cameron, Mitch' oude drinkmaat, was langs geweest en had zijn goedkeuring gehecht aan de inspanningen van broer en zus: 'Jullie pa is trots op jullie – ik zie het in zijn ogen.' Ze kookten om beurten en deden alsof alles volstrekt normaal was. Na het eten verdween Jude, weer of geen weer, naar de achtertuin om een sigaret te roken – ze zat alweer op tien per dag – en installeerde Fox zich met afstandsbediening en avondkrant op de bank. Met het bed en het stilletje was de huiskamer aan de benauwde kant. Mitch' kleding was naar een koffer en een vuilniszak in de hal verbannen. De salontafel was bezaaid met Mitch' persoonlijke eigendommen en de eettafel ingeklapt, wat betekende dat de hele papierwinkel van Fox nu over zijn slaapkamervloer verspreid lag.

Een fysiotherapeut zou eens per week zijn opwachting maken om met Mitch aan de slag te gaan. Zelfs de mogelijkheid van een logopedist was aan de orde geweest. Ze hadden hem een rubberballetje gegeven waarin hij geacht werd drie- à viermaal daags twintig keer te knijpen. De schoenendoos met foto's stond onaangeroerd op de salontafel. Jude had een boodschappenlijst opgesteld: meubelwas, wasverzachter, stofzuigerzakken en stofdoeken. Plus een strijkbout en strijkplank. Ze vroeg haar broer hoe hij zich al die jaren gered had.

'De stomerij,' was zijn weinig overtuigende antwoord geweest.

Die dinsdagochtend om tien uur zou Stephen Pears zijn aandeelhouders toespreken tijdens een bijeenkomst in Edinburgh. De locatie was een balzaal in een eerbiedwaardig hotel in het centrum. Fox' contactpersoon bij *The Scotsman* was de bron geweest van de informatie en had hem tevens gevraagd of Pears in moeilijkheden zat.

'Want waar dit ook over gaat, inspecteur, het heeft niets met een profiel van zijn zus te maken.'

Fox had gevraagd of er geruchten de ronde deden. Wat de journalist betreft bood de kennelijke afwezigheid van roddels geen enkele garantie.

'Tegenwoordig lijkt het wel of iedereen zomaar van het ene op het andere moment failliet kan gaan.'

'Als ik ergens op stuit,' verzekerde hij de journalist, 'dan ben jij de eerste die het van me hoort.'

De aandeelhouders die de balzaal binnendromden maakten een welgestelde indruk, zij het zonder met hun rijkdom te koop te lopen. Ze droegen hun exemplaar van het jaarverslag bij zich en sputterden over het niveau van de bonussen die de directie zich meende te moeten toebedelen. De meesten leken al flink op leeftijd. Ze waren van het voorzichtige, prudente soort, hadden tijdens de recessie tot dusver geen al te grote verliezen opgelopen, maar zouden goed nieuws van Pears en zijn team met open armen verwelkomen. Na de vergadering stond een receptie gepland met drankjes en canapés. Namen werden afgevinkt en glimmende brochures rondgedeeld. Op de omslag van de brochure stond een lachend stelletje afgebeeld, de handen ineengestrengeld boven een restauranttafeltje. *Wij maken dromen toekomstbestendig*, luidde de titel. Fox nam een exemplaar aan en gaf vervolgens toe dat zijn naam niet op de presentielijst voorkwam. Hij toonde het personeel achter de geïmproviseerde balie zijn politiepas en wees toen naar de drie mannen achter zich.

'Die horen bij mij,' verklaarde hij.

De verpleeghulpen uit Carstairs stonden aan weerszijden van Donald MacIver. Fox had ze om kwart over acht opgehaald. Gretchen Hughes had hem nog maar eens op het hart gedrukt dat MacIver niet aan te veel prikkels mocht worden blootgesteld. Fox had zijn handtekening onder de documenten gezet, in de volle wetenschap dat als zijn bazen op het hoofdbureau er ooit lucht van kregen, hem een disciplinaire maatregel te wachten stond. Hij had meermalen gelogen om Hughes en haar collega's ervan te overtuigen dat zijn handelingen volledig van hogerhand geautoriseerd waren en gezegd dat hun moordonderzoek zonder de hulp van Donald MacIver op een dood spoor dreigde te belanden. MacIver zelf zag er toonbaar uit, alsof hij zich voor de gelegenheid speciaal had opgedirkt. Fox vroeg hem wanneer hij voor het laatst een voet buiten het complex had gezet.

'Een ziekenhuisbezoek,' had hij zich ten slotte herinnerd. 'Een vermoedelijke blindedarmontsteking. Dat moet zo'n vier, vijf jaar geleden geweest zijn.'

Ze hadden gezamenlijk besloten dat handboeien in eerste instantie overbodig waren. De verplegers zagen eruit alsof ze hun schaarse vrije tijd in de sportschool doorbrachten en hun patiënt onder elke denkbare omstandigheid in bedwang zouden weten te houden. Tijdens de rit ontspon zich een hele dialoog over vechtsporten en voedingssupplementen, terwijl MacIver naar het langsschietende panorama staarde en Fox' vragen met een reeks grommen beantwoordde, nu en dan onderbroken door een ja of nee.

'Veel is er niet veranderd,' mompelde hij, toen ze de stad binnenreden. 'Alleen wat nieuwe wegen en gebouwen.'

'Ik kan een ommetje langs het parlementsgebouw maken,' had Fox aangeboden.

'Voor mij hoeft het niet,' had MacIvers antwoord geluid.
'"Te grabbel voor 't Engelse goud?"' had Fox hem aangehaald, waarop MacIver hem langzaam en gedecideerd had toegeknikt.

Dus hadden ze koers gezet naar George Street, geld in de parkeermeter gestopt en waren ze het hotel binnengegaan.

De balzaal was onnodig groot. Er stonden zo'n tachtig, negentig stoelen, opgesteld in rijen van tien. Het team van Pears bestond uit strak in het pak gestoken jonge mannen en vrouwen, die de ruimte op mogelijke lastpakken afspeurden en pennen en papier ronddeelden aan wie erom vroeg. Het duurde niet lang voordat ze Fox en zijn gasten in het oog hadden. Die waren achter in de zaal blijven staan en hadden voet bij stuk gehouden toen ze zitplaatsen aangeboden hadden gekregen. MacIver maakte een licht geagiteerde indruk, maar de verpleeghulpen leken zich geen zorgen te maken. 'Gevangenisgrauw' was het woord dat Fox voor diens gelaatskleur te binnen schoot, maar hij nam aan dat zijn eigen teint er niet veel florissanter uitzag. De afgelopen nachten had hij slecht geslapen – en niet alleen vanwege zijn vaders aanwezigheid in huis.

Het podium voorbij de voorste rij stoelen was zo te zien een tijdelijke constructie. Het torste een lange tafel waarover een blauwe fluwelen doek was gedrapeerd. Vier bordjes met namen erop, maar voor Fox te ver weg om de eigenlijke namen te onderscheiden. Karaffen water en gevulde glazen. Microfoons. Met links en rechts van het podium luidsprekers. Mensen in het publiek begroetten elkaar met korte knikjes. Een jongeman hield halt voor Fox, maar die was op hem voorbereid. Hij duwde zijn politiepas onder de neus van het hulpje en maakte zich bekend als politieagent.

'Ik kan het ook harder zeggen, als je wilt dat iedereen het hoort,' bood hij aan. MacIver gaf een grauw, en de jongeman deed een stap achteruit, draaide zich om en zocht een veilig heenkomen. Hij ging in conclaaf met de anderen van het team. Een van hen toetste een nummer in op zijn mobiel en onderhield zich fluisterend, met de hand over zijn mond alsof hij bang was dat er liplezers aanwezig waren.

Mooi. Fox hoopte dat het nieuws achter de schermen door zou dringen.

Al kwam het telefoontje misschien te laat, want inmiddels maakten vier mannen hun opwachting via een zijdeur. Ze beenden doelbewust met lange passen naar het podium, bestegen het trappetje en namen plaats achter de tafel. Stephen Pears trok aan de manchetten van zijn overhemd en controleerde of zijn das recht zat. Toen hij werd voorgesteld knikte hij glimlachend en nam de zaal op. Inmiddels hadden nog meer mensen achter in de zaal postgevat – niet alleen Fox, MacIver en de twee ziekenbroeders, maar ook het hele team dat voor Pears werkte, plus een paar laatkomers. Iemand op de derde rij kreeg een hoestbui en een medewerker was snel ter plekke met een glas water. De vier mannen op het podium deden hun best zich er niet door af te laten leiden. Een van hen las een verklaring voor over de bedrijfsprestaties van het afgelopen jaar. Fox had uitsluitend oog voor Stephen Pears, terwijl die vooral gespitst leek op de rijen met stoelen – dat waren de stemgerechtigden. Hij had geen aantekeningen bij zich. Toen een telefoon tsjirpte en niet opgenomen werd, deed hij zijn best niet geërgerd te kijken.

De verpleeghulp naast Fox stootte hem aan om hem te laten weten dat zijn mobiel de boosdoener was. Het getsjirp stopte, maar begon een half minuutje later opnieuw. Toen Fox het apparaat uit zijn binnenzak viste en het schermpje controleerde, zag hij dat het Tony Kaye was, precies zoals afgesproken. De man die het rapport voorlas, stopte en herinnerde de zaal eraan dat alle mobieltjes uit moesten. Verscheidene mensen keken om en staarden Fox aan. Uiteindelijk klikte hij het getsjirp weg, maar niet voordat hij zeker wist dat hij zich eindelijk van Stephen Pears' aandacht verzekerd had.

Fox staarde net zo strak terug en knikte gedecideerd met zijn hoofd naar Pears. De rapportage was weer in volle gang, maar Pears' lichaamstaal had een verandering ondergaan. Hij zat stijver, minder zelfverzekerd. Toen diens blik voor de tweede keer over de achterste rij dwaalde, leunde Fox voor de ziekenbroeder langs, raakte MacIvers arm aan en fluisterde iets in zijn oor.

'Gaat het nog een beetje, Mr. MacIver?'

Een onschuldig vraagje dat MacIver met een verhoopte hoofdknik beantwoordde.

'Zeker weten?'

Nog een knik. Fox wendde zich weer naar het podium en keek Pears met een naar hij hoopte voldaan lachje aan. Pears streek een hand door zijn haar, leunde achterover in zijn stoel, schonk eerst het plafond zijn volledige aandacht, toen het blauwe fluweel op tafel. De rapportage naderde haar einde. Pears werd gevraagd een paar woorden over de toekomst te zeggen. Toen mensen begonnen te applaudisseren, klapte Fox met ze mee. Het kabaal viel bij MacIver in verkeerde aarde. Hij perste zijn handen over zijn oren en produceerde een laag gekreun. Toen Pears opstond en het applaus wegstierf, kon de kreun nog steeds gehoord worden. Pears had inmiddels de microfoon gepakt, maar zei niets. De verpleeghulpen probeerden MacIver te kalmeren.

'Nee,' zei die, en hij herhaalde het woord nog een paar keer.

'We kunnen hem maar beter mee naar buiten nemen,' zei de verpleger die het dichtst bij Fox stond. Fox knikte instemmend.

'Ik kom ook zo,' antwoordde hij.

De hele zaal keek toe hoe MacIver weggeleid werd. Toen wendden ze zich weer naar Pears in afwachting van zijn gebruikelijke zelfverzekerde optreden, zijn voor de vuist weg afgestoken retorische hoogstandje. Pears had al het water uit zijn glas opgedronken. Iemand schonk hem bij. Na zo'n vijftien à twintig seconden begon hij met zijn toespraak.

En het ging prima. Fox betwijfelde of iemand die hem eerder had horen spreken ook maar enige verandering in zijn voordracht zou kunnen bespeuren.

Op-en-top acteur, dacht hij bij zichzelf.

Maar zoveel wist hij tenslotte al. Na vijf minuten speechen dwaalden Pears' ogen weer naar Fox, die de blik beantwoordde met een gemimed handgeklap en een langzame knik met zijn hoofd. Toen liep hij naar de deur en pakte zijn mobieltje alsof hij van plan was een telefoontje te plegen.

MacIver zat in de lobby van het hotel en liet een vinger langs de artikelen op de voorpagina van een ochtendkrant glijden.

'Weer helemaal de oude,' verzekerde een van de verpleeghulpen Fox. Fox vond een plekje naast MacIver en vroeg hem of hij iemand op het podium herkend had. MacIver schudde zijn hoofd.

'Weet u het zeker?' hield Fox aan.

'Zeker,' galmde MacIver.

Fox hield zijn exemplaar van 'Wij maken dromen toekomstbestendig' omhoog. De achterflap werd ingenomen door glimlachende portretfoto's van de hoofdrolspelers. 'En hem?' vroeg Fox terwijl hij met een vinger op Stephen Pears tikte.

'Die was in de zaal.'

'Ja, dat klopt.'

'Ik weet niet wie hij is.'

'Hij is op tv geweest en heeft in de kranten gestaan. Hij heet Stephen Pears. Ik ben er behoorlijk zeker van dat u hem als Hawkeye gekend heeft.'

MacIver keek hem strak aan. 'U vergist zich,' verklaarde hij.
'De oorlog is voorbij,' bleef Fox aandringen. 'Er is geen reden
om voor een zaak te liegen die gewonnen is.'
MacIver schudde echter langzaam en uitdagend zijn hoofd. 'Kan
ik nu terug?'
'Terug?' Fox dacht dat hij de balzaal bedoelde.
'Naar huis,' verbeterde MacIver hem.
'Hij bedoelt Carstairs,' lichtte een van de verplegers toe. 'Zo is
het toch, Donald?'
'Zo is het,' bevestigde MacIver. 'Het bevalt me hier niets.' Hij
keek de verpleeghulp nijdig aan. 'Totdat je me beter kent, is het
voor jou nog altijd Mr. MacIver.'
'Ik ken u al bijna twee jaar.'
'Je bent nog steeds op proef.'
'En als we nu nog even naar de zaal teruggaan,' opperde Fox,
'zodat u hem kunt horen spreken?'
MacIver schudde opnieuw zijn hoofd.
'We willen het er niet erger op maken,' maande de andere ver-
pleeghulp.
Fox woog zijn opties af. Had hij inmiddels niet gekregen wat hij
wilde? MacIver was weer in de krant verdiept en vroeg de verplegers
of ze een krijtje hadden.
'Ik heb een pen,' bood Fox aan.
'Het moet een krijtje zijn,' vertelde de ziekenbroeder hem. 'Eentje
met een stompe punt.'
Fox knikte begrijpend. Met een piep gaf zijn telefoon te kennen
dat er een sms was binnengekomen. Van Tony Kaye, die vroeg of
zijn plan gewerkt had.
Min of meer, sms'te Fox terug. MacIver keek aandachtig naar
de portretten op de achterkant van het jaarverslag, maar leek toen
zijn belangstelling te verliezen en keerde weer terug naar zijn krant.
'Zeg maar wanneer u zover bent,' kondigde Fox aan. 'En bedankt
voor alles.'
MacIver kwam overeind en wierp een laatste blik op zijn weel-
derige omgeving. 'Russen of Arabieren?' vroeg hij.
'Ik geloof niet dat ik u helemaal kan volgen.'
'Wie de eigenaren zijn. Of de een of de ander – let op mijn woorden. En volgend jaar of het jaar daarop wordt de hele boel aan Chi-
na verkocht. Een natie te grabbel...'
De verplegers wisselden een blik van verstandhouding. Eentje

sloeg zijn ogen ten hemel. 'Daar gaan we weer,' verzuchtte hij.

Onderweg naar de uitgang schalde MacIvers klaagzang steeds luider door de lobby.

Na de drie mannen in Carstairs te hebben afgezet, was Fox halverwege Edinburgh toen zijn mobiel overging. Hij had wel zo'n vermoeden wie het kon zijn en was alleszins bereid de oproep onbeantwoord te laten – voorlopig althans. Uiteindelijk zag hij een bord voor een parkeerplaats, dus klikte hij zijn richtingaanwijzer aan en bracht de Volvo tot stilstand. Het nummer kwam hem onbekend voor en er was geen bericht ingesproken. Hij haalde een klein digitaal recordertje uit zijn zak. Joe Naysmith had hem verzekerd dat de batterijen gloednieuw waren, goed voor acht uur onafgebroken gebruik. Fox schakelde de recorder aan, belde het nummer en zette zijn telefoon op de luidsprekerstand.

'Hallo?'

Het was niet de stem die hij verwacht had. Een vrouw. Te midden van geroezemoes.

'Stephen Pears, graag. Hij heeft me net vanaf dit nummer gebeld.'

'Een ogenblik alstublieft...'

Het toestel verwisselde van eigenaar. Deze keer was het een mannenstem.

'Ja?' vroeg Stephen Pears.

'Smaken de canapés?' merkte Fox op. 'Is het nog gelukt om al die smakelijke directiebonussen langs de aandeelhouders te loodsen?'

'Waar ben je?'

'Onderweg in mijn auto. Ik moest Donald MacIver terugbrengen.'

'Die man die je bij je had?' deed Pears alsof hij er een slag naar sloeg.

'Je ouwe maat.' Fox liet een stilte vallen terwijl hij naar een langsdenderende vrachtwagen keek. 'Met zijn geheugen is niets mis...'

'Waar denk je dat je precies mee bezig bent?'

'Mijn dromen een beetje toekomstbestendig maken,' verklaarde Fox.

Even bleef het stil. 'Hebben we het over geld?'

'Dat mag ik hopen, anders kan je eigen toekomst er wel eens knap onbestendig uitzien.'

Pears liet een kort lachje horen. 'Daar geloof ik niets van.'

'O?'

'Daar lijk je me helemaal het type niet voor.'

'Het type?'

'Om zich af te laten kopen.'

'Wat weet je eigenlijk allemaal over me? Je hebt mijn telefoonnummer, maar goed, dat heb ik aan je vrouw gegeven. Heeft je inbraak nog verdere aanknopingspunten opgeleverd? Als het even kan zou ik mijn laptop graag terug hebben – zodra je er klaar mee bent. En het horloge. Dat boek van professor Martin kun je houden. Wat vind je trouwens van diens hypothese? Al die verkwiste politieke energie...'

'Ik heb geen idee waar je het over hebt.'

'Natuurlijk niet. En je stond ook nooit als Hawkeye bekend toen je onderdeel uitmaakte van het Dark Harvest Commando. Je hebt nooit banken en postkantoren beroofd, nooit vergif en bombrieven naar Londen verstuurd. Nooit al dat geld uit Francis Vernals auto gestolen nadat je een kogel door zijn hoofd had gejaagd.'

'Je slaat je reinste wartaal uit.'

'Jij vertelt jouw versie, ik de mijne.'

'Je eindigt nog eens in een kamertje naast die vriend van je in Carstairs.'

'Tsts,' sputterde Fox. 'Ik heb het hele woord Carstairs niet in de mond gehad. Maar je maakt me wel nieuwsgierig... Zal John Elliot je met wat zachte drang herkennen? Misschien dat zich nog anderen melden. De politie kan tegenwoordig wonderen verrichten. We nemen een recente foto, veranderen de kleur en de lengte van je haar, plakken een baard op je gezicht... draaien het verouderingsproces terug. En dan zullen we het zien.'

'Wat zien?'

'Het portret van Hawkeye. De man die de regering omver wilde werpen, de man bij wie anarchistisch bloed door de aderen stroomde.' Fox liet een korte stilte vallen. 'Totdat de hebzucht toesloeg...'

'Je vergist je.'

'Ik dacht het niet.'

'Ik wel.' Het was Pears' beurt een stilte te laten vallen. 'Als je me nu wilt verontschuldigen, ik heb belangrijkere zaken aan mijn hoofd.'

'Ga je gang. Dan bel ik Mrs. Pears wel. Alice Watts, zoals ze ooit heette. Heb je die foto gezien van jullie twee, arm in arm bij die demonstratie voor het politiebureau?'

'Je doet maar wat je niet laten kunt, inspecteur.'

'Ik vind het best. Dan hoef ik alleen nog een muntje op te gooien om te beslissen voor welke moord we je het eerst aanklagen. Of zijn het er meer dan twee? Mijn hoofdrekenen is niet meer wat het geweest is.'

Fox verbrak de verbinding, controleerde de kwaliteit van de opname en zat een paar minuten met zijn handen op het stuur voor zich uit te staren. Veel had hij niet; niets wat in een rechtszaal overeind zou blijven. Ergens door de jaren heen had Hawkeye geleerd voorzichtig te zijn. Fox was juist van plan zijn rit te vervolgen toen zijn telefoon opnieuw overging. Hetzelfde nummer als daarstraks. Hij schakelde de recorder aan.

'Zo te zien heb ik een gevoelige snaar geraakt,' merkte hij op.

'Ik ben iemand die graag schikkingen treft, inspecteur. Als er iets van een deal te sluiten valt, ben ik bereid erover na te denken.'

'Komt dat killersinstinct van je alleen bovendrijven wanneer je je zin niet krijgt?' vroeg Fox.

'Om zaken te doen moet je soms meedogenloos durven zijn,' leek Pears te beamen. 'Maar een vergelijk valt altijd te verkiezen.'

'En jij bent een redelijk mens?'

'Tenzij iemand over me heen probeert te lopen.'

Fox zei niets en deed alsof hij de voors en tegens afwoog.

'Daarvoor moeten we elkaar persoonlijk spreken,' verklaarde hij uiteindelijk.

'Hoezo?'

'Het is niet anders.'

'Ik weet niet of dat wel zo'n goed idee is.'

'Het Wallace-monument. Vanmiddag, vijf uur.'

'Ik heb plannen voor vanavond.'

'Vijf uur, Pears.' Fox hing op en staarde naar zijn mobiel. Hij merkte dat zijn hart bonkte, zijn oren gonsden en zijn handen lichtjes trilden.

Afgezien daarvan voelde hij zich prima.

42

'Dit bevalt me niets,' zei Joe Naysmith. 'Het is veel te stil.'

Fox moest hem gelijk geven. Met de telefoon tegen zijn oor ge-drukt zat hij in zijn Volvo naar zijn collega te luisteren en keek uit over het parkeerterrein. Zijn laatste bezoek was midden op de dag geweest en er hadden wat toeristen rondgehangen. Nu was de plek zo goed als verlaten. Er stonden nog twee andere wagens – hoogst-waarschijnlijk van het personeel – plus, helemaal aan de andere kant van het parkeerterrein, de ongemarkeerde witte bus waarin Naysmith en Tony Kaye zich verborgen hielden. Het was hun ob-servatiebusje, volgestouwd met afluister- en observatieapparatuur. Doorgaans liep die in een drukke omgeving weinig in het oog, alleen was hier geen drukke omgeving.

'Kunnen we niet wat verderop gaan staan?' hoorde Fox Tony Kaye vragen.

'Het signaal houdt nu al niet over,' liet Naysmith weten.

Fox drukte zijn vrije hand op zijn borst. Onder zijn overhemd hield een pleister een minuscule microfoon op zijn plek. Naysmith gaf de voorkeur aan pleisters boven gewoon plakband, die waren doorgaans minder gevoelig voor zweet. Het snoer van de microfoon liep naar een setje batterijen in Fox' broekzak.

'Zit-ie soms op de antenne?' vroeg Kaye.

'Zeg hem maar dat ik hem desnoods aan mijn voorhoofd bind als dat helpt,' merkte Fox op. Joe Naysmith gaf de boodschap door.

Hij had een vol uur formulieren moeten invullen voordat ze de beschikking hadden gekregen over het busje en zijn inhoud, maar dat was geen probleem geweest – gewoon een kwestie van vakjes afvinken. Fox was bedreven in het afvinken van vakjes. Op zeker moment zou iemand hogerop in de hiërarchie de formulieren onder ogen krijgen en er misschien wat vraagtekens bij plaatsen, maar dat was van later zorg. De tank van het busje was bijna leeg geweest. Fox had Naysmith een briefje van vijftig gegeven en hem gevraagd bij de garage aan Queensferry Road te stoppen.

'Uit je eigen zak?' had Kaye gevraagd.

'Zo wil ik het nu eenmaal,' had Fox bevestigd.

'Waarom hier?' vroeg Kaye nu. Met andere woorden: waarom het Wallace-monument?

'Vanwege de historische gevoelswaarde,' antwoordde Fox. In zijn achteruitkijkspiegel zag hij hoe ze de tafeltjes in het Legends Coffee House afnamen en de lichten doofden om het einde van een zoveelste werkdag te markeren. Het was tien minuten voor heel. Ze stonden hier al sinds halfvijf. Fox vroeg zich af met welke auto Pears zou arriveren: de Maserati of de Lexus. Een paar minuten later kreeg hij het antwoord: met een diepe grom draaide de zwarte Maserati de parkeerplaats op.

'Hij is vroeg,' zei Fox, waarop hij ophing. Hij keek toe hoe Pears zonder vaart te minderen het busje passeerde. De twee andere auto's waren leeg, dus bracht hij zijn wagen naast de Volvo van Fox tot stilstand, maar liet de motor draaien. Het raampje van de Maserati gleed omlaag, en ook Fox liet zijn raampje openglijden.

'Stap in,' beval Pears.

'Waarom nemen we niet mijn auto?'

Pears schudde zijn hoofd. 'De mijne ken ik beter.' Fox hoorde muziek opklinken uit de stereo van de Maserati, een of andere jazzpiano. Op de avond van zijn bezoek aan het huis in Stirling had ook iets dergelijks op gestaan.

'Je stapt nu bij mij in of de deal is van de baan, inspecteur,' voegde de financier hem toe.

Fox aarzelde, liet toen zijn raampje dichtglijden, trok het sleuteltje uit het contactslot en stapte uit. Hij liep naar de Maserati, zijn ogen strak op de bestuurder gericht. Pears speurde het parkeerterrein in zijn spiegeltjes af. Fox trok het portier aan de passagierskant open en stapte in. Pears droeg leren autohandschoenen, ouderwets ogende gevallen met drukknopjes. Fox had nauwelijks plaatsgenomen toen Pears de Maserati in zijn achteruit zette. Eenmaal uit het parkeervak schakelde hij in zijn vooruit en liet de motor brullen. Toen ze op het punt stonden de observatiebus te passeren, trapte hij op de rem.

'Wil je nog even afscheid nemen van je vrienden?' vroeg hij terwijl hij claxonneerde. Toen spoten ze ervandoor en raasden de hoofdweg op. Op het toenemende geronk van de motor draaide hij ook de stereo vol open.

'Dacht je nou echt dat ik achterlijk ben?' riep hij, zijn tanden ontbloot terwijl hij de rechterbaan op schoot om de wagen voor zich in te halen.

'Achterlijk genoeg om ons het graf in te jagen,' pareerde Fox terwijl hij naar zijn veiligheidsgordel greep. De wagen zat al op honderddertig, en Pears leek niet van zins het kalmer aan te gaan doen.

Hij bleef maar in zijn achteruitkijkspiegeltje turen totdat hij zeker wist dat niemand hem kon schaduwen zonder in de gaten te lopen.

'Je hebt je punt gemaakt,' gaf Fox zich gewonnen. Hij knoopte zijn overhemd open, trok de bedrading los en rukte de batterijset uit zijn schuilplaats. 'Gezien?' Hij verwijderde de batterijen, smeet de hele boel op de achterbank en knoopte zijn hemd weer dicht.

'Geen vuurwapen?' vroeg Pears.

'Geen vuurwapen.'

'En niet meer dan dat oude busje als rugdekking?'

'Ik had er niet op gerekend in een aflevering van *Wacky Races* terecht te komen.'

Pears nam de wenk ter harte en beroerde het gaspedaal wat behoedzamer, terwijl hij opnieuw in het spiegeltje keek. Uiteindelijk zette hij ook de muziek zachter.

'Gaan we naar iets leuks toe?' vroeg Fox. De weg kwam hem totaal onbekend voor.

'Gewoon een stukje rijden,' zei Pears. 'Rijden en praten.' Hij wierp een korte blik op Fox. 'Ik wil dat je begrijpt hoe het allemaal zo gekomen is.'

'Moet ik dat echt weten?'

'Misschien dat je er dan met andere ogen naar kijkt.'

'Dus je gaat me vertellen waarom je Francis Vernal vermoord hebt?'

'Daarvoor moeten we nog wat verder terug. Eerst moet je begrijpen hoe het tijdens de jaren tachtig werkelijk was.'

'Ik ben er zelf bij geweest,' zei Fox.

'Was je er ook echt bij? Of heb je er maar zo'n beetje doorheen geslaapwandeld? Die kranten die je hebt doorgenomen – wist je van de helft überhaupt nog dat dat toen gebeurd was? De marsen en de protesten, de angst?' Pears keek Fox kort aan. 'Eerlijk zeggen.'

'Misschien dat ik het een beetje te druk had met mijn leventje te leven.'

'Jij en een paar miljoen anderen. Maar sommigen van ons wilden de wereld veranderen, en we wisten dat we van de politici niet veel hoefden te verwachten... tenzij we ze een beetje opporden.'

'Met bombrieven en antrax?'

'Dacht je soms dat terrorisme niet werkt? Heb je Noord-Ierland de laatste tijd nog een beetje gevolgd?'

'Oké, dus je wilde het systeem aan diggelen helpen – tot aan het moment dat je al dat geld in Vernals auto zag liggen.'

'Francis begon een risico te worden. Hij dronk te veel, praatte zijn mond voorbij. MI5 hield hem aan alle kanten in de gaten.'

'Ben jij hem die nacht gevolgd?'

'Ik hield het huis in Anstruther in het oog. Twee minuten nadat hij er was aangekomen, arriveerde ook een andere auto. Het was niet al te lastig uit te maken wie het waren. Was Francis niet zo'n zuiplap geweest, dan had hij ze zelf ook in de smiezen gehad.'

Fox dacht een ogenblik na. 'En toen hij wegging ben je ze gevolgd – niet alleen Vernal maar ook die geheim agenten.'

'Tegen de tijd dat ik ze bijgehaald had was het ongeluk al gebeurd. Ik zag ze zijn auto doorzoeken. Daar waren ze niet erg bedreven in.' Pears zweeg even. 'Toen ze weg waren, ben ik gaan kijken. Francis moet gedacht hebben dat ik een van hen was. Hij kwam weer bij en hield verdomme een revolver op me gericht. Toen ik probeerde hem die afhandig te maken, ging-ie af. Daarna kon ik niets meer doen.'

'Behalve dan de kas van het DHC uit de kofferbak verdonkeremanen.'

'Nou ja, dat geld heb ik meegenomen.'

'Daar is het anders niet bij gebleven. Die twee agenten hebben gezworen dat er geen revolver in de auto lag. Dat wapen was ook helemaal niet van Vernal, het was van jou. En een ongeluk was het ook niet: een loepzuiver schot dwars door de zijkant van zijn hoofd, precies zoals ook Alan Carter om zeep is geholpen. Jij hebt Francis Vernal vermoord en ik realiseer me nu pas waarom.' Fox zweeg om te zien of Pears iets zou zeggen, maar die leek uitsluitend oog te hebben voor de weg. 'Je hebt het zelf net gezegd: je hield het huis in Anstruther in de gaten. Wat zoveel wil zeggen dat het je om Alice Watts te doen was. Ofwel omdat je haar verdacht, of omdat je gevoelens voor haar koesterde. Ik gok op het laatste. Jij was gek op haar, maar om een of andere reden deelde zij liever het bed met een zwaarlijvige, alcoholistische advocaat. Ik snap hoe zoiets aan je knaagt – jij, de vogelvrij verklaarde durfal met zijn leren jasje en zonnebril, die het aflegt tegen Francis Vernal. Dus jaag een kogel door zijn kop, want Alice zou er toch van uitgaan dat MI5 erachter zat. En misschien wil ze dan wel op jouw schouder uithuilen.'

Terwijl Fox sprak moest hij onwillekeurig aan Charles Mangold en Imogen Vernal denken; een ander geval van een nooit geheel beantwoorde liefde.

'Maar voordat je iets met haar kon beginnen,' ging Fox verder, 'was ze al verdwenen. Jij had genoeg geld om het een tijdje uit te zingen en een moord op je geweten waarvan iedereen zei dat het zelfmoord was. De groep lag in duigen, dus besloot je de hele boel de rug toe te keren en werd je verliefd op het systeem dat je ooit gehaat had.'

Pears had nog steeds niets te zeggen, dus vervolgde Fox zijn monoloog.

'Ik was wat op internet aan het zoeken toen ik iets interessants tegenkwam: de eigenschappen die je nodig hebt om in het zakenleven te slagen zijn dezelfde als die van koelbloedige moordenaars: geen inlevingsvermogen, geen emoties... de bereidheid alles te doen wat nodig is om het beoogde resultaat te behalen.'

Pears' reactie beperkte zich tot een scheef lachje.

'Had je door dat Alice undercover was?' ging Fox verder.

Pears' glimlach stierf weg. 'Nee,' gaf hij toe.

'Hoe zijn jullie elkaar weer tegen het lijf gelopen?'

'Bij een liefdadigheidsdiner. Zij maakte razendsnel carrière binnen de recherche.'

'Je herkende haar?'

'Vrijwel onmiddellijk.'

'Maar zij wist jou niet te plaatsen?'

'Ik was meer veranderd dan zij.'

'Je slaagde erin het voor haar verborgen te houden?' Fox wachtte tevergeefs op een antwoord. 'Je moet toch uitgedokterd hebben dat zij jou en je vrienden indertijd bespioneerd had?'

Pears knikte langzaam. 'Het kon me niet zoveel schelen. Later kon het me helemaal niets meer schelen.' Weer wierp Pears een korte blik op Fox. 'Ik was verliefd geworden.'

'Opnieuw,' merkte Fox op.

'Deze keer echt,' verbeterde Pears hem. 'Voor het eerst.'

'Je moet geweten hebben dat iemand je vroeg of laat zou herkennen.'

Pears haalde zijn schouders op. 'Heeft MacIver me echt op dat podium herkend?'

'Ja.'

'Daar geloof ik niks van.'

'Hij wist niet zeker waar hij je van kende,' loog Fox soepeltjes. 'Daardoor raakte hij zo van streek. Maar onderweg terug naar Carstairs...'

'Met wat aansporingen jouwerzijds?'

'Misschien een paar.'

'Niet bepaald 's werelds meest betrouwbare getuige in een rechtszaal.'

'Niet dat jij denkt dat dit ooit op een rechtszaak zal uitdraaien...'

'Dat klopt.' Pears was even stil. 'Ik vraag me zelfs af of jij dat eigenlijk wel wilt.'

'En wat wil ik dan wel?'

'Jij wilt dat de waarheid meer ruchtbaarheid krijgt zodat mijn leven en Alisons reputatie vernietigd worden. Jij denkt dat ik een koelbloedige moordenaar ben die geprobeerd heeft zijn eigen hachje te redden.'

'Terwijl je in werkelijkheid een koene ridder bent die alleen maar zijn vrouw uit de brand wilde helpen?'

'Inderdaad.'

'Had Alan Carter iets over jou boven water gekregen?'

'Hij was op Alisons naam gestuit. Zijn collega had de leiding gekregen over het onderzoek naar de "zelfmoord" van Vernal.'

'Dat was Gavin Willis, de man die een leuk zakcentje verdiende door jou en je kompanen van wapens te voorzien.'

'MI5 had hem in niet mis te verstane bewoordingen opgedragen de naam Alice Watts buiten het onderzoek te houden. Ze hadden hem verteld dat ze in werkelijkheid een politieagente was die koud van de academie aan een undercoveroperatie deelnam. Als ze nou nog de moeite hadden genomen haar een alias te verschaffen die niet zo verdomd veel op haar eigen naam leek...' Hij schudde zijn hoofd, na al die jaren nog steeds gepikeerd over de blunder. 'In de cottage van Willis was Carter op wat verborgen zaken gestuit – Willis' eigen verzekeringspolisje in de vorm van een bekentenis, inclusief de naam Alice Watts en de informatie dat ze niet alleen als undercoveragente gewerkt had, maar ook Vernals minnares was geweest.'

'Dus Carter had door hoe de vork in de steel zat en probeerde je toen af te persen?' raadde Fox.

'Ik ben degene met het geld. Hij wist hoe de roddelpers met het verhaal aan de haal zou gaan. Een akelig klein ettertje. Daar viel niet mee te praten.'

'Ik vond hem wel een geschikte kerel toen ik hem ontmoette.'

'Je zag wat hij wilde dat je zag.'

'Hij vroeg je naar Gallowhill Cottage te komen om zijn stilzwijgen af te kopen?'

'Ja.'

'De deur was van het slot, je liep zo naar binnen. Hij zat aan de tafel, een vogel voor de kat als het ware. Maar de hond heb je niet afgeschoten – het zijn alleen mensen met wie je moeite hebt.' Fox was een ogenblik stil. 'Francis Vernal was misschien nog een impulsieve opwelling, maar Alan Carter vergde de nodige voorbereidingen. Eerst vroeg je je vriend rechter Cardonald om een gunst. Je had je in je afperser verdiept en wist van de verziekte relatie met zijn neef. Met Paul Carter op vrije voeten hoefde je alleen maar de benodigde voorbereidingen te treffen: een paar keer zijn mobieltje bellen, hem naar de cottage lokken. En daarna ging je naar huis en kroop je lekker naast je vrouw in bed.' Fox zweeg. 'Hoe doe ik het tot dusver?'

'Maakt dat wat uit? Ik heb nog niets gehoord wat in een rechtbank voor belastend bewijs doorgaat.'

'Dat komt omdat je goed bent.' Fox zweeg opnieuw. 'Cardonald moet razend zijn geweest toen de gevangene die hij net vrijgelaten had plotseling een moord in de schoenen geschoven kreeg. Zoiets doet je reputatie geen goed.'

'Cardonald kent zijn plaats. De afgelopen jaren heb ik zijn zakken flink gespekt.'

'Plus dat ik zo het vermoeden heb dat je over behoorlijk wat overredingskracht beschikt als de situatie erom vraagt. Hoe zat het met die wapenhandelaar op Barbados? Bleek die ook zo'n lastpak?'

'Je wilt toch niet in ernst beweren dat...'

'Zijn naam was Benchley.'

'Dat weet ik. Die is in zijn zwembad verdronken.'

'En dat was gewoon een toevalligheid?'

'Natuurlijk, wat dacht je dan?'

Fox dacht een ogenblik na. 'Na Vernals ongeluk hadden zijn sigaretten en een briefje van vijftig pond plotseling pootjes gekregen.'

'Dan moet iemand die gestolen hebben, misschien wel een van jouw collega's, inspecteur.' Pears stond zichzelf nog een scheef lachje toe, gaf richting aan en sloeg een zijweg in.

'Volgens mij heb je wel degelijk een bepaalde bestemming in gedachten,' merkte Fox op.

'Misschien.' Pears keek weer in het achteruitkijkspiegeltje: geen spoor van koplampen achter zich te bekennen. Zijn mobiel ging, en hij controleerde het schermpje zonder op te nemen.

'Is het de korpschef die zich afvraagt waar je blijft?' gokte Fox.

'Ik begin me af te vragen of jij niet jaloers bent.'

'Jaloers?'

'Een volkomen begrijpelijke emotie,' zei Pears, 'wanneer je iemand met iets ziet wat jij niet hebt en waarschijnlijk ook nooit zult krijgen. Dat was wat Alan Carter bewoog – of het nu om geld of status of liefde gaat, daar kun je behoorlijk van doordraaien.' Pears zweeg even. 'Hoe gaat het met je vader?'

Fox gaf hem een vuile blik.

'Ik weet dat jouw eigen huwelijk niet lang heeft standgehouden,' ging Pears verder. 'Je hebt een zus die het nodige heeft doorgemaakt. En nu lag ook nog je vader in het ziekenhuis. Maar hij is weer thuis, toch? Alleen niet in dat verpleeghuis, maar bij jou thuis.'

Fox staarde hem nog steeds aan. Pears wist het, zonder te kijken.

'Particuliere zorg kost geld,' vervolgde hij. 'Ook een werkloze zus kan een financiële last zijn. En dan zie je wat Alison en ik hebben – niet dat we er niet hard voor gewerkt hebben, maar soms moet het je ook gewoon meezitten.' Opnieuw liet hij een korte stilte vallen. 'Ik weet dat je niet op geld uit bent, maar dat betekent nog niet dat je niet verbitterd kunt raken dat het geluk anderen zoveel beter gezind is.' Pears nam Fox uitgebreid op. 'Hoe doe ik het tot dusver, inspecteur?' vroeg hij, Fox diens eerdere vraag voor de voeten werpend. 'De wereld moet het zonder een alcoholistische vrouwenverslinder en een gewetenloze afperser stellen. Hiep, hiep, hoera voor de wereld...'

'Ik denk dat ik weet waar we zijn,' zei Fox kalm, turend door het raampje van het portier.

'Waar zouden we anders moeten zijn?' Pears schoot een lange parkeerhaven in en trapte op de rem. Kiezelsteentjes spatten op. Hij zette de motor af en wendde zich naar Fox.

'Wat dacht je van een wandelingetje door het bos?' opperde hij.

'Dank je, ik zit hier prima,' antwoordde Fox.

Maar Pears graaide onder zijn stoel en haalde nog een vuurwapen tevoorschijn. Dit keer een pistool. 'Ik heb een paar aandenkens aan de goede oude tijd bewaard,' lichtte hij toe terwijl hij de loop op Fox' borst gericht hield.

'Je vergeet de getuigen,' verklaarde Fox. 'Om te beginnen het observatiebusje.'

'Als plan is het niet helemaal waterdicht,' erkende Pears.

'Is het soms de bedoeling dat ik me door mijn kop schiet?'

'Jij gaat jezelf verhangen.'

'Echt waar?'

'Op de plek van je obsessie. Bij jou thuis ben ik genoeg bewijzen van je bezetenheid tegengekomen – al die papieren, een computer vol bizarre veronderstellingen. Je raakte bezeten van Francis Vernal. Tel daar je recente problemen op het werk bij op, een kwakkelende vader...'

'Dus besluit ik er een eind aan te maken?' Fox zag Pears knikken. 'En wat doe jij al die tijd?'

'We zijn hier samen naartoe gereden. Jij spuide de ene krankzinnige theorie na de andere. Toen dwong je me naar deze plek te rijden omdat je dacht dat die iets bij me los zou maken. Vervolgens draaide je finaal door en rende je het bos in. Ik besloot je aan je lot over te laten en ben naar huis gereden.'

'Vroeg of laat komt het allemaal uit – jij en Alice, Vernal en Alan Carter...'

'Er zullen zeker geruchten de kop opsteken,' beaamde Pears. 'Maar ik betwijfel of de media er veel werk van zullen maken.' Hij zweeg een paar tellen. 'Ik heb een heel legertje advocaten tot mijn beschikking, en tegenwoordig is het helemaal in om met gerechtelijke dwangmaatregelen te zwaaien. Geloof me, je kunt het mij wel toevertrouwen dat er bijzonder weinig van uitlekt. Waarom gooi je je mobieltje niet op de achterbank? Dat heb je toch niet meer nodig.'

Fox aarzelde. Pears porde met de punt van de loop tussen zijn ribben. Fox deinsde achteruit, haalde zijn telefoon tevoorschijn en mikte die in de opening tussen de beide stoelen.

'Uitstappen,' gelastte Pears. Terwijl hij het pistool op Fox gericht hield maakte Pears zijn portier open. Fox klikte zijn veiligheidsgordel los en stapte uit. De lucht was koud en schoon: plattelandslucht. Ze stonden naast de kleine steenstapel ter nagedachtenis aan Francis Vernal.

Een patriot.

Het was een verlaten B-weg. Misschien dat er over een halfuur of zo weer eens een auto langs zou komen. Dat bood Pears ruim voldoende tijd om hem te executeren – en zonder getuigen. Ergens in de verte klonk geblaf, een hond misschien of een vos. Fox wenste dat hij meer weg had van zijn naamgenoot uit het dierenrijk: vlug en rank en behendig.

En sluw. Er was altijd nog sluw.

Pears sloot het portier aan de bestuurderskant, liep om de Maserati heen naar Fox' kant van de wagen en sloeg de passagiersdeur dicht.

'Dat zal niet vaak gebeuren, dat hier een dure sportwagen geparkeerd staat,' merkte Fox op. 'Weet je zeker dat je hem niet op een minder in het oog springende plek wilt achterlaten?'

'Het moet maar,' antwoordde Pears. 'Vooruit, we gaan.'

'Je hebt geen touw bij je,' zei Fox.

'Dat ligt op ons te wachten.' Met zijn pistool gaf Pears de richting aan.

'Dit heb je beter gepland dan ik je had toegedicht.'

'Een tijdje terug las ik iets. Over een man die ergens een bos in was gelopen. Hij was te oud om de strop over een hoge tak te slingeren, dus knoopte hij hem aan een lagere, stak zijn hoofd erdoorheen en leunde uit alle macht naar voren...'

'Dus dat is wat me te wachten staat? Zo te horen ben ik beter af als ik weiger en voor een kogel kies. Op die manier kom jij tenminste ook meteen als verdachte in beeld.'

Pears haalde zijn schouders op. 'Het is mijn woord tegen het jouwe, behalve dan dat jij straks niets meer zegt. Een lijk kan hier jaren liggen zonder dat iemand het vindt.' Hij gebaarde weer naar het bos. 'Maar laten we daar nu nog niet op vooruitlopen. Laten we eerst maar een stukje wandelen...'

Fox deed een paar stappen naar voren, tot op een armlengte van de eerste rij bomen. 'Er was iets wat niemand leek te weten...' Hij probeerde verslagen te klinken, alsof hij zich met zijn lot verzoend had.

'Wat?'

'Maar jij wel, neem ik aan.'

Geïntrigeerd herhaalde Pears zijn vraag.

'De precieze boom waar Vernals wagen tegenop geknald is.'

Pears dacht een ogenblik na. 'Die daar waarschijnlijk,' antwoordde hij, wijzend met de revolver. Op het moment dat het wapen van Fox wegdraaide kwam hij in actie. Hij greep Pears bij zijn pols en draaide die met een ruk om. Pears hapte naar adem en spreidde onwillekeurig zijn vingers. Toen het wapen op de grond ketste schopte Fox het met zijn voet weg. Maar Pears was de sterkste van de twee – tijdens de worsteling wist hij een paar goede uithalen te plaatsen. Al na een paar seconden had Fox door dat hij dit gevecht niet zou winnen, althans niet in een handgemeen. Hij zag de revolver nergens liggen, dus gaf hij Pears een harde duw en zette het op een lopen.

Pears kwam hem niet achterna, althans niet onmiddellijk, wat Fox net voldoende tijd gaf tussen de bomen te verdwijnen. Hij was zo'n acht, negen meter bij hem vandaan – de duisternis werkte in zijn voordeel – toen een kogel op een paar centimeter van zijn linkerschouder een stuk boomschors verbrijzelde. Een splinter boorde zich in Fox' wang en brandde als een gek. Hij liet hem rustig zitten terwijl hij zo goed als het ging tussen de bomen door laveerde.

Hij had geen idee hoe diep het bos was of hoe lang het zou duren voordat hij in het open veld kwam, waar hij een makkelijk doelwit zou vormen. Aan de hemel stond een halve maan, verduisterd door een laag langsschietende wolken. Maar er was genoeg licht om te kunnen zien. Genoeg licht voor Stephen Pears.

Een kogel die zich in een boom geboord had: bewijsmateriaal dat erop wachtte gevonden te worden. Maar zou iemand het ook vinden? Al waren de tijden veranderd, de politie kon nog steeds slordig zijn. Hij klopte op zijn zakken. Als hij creditcards en dergelijke zou gaan rondstrooien liet hij weliswaar een spoor voor de technische recherche achter, maar ook voor Pears. Een volgende kogel floot rakelings langs hem en spatte in de schors. Pears was behoorlijk gezet; die maakte vast geen overmatig gebruik van de fitnessruimte in hun huis – het moest Fox toch lukken om hem voor te blijven.

Maar dat deed er niet toe; het waren de kogels die hij voor moest blijven, en dat zat er niet in.

Dan maar proberen hem te slim af te zijn, maar hoe? De weg was zijn beste kans. Het hing allemaal van die ene verdwaalde auto af die hier langs zou komen, maar na alle pech moest het hem toch ook een keertje meezitten... Een andere mogelijkheid was terugkeren naar de Maserati. Pears had de portieren niet afgesloten. Fox kon zich niet herinneren of hij de sleutel in het contact had laten zitten. Zijn mobiel lag op de achterbank. Net als het recordertje dat hij van Naysmith geleend had. Dat had hij daar samen met de batterijenset achtergelaten, na het eerst te hebben aangezet. Alles wat in de auto gezegd was zou erop staan, althans zo hoopte hij, en als het even kon verstaanbaar.

Maar daar had hij alleen iets aan als Pears het niet vond...

Nog een schot, nog een misser. Zou een boer het misschien gehoord hebben? Of een stroper? Zweet sijpelde over Fox' rug. Hij kon zijn jasje uittrekken, maar dat was donkerder dan zijn overhemd en hij wilde zijn achtervolger niet een nog uitnodigender doelwit bieden. Zijn borst deed pijn. Hij herinnerde zich de steken in zijn zij van de keer dat hij over de Forth Roadbrug gehold had. Steken of niet, deze keer moest hij in beweging blijven.

Het vierde schot trof echter doel. Hij voelde de schok tegen zijn linkerschouder. De kogel schoot erin en eruit en verlamde hem een ogenblik. Zijn benen begaven het bijna, maar dat stond hij ze niet toe. Een brandend gevoel, gevolgd door pijnscheuten die dwars door zijn arm naar zijn vingertoppen uitstraalden.

Hij zette zijn tanden op elkaar. Wist dat hij nu niet kon stilvallen, geen moment. Met zijn rechterhand pakte hij zijn linker beet en wiegde die tegen zijn borst.

En rende.

En waagde een blik over zijn schouder, maar zag geen spoor van Pears. Hij besefte dat hij opgejaagd werd. Pears was niet in paniek geraakt. Die ging als altijd methodisch te werk. Die wachtte af, luisterde, schatte zijn kansen in. Die putte zijn prooi uit. Liet Fox in kringetjes rondrennen om hem dan af te schieten. Fox vervloekte zijn eigen domheid en bleef in beweging. Beelden schoten door zijn hoofd: Mitch en Jude, Imogen en Charles Mangold. Mangold, door wie hij in deze situatie verzeild was geraakt.

Ach, maak dat de kat wijs – hier kon hij alleen zichzelf de schuld van geven.

Paul en Alan Carter...

Scholes en Haldane en Michaelson...

Evelyn Mills en Fiona McFadzean...

De protagonisten in het drama van zijn leven en dood.

Alice Watts die langzaam in Alison Watson veranderde.

Hawkeye die zich schuilhield achter de ogen van Stephen Pears.

Inspecteur Jackson, de bewaarder van staatsgeheimen.

Chris Fox.

Om dan weer van voren af aan bij Mitch en Jude te beginnen.

Ze kolkten door zijn hoofd terwijl hij door een stuk bos rende dat merkbaar opliep. Rottend mos en gebladerte onder zijn voeten. Elke hap adem die zijn afgematte longen binnenzogen smaakte naar leem.

'Fox!'

Uit Pears' kreet leidde Fox af dat de man zo'n vijfentwintig, dertig meter bij hem vandaan was. Ook duidde die op irritatie, wat hem een zweempje hoop gaf. Hij probeerde te glimlachen, maar het lukte niet. In plaats daarvan gleed zijn tong over zijn lippen. Zijn speeksel voelde kleverig, als behangplaksel.

En hij rende.

'Fox!'

Schreeuw maar lekker, maat: dan weet ik waar je bent.

Elke beweging joeg een scheut van pijn door zijn schouder. Bloed druppelde op zijn broek en schoenen. Alleen de gedachte al maakte hem misselijk. Hij slikte moeizaam en proefde ijzer en gal. Toen hij op een open plek stuitte, hield hij heel even stil om naar de strop te staren die, vrijwel op één lijn met zijn ogen, aan een boomtak bungelde. Het uiteinde van het touw was om de boomstam gewikkeld en vastgeknoopt.

Wegwezen, Malcolm.

Een steilere helling, een enkele rij bomen en toen een kloof. Hij wist dat het de weg moest zijn. Met zijn rechterhand klauwde hij in de grond om zich omhoog te slepen. Toen hij zich oprichtte stond hij op een paar centimeter van het asfalt. Hij keek links en rechts. De kofferbak van de Maserati was nog net zichtbaar. De rest van het voertuig was door de bocht in de weg aan het zicht onttrokken. Fox rende de andere kant uit. Hij bevond zich nu op open terrein. Geen spoor van verkeersgeluiden, geen glimp van koplampen in de verte. Zijn ogen prikten en hij veegde het zweet weg. Hij kon altijd nog het bos aan de andere kant van de weg in schieten. Daar was hij veiliger, maar ook geïsoleerder.

Wacht...

De hemel klaarde op. Hij kon de boomlijn onderscheiden, scherp afgetekend tegen de nacht. En nu hoorde hij ook het vage gebrul van een motor. Hij herinnerde zich de plaatselijke snelheidsduivels, dezelfde jongeren die hun namen in de gedenkplaat hadden gekerfd. Zouden ze voor hem stoppen? Waren hun remmen opgewassen tegen hun reactiesnelheid? Dat moest er verdomme nog bij komen ook: met pijn en moeite aan een schutter ontkomen om dan door een puisterige tiener in een bolide met een superopgevoerde Cosworth-motor overhoop te worden gereden.

Het gebrul werd onmiskenbaar luider. De wagen bevond zich op een stuk rechte weg. Hij begon zijn jasje uit te trekken – het lichtere overhemd kon nu wel eens in zijn voordeel werken.

'Fox!'

Fox draaide zich om. Pears maakte een allemachtig chagrijnige indruk. Terwijl hij uit het bos opdook bungelde het pistool ergens langs zijn zij. Fox kreeg de indruk dat hij gestruikeld en gevallen was. Hij trok onmiskenbaar met zijn been en zijn kleren en gezicht waren besmeurd.

Pears haalde een paar keer diep adem, rechtte zijn rug en hief het pistool. Fox was nauwelijks tien meter bij hem vandaan. Maar de auto kwam snel dichterbij. Fox zwaaide met zijn goede arm. Op hetzelfde moment dat Pears het wapen op hem richtte, kwam ook de wagen in zicht, de koplampen flikkerend van groot licht naar gedimd en weer terug, de claxon luid loeiend. Een kleine auto met een grote motor. Fox probeerde zijn ogen af te schermen. Vanuit zijn ooghoeken zag hij Pears hetzelfde doen. De wagen slingerde en slipte en kwam dwars over de weg tot stilstand. De passagiers-deur vloog open.

'Hé maat, wou je d'r soms een eind aan maken?'

Het was nog een joch, hooguit zestien. Een diepe bas dreunde uit de wagen. De bestuurder liet de motor in zijn vrij draaien, en terwijl ook hij uitstapte sloot een andere auto achter de zijne aan. Meer jongeren die uitstapten. Meer bulderende muziek.

Fox staarde Pears aan. Het pistool was niet langer zichtbaar. Dat hield hij achter zijn rug verborgen. Pears schuifelde achterwaarts, klaar om zich uit de voeten te maken.

'Is dat bloed?' vroeg iemand aan Fox. 'Heb je soms je motor in de prak gereden of zo?'

Pears was uit het zicht verdwenen. Fox vroeg de passagier of hij zijn mobiel mocht gebruiken.

'Ja, natuurlijk.'

Maar Fox' hand trilde te erg, zijn vingers glibberig van het bloed. Dus dreunde hij het nummer op, toetste de tiener het in en hield die de telefoon tegen Fox' oor gedrukt terwijl hij met Tony Kaye begon te praten.

Een paar minuten na de zwaarbewapende politie-eenheid kwam de Mondeo aanzetten. Fox had de vier agenten snel over de belang-rijkste zaken bijgepraat: het type wapen, het aantal afgevuurde ko-gels, de richting waarin de schutter verdwenen was. De tieners wa-ren blijven rondhangen, zij het een tikkeltje argwanend dat er ondanks Fox' garanties toch verborgen motieven speelden. Ze leun-den tegen hun auto's, staken sigaretten op en hadden veel aandacht voor het wapentuig. Toen eentje een foto probeerde te nemen was een waarschuwende vinger voldoende om hem van zijn voornemen af te brengen.

Tony Kaye stapte als eerste uit de Mondeo, gevolgd door Joe Naysmith. De laatste van de gewapende agenten verdween juist het bos in toen zij op Fox af liepen.

'Doet het pijn?' vroeg Naysmith terwijl hij naar de wond knikte.

'Als de neten,' liet Fox hem weten.

'Is er al een ambulance gebeld?'

Fox schudde zijn hoofd.

'Je hebt wel wat bloed verloren.'

'Een schampschot,' stelde Kaye vast, toen hij een vluchtige blik op Fox' schouder wierp. 'Moeten we niet eens gaan kijken wat ze daar uitspoken?' Hij gebaarde naar het bos.

Na een korte aarzeling knikte Fox instemmend. 'Jullie blijven hier,' gelastte hij de tieners. 'En er wordt niet getelefoneerd of ge-sms't. Begrepen?'

In het bos was het stil: geen stemmen, geen schoten. Slechts het geluid van twijgjes die onder hun voeten knapten.

'Jullie waren er snel bij,' zei Fox.

'Er zat een snelheidsmaniak achter het stuur,' antwoordde Naysmith.

'Wat had hij voor je in petto?' vroeg Kaye, die zich een weg door de opdringende takken baande.

'Ik mocht mezelf opknopen.'

Kaye schudde zijn hoofd. 'Ik dacht dat die kerel geacht werd beroeps te zijn.'

'In het verleden wist hij ermee weg te komen.'

'Overmoed?' veronderstelde Naysmith. Toen: 'Wat doen we als wij hem eerder vinden dan die zwaarbewapende jongens?'

'Wij zijn met zijn drieën,' snauwde Kaye. 'Of we nu gewapend zijn of niet, ik ben helemaal in de stemming om hem eens goed te grazen te nemen.'

'Weet je zeker dat het goed met je gaat?' vroeg Naysmith, die opgevallen was hoe wankel Fox liep.

'Alleen een beetje duizelig.' Naysmith wilde hem ondersteunen. 'Ik red me wel, Joe. Echt.' Met zijn onbebloede mouw veegde hij het zweet van zijn gezicht. Toen Kaye Fox vroeg welke kant ze op moesten wilde Fox zijn goede schouder ophalen, maar hij stopte halverwege toen er een kreet klonk. Zo te horen een van de agenten die een waarschuwing afgaf.

'Die kant op, zou ik denken,' opperde hij.

De drie mannen zetten er nog wat steviger de pas in. Ergens voor zich hoorden ze meer stemmen, stemmen die zich zo te horen verplaatsten. Fox had het gevoel alsof hij zijn route vrijwel stap voor stap in omgekeerde volgorde aflegde. Een deel van zijn hersenen droeg hem op te stoppen, maar hij bleef voortstrompelen terwijl het zweet van zijn lijf gutste.

Alle drie hoorden ze de motor tot leven komen. Een laag gebrom dat in een gebrul overging.

'De Maserati?' raadde Naysmith.

En inderdaad stonden daar de bewapende agenten, de pistolen gericht op de voorruit van de sportwagen. Niet dat dit afdoende was om de gestalte in de bestuurdersstoel tot andere gedachten te dwingen. De Maserati glibberde achteruit, draaide om zijn as en spoot met gedoofde koplampen weg.

'Naar de patrouillewagen,' blafte een van de agenten tegen zijn collega's. 'Ronnie, bel de centrale.'

'Wat vind jij?' vroeg Kaye aan Fox. 'De Mondeo zou hem best eens partij kunnen geven.'

'Maar eerst moet Malcolm opgelapt worden,' maande Naysmith.

Kaye sloeg geen acht op zijn woorden en wachtte op Fox' besluit. Toen klonk het geluid van krijsende banden, gevolgd door de daverende dreun van de botsing.

43

Alweer het Victoria Ziekenhuis.

Fox twijfelde er niet aan dat journalist Brian Jamieson ergens in de buurt liep rond te snuffelen. Fox' schouderwond was schoongemaakt en gehecht. Pijnstillers suisden door zijn lijf en hij had een doktersrecept op zak voor nog meer. Zijn schouderwond was verbonden en hij voelde een doffe pijn wanneer hij zijn linkerhand probeerde te bewegen. Zijn jasje en overhemd waren in bewijszakken geëindigd. Zodra het licht was zouden technisch rechercheurs zich naar het bos reppen om de kogelhulzen, het pistool en de strop op te sporen.

In de auto was geen wapen aangetroffen. Dat had Pears zeker ergens geloosd. Fox was nu in de kamer van de gewonde man. Er stond maar één bed. Een van de artsen had zijn verwondingen opgesomd: een paar gebroken ribben, twee kapotte knieën en een bont en blauw gezicht.

'Daarom moet je nou altijd een veiligheidsgordel dragen,' had de dokter verklaard.

Een kooi van draadstaal zorgde dat de dekens niet op de benen van de patiënt drukten. Hij had zijn ogen opengedaan toen Fox de kamer binnenkwam. Voor de deur hield een politieagent de wacht. Die had Fox' naam genoteerd en diens politiepas grondig bestudeerd. Fox kon het hem niet kwalijk nemen: de geleende trui met capuchon en de ruimvallende joggingbroek behoorden niet bepaald tot de standaarduitrusting van een agent.

'Volgens mij slaapt hij,' had de agent gezegd.

Maar voor Fox was Stephen Pears wakker.

'Dat pistool vinden we wel,' zei Fox tegen hem.

'En wat bewijst dat helemaal? Dat ik zo bang voor je was dat ik niet zonder durfde?'

'Jij was bang voor mij?'

'Voor jou en je bizarre theorieën.' Pears probeerde zijn keel te schrapen, maar zijn mond was uitgedroogd. Hij keek naar de waterkan naast zijn bed, maar Fox was niet van zins hem van dienst te zijn.

'Je denkt toch niet echt dat je daarmee wegkomt?' vroeg hij in plaats daarvan.

'Je had me net van moord beschuldigd,' ging Pears verder. 'Ik moest van jou naar de plek rijden waar Francis Vernal aan zijn einde was gekomen. Ik raakte in paniek, dacht dat je voor mij eenzelfde lot in petto had.' Hij keek Fox indringend aan.

'En daar moet ik het mee doen?'

'Het is alles wat je van me krijgt.'

Fox keek toe hoe Pears zijn hoofd langzaam van hem weg draaide. Dat ging gepaard met een nauwelijks hoorbare kreun van pijn. Fox wachtte af in de wetenschap dat een andere bezoekster elk moment haar opwachting kon maken. Alsof het zo afgesproken was vloog de deur open. Alison Pears liep Fox straal voorbij en beende met grote passen naar het bed.

'Stephen!' Ze boog zich over haar echtgenoot en drukte een stevige kus op zijn wang. 'Wat is er in godsnaam gebeurd?'

'Het is toch niet te geloven dat ze me hier alleen laten met die maniak,' antwoordde Pears. Ze richtte zich op en wendde zich naar Fox.

'Je man was van plan me te vermoorden,' liet hij haar weten. 'Net zoals hij Francis Vernal en Alan Carter vermoord heeft. Toen een strop niet afdoende bleek heeft hij het met een pistool geprobeerd.'

'Opzouten,' gelastte ze.

Fox schudde langzaam zijn hoofd. Alison Pears kneep haar ogen tot spleetjes. 'Dat is een bevel, inspecteur.'

Fox staarde net zo strak terug. 'Ik vraag me af hoe lang je het al wist. Want je weet het toch, of niet soms?'

'Wat moet ik weten?'

'Dat je met Hawkeye getrouwd bent. Had je het al voor de bruiloft uitgeknobbeld of pas erna? Ik vraag me af of jullie er ooit zelfs maar over gepraat hebben. Het is tenslotte allemaal voltooid verleden tijd; jullie waren allebei andere mensen toen. En er was geen reden om oude koeien uit de sloot te halen. Gelukkig, gezond, rijk... Het succes lachte jullie toe...'

'Ik sta erop dat je nu weggaat.' Haar stem klonk bijna als een grauw, zowel haar boven- als ondertanden waren ontbloot.

'Zodat jullie je verhalen op elkaar kunnen afstemmen?' veronderstelde Fox. 'Alles wat jullie zo knap hebben opgebouwd kunnen jullie toch niet laten instorten – is dat soms wat je denkt?'

'Ik zei toch dat hij krankzinnig is,' zei Stephen Pears klaaglijk. 'Het is een volslagen obsessie voor die vent.'

'Ja, die indruk krijg ik ook,' beaamde zijn vrouw op zachtere toon. 'Een paranoïde obsessie, hij ziet overal samenzweringen.'

'Overal,' galmde haar man.

Het was stil in de kamer. Fox was niet van plan te wijken. Hij knikte langzaam.

'Jullie gaan dit aanvechten?' vroeg hij.

'Tot het bittere einde,' antwoordde Alison Pears.

Fox knikte opnieuw, haalde het digitale recordertje uit zijn zak en drukte op afspelen. De speaker was minuscuul, maar met het volume op maximaal was het gesprek duidelijk te volgen.

Dus je gaat me vertellen waarom je Francis Vernal vermoord hebt?

Daarvoor moeten we nog wat verder terug. Eerst moet je begrijpen hoe het tijdens de jaren tachtig werkelijk was...

Fox spoelde een stukje door en klikte weer op spelen.

Nou ja, dat geld heb ik meegenomen...

Wat zoveel wil zeggen dat het je om Alice Watts te doen was.

Terwijl zijn ogen die van Alice Pears gevangen hielden spoelde hij de opname nog wat verder door.

Had Alan Carter iets over jou boven water gekregen?
Hij was op Alisons naam gestuit.
En verder.
Een akelig klein ettertje. Daar viel niet mee te praten.
Fox zette het apparaat uit en hield het tussen zijn duim en wijs-
vinger geklemd. Alison Pears leek een paar tellen verstijfd, haalde
vervolgens diep adem om zich toen pas naar het bed te wenden.

'Je bent een stommeling, Stephen, en het begint ernaar uit te zien
dat je dat altijd al geweest bent.'

Pears had zijn ogen dichtgeknepen, alsof elk woord een nieuwe
pijnscheut door zijn lichaam joeg. Ze torende hoog boven hem uit,
haar handen om de metalen reling van het bed geklemd, terwijl ze
haar ademhaling langzaamaan weer onder controle kreeg. Het
bloed was naar haar wangen gestegen en ze wreef met haar vingers
over de rode vlekken alsof ze ze wilde uitvlakken. Haar tong gleed
over haar lippen en ze keek Fox opnieuw aan.

'Ik had hier geen enkele weet van,' verklaarde ze. 'Dit is een totale, volslagen verrassing voor mij.' Ze trok haar jasje recht en
streek een paar verdwaalde haren op hun plek. Het deed Fox denken aan de transformatie waarvan hij in haar studeerkamer getuige
was geweest, toen ze de telefoon had beantwoord.

'Jullie doen absoluut niet voor elkaar onder,' merkte hij op. 'Het
valt nauwelijks uit te maken wie van jullie de koudste kikker is.'
Zijn mond vertrok weer terwijl hij Alison Pears strak bleef aankijken. 'Tja, als jullie het zo willen spelen... jullie vertellen jullie verhaal, ik het mijne. Maar hoe het ook uitpakt, uiteindelijk ben je
wel met een moordenaar getrouwd, en ik vraag me af of zoiets wel
samengaat met de functie van korpschef. Dat zou zomaar een affaire
voor Interne Zaken kunnen worden...' De recorder zat weer in zijn
zak. Met zijn goede hand opende hij de deur. De dienstdoende agent
deed zijn best niet al te veel belangstelling aan de dag te leggen voor
het tumult dat hij zojuist gehoord had. Terwijl Fox de gang in stapte,
keek hij nog even om naar Stephen Pears. Maar diens ogen waren
nog steeds gesloten, dus zwaaide Fox de deur dicht en liet hem aan
zijn lot over.

VEERTIEN

44

Het was niet bepaald een grootse thuiskomst. Fox' pa lag in zijn bed in de huiskamer te slapen. Jude was er nog niet aan toegekomen de boel aan kant te brengen. Ze moest de rondzwervende borden en bekers nog naar de keuken brengen, tijdschriften nog in een zak voor het oud papier stoppen. Ze drukte een vluchtige zoen op zijn wang en zei blij te zijn dat hij er weer was.

'Hoe lang ben je met ziekteverlof?' vroeg ze.

'Ik kan voorlopig voor pa zorgen, als je dat soms bedoelt.'

'Dat bedoelde ik niet,' zei ze zonder hem aan te kijken. Zijn benen waren stijf van al het rennen en in zijn longen huisde een laatste restje branderig gevoel. Elke paar minuten flitsten beelden van de gebeurtenissen door zijn hoofd, maar voor iedereen die hem vroeg hoe het ging had hij hetzelfde antwoord klaar: 'Prima.'

Tot dusver had hij alle nieuwsberichten op tv vermeden. Evelyn Mills, Fiona McFadzean en Charles Mangold hadden boodschappen op zijn mobiel achtergelaten. Hij had ze afgeluisterd maar niet teruggebeld. Ook de sms'jes had hij niet beantwoord – wat viel er helemaal tegen ze te zeggen? Hij voelde zich in het bijzonder schuldig over het negeren van Evelyn Mills, maar wist niet hoe hij het anders aan moest pakken. Er waren al te veel relaties om hem heen stukgelopen en hij was niet van plan zijn steentje aan de algehele misère bij te dragen.

Jude schonk thee in terwijl hij op de bank naar zijn vader zat te kijken. De borst bewoog op en neer. De mond was een beetje opengezakt. Mitch' haar was aan een wasbeurt toe en de kamer rook vaag naar talkpoeder.

'Is er nog wat gebeurd?' vroeg hij Jude toen ze hem zijn mok aanreikte.

'Een hele berg telefoontjes, maar dat is het wel zo'n beetje. En een van de buren kwam langs om te vragen of het een beetje met je ging. Een of andere oude knar van de overkant.'

'Mr. Anderson,' zei Fox.

Ze knikte zonder hem echt te horen. 'Ik ben in elk geval blij dat je er bent,' zei ze. 'Dan wip ik even naar de winkel voor een pakje peuken.'

'Nog altijd tien per dag?'

'Ga je me nu de les lezen?'

Fox schudde zijn hoofd. 'Ga maar gauw,' zei hij.

In minder dan geen tijd schoot ze haar jas aan en vroeg hem of hij iets nodig had. Hij schudde opnieuw zijn hoofd. Toen ze aarzelde wist hij dat ze geld nodig had, dus diepte hij een twintigje uit zijn zak op.

'Bedankt,' zei ze. 'Weet je zeker dat ik geen tomatensap of zo voor je mee hoef te nemen?'

'Ja.'

De deur viel achter haar dicht en Fox was alleen met zijn vader. Hij verwijderde wat rommel van de stoel naast het bed, ging zitten en nam zijn vaders hand in de zijne. De oogleden trilden en het ritme van de ademhaling veranderde, maar hij werd niet wakker. Fox haalde de foto uit zijn zak, die waarop Chris Francis Vernal stond aan te moedigen. Hij schreef hun beider namen op de achterkant en stopte hem in de schoenendoos. Op de schoorsteenmantel zag hij een halfje whisky staan, met daarnaast een halve wodka. De wodkafles – Judes favoriete drankje – was bijna leeg, de fles whisky zo goed als vol. Fox staarde naar de beide flessen, stond op en liep ernaartoe. Hij draaide de dop van de whiskyfles, stak zijn neus in de geopende hals en ademde diep in en uit. Hij bedacht hoe makkelijk het was een slok in zijn mond te gieten en de smaak op zich in te laten werken alvorens door te slikken. Maar in plaats daarvan liep hij terug naar het bed, doopte een vinger in het vocht en bevochtigde er zijn vaders lippen mee. De oogleden trilden opnieuw.

'Kijk, daar knapt een mens nou van op,' zei Mitch Fox terwijl hij zijn ogen opende en zijn zoon glimlachend aankeek. 'Schenk me eens een behoorlijk glas in, wil je.'

Fox sprak hem niet tegen. Hij pakte een paar schone glazen, waarvan hij er één voor zichzelf met kraanwater vulde.

'Denk erom, dat blief ik niet, hè,' maande zijn vader.

Fox schonk drie centimeter whisky in een glas en gaf het aan Mitch. Het lukte zijn vader zonder hulp rechtop te gaan zitten en hij hief het glas in een proostend gebaar.

'Op ons,' zei hij. 'Wie kan er aan ons tippen?'

'Maar weinigen,' vervolgde Fox de klassieke Schotse toost. 'En die zijn allemaal dood...'

Hij keek toe hoe zijn vader zijn whisky dronk. 'Ik kan een echte rechercheur zijn als ik wil,' zei hij zachtjes. 'Als je dat maar weet.'

'Zo goed ben je nu ook weer niet, anders had je nu geen kogelgat in je donder.' Mitch hield zijn lege glas op, met zijn ogen smekend om een tweede.

'Als ik je dronken voer, maakt Jude me af.'

'Dan sterf je voor een goede zaak.'

'Ware woorden, lijkt me zo.' Dus schroefde Fox de dop van de fles en schonk nog eens bij.